S0-EOK-203

LA MAISON DE SAVOIE

*

LES ORIGINES
LE COMTE VERT – LE COMTE ROUGE

DU MÊME AUTEUR

★

A paraître :

LA MAISON DE SAVOIE : AMÉDÉE VIII

MARIE JOSÉ

LA MAISON DE SAVOIE

LES ORIGINES
LE COMTE VERT - LE COMTE ROUGE

Préface
de
BENEDETTO CROCE

ÉDITIONS ALBIN MICHEL
22, rue Huyghens, 22
PARIS

IL A ÉTÉ TIRÉ DE CET OUVRAGE :
80 EXEMPLAIRES SUR VÉLIN PUR
FIL DES PAPETERIES D'ARCHES
DONT 10 EXEMPLAIRES NOMINATIFS
NUMÉROTÉS DE I A X ET 70 EXEMPLAIRES NUMÉROTÉS ARCHES 1 A 70;
112 EXEMPLAIRES SUR VÉLIN
CHIFFON DES PAPETERIES DU
MARAIS, DONT 12 EXEMPLAIRES
NOMINATIFS NUMÉROTÉS DE I A XII
ET 100 EXEMPLAIRES NUMÉROTÉS
MARAIS 1 A 100.

Droits de reproduction, de traduction et d'adaptation
réservés pour tous les pays.
Copyright by Éditions Albin Michel, 1956.

A LA MÉMOIRE

du

Valeureux et chevaleresque

AMÉDÉE DE SAVOIE

DUC D'AOSTE

(21 octobre 1898 – 3 mars 1942)

> « Bons chevaliers font bons princes et bons princes font bons chevaliers et par bonté de prince et de chevalier est bon peuple ; et par le contraire sont guerres, mort, robberies et les autres maux par quoy le monde est en tant tourbe estat. »
>
> THOMAS III DE SALUCES : *Le chevalier errant*
> (manuscrit français de 1396).

PRÉFACE

J'AI été vivement ému à la nouvelle que Marie José, dernière Reine d'Italie, s'adonnant à l'Histoire, écrivait celle de la Maison de Savoie. Elle y entra bien tard, venant de sa Belgique natale, et à un moment fort dangereux de la vie de l'Europe, qui attendait une nouvelle guerre, pour assumer avec la gloire du nom la responsabilité et les devoirs d'une situation incertaine. Personne, de nos jours, ne se préoccupait de cette Histoire, bien que n'eussent pas manqué les provocations qui auraient dû éveiller le désir d'une réponse. Dans leur nombre, je me rappelle un opuscule publié en Amérique par un professeur italien, qui dans ces pages donnait un exemple insigne de grossièreté morale et d'ignorance historique. A l'instant où je dis cela se pressent dans ma mémoire d'innombrables souvenirs de faits et d'anecdotes propres à représenter l'exceptionnelle union des souverains et du peuple que révèle l'histoire de la Maison de Savoie. Souvenirs sublimes, gais ou affectueux.

Emmanuel-Philibert délivre le Piémont de l'invasion étrangère et le renouvelle dans sa constitution politique, dans son administration, dans ses mœurs, dans l'organisation des études et surtout dans celle de la milice et de *l'armée permanente. C'est en celle-ci que paraît la force qui traversera les deux siècles suivants, se développant et se perfectionnant toujours, et qui enfin, au* XIXe *siècle, donnera la main à l'armée de l'Italie entière. Mais dans les premiers temps de cette réforme le souverain s'avise de ceci : les paysans auxquels il avait remis des armes pour leur instruction militaire se servaient des morions et des boucliers en guise de marmites et de poêles pour faire leur cuisine ! Et il doit aussitôt s'employer à la rectification de cet usage trop simpliste.*

La noblesse piémontaise se presse autour du duc Victor-Amédée II (il était duc de Savoie, mais pas encore roi de Sardaigne) qui devait se rendre au Portugal pour y épouser la reine de ce pays, où il séjournerait longtemps. Il s'agissait d'une entente entre Madame Royale, mère de Victor-Amédée, et sa sœur, reine de Portugal. Mais le Piémont, craignant de perdre son duc, était en proie à une agitation très vive et, tacitement aidé par Victor-Amédée en personne, il fit tant qu'il fallut renoncer à ce projet. Dans la conversation finale, qui emporte la décision, un des gentilshommes réunis autour du prince dit en riant : « Pourquoi Votre Altesse cherche-t-elle d'autres sujets que nous ! Où pourra-t-elle en trouver de plus nigauds ? » Mais ce peuple se serrait autour de son chef chaque fois qu'il y avait péril, et au siège de Turin en 1706, une chanson disait :

Févi curage, Piemonteis, vui atir, Piemunteis !
Battiruma li Spagnoi e isti bugher di Franceis[1] !

En temps de paix, il attirait par sa disposition politique l'attention des observateurs, et le marquis Carac-

---

1. Prenez courage, Piémontais, vous autres, Piémontais ! Nous battrons les Espagnols et ces bougres de Français !

ciolo, *très intelligent ambassadeur napolitain, envoyé au Piémont en 1756 par Tanucci, pouvait écrire* : « *Il est étonnant de constater que l'esprit de la Cour vivifie la population et s'y communique à toutes les classes* : mens agitat molem. *Les hommes d'autres nations ont si divers de philosophie et de maximes ! Mais ici ils semblent faits sur le même patron.* » *On possède une comédie écrite par un courtisan de Madame Royale, Tana, marquis d'Entrague, qui fut maître de la Maison de la Reine* : Il Cônt Piôlett, *qui reflète le sentiment idyllique de cette époque et que jusqu'ici j'ai cherché vainement à faire entrer dans le patrimoine national. Caracciolo prenait en exemple l'esprit piémontais pour combattre l'appréciation indulgente de son supérieur Tanucci sur la politique neutraliste de Venise qui, lorsqu'à la fin du siècle elle perdit son indépendance et passa sous la domination étrangère, trouva en Italie assez peu de pitié chez les hommes politiques.* « *Les Vénitiens se repentiront un jour* — *avait écrit Caracciolo* — *d'avoir extirpé les vertus militaires du cœur de leurs citoyens. Le système des Piémontais est beaucoup plus recommandable et plus conforme à la gloire et au nom italiens.* »

Parmi les sujets du Piémont, il y avait eu Vittorio Alfieri, poète qu'animait la haine des tyrans et qui de leur nombre n'excluait pas les rois absolus. Mais un scrupule le contraignit à faire une exception pour ses princes, déclarant dans son autobiographie : « *Bien que je n'aime point du tout les rois en général, et d'autant moins qu'ils sont plus arbitraires, je dois dire cependant avec ingénuité que la race de nos Princes est excellente au total et le paraît surtout en comparaison de presque toutes les dynasties qui règnent présentement sur l'Europe. Et puis, au fond du cœur, je me sentais de l'affection pour eux plutôt que de l'aversion, du fait que tant le roi actuellement régnant que son prédécesseur ont les meilleures intentions, sont d'un caractère estimable et honnête, tout digne d'être donné en exemple et font au pays plus de bien que de mal.* » *Quand, aux dernières années de sa vie, son roi, Charles-Victor-Emmanuel IV, était en exil à Florence, il lui rendit visite ; le roi l'accueillit alors par ces paroles qui étaient une critique enveloppée et mélancoliquement enjouée :* « *Comte Alfieri, vous voyez un tyran !* »

Ce Charles-Emmanuel, qui avait épousé la princesse Clotilde, sœur de Louis XVI (la sainte reine Clotilde), réussit à dompter, sans en avoir eu le propos, le présomptueux envoyé de la République Française, Ginguené, en lui parlant de la reine et en s'enquérant de sa propre famille, à lui, l'ambassadeur. Si bien que Ginguené, si infatué qu'il fût de ses opinions républicaines, se retira de l'audience royale, écrit Botta, tout ému et attendri de la bonté, de la modestie et de la simplicité du souverain piémontais.

Alfieri (qu'on me passe cette brève digression) ne voulait rien entendre des rois, mais il distinguait fort bien la tyrannie qu'exerce un roi de celle que s'arroge un homme de la plèbe. En cela, la Révolution Française lui avait ouvert les yeux. Dans une épigramme didactique et philosophique, il décrit leurs deux mentalités :

Chi, nato in trono, non conobbe uguali,
spesso è il minor di tutti,
ma il peggior no, perchè dai vizi brutti
lo esenta in parte il non aver rivali.
   Ma chi povero, oscuro e vil si nacque,
s'ei mai possanza afferra,
la lunga rabbia che repressa tacque
fa che a tutti i dappiù muova aspra guerra.
   Allor la invidia e crudeltà plebea,
dei grandi l'arroganza,

e dei re l'ignoranza,
immedesmate entro una pianta rea,
forman lo scettro orribile di ferro
d'un re, che in capo ha il pazzo, in cor lo sgherro[1].

Les vertus de l'aristocratie fidèle au Roi et l'aide qu'elle lui apporte dans le gouvernement de l'État paraissent dans les lettres — publiées par Masi — de Luigia di San Marzano, qui avait épousé un Alfieri et de Carlotta Melania Duché, sa belle-fille. Dans cette société se fait entendre la voix d'une poétesse patriote et monarchiste, Diodata Saluzzo Roero, qui donna l'alarme quand s'approchèrent les premières hordes françaises et appela à se grouper pour la défense de la patrie les jeunes gens de la noblesse parmi lesquels elle vivait habituellement :

Dolci compagni dell'ore più liete,
prole di forti, fratelli, sorgete !
Gallica schiera sull'Alpi s'affaccia[2]...

Et cela continue ainsi, selon les vicissitudes de la Maison Royale, pendant toute la période napoléonienne, et jusqu'à l'instant où s'affirme de nouveau l'autorité de la monarchie absolue après les événements de 1821.
Le danger d'une rupture entre la monarchie et son peuple fut alors considérable, provoqué par le comportement de

---

1. Celui qui, monté sur le trône par droit de naissance, ne connut pas d'égaux, souvent est le moindre de tous, mais non le pire, parce que n'avoir pas de rivaux le préserve des vices les plus bas. Mais celui qui naquit pauvre, obscur et lâche, si jamais il saisit le pouvoir, la longue rage qui se tut par contrainte fait qu'il déclare une âpre guerre à tout ce qui domine. Alors l'envie et la cruauté plébéiennes, l'arrogance des grands et l'ignorance des rois, fondus en un seul mauvais arbre, fournissent le dur sceptre cruel d'un roi dont la tête est d'un fou, si le cœur est d'un sbire.

2. Aimables compagnons des heures de liesse,
O race de héros, mes frères, levez-vous !
Les troupes des Français sur les Alpes se montrent...

Charles-Albert en cette année. Mais Charles-Albert se ressaisit et revint à la tête, non seulement du Piémont, mais de l'Italie, et ce qu'il montrait de romantisme dans la politique, son caractère de catholique fervent, d'homme assoiffé de gloire, et qui ne pouvait supporter la domination autrichienne en Italie, avec tout ce qui s'agitait en lui de forces vives de son temps, l'ode Au Piémont de Carducci l'a dit aux Italiens. Elle a eu le pouvoir de faire comprendre humainement cette figure de roi.

L'histoire piémontaise eut déjà pour l'Italie une grande importance au Moyen Age, époque où les princes de ce pays, plus que les autres, furent médiateurs entre l'Italie et le reste de l'Europe. La bibliothèque du Roi possédait une riche et très belle collection de manuscrits médiévaux, en partie enluminés, composée de romans et de poèmes de chevalerie, dont Victor-Emmanuel II fit don à la bibliothèque de l'Université de Turin, où ils furent détruits par l'incendie de 1904. En ma qualité de ministre de l'Instruction publique, je dus examiner le peu qu'il en restait et ne pus que louer le travail très savant du restaurateur. Quelle tristesse que de voir ces miniatures si fraîches réduites à de pauvres fragments ! Pour l'épopée italienne de la Maison de Savoie au Moyen Age, nous sommes encore les débiteurs de Carducci, qui lui a donné forme dans quelques-unes de ses odes mémorables.

En terminant, qu'il me soit permis d'applaudir, en lui souhaitant une heureuse fortune, à l'ouvrage entrepris avec tant d'amour par la Reine Marie José de Savoie.

Mai 1952.

Benedetto Croce.

(Traduction H. de Ziégler.)

AVANT-PROPOS

Séduite par le charme des rives savoisiennes du Léman, encore tout imprégnées du souvenir des premiers Comtes de Savoie, j'ai eu le loisir, grâce à mon exil, d'imaginer et d'évoquer ce que fut leur vie dans ces contrées.

Le château de Ripaille, où le souvenir d'Amédée VIII est encore si vivant, m'inspira le désir de mieux connaître cette énigmatique et attachante figure. Ce Prince, qui préféra la solitude d'un ermitage entouré de grands bois aux fastes d'une cour, m'attira tout particulièrement.

Mais, pour mieux comprendre la complexité, et de sa personnalité, et de son époque, j'ai dû, tout naturellement, remonter jusqu'au xive siècle, où je rencontrai d'autres personnages qui, à leur tour, éveillèrent mon intérêt.

Ce sont les Comtes chevaleresques Amédée VI et Amédée VII, dont j'ai essayé de retracer ici l'histoire. Ces comtes de Savoie, comme les princes français deux siècles plus tard, eurent à choisir leur orientation politique. Amédée VI, le Comte Vert, renonçant à reconstituer l'ancien royaume d'Arles, se tourne vers l'Italie, ouvrant ainsi des perspectives riches d'avenir. Amédée VII, le Comte Rouge qui charme par sa fougue juvénile, ajoute sans bataille le comté de Nice au domaine ancestral et lui donne un débouché sur la mer.

Ce premier volume est avant tout l'histoire de quelques princes de la Maison de Savoie au cœur du Moyen Age, et marque les étapes qui, des origines, acheminent la Savoie à une grandeur dont un second volume rendra compte, en suivant les événements jusqu'à l'apogée du xve siècle, sous le règne d'Amédée VIII.

Si notre première étude est surtout politique, la seconde s'attachera aussi à mettre en relief les caractères de la vie sociale et de la civilisation, à l'heure où elles s'épanouissent, couronnées par la législation des remarquables « Statuts » d'Amédée VIII. L'ascendant spirituel de ce Prince devait lui gagner l'attachement de Genève, et, au-delà des rives du Léman, son pouvoir s'étendra du Jura jusqu'aux Alpes. Amédée VIII, premier duc de Savoie, méritera l'épithète de « pacifique » : *Amedeus Pacificus.* Aussi le Concile de Bâle l'élèvera-t-il à un pontificat auquel, pour préserver l'unité et la paix de la chrétienté, il renoncera bientôt.

Les Archives de Chambéry[1], si riches depuis qu'une grande partie des « Fonds » de Turin est revenue dans l'ancienne capitale de la Savoie, permettent à ceux que l'histoire intéresse de retrouver, au travers des documents, une vision plus nette du passé.

A notre tour, profitant de la proximité de Chambéry et de Genève, dont l'histoire est si intimement mêlée à celle de la Maison de Savoie, nous avons

---

1. A. Perret, *La réintégration des Archives Savoisiennes de Turin,* Paris, Imprimerie Nationale, 1952.

tenté d'incorporer dans une synthèse nouvelle les apports constants des érudits, en demandant aussi à l'image de rendre la réalité plus sensible et le passé plus vivant.

***

Notre livre s'ouvre sur la préface d'un maître disparu, et c'est avec émotion et respect que nous transmettons l'un des derniers écrits de Benedetto Croce.

Il ne m'est pas possible de citer ici tous ceux qui m'ont accordé un entretien, prêté un document, donné un renseignement, ou m'ont encouragée, simplement par l'intérêt qu'ils témoignaient à ce travail; qu'ils sachent combien je leur en suis reconnaissante. Je dois cependant exprimer une gratitude particulière à M. Charles Braibant, Directeur des Archives de France, et à MM. les Archivistes de Genève, Lausanne, Chambéry, Annecy, Grenoble, Bourg, Mâcon, Dijon, Paris et Turin; à Mme S. Briet, conservateur à la Bibliothèque Nationale à Paris, à M. Henri Ménabréa, conservateur à la Bibliothèque Municipale de Chambéry, à Mgr Boson, Mlle A. Lange, MM. Auguste Bouvier, Th. Castiglione, Francesco Cognasso, Jean Cordey, Georges Daumas, Olivier Dubuis, André Duckert, Bernard Gagnebin, M. A. de Lavis-Traffort, Alessandro Visconti, le Baron d'Yvoire, John Baud, secrétaire de l'Académie Chablaisienne; Mme A. Ottino, puis M. Gustave Vaucher qui établirent les cartes et les généalogies; M. Tammaro de Marinis qui nous aida dans la recherche des documents iconographiques; à M. l'abbé Gabriel Loridon et à MM. Aloys Mooser, Henri Naef, Robert Palmieri, qui me furent d'un précieux secours.

I
LES ORIGINES
LES PREMIERS COMTES

INTRODUCTION

Les Origines du Comté de Savoie

La Sapaudia des Romains. L'historien romain Ammien Marcellin emploie pour la première fois, autour des années 370 à 380, le nom de « Sapaudia »[1] pour désigner la région limitée au nord par le lac Léman, à l'ouest par le Rhône, à l'est par les Alpes et au sud par le Dauphiné. C'est la Savoie d'aujourd'hui, et un peu davantage, car il est possible que la rive nord du Léman en ait fait partie. Hautes montagnes aux vallées sauvages de la Maurienne, de la Tarentaise et du Faucigny, basses vallées aux coteaux fertiles et aux lacs riants ou sévères de la Combe de Savoie, du Chablais et du Genevois, de ce pays aux populations diverses par leur origine et leur genre de vie et naturellement très peu homogène, seule la volonté persévérante d'une dynastie va faire un État.

Par sa position géographique, la Sapaudia était devenue, à la fin de l'Empire romain, l'un des car-

---

1. Ammien Marcellin, Lib. XI, cap. xi : « Unde per Sapaudiam fertur (Rhodanus) et sequanos. » Le mot « Sapaudia » est issu du celtique et signifie pays ou forêt de sapins, selon l'étymologie proposée par X. de Vignet et adoptée par la plupart des histoires de Savoie. Le chanoine A. Gros (*Dictionnaire*, p. 553) donne pour origine un gentilice issu de *Sapaudus*, nom d'homme.

refours les plus importants pour les légions qui veillaient à la sécurité des provinces de l'Italie et de la Gaule. Dans la Sapaudia se trouvaient aussi les principaux cols qui franchissaient les Alpes, tels le Montjoux (Petit Saint-Bernard) et le Mont-Cenis[1]. Un trafic intense s'était établi entre les produits de l'ancienne Allobrogie[2] et les marchandises venues de l'Italie et de l'Orient.

Par la combe où s'élèvera Chambéry et où n'existe encore que la station romaine de Lemencum, passaient en effet les grandes voies de communication qui reliaient par Milan et Aoste l'Italie à Vienne et à Lyon, rattachés par ailleurs directement à Genève et aux frontières du Rhin[3].

Au moment où l'Empire était ébranlé par la poussée des invasions barbares (IIIe et IVe siècles), la Sapaudia, que le christianisme avait déjà pénétrée, s'épanouissait en une riche contrée, cultivée par de nombreux colons.

C'est de Vienne que, dès le IIe siècle, l'Évangile s'était répandu dans l'ancienne Allobrogie et vers les IVe et Ve siècles dans les régions montagneuses du Faucigny, de Tarentaise et de Maurienne qui dépendaient, non de la Viennoise, mais de la pro-

---

[1]. Ou plus exactement le col de Savine-Coche, ainsi dénommé par M. M.-A. DE LAVIS-TRAFFORD, *L'Évolution de la cartographie de la région du Mont-Cenis et de ses abords aux XVe et XVIe siècles*, p. 114.
[2]. Les Allobroges, peuplade celtique soumise par les Romains en 121 av. J.-C., occupaient le Dauphiné et la Savoie; Vienne fut longtemps leur cité principale.
[3]. Cf. Chanoine M. PERROUD, *Les Origines Chrétiennes de la Savoie* : « Les Romains, qui prenaient grand soin de leurs voies de communication, en établirent deux à travers notre contrée : la voie de Vienne en Italie par Bourgoin, Aoste, le col d'Aiguebelette, Lémenc et la vallée de l'Isère, et la voie de Vienne à Genève, qui se détachait de l'autre à Aoste, franchissait le Guiers à l'emplacement actuel de Saint-Genix, et passait par Yenne et Seyssel. » Il s'agit ici d'Aoste en Dauphiné, près de Saint-Genix-sur-Guiers.

vince romaine des Alpes grées et pennines. Venus plus tard à la foi, le Faucigny et la Tarentaise furent convertis par les missionnaires de Vienne, alors que la Maurienne, à l'origine, dépendait de l'évêché de Turin. Dès le IVe siècle, on voit l'Église s'organiser en Gaule, dans le cadre des institutions romaines[1], à tel point qu'elle allait être, en fait, la seule puissance capable de survivre à l'effondrement de l'Empire.

C'est ainsi que Vienne, chef-lieu de la province romaine de la Viennoise, devient la métropole ecclésiastique dont dépendront les évêchés de Genève, de Grenoble et d'Aoste; l'évêché de Darantasia (Moutiers) sera créé en 420 et l'évêché de Maurienne ne le sera, par le roi Gontran, qu'en 575.

Les Burgondes et les Francs. Toutefois, les invasions se succédèrent en Savoie jusqu'à l'arrivée des Burgondes, alliés de Rome (443). Cette peuplade germanique[2] s'installa le long du Rhône et du Léman, partageant le pays avec les colons gallo-romains. Genève était, par sa situation, la ville qualifiée pour devenir l'une des capitales de ce premier royaume de Bourgogne.

En Savoie, les Burgondes ont laissé une forte trace de leur droit coutumier et de leur langage[3]. Ils étaient chrétiens, mais ariens, aussi l'Église abandonna-t-elle aux Francs, qui reconnaissaient son auto-

---

1. L'Église se coule dans les institutions romaines, créant des diocèses dans les cités, et, plus tard, à l'époque mérovingienne, des archevêchés dans les provinces.
2. Les Burgondes, arrivés, dit-on, de Bornholm dans la Baltique, avaient été établis par les Romains dans la région de Spire et de Worms pour défendre l'Empire. En 436, les Huns leur infligèrent un désastre qui est le sujet de l'épopée des Niebelungen. Le général romain Ætius accueillit alors les survivants dans la Sapaudia.
3. Certains auteurs pensent que les noms en -*inge* comme Taninges, les Allinges, Merlinge, sont d'origine burgonde.

rité, les territoires de la Gaule. Pourtant, un saint figure dans la dynastie des rois burgondes : Sigismond[1], élevé dans l'arianisme, puis converti à la

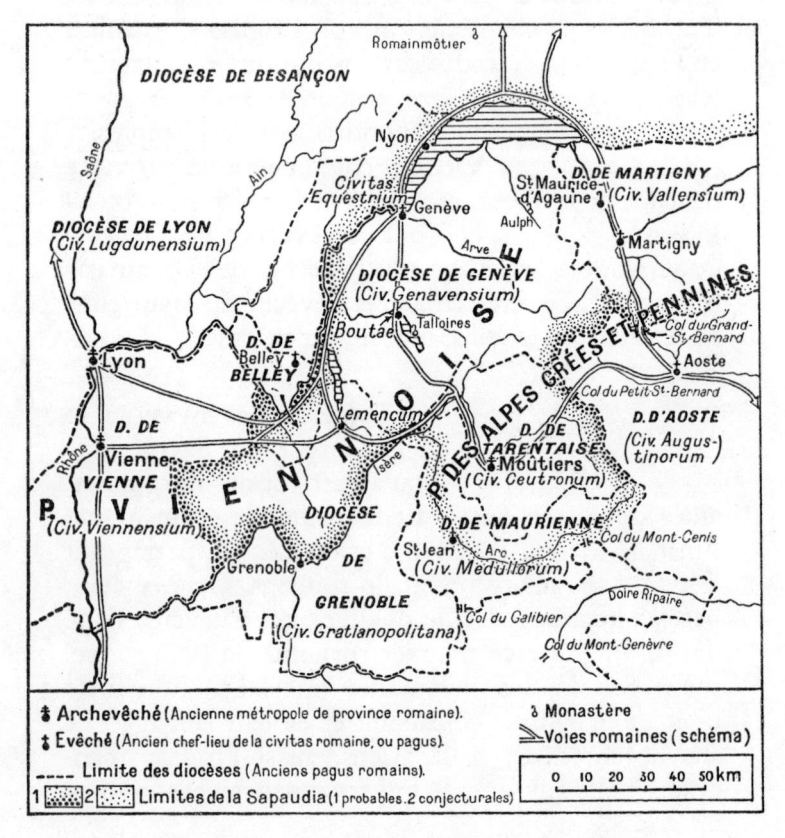

CARTE I. — *La Savoie romaine et chrétienne.*

religion catholique et ami de saint Avit; il fonda en 515, à Agaune, le monastère de Saint-Maurice, en

---

1. L'Église canonisera aussi Clotilde, épouse de Clovis, et nièce de Gondebaud, roi des Burgondes.

Planche I   CHASSE ROMANE. TRESOR DE L'EGLISE ABBATIALE DE SAINT-MAURICE   Phot. Boissonnas

Saint Maurice.   Le roi Sigismond et ses Comtes

souvenir du martyr massacré en ces lieux avec la légion thébaine (d'après la tradition[1]) pour n'avoir pas voulu s'incliner devant les divinités impériales. Parmi les reliques conservées dans ce monastère dont les richesses étaient célèbres au Moyen Age, il faut mentionner la lance, et surtout l'anneau dit de saint Maurice qui, donné à Pierre II de Savoie vers 1250, sera longtemps le signe d'investiture de la dynastie[2].

L'an 534, les petits-fils de Clovis conquirent le royaume des Burgondes[3] qui n'avait pas même duré un siècle. Il laissait pourtant le souvenir qu'un grand État était possible au sud-est de la France, idée qui sera reprise sous des noms différents pendant tout le Moyen Age et les temps modernes.

Les Francs eurent peu d'influence sur la Sapaudia : leurs souverains vivaient trop loin de son territoire. De plus, les Mérovingiens ne pouvant faute d'argent payer les fonctionnaires, leur donnèrent des terres, favorisant ainsi la naissance et l'évolution de petits États seigneuriaux, à peu près autonomes. En Savoie comme dans toute la Gaule il se forma alors une hiérarchie seigneuriale de plus en plus forte à mesure

---

1. Cette tradition a fait l'objet d'une étude critique par Denis van Berchem dont les résultats paraîtront prochainement dans un ouvrage consacré à la légende de la légion thébaine.
2. L'abbé Nanthelme l'offrit à Pierre le Victorieux (« comes victoriosus ») en mémoire des bienfaits de son frère Amédée IV, à la condition que cette bague restât toujours la propriété des comtes de Savoie et que fût tenue la promesse d'achever le clocher du monastère. L'anneau pieusement conservé disparut pendant la Révolution française. Voir GUICHENON, *Preuves*, p. 73.
3. Le royaume des Burgondes « s'étendra au sud jusqu'à la Durance, se prolongeant au delà même d'Avignon; à l'ouest, il dépassera le Rhône du côté de Viviers, franchira les Cévennes et s'avancera sans doute au sud de la haute vallée de la Loire jusqu'à la région des Causses; au nord, il atteindra Nevers, Autun, Langres, Besançon; enfin, du côté de l'est, il dépassera sur certains points la ligne de l'Aar, englobant une grande partie du Valais et se prolongeant jusqu'aux Alpes Pennines ». Alfred COVILLE, *Recherches sur l'histoire de Lyon du Ve au IXe siècle*, Paris, 1928, p. 174; cité par le Chanoine PERROUD, dans *La Savoie Burgonde*.

que le pouvoir central ira s'affaiblissant. Gontran, roi mérovingien, qui a la Burgondie en partage, ne s'empare pas moins de la Maurienne et y fonde un évêché.

Charlemagne, en érigeant l'évêché de Tarentaise en archevêché, en fait dépendre Aoste, Suse et le Valais, reconstituant ainsi l'ancienne province des Alpes Pennines. Préparant à Thionville, en 806, le partage successoral de ses États, il montra bien l'importance que, à l'exemple de ses devanciers romains, il attachait aux passages alpins : il n'en laissait la maîtrise exclusive à aucun de ses fils.

Le Pagus Savogiensis   L'acte de Thionville divisait la Savoie en pays qui correspondent encore à ceux d'aujourd'hui : Maurienne, Tarentaise, Faucigny, Chablais, Genevois, Albanais et « Saboia ». Le nom de Saboia apparaît ici pour la première fois[1] et ne doit pas être confondu avec la Sapaudia, plus vaste, d'Ammien Marcellin. Il désigne un ancien « pagus »[2], correspondant à une région qu'on appela longtemps la « Savoie propre », dont Chambéry est le centre

---

1. Le terme « Sapaudia » que l'on trouve encore sous la plume d'Ennodius, évêque de Pavie mort en 511 (GUICHENON, *Histoire Généalogique*, 1778, t. I, p. 8), évolua normalement en « Saboia » (au cours du VIe siècle déjà ?) puis, plus tard, en « Savoia ». Si cette dernière forme, empruntée à la langue parlée, figure dans plusieurs textes du XIIe siècle, les chancelleries préféreront longtemps le terme « Sabaudia », souvenir, plus ou moins figé par les notaires, de l'appellation antique. « Sabaudia » se lit sur des pièces de monnaie que Guichenon attribue à Amédée II et à Amédée III (*op. cit.*, t. I, p. 143), puis dans une lettre de saint Amédée, évêque de Lausanne, écrite vers 1148 (M.-A. DIMIER, *Amédée*, p. 305), etc. La forme « pagus savogiensis (Savogensis) » citée par GUICHENON (*op. cit.*, t. I, p. 8) est toute proche de « pagus Savoyensis ».

2. Division administrative du territoire de la cité, qui est elle-même une partie de la province romaine. Administrés par un comte ou un préfet qui subsista jusqu'au Xe siècle, la plupart des « pagi » se transformèrent alors en comtés.

naturel. Ce « Pagus Savogiensis » formera le noyau autour duquel, à partir du xe siècle, s'agglomèreront les possessions des Comtes de Savoie qui, par accroissements successifs, finiront par recouvrir le territoire de l'ancienne Sapaudia.

Le « pagus » commandait les cols du Mont-Cenis[1] et du Petit Saint-Bernard par où passent les routes qui relient la France, l'Italie et l'Allemagne. Bien que devenue banale, l'expression de « portier des Alpes » n'en explique pas moins le rôle européen des Comtes de Savoie.

Les deux royaumes de Bourgogne.

Au IXe siècle, des trois vastes territoires qui seront dévolus aux petits-fils de Charlemagne[2], deux vont se morceler en nombreux petits États, subdivisés en quantité de fiefs. Devant l'attitude des descendants de l'Empereur, les peuples désirent des chefs plus stables et plus proches ; les évêques et les seigneurs de la région du Rhône élisent des souverains de leur choix. En 879, le duc Boson, beau-frère de Charles le Chauve, devient roi de Provence et de la Bourgogne cisjurane[3], qui comprenait le Dauphiné, le Bugey, la Bresse, et le Viennois. En 888, Rodolphe, de la famille des Welf, est proclamé roi dans l'abbaye de Saint-Maurice par les nobles et les évêques de la Bourgogne transjurane dont la Savoie, le Valais, le Jura, la Franche-Comté et

---

1. Le couvent de Novalaise, au pied oriental du Mont-Cenis, avait été fondé en 726 par le patrice Abbon qui en 739 lui laissa tous ses biens.
2. Par le traité de Verdun de 843, Charles le Chauve reçut la France et le pays entre les Alpes et le Rhône (Savoie, Provence et Dauphiné) ; Lothaire, l'Italie et le pays entre la Meuse et le Rhin, appelé la Lotharingie ; Louis, l'Allemagne, où la féodalité sera organisée par le souverain en une fédération de duchés.
3. Clotaire II, roi des Francs, avait, entre 613 et 628, partagé le territoire des Burgondes en Bourgogne cisjurane et transjurane.

les territoires helvétiques adjacents faisaient partie.

En 930, Hugues, roi de Provence, successeur de Boson, soucieux d'assurer ses conquêtes en Italie, abandonne son royaume à Rodolphe II. Ainsi, le « second royaume de Bourgogne », appelé plus tard royaume d'Arles[1], est considérablement agrandi; mais il durera plus de nom que de fait. Pour se maintenir vis-à-vis des comtes toujours plus remuants, Rodolphe III oppose à la féodalité laïque la féodalité ecclésiastique qu'il estime moins dangereuse, parce que ne créant pas de dynastie : c'est dans cette intention qu'il confère en 996 le comté de Tarentaise à l'archevêque de Tarentaise, en 999 le comté de Vaud à l'évêque de Lausanne et celui du Valais à l'évêque de Sion, et, en 1023 le comté de Vienne à son archevêque. Ces investitures créeront par la suite de nombreuses difficultés aux Comtes de Savoie, soucieux d'unifier leurs États.

L'invasion des Sarrasins au Xe siècle[2] allait néanmoins consolider la féodalité et hâter la désagrégation du royaume. Venus du sud, ils envahissent les vallées du Rhône et de l'Isère, et occupent les grands cols alpins. Les populations terrifiées cherchèrent alors auprès des seigneurs locaux des défenseurs armés capables de leur assurer une protection que ne pouvaient plus leur donner des rois lointains et impuissants. A ce moment s'élèvent châteaux et tours de défense qui sont restés pour nous l'évocation même du Moyen Age[3]. Parmi les dynasties

---

1. Arles, ancienne métropole de la Gaule méridionale, devint, après la réunion des deux Bourgognes, la capitale de ce nouveau royaume.
2. Les Sarrasins pillèrent le couvent de Novalaise (Piémont) en 906, et l'abbaye de Saint-Maurice (Valais) en 940.
3. Ces fortifications témoignent d'un repli sur ce que l'on peut efficacement défendre de terre et de cultures, en temps de guerre, alors que les villas romaines ouvertes avaient été le signe de la paix et de la sécurité de l'Empire.

régionales qui surgissent entre les Alpes et le Rhône, trois familles prendront une place prépondérante : au nord, les comtes de Genève[1], au centre, les comtes de Savoie et, au sud, ceux d'Albon ancêtres des dauphins. A la fin du règne de Rodolphe III, ils deviendront les vrais maîtres du pays.

Humbert aux Blanches Mains — En 1031, lors de la fondation du prieuré de Talloires, la reine Ermengarde, épouse de Rodolphe III, est assistée par le comte Humbert, son homme de confiance, dont le surnom « Blanches Mains »[2] semble un hommage rendu par la postérité à un prince qu'Honoré d'Urfé s'est plu à évoquer au livre premier de son épopée du fabuleux Bérol :

Le front large et poli montroit de son esprit
Les desseins généreux où le destin escrit
Des armes et d'amour l'une et l'autre victoire,
Mais surtout du dieu Mars la fortune et la Gloire.
Les yeux ardantz et doux le disoient valeureux,
Et le nez aquilin plein d'un cueur généreux ;
Le reste du visage et beau et vénérable,
Qu'il devoit estre aymé autant que redoutable[3].

Si l'existence d'Humbert, fondateur de la Maison de Savoie, est du domaine de l'histoire, ses origines, par contre, s'estompent dans la légende.

---

1. Contrairement à ce que pourrait faire penser ce titre de « Comte de Genève », le souverain temporel de cette ville n'était pas le comte, mais l'évêque.

2. Ce surnom (« Humbertus Blancis Manibus ») dont l'origine est inconnue, apparaît pour la première fois dans la Chronique d'Hautecombe, la plus ancienne « histoire » de la Maison de Savoie (au milieu du xive siècle). Voir Cognasso : *Umberto Biancamano*, pp. 35 à 37.

3. Bibliothèque Nationale, Manuscrit français 12486, f° 74. On sait que, par sa mère, Renée de Savoie-Tende, Honoré d'Urfé était allié à la Maison de Savoie.

D'après G. de Manteyer, il descendrait de Garnier, comte de Troyes[1], dont le fils, Hugues, aurait reçu une partie du comté de Vienne, et, peut-être, le comté de Savoie, c'est-à-dire le « pagus savogiensis ». Un fils d'Hugues, le comte Humbert, serait le père d'Humbert aux Blanches Mains. M. Prévité-Orton pense au contraire que le père d'Humbert était un Amédée, vivant aux environs de 976, comte de Belley ou de Savoie, issu vraisemblablement d'une famille locale d'origine gallo-romaine. Quoi qu'il en soit, les possessions des premiers comtes proviennent tout d'abord de l'alliance de Garnier avec Thiberge, sœur de Hugues roi d'Italie, qui implanta leurs descendants en Viennois et ici et là en Genevois, dans des terres données autrefois à Geilon, abbé de Tournus, puis évêque de Langres (de là, la suzeraineté sur l'abbaye de Talloires, et certaines de ses dépendances, ainsi que sur l'Albanais). Mais Humbert Ier y ajouta surtout les fiefs de divers diocèses : Belley, Aoste, Maurienne et Tarentaise.

Ainsi, les possessions éparses qu'avaient Humbert et ses premiers descendants au sud du Léman et dans le Lyonnais, le Sermorens, le pays de Belley, la Savoie, la Maurienne, la Tarentaise, le Chablais, le Bas-Valais et le comté d'Aoste[2], proviennent pour la plupart d'alliances matrimoniales et de l'appoint des fiefs d'Église. Ce sont les bases sur lesquelles la dynastie élèvera sa fortune, et les descendants d'Humbert se donneront pour tâche de rassembler les différentes parties du domaine disséminé.

---

1. G. de Manteyer, *Les origines de la Maison de Savoie en Bourgogne* (910-1060), Rome, Cuggiani, 1899, p. 126 (Extraits des *Mélanges d'Archéologie et d'Histoire*, publiés par l'École française de Rome, t. XIX, p. 484).

2. Le Comté d'Aoste, l'une des plus anciennes possessions d'Humbert, semble être un fief reçu par l'un de ses ascendants, avant 1026.

CHAPITRE PREMIER

LES FONDATEURS DE LA MAISON DE SAVOIE ET LES GRANDES LIGNES DE LEUR POLITIQUE

D'Humbert aux Blanches Mains
au Comte Édouard le Libéral

(1032-1329)

> « *Les Princes de la Maison de Savoie, aventureux et chevaleresques, marient bien leur mémoire aux montagnes qui couvrent leur petit empire.* »
>
> Chateaubriand, *Le Voyage en Italie*.

Le Comte Humbert vassal de l'Empereur. En 1032, Rodolphe III, roi de Bourgogne, meurt sans descendance. Il avait légué son royaume à son neveu, l'empereur Conrad II le Salique, à qui il avait remis la lance de saint Maurice, « symbole mystique de la royauté burgonde »[1]. La Savoie, et tous les autres territoires du second royaume de Bourgogne, vont passer à l'Empire romain germanique[2].

---

1. H. Ménabréa, *Histoire de Savoie*, p. 27.
2. L'autorité des rois de Germanie, successeurs de Louis le Germanique, s'étant considérablement affaiblie, Otton Ier de Saxe est couronné empereur à Aix-la-Chapelle en 936. Par ses campagnes en 951 et son mariage avec Adélaïde, veuve de Lothaire, il rattache l'Italie à ses États.

Humbert aux Blanches Mains adhère immédiatement au parti de l'Empereur dont il reconnaît la suzeraineté.

Gérold, comte de Genève, prend position en faveur d'un autre neveu de Rodolphe III, Eudes de Champagne. Mais Conrad triomphe[1] et, en récompense des services rendus, accorde à Humbert divers droits sur la Maurienne (1043) et, plus tard semble-t-il, sur le Chablais. Son fils Amédée Ier maintient son prestige comme le montre la fière réponse qu'il fait à l'empereur Henri III[2]. Il meurt en 1051.

Oddon et Adélaïde de Suse. Oddon, fils d'Humbert, épouse en 1046 Adélaïde de Suse, fille d'Ulrich Manfred, marquis de Turin[3]. Ce mariage lui apportait de nombreux territoires entre les Alpes, le Pô et la Méditerranée (d'Albenga à Vintimille), et le mettait en possession des débouchés italiens du Mont-Cenis,

---

1. L'empereur Conrad II, après avoir dompté la résistance des grands vassaux et des seigneurs de la Bourgogne romande, établit en 1037 une loi générale qui consacrait l'hérédité des bénéfices et des offices jusqu'alors révocables et livrés au bon plaisir du prince qui les avait concédés. Véritable révolution dans la constitution de la propriété territoriale, et base fondamentale du régime féodal qui prévalut dans la plupart des États continentaux. F. DE GINGINS LA SARRA, *Mémoire sur l'origine de la Maison de Savoie*, p. 97.
2. D'après DUFAYARD, *Histoire de Savoie*, pp. 66-67. – « Un jour que le petit baron savoyard se présente au palais de l'Empereur Henri III, les gentilshommes de service lui refusent l'entrée. L'impétueux vassal mène grand bruit, attire l'attention du César germanique qui demande la cause de tout ce vacarme. » Le garde respondit estre le comte de Morienne qui menoit après luy une grande queüe de gens. « Hé ! faites-le entrer et que sa queüe « reste dehors. » Le comte, bien courroucé qu'il estoit : « Sî ma queüe que « queüe appelez cy n'y entre avec moy, je n'y entrerai jà ! — Qu'il entre « donc avec sa queüe », dit l'Empereur. D'où les Italiens le nommèrent le comte Amé-Cauda. »
3. Adélaïde de Suse, comtesse de Turin, n'avait pas d'enfant de ses deux premiers maris, le duc de Souabe et le marquis de Montferrat. Les lettres que lui adressèrent Grégoire VII et saint Pierre Damien montrent la haute considération qu'ils avaient pour elle. Cf. GUICHENON, *Histoire généalogique*, 1778, t. IV, 1re partie, pp. 10 et 16.

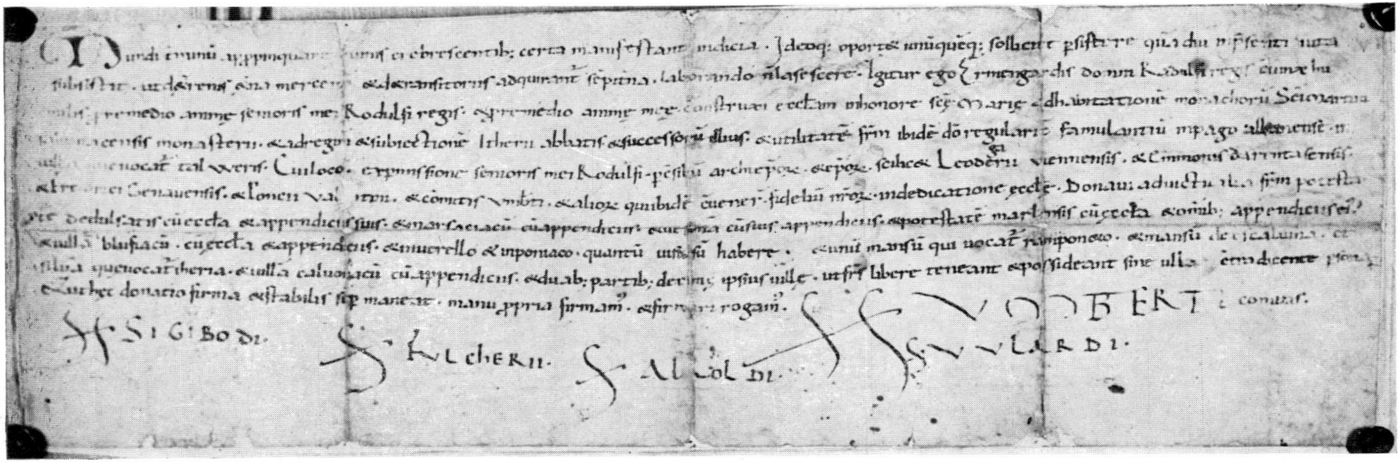

Planche II   CHARTE DE FONDATION DE L'ABBAYE DE TALLOIRES (1031-1032)   Photo Moncalvo
par la reine de Bourgogne Ermengarde, avec la signature du comte Humbert aux Blanches Mains.
Turin, Archives d'État : Musée historique

du Grand et du Petit Saint-Bernard[1]. A ce moment, les empereurs allemands entrent en lutte avec les papes pour l'hégémonie du monde chrétien. Le conflit débuta par la querelle des investitures et pendant trois siècles déchira l'Italie entre Guelfes et Gibelins. Les comtes de Savoie prennent le parti des empereurs, et la personnalité d'Adélaïde, régente depuis la mort d'Oddon (1060), s'impose non seulement à ses fils, Pierre Ier et Amédée II, mais aussi à l'empereur Henri IV, époux de sa fille Berthe. Quand son gendre, allant implorer, en 1077, le pardon du pape, demande l'autorisation de franchir le Mont-Cenis, elle la lui accorde, mais à la condition qu'il renonce à répudier sa femme; elle l'accompagne à Canossa, où elle intervient comme médiatrice auprès de Grégoire VII. Il semble qu'en signe de reconnaissance la Maison de Savoie ait reçu le Bugey. Après la mort d'Adélaïde, ses nombreux héritiers d'Italie et d'Allemagne se disputent avec violence le comté de Turin, et les Savoie ne garderont que la vallée de Suse. Il faudra beaucoup de temps pour que cette dynastie recouvre le terrain perdu.

Toutefois, les cols alpins restaient assurés et des liens étroits s'étaient établis avec l'Empire.

Humbert II, Amédée III et l'amitié française. — Ainsi rejetée sur le versant occidental des Alpes, la Maison de Savoie commence à nouer des relations avec ses puissants voisins, les Capétiens : en 1115, Louis VI roi de France épouse la fille du comte Humbert II[2].

---

1. Le Mont-Genèvre appartenait alors à des rivaux, les comtes d'Albon, futurs dauphins de Viennois.
2. Adélaïde de Savoie, dite Alix, donna à Louis le Gros six fils et une fille. Veuve, elle se remaria avec Mathieu de Montmorency, dont

Le XIIe siècle fut un âge de foi : une merveilleuse floraison monastique embellit le pays. Le comte Amédée III, qui avait accompagné son neveu Louis VII, roi de France, à la croisade prêchée par saint Bernard de Clairvaux, meurt à Chypre : c'est l'époque où les moines de Cîteaux et ceux de la Chartreuse apportent l'exemple du travail des champs allié à la discipline de la solitude et de la prière. Arvières, Hautecombe[1], Tamié, Chézery, Saint-Sulpice-en-Bugey, Abondance, bénéficieront de la généreuse protection de la Maison comtale. Et c'est aussi le siècle où la croix d'argent sur champ de gueules vient illuminer les armes de Savoie[2].

---

elle eut une fille qui épousa Gautier de Châtillon. Puis elle se retira à l'abbaye bénédictine de Montmartre qu'elle avait fondée, et mourut en 1154.

1. En 1094, deux moines de Molesme, aidés par la munificence du Comte Humbert II, fondèrent le couvent d'Aulps, dans la vallée de la Dranse. En 1101, des religieux de cette maison instituèrent à leur tour une nouvelle communauté : ainsi naquit la première abbaye de Hautecombe, près de Cessens, au sud-ouest de Rumilly. Saint Bernard de Clairvaux visita peut-être Hautecombe : quoi qu'il en soit, le 14 juin 1135, le monastère devint une filiale de Clairvaux et pratiqua la règle cistercienne. Saint Amédée d'Hauterive, abbé d'Hautecombe de 1139 à 1144, transféra la maison dans une solitude plus conforme à l'idéal de l'Ordre ; c'est l'emplacement actuel d'Hautecombe, au bord du lac du Bourget. A partir d'Humbert III, mort vers 1189, la plupart des comtes de Savoie y reçurent la sépulture, d'où le nom de « Saint-Denis Savoyard » qu'on lui donne parfois. Considérablement restaurée dès la fin du XVIe siècle, transformée après la Révolution française en faïencerie, l'abbaye redevint un couvent en 1826 : le roi Charles-Félix fut l'auteur de cette résurrection tant matérielle que spirituelle. La permanence du monastère fut garantie par le gouvernement français lors de l'annexion de la Savoie (1860); le patronage de l'abbaye demeura à la Maison de Savoie, les appartements royaux restèrent la propriété de Victor-Emmanuel II et de ses descendants. Voir C. BLANCHARD, *Hautecombe* ; G. PÉROUSE, *Hautecombe* ; M. A. DIMIER, *op. cit.* ; COGNASSO, art. « Altacomba » dans *Enciclopedia Italiana*.

2. La croix apparaît au pennon du sceau équestre d'Amédée III apposé sur une charte de 1143, conservée à l'Abbaye de Saint-Maurice d'Agaune. Ce sceau est aussi le plus ancien de la Maison de Savoie actuellement connu, contrairement à ce que prétendent Pivano et Prévité-Orton. Les Comtes portèrent également sur leur écu l'aigle de sable. Pierre II fit d'ailleurs usage de trois armoiries différentes. Voir D.-L. GALBREATH, *Sigilla Agaunensia*, p. 8 et pl. XII; *Armorial Vaudois*, t. I, p. IX, t. II, p. 623. L'aigle est peut-être survenue pour montrer que la Savoie relevait de

Amédée s'était affirmé en prenant part à l'une des plus grandes manifestations religieuses de son temps. Par ailleurs, en suivant le roi de France et non l'Empereur, il avait imprimé une nouvelle orientation à sa politique[1].

Humbert III et l'amitié anglaise. Son fils Humbert III introduit dans les relations de sa Maison un élément nouveau : il se lie avec Henri II Plantagenet[2], engagé dans le grand conflit anglo-français qui devait durer trois siècles. Le roi d'Angleterre était heureux de trouver un ami auprès du gardien des cols occidentaux. Il y eut bientôt des pourparlers de mariage entre un fils du roi, le futur Jean sans Terre, et une princesse de Savoie, mais les négociations n'aboutirent pas.

Humbert, de son côté, avait besoin de trouver des alliés au moment où, dans le nord de l'Italie, il entrait en lutte avec Frédéric Barberousse qui reprenait le rêve carolingien de puissance universelle. En Lombardie et en Piémont, l'Empereur combattait

---

l'Empire. De toute façon, la croix de Savoie remonte « aux premiers temps de l'héraldique », dit justement Galbreath, et n'est pas une conséquence de la deuxième croisade. Sur ce point, les assertions antérieures sont à réviser. Il est probable que les croix de Savoie, de Berne, du Danemark, ainsi que celles de nombreuses cités italiennes et de villes libres allemandes étaient d'origine impériale et montraient que leur possesseur relevait directement de l'Empire, dont l'un des enseignes était la croix blanche sur fond rouge.

1. En 1148, Amédée III de Maurienne, qui régna pendant quarante ans, avait accordé en mariage au roi Alphonse de Portugal sa fille Mahault, dont le prénom, sous la forme portugaise de Mafalda, s'est maintenu dans la Maison de Savoie jusqu'à nos jours.

2. Héritier par sa mère du duché de Normandie, Henri II épousa Éléonore d'Aquitaine, divorcée de Louis VII roi de France, et, par ce mariage, ajoute à ses possessions la Guyenne, le Poitou, l'Auvergne et le Périgord, provinces qui formaient le tiers du royaume : d'où l'inévitable hostilité des Capétiens. La dynastie des Plantagenets dura de 1154 à 1485.

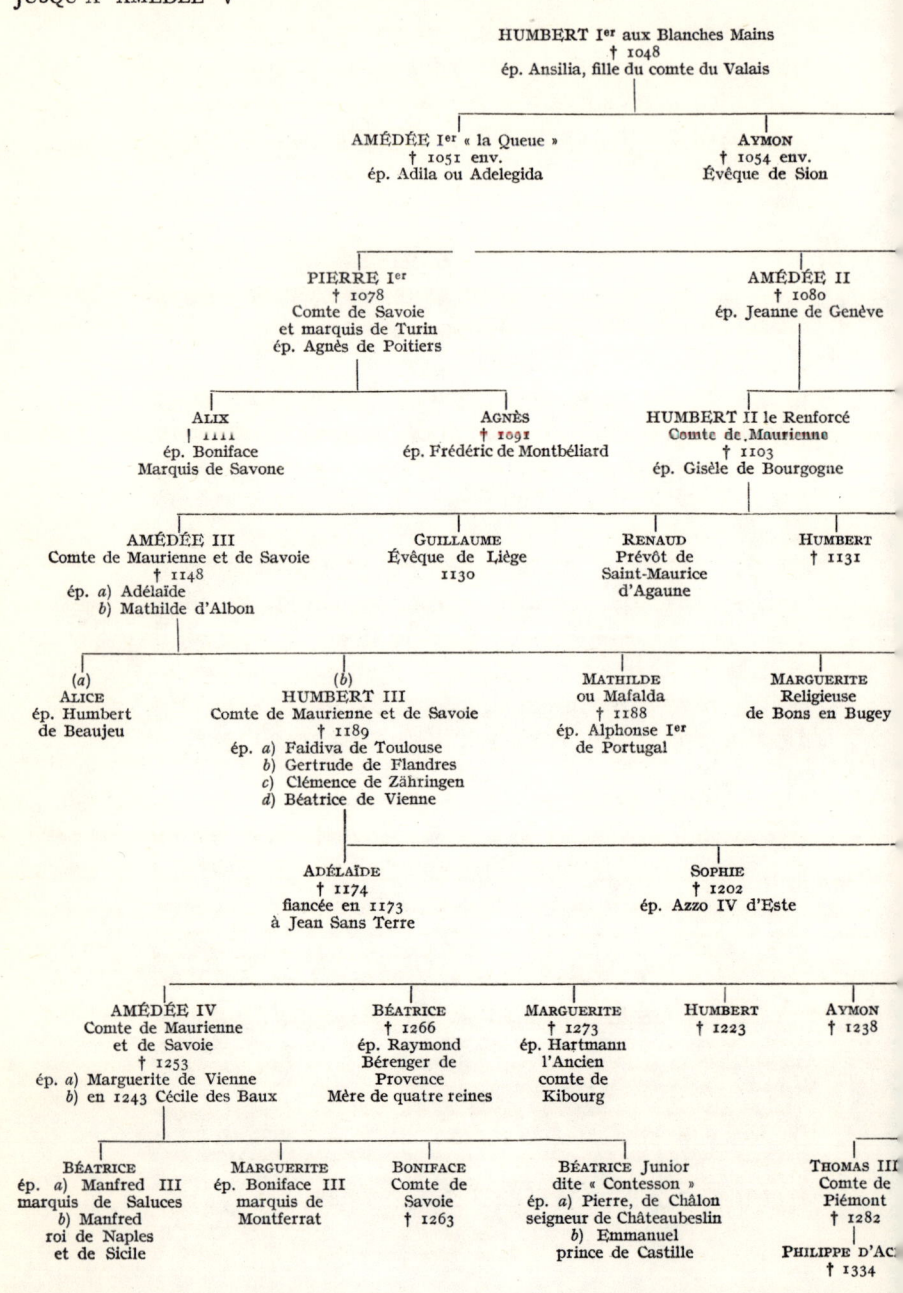

LES SAVOIE
JUSQU'A AMÉDÉE V

HUMBERT I**er** **aux Blanches Mains**
† 1048
ép. Ansilia, fille du comte du Valais

- **AMÉDÉE I****er** **« la Queue »**
  † 1051 env.
  ép. Adila ou Adelegida

- **AYMON**
  † 1054 env.
  Évêque de Sion

PIERRE I**er**
† 1078
Comte de Savoie
et marquis de Turin
ép. Agnès de Poitiers

AMÉDÉE II
† 1080
ép. Jeanne de Genève

- **ALIX**
  † 1111
  ép. Boniface
  Marquis de Savone

- **AGNÈS**
  † 1091
  ép. Frédéric de Montbéliard

- **HUMBERT II le Renforcé**
  Comte de Maurienne
  † 1103
  ép. Gisèle de Bourgogne

- **AMÉDÉE III**
  Comte de Maurienne et de Savoie
  † 1148
  ép. a) Adélaïde
      b) Mathilde d'Albon

- **GUILLAUME**
  Évêque de Liège
  1130

- **RENAUD**
  Prévôt de
  Saint-Maurice
  d'Agaune

- **HUMBERT**
  † 1131

- (a) **ALICE**
  ép. Humbert
  de Beaujeu

- (b) **HUMBERT III**
  Comte de Maurienne et de Savoie
  † 1189
  ép. a) Faidiva de Toulouse
      b) Gertrude de Flandres
      c) Clémence de Zähringen
      d) Béatrice de Vienne

- **MATHILDE**
  ou Mafalda
  † 1188
  ép. Alphonse I****er
  de Portugal

- **MARGUERITE**
  Religieuse
  de Bons en Bugey

- **ADÉLAÏDE**
  † 1174
  fiancée en 1173
  à Jean Sans Terre

- **SOPHIE**
  † 1202
  ép. Azzo IV d'Este

- **AMÉDÉE IV**
  Comte de Maurienne
  et de Savoie
  † 1253
  ép. a) Marguerite de Vienne
      b) en 1243 Cécile des Baux

- **BÉATRICE**
  † 1266
  ép. Raymond
  Bérenger de
  Provence
  Mère de quatre reines

- **MARGUERITE**
  † 1273
  ép. Hartmann
  l'Ancien
  comte de
  Kibourg

- **HUMBERT**
  † 1223

- **AYMON**
  † 1238

- **BÉATRICE**
  ép. a) Manfred III
      marquis de Saluces
      b) Manfred
      roi de Naples
      et de Sicile

- **MARGUERITE**
  ép. Boniface III
  marquis de
  Montferrat

- **BONIFACE**
  Comte de
  Savoie
  † 1263

- **BÉATRICE Junior**
  dite « Contesson »
  ép. a) Pierre, de Châlon
      seigneur de Châteaubeslin
      b) Emmanuel
      prince de Castille

- **THOMAS III**
  Comte de
  Piémont
  † 1282

  PHILIPPE D'AC
  † 1334

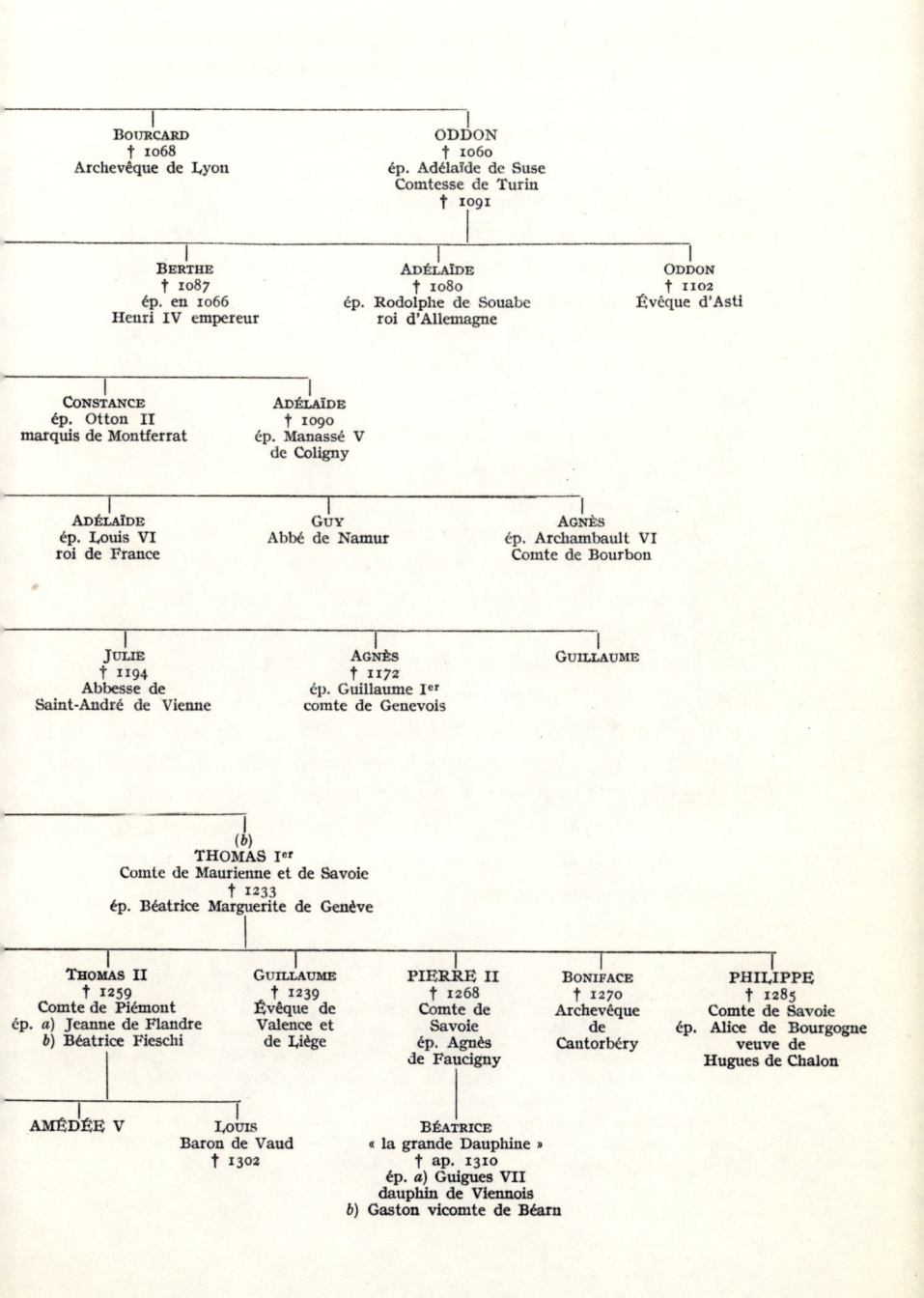

```
                    BOURCARD                          ODDON
                    † 1068                            † 1060
              Archevêque de Lyon              ép. Adélaïde de Suse
                                                 Comtesse de Turin
                                                       † 1091
          ┌─────────────────────┬──────────────────────────────┐
        BERTHE                ADÉLAÏDE                       ODDON
        † 1087                 † 1080                        † 1102
      ép. en 1066         ép. Rodolphe de Souabe         Évêque d'Asti
    Henri IV empereur         roi d'Allemagne
```

┌─────────────────────┬──────────────────────┐
CONSTANCE   ADÉLAÏDE
ép. Otton II   † 1090
marquis de Montferrat ép. Manassé V
                        de Coligny

┌──────────────┬──────────────┬──────────────┐
ADÉLAÏDE   GUY   AGNÈS
ép. Louis VI   Abbé de Namur ép. Archambault VI
roi de France   Comte de Bourbon

┌──────────────┬──────────────┬──────────────┐
JULIE   AGNÈS   GUILLAUME
† 1194   † 1172
Abbesse de   ép. Guillaume Ier
Saint-André de Vienne comte de Genevois

                          (b)
                       THOMAS Ier
              Comte de Maurienne et de Savoie
                         † 1233
              ép. Béatrice Marguerite de Genève

┌──────────────┬──────────────┬──────────────┬──────────────┬──────────────┐
THOMAS II   GUILLAUME   PIERRE II   BONIFACE   PHILIPPE
† 1259   † 1239   † 1268   † 1270   † 1285
Comte de Piémont Évêque de   Comte de   Archevêque   Comte de Savoie
ép. a) Jeanne de Flandre Valence et Savoie   de   ép. Alice de Bourgogne
    b) Béatrice Fieschi   de Liège   ép. Agnès   Cantorbéry   veuve de
                                      de Faucigny   Hugues de Chalon

┌──────────────┬──────────────┐
AMÉDÉE V   LOUIS
             Baron de Vaud   BÉATRICE
                † 1302   « la grande Dauphine »
                                   † ap. 1310
                              ép. a) Guigues VII
                                  dauphin de Viennois
                                  b) Gaston vicomte de Béarn

les villes et seigneuries indépendantes, se heurtant ainsi aux Savoie qui cherchaient à reprendre Turin et le domaine de leur aïeule Adélaïde. Mais, vaincu en Italie (1168), il est obligé de fuir et de repasser les Alpes; pour franchir le Mont-Cenis, il fait à Humbert III des promesses qu'il reniera peu après. Or, quand il revient à la tête d'une nouvelle armée (1174), il brûle au passage Suse[1] qui s'était montrée rebelle lors de sa première expédition; puis il prive le Comte de toute suprématie sur les évêchés de Turin, Belley et Tarentaise en les plaçant sous la dépendance directe de l'Empire. En 1178, à Saint-Trophime d'Arles, il ceint la couronne royale de Bourgogne, affirmant ainsi une prétention qui n'était pas sans danger pour la Maison de Savoie.

Devant tant d'humiliations, Humbert continue à lutter avec obstination. Sommé de se présenter devant le tribunal impérial, il s'y refuse. En conséquence, il se voit condamné par contumace à la confiscation de ses biens et mis au ban de l'Empire. Le fils de Barberousse, Henri, roi des Romains, chargé par son père d'exécuter la sentence, en est empêché par l'hiver : la neige arrête les opérations militaires. Cependant, Humbert le Saint[2] meurt en 1189, et ce sera le marquis de Montferrat, tuteur du jeune prince héritier, qui rétablira la paix avec l'Empire à des conditions favorables.

---

1. Cet incendie aurait détruit, d'après Guichenon, les titres les plus anciens de la Maison de Savoie (cf. GUICHENON, t. I, p. 236). Mais Goffredo da Viterbo, secrétaire et chapelain de Frédéric Barberousse, dit que la maison du comte fut seule respectée. D'ailleurs les documents visés par Guichenon ne se trouvaient pas à Suse.

2. Signalons que la première réunion des assemblées des trois ordres aurait eu lieu en 1173 pour « en tirer (de Hautecombe) le comte Humbert et pour le fayre a remarier ». Cf. SERVION, *Chroniques*, pp. 127-129.

Les Gibelins et les Guelfes. Thomas Ier et Amédée IV. Son fils Thomas Ier profita de la rivalité opposant Philippe de Souabe à Othon IV de Brunswick pour s'allier aux Gibelins[1]. Philippe, heureux de voir le Comte de Savoie gagné à sa cause, lui donna, dans le pays de Vaud, le fief de Moudon (1207) et, en Piémont, ceux de Chieri et de Testona. Avec Thomas Ier commence la série des vicariats impériaux reçus par la Maison de Savoie, en vertu desquels l'Empereur déléguait à un vassal son pouvoir sur une ville ou un territoire relevant directement de l'Empire. A la fin de sa vie, Thomas qui s'était jusqu'alors intitulé comte de Maurienne donne la primauté au titre plus général de Comte de Savoie, mais garde celui de marquis en Italie[2].

Après la mort de Thomas Ier (1233), son fils aîné Amédée IV suit l'exemple paternel et reste fidèle à Frédéric II, bien que l'Empereur hérétique ait été excommunié. Il semble que cette attitude très réaliste ait scandalisé quelques-uns de ses contemporains[3]. Comme son père encore, Amédée songe à

---

1. Dans la seconde période de la lutte (1131), deux prétendants se disputaient le trône impérial : Conrad de Souabe Weiblingen, dont les partisans prirent le nom de Gibelins (dérivé du vieil allemand Gwibling, soit Weiblingen), et Henri de Bavière de la maison des Welf ou Gwelf, dont les partisans s'appelèrent Guelfes. Les Gibelins soutenaient l'empereur, tandis que les Guelfes luttaient pour le pape et l'indépendance des villes. Encore au xive siècle, ces appellations représenteront les partis qui divisèrent si longtemps l'Italie.
2. Cf. V. de Saint-Genis, t. I, p. 233 ; Cognasso, *Tomaso I e Amedeo IV*, p. 231. — Selon une épitaphe relevée dans la cathédrale de Saint-Jean-de-Maurienne, trois comtes y auraient reçu la sépulture : Humbert, Amédée, Boniface, « d'abord Comtes de Maurienne, puis de Savoie » (*Mauriannae primum deinde Sabaudiae comites*). L'identification de chacun d'eux, proposée par Grillet (t. III, pp. 265-266) appellerait un nouvel examen.
3. Plusieurs ont considéré comme un châtiment de Dieu l'écroulement du Mont Granier, près de Chambéry, qui aurait fait cinq mille victimes le 24 novembre 1248.

étendre son influence en Bourgogne et au Piémont. Alors que l'Empereur n'essuyait que défaites, il sut garder une habile neutralité qui lui valut, en 1248, la reconnaissance de ses droits sur Turin. Mais Frédéric II mourut. Son vainqueur, Innocent IV, conscient de l'importance du comte de Savoie, se réconcilie aussitôt avec lui et accorde sa nièce, Béatrice Fieschi, en mariage à Thomas comte de Piémont[1]. D'autre part, Amédée réussit à se faire confirmer par le successeur de Frédéric II tout ce que ce dernier lui avait concédé.

En 1253, à la mort d'Amédée IV, son fils Boniface n'avait que neuf ans, et sa fin prématurée, dix ans plus tard, transférera le comté à ses oncles. Bien que sa fougue lui valût le surnom de Roland, les guerres de Flandre et de Piémont que mena l'adolescent furent désastreuses.

Les Savoie en Angleterre.
Pendant les années 1230 à 1280, les Comtes de Savoie jouent un rôle de premier plan dans la politique internationale. Le nombre des enfants de Thomas Ier, leur beauté et leur intelligence y contribuèrent. Sa fille Béatrice[2] épousa Raymond

---

1. Thomas II porta aussi le titre de comte de Flandre à cause de sa première femme, Jeanne de Flandre. En 1245, son frère Amédée IV lui a remis toutes les terres qu'il avait en Piémont, sous réserve de la souveraineté et du ressort; c'est pourquoi il porta le titre de comte de Piémont. En 1248, Frédéric II lui donna Ivrée et le Canavais, pour lui et sa postérité.
2. Cette princesse avait fait d'Aix-en-Provence l'une des premières cours d'Europe. Sa grâce et son esprit furent chantés par les troubadours Sordello et Blacas. Ayant eu des difficultés avec Charles d'Anjou, son gendre, pour l'usufruit du comté de Provence, elle se retira en Savoie, aux Échelles, dans un château sur la colline de Menuet; elle fonda la commanderie de Saint-Jean (actuellement hôtel de ville) et mourut en 1267. Trois de ses petites-filles montèrent sur des trônes : Isabelle de France sur celui de Navarre, Marguerite d'Angleterre fut reine d'Écosse, et Béatrice d'Anjou, impératrice de Byzance. (Cf. F. VIARD, *Béatrice de Savoie*.)

Planche III ENTREVUE DE BOLLINGEN

Le comte Pierre II, assis, reçoit le comte de Kibourg, vers 1255.
(*Diebold Schilling. Chronique Officielle ; Tome I, p. 30*).
Bibliothèque de la Bourgeoisie de Berne.

Le comte Pierre II de Savoie, protecteur de la ville de Berne, fait terminer la construction du pont et fait agrandir la ville par la construction d'un nouveau quartier dit la ville Savoyarde. Après 1255.
(*Diebold Schilling, Chronique pour R. d'Erlach de Spiez, p. 89*).

Béranger, comte de Provence, lui donnant quatre filles, qui furent les femmes de quatre rois : saint Louis, Henri III Plantagenet, Richard de Cornouailles élu roi des Romains, et Charles d'Anjou, roi de Naples et de Sicile. Dante le rappelle dans le VIe chant du *Paradis* :

Quattro figlie ebbe e ciascuna reina.

Le mariage d'Éléonore avec Henri III Plantagenet établit de solides liens d'amitié entre le roi d'Angleterre et les princes de Savoie, qui prennent à sa cour une place prépondérante. Les oncles de la reine, Guillaume, Boniface, Philippe, Thomas et Pierre font de longs séjours outre-Manche, et y obtiennent faveurs et richesses. Boniface devient évêque de Cantorbéry et primat d'Angleterre; Pierre II reçoit les comtés de Richmond et d'Essex, et une maison à Londres, sur l'emplacement de laquelle s'élève aujourd'hui un hôtel fameux : le « Savoy »[1]. Cependant les barons anglais, jaloux de tant de bienfaits accordés à des étrangers, obligent Henri III à renvoyer ses amis savoyards qui doivent quitter l'Angleterre, emportant leurs trésors.

Pierre II. Pourtant, les fils de Thomas I[er][2] sont loin de s'entendre et les biens des Savoie se morcèlent. Heureusement un cadet, Pierre II, le Petit Charlemagne,

---

[1]. Cf. W.-J. LOFTIE, *Memorials of the Savoy*, London, 1878.
[2]. Aymon, l'un des fils de Thomas Ier, avait reçu en fief le Vieux et le Nouveau Chablais. Le 25 juin 1236, il fonda et dota l'hospice de Villeneuve, près de Chillon, pour secourir les pauvres et les malades, particulièrement les pèlerins qui, par le Grand Saint-Bernard, se rendaient à Rome. Cet hospice était desservi par des clercs et existe encore aujourd'hui. Aymon, mort, dit-on, de la lèpre, à Choex près de Monthey, fut enseveli en 1242 dans la chapelle de l'établissement qu'il avait charitablement fondé.

à qui sa femme apporte en dot le Faucigny[1], va donner un nouvel essor à la Maison de Savoie. Réalisant que la Bourgogne et le Dauphiné lui sont inaccessibles, Pierre II dirige ses visées sur le pays de Vaud, et, pour cela, commence par évincer ses rivaux, les comtes de Genève. Il les réduit bientôt au seul pays de Genevois, et s'empare à Genève même de leur château du Bourg-de-Four[2]. Il reçoit à leur place l'hommage d'un grand nombre de seigneurs vaudois ; et si l'évêque de Lausanne lui remet l'avouerie de Vevey, il doit acheter celles de Payerne et d'Yverdon. En 1260, il envahit le Valais et l'évêque de Sion doit lui céder tout le pays situé en dessous du torrent de la Morge de Conthey. Vers 1265, ses conquêtes s'étendent jusqu'à Morat et Fribourg. Il aurait dominé toute la Suisse occidentale, de la Cluse de Gex[3] à l'Aar, s'il avait pu, avant Rodolphe de Habsbourg, imposer sa suzeraineté sur le Comté de Kibourg[4]. Pour ses fiefs nouveaux, il demanda l'investiture à son neveu, Richard de Cornouailles, roi des Romains (1263), qui le confirma dans la dignité de vicaire impérial. Les Chroniques du temps font ressortir la grâce hardie avec laquelle il rendit l'hommage : « Vêtu d'un habit de soie verte, sur une cuirasse

---

1. Les Sires de Faucigny avaient fondé, au début du XIe siècle, un petit État indépendant enserré entre ceux des Savoie et des Genevois, avec qui ils étaient souvent en lutte.
2. Jusqu'au XIIe siècle, les Comtes de Genève possédaient en plus du Genevois et du pays de Gex : une partie du Grésivaudan, du Chablais, du Faucigny et du pays de Vaud. Annecy et Moudon étaient les deux centres principaux de leur administration. Ils détenaient aussi l'avouerie des évêchés de Lausanne et de Genève.
3. La Cluse (Ain) est toujours appelée : « La Cluse de Gex » par les Chroniqueurs savoyards. Cf. SERVION, t. II, pp. 10-11.
4. Les Kibourg étaient représentés au début du XIIIe siècle par Ulrich III qui épousa Anne de Zähringen. Un de ses fils, Hartmann IV, prendra pour femme Marguerite de Savoie, la sœur de Pierre II. Une de ses filles, Heilwig, épousa Albert IV de Habsbourg qui fut le père de Rodolphe (mort en 1261), futur Empereur, à qui échut la succession.

mi-partie d'or et d'acier, entouré de la fleur de ses chevaliers, il répondit au protonotaire impérial qui le sommait de produire ses titres : « Mes titres sont mon épée[1] ! »

Administrateur intelligent, il réorganise son comté selon les méthodes anglaises, tirant ainsi profit de l'expérience acquise pendant ses longs séjours à la cour d'Henri III Plantagenet. Il divise ses États en bailliages, subdivisés à leur tour en châtellenies[2]. Il obtient la soumission d'un grand nombre de seigneurs locaux dont il diminue l'autorité par la création de fonctionnaires, châtelains et baillis, placés sous sa dépendance directe. Il consolide sa position à Lausanne, l'évêque Jean de Cossonay lui cédant ses droits sur Romont et la moitié du château d'Estavayer. Par l'octroi des franchises communales, il s'attache le peuple et gagne adroitement sa fidélité. Il établit des Statuts[3] où il réforme la justice, instituant entre autres un avocat chargé de défendre les pauvres dans les procès contre les riches, marquant ainsi son souci de rendre la justice plus facile et plus équitable pour tous.

Habile politique et redoutable guerrier, Pierre II fit pourtant un testament malheureux : il mourut en 1268, léguant le Faucigny à sa fille Béatrice qui devait l'apporter en dot au dauphin Guigues VII, renforçant ainsi malencontreusement la puissance de ce rival.

---

1. Cf. DE SAINT-GENIS, *Histoire de la Savoie*, t. I, p. 251.
2. Les châtellenies apparurent probablement en Savoie au moment où les comtes cessèrent d'aller eux-mêmes de château en château exercer le pouvoir et veiller à l'administration de leurs terres. Choisis et nommés par le souverain, les châtelains devinrent dès lors des fonctionnaires indispensables de l'État féodal. Cf. E. DULLIN, *Les châtelains*,
3. Cf. C. NANI, *Gli statuti di Pietro II.*

MAISONS ISSUES D'ALERAN

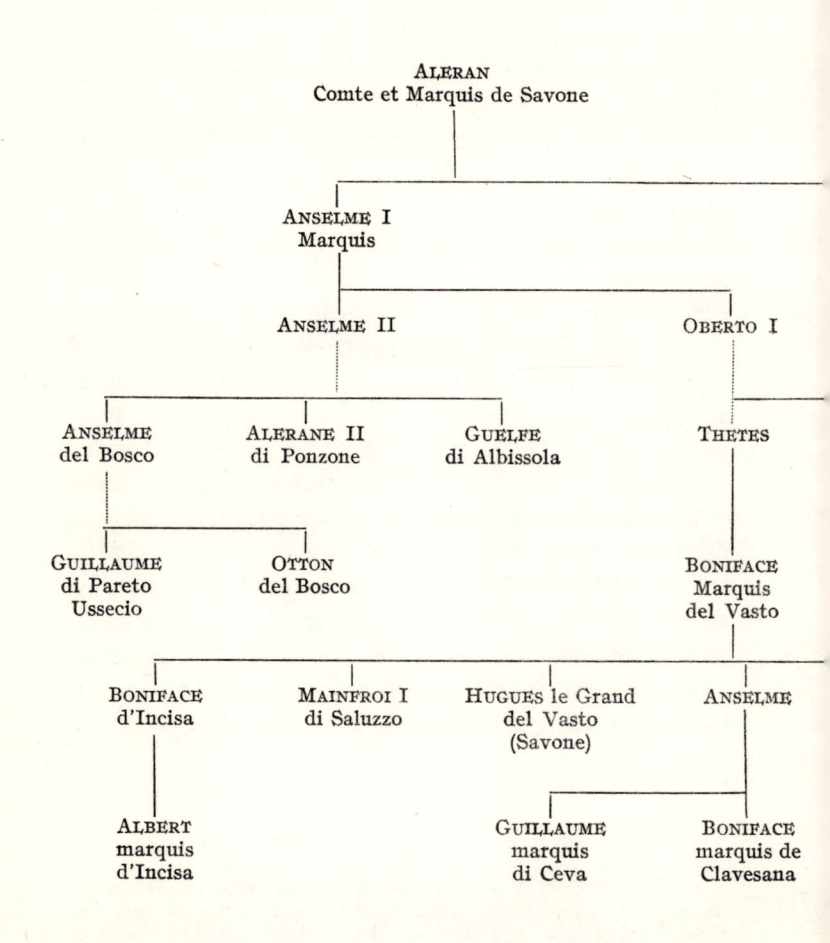

```
                        ALERAN
              Comte et Marquis de Savone
                           |
                      ANSELME I
                       Marquis
                           |
          ┌────────────────┴────────────┐
        ANSELME II                   OBERTO I
           |                            |
  ┌────────┼────────────┐             THETES
ANSELME  ALERANE II   GUELFE            |
del Bosco di Ponzone  di Albissola   BONIFACE
   |                                  Marquis
   ┌─────────────┐                    del Vasto
GUILLAUME      OTTON                     |
di Pareto     del Bosco      ┌───────────┼─────────────┬──────────┐
Ussecio                  BONIFACE   MAINFROI I    HUGUES le Grand  ANSELME
                         d'Incisa   di Saluzzo    del Vasto
                            |                     (Savone)
                         ALBERT                      |              |
                         marquis                 GUILLAUME      BONIFACE
                         d'Incisa                marquis        marquis de
                                                 di Ceva        Clavesana
```

D'après F. COGNASSO :
Tommaso I ed Amedeo IV, vol. 2.

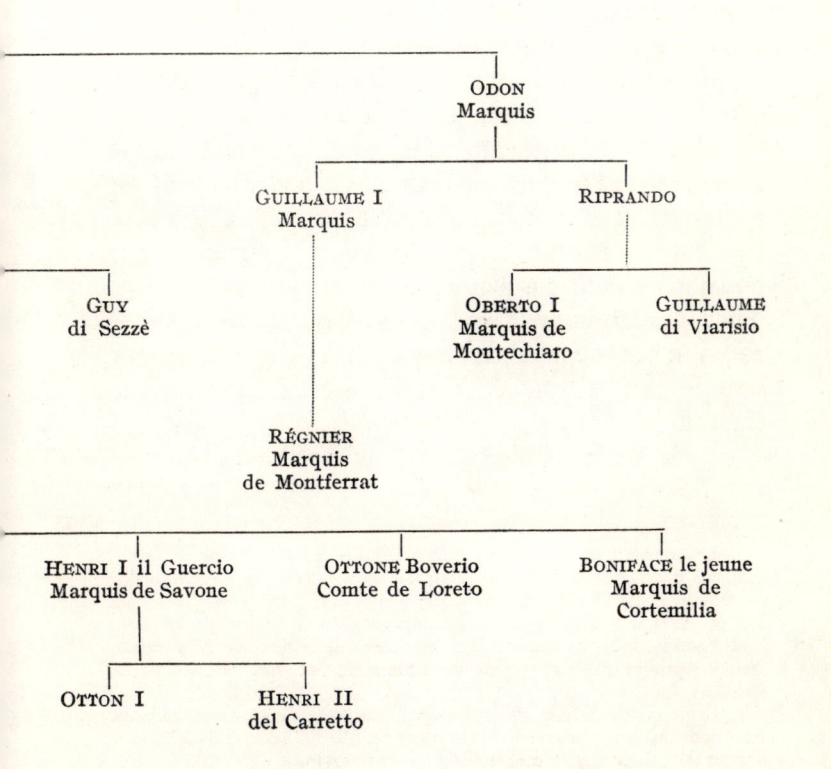

```
                            ODON
                           Marquis
            ┌─────────────────┴─────────────────┐
      GUILLAUME I                           RIPRANDO
        Marquis                                 │
┌───────────┼───────────┐              ┌────────┴────────┐
GUY                   OBERTO I              GUILLAUME
di Sezzè            Marquis de             di Viarisio
                   Montechiaro
                       │
                    RÉGNIER
                    Marquis
                 de Montferrat
┌──────────────────────┼──────────────────────┐
HENRI I il Guercio   OTTONE Boverio      BONIFACE le jeune
Marquis de Savone    Comte de Loreto        Marquis de
       │                                    Cortemilia
┌──────┴──────┐
OTTON I     HENRI II
            del Carretto
```

Philippe Ier. A Pierre succède son frère Philippe, aussitôt contrecarré par sa nièce Béatrice, la Grande Dauphine, énergique et intelligente comme l'était son père, et qui va jusqu'à réclamer la Savoie pour Hugues, son petit-fils. A cette fin, elle s'allie au sire de Gex, au comte de Genevois, aux évêques de Lausanne et de Genève, coalition soutenue par Rodolphe de Habsbourg, menacé en Suisse par les Savoie. Cette affaire de famille devait dégénérer, sous les règnes suivants, en une guerre interminable.

Plus heureux au sud des Alpes, Philippe affermit son autorité à Turin, en mettant Guillaume VII, marquis de Montferrat, à sa merci[1]. Mais Philippe meurt en 1285, sans postérité[2]. Un autre conflit en résulte entre ses trois neveux, Philippe, Amédée et Louis qui aspirent à sa succession : Amédée, qui pourtant n'était pas l'aîné, avait été désigné par son oncle, et reconnu par les États Généraux qui voyaient en lui le plus capable des trois. C'est lui qui va régner sous le nom d'Amédée V. La postérité l'appellera le Grand.

---

1. Les marquis de Montferrat étaient les descendants directs d'Aleran, seigneur d'origine franque, qui possédait au xe siècle un vaste domaine entre la plaine du Pô et la Méditerranée, c'est-à-dire le marquisat d'Aleran. Les Montferrat héritèrent des terres situées dans la plaine du Pô, avec Asti comme ville principale. La première dynastie des Montferrat-Aleran régna jusqu'en 1305; une autre branche, celle des Paléologue, lui succéda.

2. Il fut comte palatin de Bourgogne par suite de son mariage avec Alix dont les droits provenaient de Béatrice, fille de Renaud de Mâcon et femme de l'empereur Barberousse. Le comté revint à Othon de Chalon, né du premier mariage d'Alix. Les comtes palatins, issus d'Otho-Guillaume (début du xie siècle) jouèrent un rôle de premier plan. Leur fief, la Franche-Comté, ne doit pas être confondu avec le duché de Bourgogne, apanage d'un rameau capétien. Cf. GUICHENON, éd. 1690, t. I, pp. 292-293; t. III (*Preuves*), p. 83.

MAISON DE SAVOIE

ORIGINE DES BRANCHES D'ACHAÏE, SAVOIE, VAUD

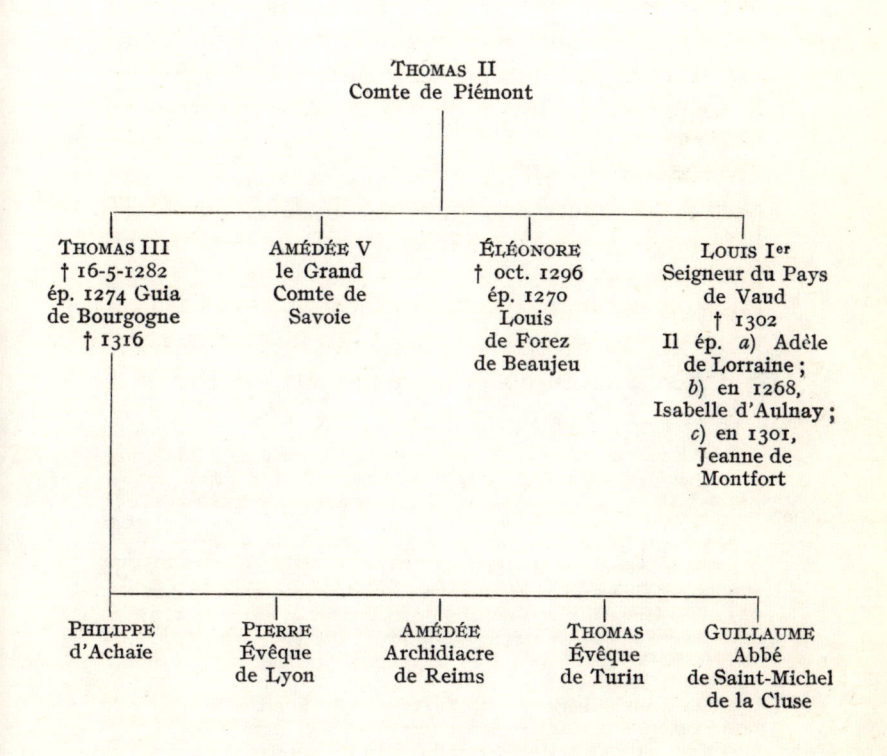

Thomas II
Comte de Piémont

- **Thomas III**
  † 16-5-1282
  ép. 1274 Guia
  de Bourgogne
  † 1316

- **Amédée V**
  le Grand
  Comte de
  Savoie

- **Éléonore**
  † oct. 1296
  ép. 1270
  Louis
  de Forez
  de Beaujeu

- **Louis Ier**
  Seigneur du Pays
  de Vaud
  † 1302
  Il ép. *a)* Adèle
  de Lorraine ;
  b) en 1268,
  Isabelle d'Aulnay ;
  c) en 1301,
  Jeanne de
  Montfort

Enfants d'Amédée V :

- **Philippe** d'Achaïe
- **Pierre** Évêque de Lyon
- **Amédée** Archidiacre de Reims
- **Thomas** Évêque de Turin
- **Guillaume** Abbé de Saint-Michel de la Cluse

Amédée V le Grand. Par sa première femme, Sibylle de Baugé, il reçoit la Bresse[1]. Son premier acte politique est de calmer les ambitions de son frère Louis et de son neveu Philippe[2] en leur donnant d'importants apanages : à Louis le pays de Vaud; à Philippe, Turin et Pignerol avec la plaine qui s'étend entre le Pô et la Doire Ripaire[3]. Après ce partage qui lui accorde une certaine tranquillité, Amédée V peut faire front à la coalition des comtes de Genève et des Dauphins.

Comme toujours, du XIIe au XIVe siècle, c'est Montmélian, clef de l'indispensable Mont-Cenis, que vise le Dauphiné. Amédée V s'allie aux bourgeois de Genève, et, le 1er octobre 1285, après avoir traité avec l'évêque, se déclare leur protecteur; il soutient ainsi la première commune de Genève. Deux ans plus tard, il prend à l'évêque la Tour de l'Ile qui lui donne une place forte sur le Rhône, et, peu après, s'empare de l'office judiciaire du vidomnat[4]. Ayant battu les Dauphinois à Bellecombe, il signe le traité d'Annemasse qui oblige le comte de Genevois et le

---

1. « Ce fut par le moyen de ce mariage que les Seigneuries de Baugé et de Bresse entrèrent en la Maison de Savoye, ce qui aggrandit bien les Estats d'Amé 5, à la bienséance duquel elles estoient, car au lieu que la Rivière d'Ains luy estoit frontière, il l'a poussa jusqu'aux portes de Mascon et de Lyon. » GUICHENON, *Histoire de Bresse et de Bugey*, p. 56.
2. Philippe était le fils de Thomas III, frère aîné d'Amédée V. Thomas III et son père, Thomas II, ne régnèrent pas : ils passèrent leur vie en Piémont, où ils luttèrent contre les Montferrat, conservant ainsi les terres qui seront dévolues à Philippe en 1285 par Amédée V. Philippe épousa la fille du chroniqueur Villehardouin, Isabelle, qui lui apporta le titre de prince d'Achaïe et de Morée.
3. Ces deux apanages dureront plus d'un siècle et reviendront à la branche aînée à la mort de leurs titulaires.
4. Nous utilisons à dessein les expressions locales de « vidomnat » et de « vidome » correspondant aux termes français de « vidamie » et « vidame ». Cet office était surtout un tribunal, le vidomne était juge d'instruction et accusateur public. Amédée V enleva le vidomnat à son rival, le comte de Genève, et désigna comme nouveau lieutenant de vidomne Girard de Compeys, châtelain de l'Ile.

Planche IV

CHATEAU DU BOURGET (état actuel)
Commencé en 1248 par Thomas de Savoie et achevé par Amédée V.

Phot. Studio Guy

Dauphin à lui prêter hommage. Par ailleurs, en 1301, il traite avec l'évêque de Sion pour faire cesser les discordes entre ses sujets et les Valaisans.

La Savoie, la France et l'Empire. Toutefois, la coalition soutenue par Rodolphe de Habsbourg se reforme contre Amédée V qui est obligé de se rapprocher de la France, sans affaiblir pour autant ses bons rapports avec Édouard Ier d'Angleterre. Impressionné par la puissance de Philippe le Bel, il devient son allié, participe à la campagne de Flandre et reçoit en Normandie le vicomté de Maulévrier.

Désormais, les comtes de Savoie se tourneront résolument vers la monarchie française.

Pourtant, une politique de souplesse envers l'Empire était nécessaire pour maintenir l'indépendance de la Savoie[1]. Les circonstances favorisèrent un rapprochement. Albert d'Autriche, tenace comme l'avait été son père l'empereur Rodolphe, meurt assassiné en 1308. Or Henri VII de Luxembourg[2], qui lui succède, n'a pas les mêmes visées, car ses États ne touchent pas la Savoie. Élevé à la cour de Philippe le Bel, Henri VII avait reçu une éducation toute française et préférait s'entourer de chevaliers choisis parmi la noblesse rhodanienne, vassale de l'Empire. Il voulait affermir son autorité sur tout le royaume d'Arles, suivant ainsi l'exemple de Barberousse et Frédéric II. Mais il devait alors entrer en lutte avec

---

1. Amédée V joua un rôle influent en Suisse occidentale, auprès des villes qui résistaient à l'influence des Habsbourg. Voir sur le sujet, HISELY, *M.D.R.*, t. X, p. 122.

2. Henri VII était le beau-frère d'Amédée V; ils avaient en effet épousé les deux sœurs, Marguerite et Marie de Brabant.

Philippe le Bel qui, avide de conquête dans la vallée du Rhône, s'était emparé de la ville de Lyon, qui pourtant dépendait de l'Empire.

Ainsi, Amédée V eut à choisir entre les deux grands rivaux et resta fidèle au roi; il participa à la conquête de la ville, bien que l'archevêque d'alors fût son neveu, Pierre de Savoie. Ainsi cessait l'influence de la Maison de Savoie sur le Lyonnais qu'elle détenait depuis 1245, et où deux membres de sa famille avaient occupé le siège métropolitain[1]. Les portes de Lyon lui étant fermées, la dynastie s'intéressera d'autant plus au versant italien des Alpes, tandis qu'à l'occident elle ne s'attachera qu'à maintenir ses droits.

Henri VII, abandonnant tout espoir sur le royaume d'Arles, dirige lui aussi ses ambitions vers l'Italie et il tente d'unifier la péninsule en réconciliant Guelfes et Gibelins. Il prend la couronne lombarde à Milan, puis, à Rome, la couronne impériale. Amédée V l'accompagne, reçoit le vicariat de Lombardie et obtient, en fief, le comté d'Asti. Grâce à son activité et à son prestige auprès des cours de France et d'Angleterre, du pape et de l'Empereur, la Savoie devient un élément important dans l'équilibre européen. Contemporain de Giotto et de Dante, le comte fut un des princes de sa famille qui porta le plus d'intérêt aux lettres et aux arts. Amédée le Grand mourut en Avignon, l'an 1323.

---

1. L'un devint le comte de Savoie Philippe Ier, après avoir été archevêque de Lyon de 1246 à 1267. Le second, Pierre, petit-fils de Thomas III, nommé archevêque en 1307 et chassé par Philippe le Bel en 1312, sera rétabli par Philippe V le Long en 1320. Il mourut à Lyon en 1332.

Édouard, Aymon et les évêques. Ses deux fils, Édouard le Libéral[1], puis Aymon le Pacifique, lui succédèrent. Leurs règnes furent marqués par l'affaiblissement des fiefs ecclésiastiques. En 1326, une jacquerie, répercussion de troubles sociaux en France, éclate en Maurienne, sur le territoire épiscopal : c'est la révolte des Arves. Le comte Édouard accourt protéger l'évêque, mais, en 1327, se fait accorder la moitié des revenus et du pouvoir temporel[2].

Aymon, après Édouard, profitera d'un conflit entre les juridictions épiscopale et comtale, à Moutiers, en Tarentaise, pour obtenir une limitation considérable des prérogatives de l'archevêque. Ces deux succès annoncent la décadence temporelle des évêques qui, jusqu'ici, avaient mis un sérieux obstacle à l'essor des comtes. « Jusqu'au XIVe siècle », comme le dit Victor de Saint-Genis, « ce versant des Alpes était moins Savoie que Chrétienté ; dominé plus que les pays voisins par la féodalité et par l'Église, il restait obscur et comme perdu dans ces grandes ombres. Les légistes vont succéder aux chevaliers et aux prêtres. La Loi remplacera la force ou la tradition »[3].

Réaliste et souple, et bien adaptée aux événements, telle se poursuit, pendant trois siècles, la politique des premiers comtes.

A la chute du royaume de Bourgogne, Humbert aux Blanches Mains tire habilement profit du soutien accordé à l'empereur Conrad.

---

1. Le surnom de « Libéral » lui fut donné en raison des nombreuses franchises qu'il accorda aux communes. Il devait soutenir une rude guerre contre le Dauphin et se trouvait aux côtés de Philippe le Bel à la bataille de Cassel.

2. Malgré leurs droits étendus en Maurienne, les comtes de Savoie n'y étaient point les seuls maîtres. Depuis le temps du roi Gontran, les évêques détenaient une grande part de la juridiction.

3. L'opinion de Victor DE SAINT-GENIS, *Histoire de Savoie*, t. I, pp. 264-265, demanderait peut-être à être plus nuancée, vu la complexité des faits.

En dot, Adélaïde de Suse apporte à Oddon les terres italiennes qui donnent aux comtes la complète maîtrise des grands cols alpins que traversent les routes alors si fréquentées qui relient la France à l'Italie. De cette position stratégique ils peuvent se tourner vers le Pô, le Rhône et le Rhin.

Quand ils doivent échapper à l'emprise trop forte de l'Empire, les comtes se rapprochent des Capétiens, comme ils se rapprocheront plus tard des Plantagenets quand roi de France et Empereur s'entendront. Pourtant, dans leurs visées sur l'Italie ils trouveront l'appui de l'Empereur qui, en échange, leur donnera le vicariat impérial en Lombardie.

Pierre II, le Petit Charlemagne, domine la Suisse romande, mais bientôt les Savoie se heurtent aux Habsbourg, et l'amitié française, si elle ruine leurs ambitions sur le Lyonnais, est alors précieuse.

Au début du XIVe siècle, les Savoie doivent avant tout songer à se défendre, d'autant que le Dauphin, ennemi héréditaire, tient le Faucigny au cœur de leurs États.

Ainsi, les Comtes de Savoie qui, tout d'abord, possédaient des biens disséminés dans la région comprise entre le Rhône et les Alpes, étaient parvenus, après trois siècles d'efforts, et des fortunes diverses, à unifier et augmenter leurs domaines grâce à leur prudence et à leur ténacité.

Ils étaient pourtant enserrés de tous côtés par de puissants voisins : les rois de France et les Dauphins à l'ouest et au sud, les Habsbourg en Helvétie, les Visconti, les Anjou, les marquis de Montferrat et de Saluces dans la vallée du Pô. S'ils durent, à l'occident, renoncer à toute idée d'expansion, ils pouvaient dorénavant, tenant les passages des Alpes, tourner les regards au-delà des monts, vers d'autres destinées.

CHAPITRE II

AYMON LE PACIFIQUE

(1329-1343)

> *Il estoit nourrisseur de paix; il aymoit les sages et proudhommes et s'en accompagnoit et servoit*[1].

Aymon de Savoie, second fils d'Amédée V et de Sibylle de Baugé, était né le 15 décembre 1291 à Bourg-en-Bresse. Dès sa jeunesse, on le destina à la vie ecclésiastique et cette orientation devait lui faire préférer les solutions plutôt pacifiques que guerrières. Amédée V, craignant les querelles que sa mort risquait de susciter, avait désigné son second fils Aymon comme successeur.

A la mort du comte Édouard, en 1329, Aymon, chanoine de Lyon et prieur de Villemoûtier, n'avait pas encore été ordonné prêtre, et personne ne pouvait légitimement lui contester la succession. Aussi, les États Généraux de Savoie le reconnurent-ils comme héritier d'Édouard; ils écartèrent les prétentions de Jeanne, fille unique d'Édouard le Libéral,

---

1. Témoignage rendu à Aymon, père du Comte Vert, par SERVION, col. 268. — Jean Servion écrivit vers 1465. Sa chronique est basée, mais avec beaucoup de fantaisie, sur celle que composa en 1417-1418 Jean d'Orville, dit Cabaret, chroniqueur officiel de la cour d'Amédée VIII. (Sur les diverses Chroniques de Savoie, cf. TALLONE, *Parlamento Sabaudo*, t. VIII, 2ᵉ partie, vol. I, pp. xiv-xv, qui donne des références utiles.)

(qui avait épousé le duc de Bretagne[1]), en déclarant « que les États de Savoie ne tombaient pas de lance en quenouille »[2].

Le règne du nouveau comte fut court, et le priva d'une renommée qu'il eût méritée à juste titre. Plus tard, la gloire de son fils éclipsera la sienne. Cependant, comme le remarque J. Cordey[3], « Amédée VI ne fit que suivre sur une plus vaste échelle la ligne de conduite sage et habile que son père avait tracée »; cette continuité est l'une des caractéristiques essentielles de la Maison de Savoie.

Mariage d'Aymon avec Yolande de Montferrat. Le mariage du comte Aymon avec Yolande de Montferrat[4] eut lieu le 1er mai 1330 à Casale. C'était la première fois qu'un Savoie épousait une Montferrat; par contre, quatre marquis de cette Maison s'étaient

---

1. Dix ans plus tard (1339), par l'intermédiaire de Philippe VI, un accord fut conclu à Vincennes entre Aymon et Jeanne de Savoie. Le comte assurait une rente de six mille livres tournois à Jeanne, à la condition qu'elle abandonnerait ses droits à la succession paternelle. Durant son règne, Aymon ne fut pas inquiété par sa nièce; mais, après sa mort, Jeanne se libéra des engagements qu'elle avait pris, comme on le verra plus loin.
2. Comme les Trois États de France à la mort de Louis X (1316), les États de Savoie, pour écarter les femmes de la succession, appliquaient la loi salique : « De terra vero salica, nulla portio hereditatis mulieri veniat; sed ad virilem sexum tota terrae hereditas perveniat.» — Les réunions des États de Savoie, que mentionnent les chroniqueurs du xve siècle (Cabaret, Servion), furent à l'origine des assemblées de grands vassaux convoquées par le comte, en raison de leurs devoirs féodaux « d'aide et de conseil ». Plus tard, les délégués des communes furent aussi appelés aux sessions (fin du xive siècle, peut-être déjà en 1329 ?). Les États Généraux prendront de l'importance surtout sous Amédée VIII. Cf. A. TALLONE, *Parlamento Sabaudo.*
3. *Les Comtes,* p. 63.
4. Jean Ier de Montferrat mourut sans enfants. Le marquisat revint à sa sœur Yolande, épouse d'Andronic Paléologue, empereur de Byzance. Elle le transmit à son second fils, Théodore, qui inaugura la deuxième dynastie; elle devait durer jusqu'en 1533. L'épouse d'Aymon était la fille de Théodore Ier Paléologue, marquis de Montferrat, et tenait son prénom de son aïeule. En 1536, Charles-Quint choisit Frédéric II de Gonzague,

alliés à des princesses de Savoie dont l'une, Marguerite, était la sœur d'Aymon. Malgré leurs alliances, les Montferrat se montrèrent toujours avides d'indépendance; comme les marquis de Saluces, qui descendaient aussi d'Aleran, ils cherchèrent constamment à éluder l'influence savoyarde. Ces petits États, en partie enclavés dans les territoires des Savoie, se ressemblaient par leurs cours restées féodales et de mœurs plus françaises[1] qu'italiennes. Étant donné leurs affinités, les Montferrat auraient dû s'entendre avec les Savoie; mais, voulant sauvegarder leur indépendance, ils préféraient rendre hommage à l'Empereur et au Dauphin, favorisant ainsi le dessein de ces derniers d'affaiblir une puissance qui commençait à s'affirmer. Cherchant contre leurs rivaux, les princes d'Achaïe, l'appui des Visconti qui en profitaient pour s'infiltrer dans ces régions, ils divisaient le Piémont : « Et tout ycelles tencions viennent par trop de dominacions[2]. » Toutefois, en épousant Yolande, Aymon assurait le marquisat à sa Maison, dans le cas où les Montferrat n'auraient plus d'héritiers mâles en ligne directe.

---

au lieu du duc Charles de Savoie, pour succéder aux Paléologue. Le Montferrat passa définitivement à la Maison de Savoie lors du traité d'Utrecht, en 1713.

1. Ces cours avaient gardé une culture occidentale et chevaleresque; des troubadours, appelés aussi « gizellari » (amuseurs), accueillis et protégés par elles, rimaient des poèmes en langue provençale. A la fin du XIIe et au début du XIIIe siècle, ces « chanteurs d'amour » parcouraient le midi de la France, l'Espagne et l'Italie. Le provençal Raimbaut de Vaqueiras vécut longtemps près de Boniface Ier de Montferrat qu'il accompagnera à la quatrième croisade. Les marquis de Montferrat accueillirent aussi Folquet de Romans, Peire Vidal, Gaucelm Faidit et Albertet qui, tout comme Aimeric de Bellenoi et Peire Raimon de Toulouse fut l'hôte des Savoie, des Este et des Malaspina. Les princes eux-mêmes se laissaient prendre au jeu, tel Thomas III de Saluces qui écrivit le *Chevalier errant* en français, langue en pleine transformation au XIVe siècle, tandis que l'italien était déjà formé à cette époque avec Dante.

2. *Chevalier errant*, cité par N. Iorga, *Thomas III*.

Les chroniqueurs de l'époque sont unanimes à vanter les charmes de la comtesse Yolande. L'union des sangs grec et génois[1] contribua peut-être à lui donner cette beauté qu'elle transmit à ses enfants. Un caractère charitable et pieux ajoutait encore à ses attraits : « et tout le peuple la prisoit, et surtout les povres, car elle les vestoit, chauscoit, et habillioit, et les trattoit doulcement et piteusement ». Son mariage fut heureux ; elle était aimée de son seigneur : « le comte estoit moult contant et joyeux, jamaiz ne ly dist au contrayre de riens quelle vaulsit fayre ; ainsy ils vivoyent comme deux angels en amour, empaix et en tranquillité »[2].

Naissance d'Amédée VI au château de Chambéry.

En 1232, la fière et imposante forteresse qui domine Chambéry de toute sa hauteur appartenait encore au seigneur Berlion, quand Thomas Ier de Savoie, s'étant habilement assuré de la plus grande partie de la ville, s'avisa d'en acquérir le fief[3]. Sans doute songeait-il à en faire sa capitale !

Son petit-fils Amédée V, qui de ses nombreuses campagnes en Italie avait rapporté des trésors d'art, voulut embellir ce château, et de cette modeste demeure d'un petit baron du Moyen Age il fit une résidence somptueuse[4] ; il eut recours à des peintres,

---

1. La mère de Yolande, Argentina Spinola, était fille du capitaine de la commune et du peuple de Gênes, Oppecino Spinola de Lucholi.
2. Servion, col. 256 ; 2ᵉ éd., t. II, p. 43.
3. Berlion, vicomte de Chambéry, céda le domaine utile, mais conserva cependant le château et ses dépendances, et ce n'est qu'en 1295 qu'Amédée V l'achètera à Hugues de la Rochette.
4. Le château de Chambéry devint alors une résidence digne des comtes, et protégée par de puissantes fortifications. Les parties les plus anciennes qui subsistent, soit le rez-de-chaussée, le premier étage et la tour poly-

dont Georges d'Aquila, contemporain et élève de Giotto, qui, venu de Florence en 1314, devait rester au service de la famille comtale jusqu'en 1349[1]. La grande salle fut ornée par Hugonin Frenier, « le maître Jacques », et Jean de Grandson. Rien, hélas, ne subsiste de ces œuvres d'art[2].

C'est dans une petite chambre du château, tapissée pour l'occasion de riches tentures contrastant avec la rusticité du mobilier de l'époque, que la comtesse Yolande mit au monde, le 4 janvier 1334, un fils qui sera le célèbre Comte Vert, Amédée VI[3]. Le baptême eut lieu en grande pompe le 12 janvier : Amédée III de Genève[4], proche parent et vassal du comte, tenait son filleul dans ses bras, tandis que l'évêque de Maurienne lui administrait le sacrement. Son cousin, Louis II de Vaud[5], assistait à la cérémonie, ainsi que de nombreux seigneurs.

Amédée était venu combler la félicité conjugale de ses parents. Exaucée dans son vœu par la naissance

---

gonale de la Trésorerie, remontent au XIVe siècle. Jusqu'au XIIIe siècle, les comtes séjournèrent dans leurs différents châteaux : Montmélian, Aiguebelle, Voiron et Le Bourget.

1. G. d'Aquila décora aussi la chapelle d'Hautecombe, le château du Bourget et la « camera domini » de Chillon où l'on retrouve encore des traces de son travail. On lui attribue aussi, mais à tort, la Madone de la Consolata de Turin. Cf. A. DUFOUR et F. RABUT, *Les Peintres,* pp. 1-103; A. NAEF, *La camera domini,* pp. 100-113 ss.

2. Nous savons par les comptes de la Trésorerie que ces artistes se servaient d'œufs, procédé de la fresque.

3. On rencontre plus de trente fois le prénom d'Amédée dans la généalogie des Savoie. D'après A. DAUZAT (*Dictionnaire,* pp. 7-8), il vient de l'italien « Amadei » : Aime Dieu. Mais, selon l'abbé Maurice CHAUME (*D'où vient le nom d'Amédée ?*) il s'agirait d'un composé germanique. Quoi qu'il en soit, les premiers Amédée connus sont un comte de Bavière vers l'an 800, puis un comte de Langres et de Dijon (825-840), enfin un comte de Milan (896-898).

4. Petit-fils d'Amédée V par sa mère, Agnès de Savoie, qui épousa en 1297 Guillaume III de Genève.

5. Louis II de Savoie, sire de Vaud, avait hérité de son père Louis Ier l'apanage que celui-ci avait reçu de son frère Amédée V en 1285.

d'un fils, Yolande accomplit un pèlerinage de reconnaissance à la Madone de Bourg-en-Bresse, encore vénérée de nos jours en l'église Notre-Dame. De son mariage avec le comte Aymon naquirent cinq enfants[1] dont deux seulement survécurent : Amédée et Blanche. Les autres moururent en bas âge : Jean, filleul du pape Jean XXII, qui fut enterré dans l'église des Cordeliers à Chambéry, Catherine et enfin Louis, décédé le jour même de sa naissance le 14 décembre 1342, en même temps que sa mère.

Institutions nouvelles. Aymon, administrateur avisé, dota ses États d'heureuses institutions. Le 30 mai 1330, il instaura la charge de chancelier de Savoie, fonction qui dura plusieurs siècles. Si l'on excepte le conseiller pour les finances, le chancelier de Savoie était en fait le seul ministre du comte[2]. Pour l'aider dans le gouvernement de ses États, le comte avait un conseil administratif composé de nobles, d'ecclésiastiques, de juristes, de baillis, de juges et de châtelains. Le conseil avait une compétence politique, législative et diplomatique. En l'absence du comte, il était autorisé à prendre des décisions qui avaient force de loi.

Dans l'ordre judiciaire aussi, Aymon intervint heureusement. Aux XIIIe et XIVe siècles, en effet, les comtes n'avaient pas de résidence fixe : ils se déplaçaient d'un château à l'autre, accompagnés le plus souvent de toute leur cour. Le Conseil suprême de Justice, qui suivait docilement ces pérégrinations,

---

1. Le comte Aymon eut au moins six enfants illégitimes dont le plus connu fut Humbert, sire d'Arvillars, qui eut deux fils, Humbert et Amédée, sire des Molettes. Une fille illégitime du comte Aymon épousa Louis de Lucinge.
2. L. Cibrario, *Origini,* t. II, p. 101.

était d'un accès difficile aux plaideurs; pour y remédier, Aymon établit à Chambéry une cour permanente par décret du 29 novembre 1329[1].

Au règne du comte Aymon remontent aussi les premières tentatives de statistique qui rentrent dans cette conception du pouvoir qui devient plus centralisé, et qui multiplie les rouages administratifs et les moyens de contrôle; cette initiative fut prise à l'occasion d'une taxe régulière que l'on percevait sur cinq habitants par feu. Soucieux d'assurer la conservation des comptes de l'État, Aymon aménagea une salle souterraine dans les caves du château de Chambéry. Enfin, son esprit avisé fit interdire à ses fonctionnaires de participer aux opérations financières du monopole domanial[2].

L'usure, cette plaie du Moyen Age, ne laissa pas le Comte indifférent : des condamnations étaient infligées aux usuriers, et les juifs, spécialistes de cette pratique puisque l'Église l'interdisait aux chrétiens, payaient, « pour pouvoir habiter en Savoie et y exercer le commerce »[3], un impôt désigné sous le nom de « stagio », sans préjudice des amendes qu'ils encouraient. De plus, à cette époque où la peste sévissait si souvent, en Savoie comme en France, on les accusait d'en être la cause, et, en particulier, d'empoisonner les fontaines.

---

[1]. En 1355, le Comte Vert, Amédée VI, allait accroître encore l'importance de cet organisme, en étendant ses pouvoirs : il déféra à la cour de justice les causes qu'il s'était strictement réservées jusqu'alors. Il régularisa aussi, en la généralisant, la vieille institution de « l'avocat des pauvres » que la France devait emprunter à la Savoie cinq siècles plus tard. Cf. Saint-Genis, *op. cit.*, t. I, p. 343.
[2]. Cibrario, *op. cit.*, t. I, p. 106.
[3]. Saint-Genis, p. 341.

LES SAVOIE

D'AMÉDÉE V A AMÉDÉE VIII

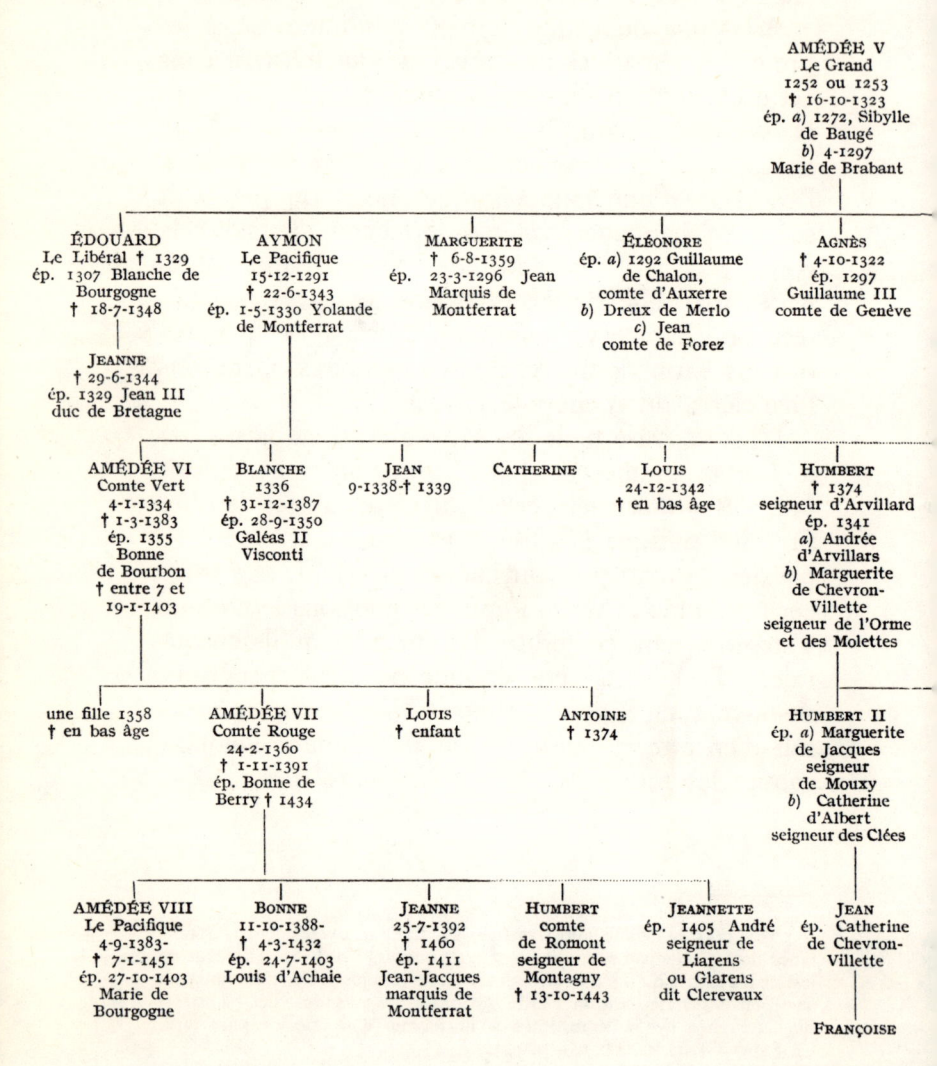

AMÉDÉE V
Le Grand
1252 ou 1253
† 16-10-1323
ép. *a*) 1272, Sibylle
de Baugé
b) 4-1297
Marie de Brabant

ÉDOUARD
Le Libéral † 1329
ép. 1307 Blanche de
Bourgogne
† 18-7-1348

  JEANNE
  † 29-6-1344
  ép. 1329 Jean III
  duc de Bretagne

AYMON
Le Pacifique
15-12-1291
† 22-6-1343
ép. 1-5-1330 Yolande
de Montferrat

MARGUERITE
† 6-8-1359
ép. 23-3-1296 Jean
Marquis de
Montferrat

ÉLÉONORE
ép. *a*) 1292 Guillaume
de Chalon,
comte d'Auxerre
b) Dreux de Merlo
c) Jean
comte de Forez

AGNÈS
† 4-10-1322
ép. 1297
Guillaume III
comte de Genève

AMÉDÉE VI
Comte Vert
4-1-1334
† 1-3-1383
ép. 1355
Bonne
de Bourbon
† entre 7 et
19-1-1403

BLANCHE
1336
† 31-12-1387
ép. 28-9-1350
Galéas II
Visconti

JEAN
9-1338-† 1339

CATHERINE

LOUIS
24-12-1342
† en bas âge

HUMBERT
† 1374
seigneur d'Arvillard
ép. 1341
a) Andrée
d'Arvillars
b) Marguerite
de Chevron-
Villette
seigneur de l'Orme
et des Molettes

---

une fille 1358
† en bas âge

AMÉDÉE VII
Comté Rouge
24-2-1360
† 1-11-1391
ép. Bonne de
Berry † 1434

LOUIS
† enfant

ANTOINE
† 1374

HUMBERT II
ép. *a*) Marguerite
de Jacques
seigneur
de Mouxy
b) Catherine
d'Albert
seigneur des Clées

AMÉDÉE VIII
Le Pacifique
4-9-1383-
† 7-1-1451
ép. 27-10-1403
Marie de
Bourgogne

BONNE
11-10-1388-
† 4-3-1432
ép. 24-7-1403
Louis d'Achaie

JEANNE
25-7-1392
† 1460
ép. 1411
Jean-Jacques
marquis de
Montferrat

HUMBERT
comte
de Romont
seigneur de
Montagny
† 13-10-1443

JEANNETTE
ép. 1405 André
seigneur de
Liarens
ou Glarens
dit Clerevaux

JEAN
ép. Catherine
de Chevron-
Villette

  FRANÇOISE

BONNE	MARIE	CATHERINE	JEANNE	BÉATRICE
ép. Hugues de Bourgogne	1298 ép. 1309 Hugues baron de Faucigny	† 30-9-1326 ép. 1315 Léopold duc d'Autriche	ép. 1325 Andronic III le jeune Empereur de Byzance	ép. 1328 Henri duc de Carinth

Mères inconnues

OGIER	AMÉDÉE	JEAN	MARIE	N.	DONATA
† ?-1372 p. N. de Meyria		† 1349 ou après chanoine de Lausanne chantre de Genève	fiancée 1335 avec André Bonchristiani de Pise	ép. Ludovic de Lucinge	religieuse de Bons-en-Bugey

AMÉDÉE
de Molettes
ép. Marguerite de
Chevron-Villette

Bailliages et châtellenies. A l'époque d'Aymon, les États de Savoie se divisaient en dix bailliages, subdivisés en soixante-quinze châtellenies. Les baillis, choisis parmi les hauts feudataires, administraient au nom du Comte : les finances, la justice, et les questions militaires. Un juge, dans chaque châtellenie, était chargé de toutes les causes civiles et criminelles, et ainsi le Comte de Savoie se posait en « justicier suprême », limitant de cette façon dans toute la mesure du possible les juridictions seigneuriales qu'il était obligé de respecter.

Le châtelain commandait une châtellenie avec les mêmes attributions militaires, administratives et judiciaires que celles des baillis. Sous ses ordres, était le métral, préleveur d'impôts et policier. Ainsi était constituée, en Savoie comme en France, une hiérarchie qui, des juges locaux, aboutissait au Conseil du Comte résidant à Chambéry ou ailleurs. Le plus important des dix bailliages était celui de la Savoie, composé de dix-huit châtellenies. Venaient ensuite ceux de Novalaise, du Chablais[1], de Bagé, Bresse, Bugey, Valbonne, Viennois, du Val d'Aoste et de Suse. En général, le bailli résidait dans la châtellenie la plus importante de son bailliage; ainsi, celui de Savoie demeurait dans celle de Montmélian. Les baillis et châtelains envoyaient chaque année à la Chambre des Comptes de Savoie un long rouleau de parchemin sur lequel étaient marquées soigneusement les recettes et les dépenses des mois précédents[2].

---

1. Le bailliage du Chablais comprenait les châtellenies du Bas-Valais.
2. « Les plus anciens comptes de châtellenies de nos régions alpines sont ceux de Chillon, en pays de Vaud et de Conthey et Saillon, en Valais, qui remontent en 1257 et 1258, puis ceux de Montmélian qui datent de 1263. Le contrôle financier s'est organisé d'abord dans les domaines personnels

Aymon et le Dauphin. La politique étrangère d'Aymon fut aussi sage que sa politique intérieure.

De longues guerres de rivalité sévissaient depuis le XIIe siècle entre la Savoie et le Dauphiné; elles étaient dues à la délimitation imprécise des frontières et aux ambitions antagonistes des princes. Les comtes de Savoie à Chambéry, les dauphins[1] à Grenoble, cherchaient tous les moyens d'agrandir leurs États au détriment l'un de l'autre. Pour réaliser leurs visées politiques, ils s'appuyaient tantôt sur l'Empire, tantôt sur la France[2].

Bien que relevant de l'Empire, Comte et Dauphin, souverains de deux États de langue française, étaient à peine considérés comme des étrangers par le roi de France[3]. Celui-ci était intervenu à plusieurs reprises en médiateur, et Philippe VI avait même réussi à rallier le comte Édouard de Savoie et le dauphin Guigues VIII sur le champ de bataille de Cassel[4].

---

de Pierre de Savoie, seigneur de Vaud, puis s'est étendu après l'accession de ce prince au comté de Savoie à tous les domaines de sa maison. La masse compacte de nos rouleaux de parchemin, issus de cette réforme financière, fait songer à l'immense collection des rouleaux de la Tour de Londres, qui ont donné leur nom à l'archiviste d'Angleterre, le « Master of the Rolls », le Maître des Rôles. Or nous savons que Pierre de Savoie, oncle du roi Henri III d'Angleterre, a fait de longs séjours outre-Manche, où il exerça une grande influence politique. Revenu dans ses États alpins, ce prince avisé fit certainement au profit de la Savoie des emprunts à l'administration financière des Plantagenets. » André PERRET, *Discours de réception à l'Académie de Savoie.*

1. La qualification provenait des comtes d'Albon; au XIIe siècle, la mère de Guigues IV, princesse anglaise, avait ajouté le prénom de Dauphin (Dolfin) à celui de son fils. Dès le XIIIe siècle, ce nom de baptême devint le titre même des comtes d'Albon, et leurs États prendront le nom de Dauphiné. Cf. R. AVEZOU, *Petite Histoire du Dauphiné,* p. 33.

2. Le dauphin André avait même, pour faire échec au comte de Savoie, accepté l'hommage du marquis de Saluces qui voulait, en Piémont, se protéger contre l'expansion des Savoie et des Visconti.

3. Le dauphin Guigues VIII avait épousé la fille de Philippe V le Long; Marguerite de Provence, petite-fille de Thomas Ier de Savoie, avait épousé le roi de France, saint Louis.

4. J. CORDEY, *Les Comtes,* p. 16.

Cependant, une cause de mésentente subsistait entre les trois : le comte et le dauphin aspiraient à reconstituer, chacun à son profit, l'ancien royaume de Bourgogne; quant au roi de France, il avait tout intérêt à jouer le rôle de médiateur, car il ne pouvait souhaiter la suprématie de l'un des adversaires ou une alliance trop étroite entre eux, puisqu'il cherchait lui aussi à étendre sa domination sur ces mêmes territoires[1].

La mort de Guigues VIII vint changer les relations du Dauphiné avec la France[2]. Le défunt n'ayant pas de postérité, son frère Humbert II lui succéda. Or le nouveau Dauphin, adversaire acharné de la politique française dans l'ancien royaume d'Arles, avait épousé Marie des Baux, d'une illustre famille de Provence; il était devenu l'ami du roi de Naples, Robert d'Anjou, dont on connaît l'ambition de placer un membre de sa famille sur le trône d'Arles et de Vienne[3]. Philippe VI jugea donc nécessaire de s'assurer une position stratégique en occupant, le 17 août 1333, avec le consentement de l'archevêque, la ville de Sainte-Colombe, près de Vienne. Inquiet de la présence si proche du roi de France, le dauphin engagea, par l'entremise du pape Benoît XII, des pourparlers avec son voisin de Savoie : Aymon et Humbert s'engagèrent solennellement à ne rompre sous aucun prétexte la paix conclue.

---

1. Le royaume de Boson fut démembré en 1033, après la mort de Rodolphe III. Le 17 octobre 1314, à l'entrevue de Faverges, Amédée V de Savoie et le dauphin Jean II s'étaient engagés à maintenir sous la suzeraineté de l'Empire tous les territoires qui leur en étaient revenus, afin de contrecarrer l'influence française.

2. Guigues VIII fut tué par une flèche savoyarde en 1333, au siège du château de la Perrière, propriété du comte de Savoie, près de Voreppe, non loin de Grenoble.

3. Raymond des Baux avait cédé à Charles Ier d'Anjou les droits qu'il avait reçus de l'empereur Frédéric II sur le royaume d'Arles. Cf. Paul Fournier, *Le Royaume d'Arles et de Vienne* (1138-1378), Paris, 1891.

DAUPHINS DE VIENNOIS

GUIGUES Ier le Vieux
† religieux entre 1060-1070
sire de Vion, comte d'Albon
créateur de la puissance territoriale des comtes d'Albon
sur la rive gauche du Rhône

MAISON D'ALBON

|
GUIGUES II le Gras
† 1080
Comte de Grenoble
ép. Pétronille
|
GUIGUES III « le comte »
† 1133
Comte d'Albon et de Graisivaudan
ép. Mathilde d'Angleterre surnommée « Regina »
|
GUIGUES IV Dauphin
† 1142
tué par les Savoyards au combat de la Buissière
ép. Marguerite de Bourgogne
|
GUIGUES V Dauphin
† 1162
ép. Béatrix de Montferrat
|
BÉATRIX d'Albon
ép. a) Albéric Taillefer, fils de Raymond, Cte de Toulouse
b) en 1184 Hugues III, duc de Bourgogne † 1192 à la Croisade
c) Hugues, baron de Coligny, sire de Revermont.

MAISON DE BOURGOGNE

|
(b) GUIGUES VI ANDRÉ de Bourgogne
† 1237
Dauphin de Viennois
établit sa suzeraineté sur le marquisat de Saluces
ép. a) Semnoresse de Valentinois
b) Marie de Sabran de Castellar, dite de Claustral,
petite-fille du comte de Forcalquier
c) Béatrix de Montferrat.
|
(c) GUIGUES VII
† 1269
ép. Béatrix de Savoie
fille de Pierre, comte de Savoie
et d'Agnès de Faucigny
qui apporte le Faucigny au Dauphiné

|———————————————————|
JEAN Ier   ANNE
† 1282 âgé de 18 ans environ   ép. Humbert Ier de la Tour du Pin
ép. Bonne de Savoie, fille d'Amédée V   qui devient Dauphin de Viennois
                                        † 1307

MAISON
DE LA TOUR

|———————————|———————————|———————————|
JEAN II   HUGUES   GUIGUES   HENRI
† 5-3-1319   Baron de   Baron de   Évêque élu de Metz
ép. Béatrix   Faucigny   Montauban   tuteur de ses neveux
d'Anjou-Hongrie ép. Marie de Savoie
                 fille d'Amédée V

|———————————————————|
GUIGUES VIII   HUMBERT II
† 1333   † 1355
tué d'une flèche savoyarde   ép. Marie des Baux
au siège de la Perrière, en Chartreuse   dernier dauphin de Viennois indépendant
ép. Isabelle de France   vend ses États à la France
fille de Philippe V le Long   en 1349 et entre en religion

(ANDRÉ † 1335 ou 1337) âgé de 3 ans

Mais d'autres événements allaient interrompre momentanément cette bonne entente. La succession de la reine Jeanne, veuve de Philippe V le Long, avait provoqué, en Bourgogne, la dissension entre ses trois gendres, Eudes IV de Bourgogne, Louis Ier, comte de Flandre, et le dauphin Guigues VIII. Eudes l'emporta et ses compétiteurs appelèrent à leur secours le comte de Savoie.

Aymon refusa d'intervenir en leur faveur. Il tenait en effet à rester fidèle à l'antique amitié de sa famille pour les ducs de Bourgogne[1], et, signant avec Eudes IV un traité d'alliance, lui envoya des renforts considérables (juillet 1336). Humbert II, successeur de Guigues VIII, dut prendre part à la lutte contre Eudes; mais son séjour en Bourgogne fut bref, et les chroniques ou documents ne parlent d'aucune intervention armée.

Découragé par la mort de son fils unique (1335), criblé de dettes, menacé sur ses frontières par le roi de France, Humbert II, qui ne pouvait espérer l'aide de l'Empire[2], était dans l'impossibilité de maintenir, seul, son indépendance. Aussi, en 1337, proposa-t-il au roi Robert d'Anjou de lui vendre son État pour la somme de cent vingt mille florins; le prix parut excessif au parcimonieux roi de Naples. Ainsi, la France gardait l'espoir d'acquérir un jour le Dauphiné, et échappait au danger provoqué par les vues ambitieuses de la Maison d'Anjou sur l'ancien royaume de Bourgogne.

---

1. Depuis le XIIe siècle, les Maisons de Savoie et de Bourgogne s'étaient rapprochées par quatre mariages : ceux d'Humbert II et d'Humbert III de Savoie avec Gisèle et Béatrice de Bourgogne; celui de Philippe Ier avec Alix de Bourgogne en 1267, et celui d'Édouard avec Blanche de Bourgogne, sœur d'Eudes IV (1307).

2. L'empereur Louis de Bavière avait signé avec Philippe VI, le 23 décembre 1336, un traité d'alliance et d'amitié.

Conscient lui aussi de ce danger, Aymon de Savoie parvint, après de longues négociations, à signer un nouveau traité de paix avec Humbert II (7 septembre 1337) par lequel ils échangeaient des domaines et des châteaux assez importants.

Effort remarquable qui allait réconcilier presque définitivement des pays dont la rivalité durait depuis deux siècles[1].

Aymon et la guerre de Cent ans.
Les difficultés que le comte Aymon avait eues avec le dauphin étaient de bien peu d'importance en comparaison des événements d'Europe auxquels il se trouvera bientôt mêlé. Charles IV, troisième fils de Philippe le Bel, était mort en 1328 sans enfant mâle[2]. Cette délicate situation devait faire surgir entre les Valois et les Plantagenets le conflit dynastique qui est à l'origine de la guerre de Cent ans, guerre qui ensanglanta l'Europe de 1337 à 1453. Par ses répercussions, la guerre de Cent ans devait troubler les règnes des trois souverains du nom d'Amédée, qui font l'objet du présent ouvrage. Il est donc utile de connaître le rôle joué par la Maison de Savoie dès le début de ce grand événement.

Le comte Aymon tenta de conserver la neutralité lorsque Philippe VI l'invita[3] à venir « le trouver avec le plus de gens qu'il pourrait, pour la conservation

---

1. La première guerre entre le Dauphiné et la Savoie éclata en 1140 sous Amédée III et le dauphin Guigues IV.
2. On sait qu'après Philippe le Bel (1314) ses trois fils régnèrent successivement : Louis X le Hutin, Philippe V le Long et Charles IV le Bel. Puis, la couronne échut à la famille des Valois, en la personne de Philippe VI, neveu de Philippe le Bel. Le roi d'Angleterre Édouard III Plantagenet revendiqua la couronne de France : il était, en effet, fils d'Édouard II et d'Isabelle, fille de Philippe le Bel.
3. Cf. GUICHENON, *Histoire Généalogique*, 1778, t. I, p. 392.

de l'honneur de la couronne de France et pour la défense du royaume ».

La situation d'Aymon était fort délicate, vu les liens qui existaient entre les comtes de Savoie et les rois d'Angleterre. En effet, au temps du comte Humbert III et du roi Henri II Plantagenet, et surtout après le mariage d'Éléonore de Provence[1], les Savoie avaient entretenu d'heureuses relations avec la cour d'Angleterre. Les faveurs accordées aux oncles d'Éléonore, en particulier à Pierre II, avaient créé à leurs successeurs des obligations de vassalité à l'égard du roi d'Angleterre. Par deux fois au moins (1328 et 1334), Édouard III Plantagenet avait rappelé au comte de Savoie l'hommage dû pour des fiefs reçus d'Henri III, lui promettant de verser, à l'occasion de cet hommage, les arriérés d'une pension fixée par le roi en 1246, et dont le montant s'élevait à deux cents marcs d'or.

Aymon demanda l'avis du roi de France qui, à ce sujet, consulta les juristes les plus experts du royaume. Rien n'établissait que le comte de Savoie fût l'hommelige du roi d'Angleterre, depuis que Philippe V le Long avait accordé à Amédée V et à ses successeurs une rente de deux mille livres et le vicomté de Maulévrier, en échange de leur hommage.

Aussi, en 1338, par l'intermédiaire de son cousin Louis II de Vaud, Aymon, enfin rassuré quant à ses devoirs de vassal, exprima-t-il au roi de France son désir de l'aider dans la guerre contre Édouard III. Il sollicita même l'avis du monarque sur l'éventualité d'un mariage entre son fils, Amédée, et une fille du duc Pierre de Bourbon.

Le roi remercia le comte de ses bonnes dispositions

---

1. Fille de Béatrice de Savoie.

et lui demanda de se rendre à Amiens au mois d'août, avec deux cents hommes d'armes. Philippe, qui souhaitait que l'amitié entre France et Savoie s'accrût toujours davantage, parlerait aux parents du projet de mariage. De la sorte, le roi de France réussit à entraîner dans son sillage le puissant prince que le roi d'Angleterre lui disputait. Le 17 août 1339, Aymon et son armée se dirigeaient sur Compiègne. Après les journées de Buironfosse, où l'on ne tira point l'épée, le comte rejoignit le roi à Paris[1] et prit part à de nombreuses festivités.

Convoqué en juin suivant à l' « ost »[2] d'Arras, il prit part, le 23 septembre, aux négociations de la trêve d'Esplechin, entre la France et l'Angleterre. Il y représenta le roi de France, à côté de Jean de Bohême, du comte d'Armagnac, du duc de Lorraine et du comte de Luxembourg. En récompense des services rendus, le roi de France accorda à Aymon

---

1. Aymon séjourna à plusieurs reprises dans sa propriété de Gentilly, près de Paris, où son frère Édouard était mort en 1329. C'est Amédée V qui avait acquis cette maison de campagne du seigneur anglais Hugues Despenser, en même temps qu'une autre à Arcueil, et un hôtel à Paris.
2. Le service d'ost est l'aide armée que le vassal doit à son suzerain direct, à qui il a prêté l'hommage-lige, en vertu du brocard : « l'homme de mon homme n'est pas mon homme ». Selon le droit coutumier du Moyen Age, il n'est dû que pour une période limitée. « L'homo ligius » était le vassal qui avait prêté l'hommage-lige à un seigneur. On entendait par cette expression, qui se répandit, semble-t-il, pendant la seconde moitié du xie siècle dans les pays entre Meuse et Loire et en Bourgogne, l'hommage sans restriction aucune rendu par le vassal à son suzerain, ou encore, pour les vassaux qui rendaient hommage à plusieurs suzerains, l'hommage qui liait le vassal de façon plus étroite et plus exclusive à un suzerain de préférence à tous les autres. « Quel que soit le nombre de suzerains que reconnaît un homme », écrit un juriste de droit coutumier vers 1125, « c'est celui duquel il est lige qui a les plus grands droits sur lui ». Quant à l'origine de l'expression, selon Bloch, qui a étudié à fond cette question, elle dériverait d'un mot franc auquel correspondrait en allemand moderne le mot de « ledig » = libre, pur. En effet, les scribes rhénans, de leur côté, écrivaient souvent au lieu de hommage « lige », hommage « absolutus ». Cf. Marc BLOCH, *La Société féodale*, Paris, 1939, chap. v, t. 2, « Grandeur et décadence de l'hommage-lige », pp. 330-333.

une rente de deux mille livres tournois qui s'ajoutait au fief de Maulévrier.

Le 24 juin 1342, Philippe convoqua le comte à la « semonce »[1] d'Arras, où Aymon se rendit avec ses fidèles compagnons d'armes, Louis de Vaud et Amédée III de Genève. Mais de tristes nouvelles ne tardèrent pas à lui parvenir au sujet de la santé de la comtesse Yolande, alors enceinte. Au début de novembre Aymon regagna la Savoie; il ne devait plus retourner en France.

Mort de Yolande et d'Aymon. A Noël, Yolande rendait le dernier soupir en même temps que son nouveau-né. Inconsolable, affligé d'une cruelle maladie qu'il supporta avec résignation, Aymon mourut peu après, le 22 juin 1343, malgré les soins de cinq médecins, à l'âge de cinquante et un ans. Il fut enterré à Hautecombe, à côté de sa femme, dans la chapelle qu'il avait fait construire en 1339 et décorer par Georges d'Aquila et Jean de Grandson. Une foule attristée se pressa aux funérailles qui furent émouvantes[2].

Dans son testament, rédigé le 11 juin 1343, le comte avait désigné ses parents, Amédée III de Genève et Louis II de Vaud, comme tuteurs de son fils jusqu'à la majorité de celui-ci, fixée à quatorze ans selon l'usage de la Cour de France. Un conseil de régence devait assister les tuteurs, et le chancelier de Savoie, Georges Solier d'Ivrée, continuer l'exer-

---

1. Appel, mandement.
2. On ne pensa pas moins aux besoins matériels puisque CIBRARIO, *op. cit.*, p. 102, signale que, « pour l'occasion, on tua trente-neuf vaches, cinq cent deux moutons, et l'on distribua seize cents gros pains ».

cice de sa charge. Le testateur avait recommandé son fils au pape et aux cardinaux, au roi de France, aux ducs de Normandie, de Bourgogne et de Bourbon, au prince d'Achaïe, et à d'autres grands personnages. Quant à l'Empereur, il n'en était fait nulle mention.

Le comte Aymon de Savoie reçoit la bourgeoisie de Berne
pour dix années. 17 septembre 1330.
(D. Schilling. Chronique pour R. d'Erlach, p. 193.)
Bibliothèque de la Bourgeoisie de Berne.

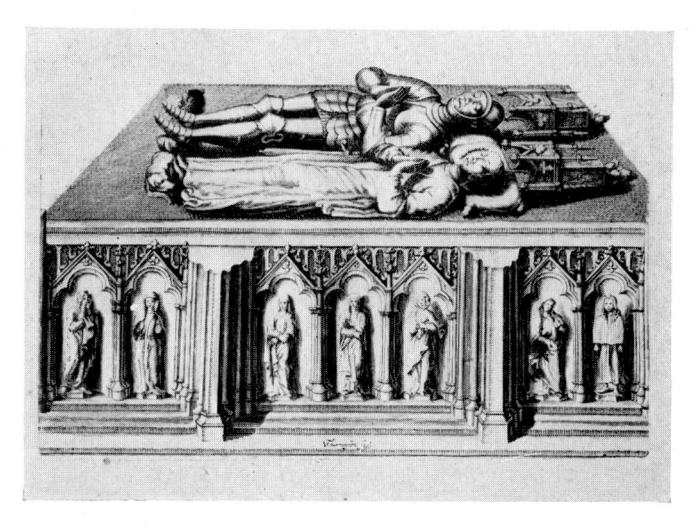

Planche V
Ancien tombeau du comte Aymon et de Yolande de Montferrat,
à l'Abbaye de Hautecombe.
(Reproduit par Guichenon, tome I, p. 395.)

II
LE COMTE VERT

CHAPITRE III

AMÉDÉE VI
LES TUTEURS — LE TRAITÉ DE PARIS
(1343-1355)

Au Moyen Age et sous le régime féodal, il n'y avait en Savoie aucune règle précise pour le choix d'un régent ou d'une régente. Le plus souvent, la mère de l'héritier était désignée et assurait la sauvegarde de la dynastie; mais des troubles et des conflits de famille pouvaient surgir.

L'institution de tuteurs, assistés d'un conseil, avait l'avantage de pallier les inconvénients possibles d'une régence; ces tuteurs ne pouvaient agir séparément et toutes leurs décisions devaient être prises d'un mutuel accord. Des règles précises étaient fixées pour l'administration du comté.

Une fois de plus, le comte Aymon avait fait preuve de prudence en confiant la tutelle à deux de ses parents, Louis II, sire de Vaud, et Amédée III de Genève. Le long règne d'Amédée VI devait bénéficier des heureux effets de ce choix.

Louis II, sire de Vaud. Le plus dévoué des tuteurs sera Louis II, sire de Vaud, et l'un des princes les plus accomplis de la Maison de Savoie; il sut donner à son pupille une éducation chevaleresque, ainsi qu'une

MAISON DE SAVOIE

LIGNE DE VAUD

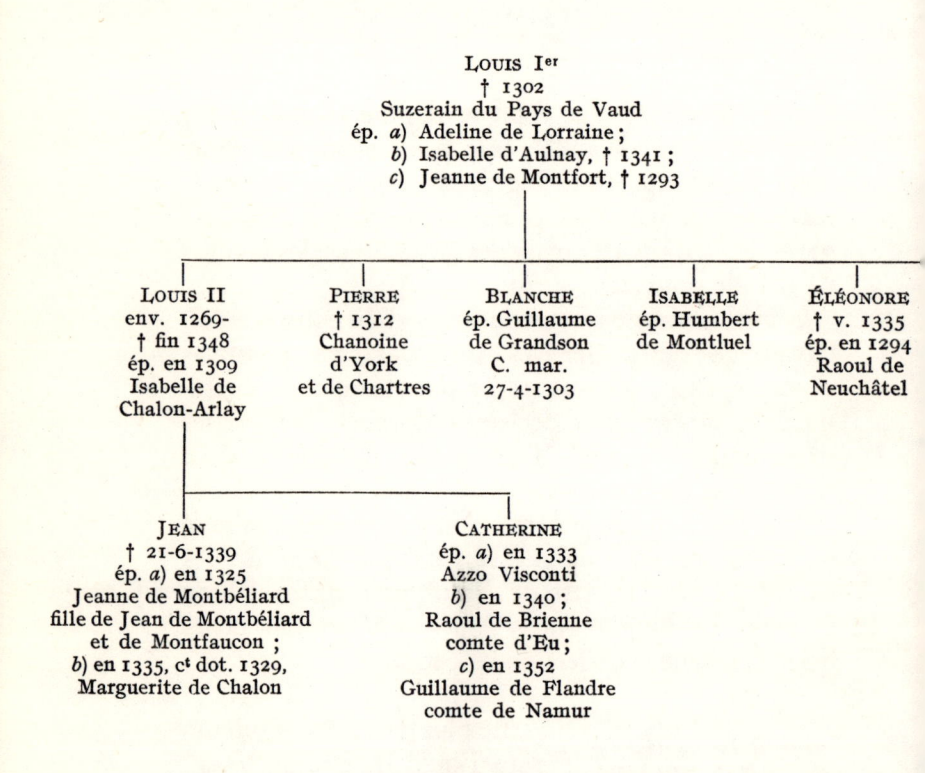

Louis Ier
† 1302
Suzerain du Pays de Vaud
ép. *a)* Adeline de Lorraine;
b) Isabelle d'Aulnay, † 1341;
c) Jeanne de Montfort, † 1293

Louis II
env. 1269-
† fin 1348
ép. en 1309
Isabelle de
Chalon-Arlay

Pierre
† 1312
Chanoine
d'York
et de Chartres

Blanche
ép. Guillaume
de Grandson
C. mar.
27-4-1303

Isabelle
ép. Humbert
de Montluel

Éléonore
† v. 1335
ép. en 1294
Raoul de
Neuchâtel

Jean
† 21-6-1339
ép. *a)* en 1325
Jeanne de Montbéliard
fille de Jean de Montbéliard
et de Montfaucon;
b) en 1335, c^t dot. 1329,
Marguerite de Chalon

Catherine
ép. *a)* en 1333
Azzo Visconti
b) en 1340;
Raoul de Brienne
comte d'Eu;
c) en 1352
Guillaume de Flandre
comte de Namur

Encyclopédie Italienne,
vol. XXX, Savoia, tav. 7.

MARGUERITE	JEANNE	BÉATRICE	GUILLAUME	LAURA
ép. *a)* Jean de Chalon ;	ép. Guillaume de Joinville	† 1338	S^gr de Biolley	ép. Jean comte de Forêt
b) 9-6-1309 Simon de Sarrebruck S^gr de Commercy	S^gr de Gex	ép. Geoffroy de Clermont		

excellente formation politique et militaire[1]. Le rôle important qu'il joua dans l'histoire de son temps mérite d'être rappelé[2] et nous oblige à un retour de plus de trente ans en arrière.

En 1309, il avait assisté, à Westminster, au couronnement de son cousin, Édouard II Plantagenet. La même année, Amédée V, qui s'était rendu en Avignon pour demander au Pape la reconnaissance d'Henri VII de Luxembourg comme roi des Romains, proposait à Clément V de faire élire Louis II sénateur de Rome.

Depuis soixante ans, aucun empereur n'était allé se faire couronner dans la Ville éternelle, toujours déchirée par les luttes entre Guelfes et Gibelins. Le 1er août 1310, Louis fut élu sénateur par le peuple romain et reçut le titre de « magnificus vir Ludovicus de Sabaudia Dei gratia Romae Urbis senator illustrissimus ». Le titulaire de cette charge, qui était loin d'être purement honorifique, représentait aux yeux des Romains la survivance de leur antique Sénat et était revêtu de l'autorité civile suprême ; souverain « pro tempore », il était sous la suzeraineté du Pape et de l'Empereur, et venait immédiatement après eux en rang et en dignité[3]. Le sénateur avait d'autant plus

---

1. A douze ans, Amédée VI étudiait déjà le traité *De regimine principum* écrit pour Philippe le Bel par son précepteur, le célèbre moine scolastique Gilles (Egidio) Colonna, de Naples, où l'auteur insistait sur « la prudence comme la vertu la plus nécessaire à un prince ».

2. Voir Gerbaix de Sonnaz, *Louis II* ; R. Paquier, *Histoire du Pays de Vaud*, t. I, pp. 202 ss.

3. En souvenir des deux consuls de l'ancienne Rome, on élisait autrefois deux sénateurs ; depuis 1192, on n'en proclama plus qu'un seul, pour éviter des abus (on était allé jusqu'à nommer soixante sénateurs pour une ville aux trois quarts dépeuplée). Le sénateur restait en fonctions de six mois à cinq ans ; il résidait au Capitole et avait le droit de faire battre monnaie à son effigie. « Comme vêtement ou costume, ils portaient un manteau, un bonnet et des bottes de pourpre ou violets, doublés d'hermine ». (G. de Sonnaz, p. 23.) Quittant la charge, il devait rendre compte de son admi-

d'autorité que, de 1309 à 1377, la cour pontificale résidait en Avignon.

Dès son arrivée à Rome Louis s'employa à calmer les esprits. Pour attirer à l'Empereur les sympathies du parti guelfe, qui à ce moment-là dominait, il s'adjoignit comme vicaires les plus influents de ses chefs, Richard Orsini et Jean Annibal. Cette habile politique pacifia les factions et fit souhaiter à toute la population l'arrivée de l'Empereur. Cependant, les Guelfes profitèrent de l'absence du Sénateur, qui avait rejoint Henri VII au siège de Brescia, pour provoquer un soulèvement. Ses vicaires le trahirent et firent appel aux Florentins et à Robert d'Anjou, chef suprême des Guelfes dans la Péninsule. Louis II revint en hâte et s'installa au Latran, le Capitole étant aux mains de ses ennemis. Ceux-ci essayèrent de le faire destituer par un vote public, mais échouèrent, faute de pouvoir l'accuser d'injustices avérées. Grâce à l'aide courageuse du sire de Vaud, Henri VII, le 25 mai 1312, réussit à pénétrer dans la Ville éternelle et à s'emparer du Capitole. Cette victoire fut suivie de luttes sanglantes au cours desquelles l'Empereur perdit plusieurs de ses vaillants chevaliers, dont l'héroïque Pierre de Savoie, frère du Sénateur.

Dès l'aube du 29 juin 1312, vêtu de blanc, tête nue, ses longs cheveux d'or adoucissant et éclairant son beau visage viril qui exerçait tant d'attrait sur les foules, Henri VII, à cheval, quittait l'Aventin, accompagné par son frère Baudouin, archevêque de Trèves, son beau-frère Amédée V, comte de Savoie, son cousin Louis II de Vaud, et par un grand nombre

---

nistration; reconnu intègre, il pouvait ajouter à ses armes le sigle de Rome, S.P.Q.R. Voir P. Fedele, *A.R.S.P.*, t. XXXIV (1911); A. de Boüart, *Le régime politique et les institutions de Rome au Moyen Age*, Paris, 1920.

d'illustres personnages. Le cortège, évitant les rues occupées par les Guelfes, traversait la ville, acclamé par la population romaine et se rendait à la Basilique de Latran où Henri VII était couronné empereur par la faction gibeline, Saint-Pierre étant resté aux mains des Guelfes. Ce demi-succès impérial n'en était pas moins remarquable, vu la force et l'importance du parti adverse.

Les fonctions de Louis de Vaud prirent fin au mois de juillet et parurent trop brèves au gré de certains. Son successeur, Cino da Pistoia, célèbre jurisconsulte et poète, ami de Dante, mentionne avec admiration le temps où il exerçait à Rome sa charge judiciaire auprès de Louis II. Celui-ci facilita le développement de l'industrie en confirmant le statut des marchands de toile ; ses lois contre les accapareurs de céréales contribuèrent à la prospérité du peuple. A l'extérieur, il réussit à rétablir le contrôle de la ville jusqu'à Tivoli et Sutri, et le long de la côte méditerranéenne.

Après son sénatoriat de Rome, Louis II de Vaud vécut encore trente-sept ans et joua un rôle important dans l'histoire de la Savoie, de l'Italie et de la France. En 1314, il renonce à toutes les prétentions réservées par son père sur le comté de Savoie, en échange de quelques fiefs et d'une pension de trois cents livres, et combat avec l'armée savoyarde contre le dauphin de Viennois. Amédée V le nomme, en 1322, lieutenant général dans le Canavais[1]. Louis II, l'année suivante, accompagne en Avignon le comte

---

1. Région du Piémont qui a pour chef-lieu Ivrée. Pour traduire l'italien Canavese, nous adoptons, avec GUICHENON (*Hist. Généal.*, 1778, t. II, p. 10) et contrairement au marquis Costa de Beauregard qui préfère « Canavesan », le terme employé par le Comte Vert. Le 7 octobre 1373, semble-t-il, il conférait au chevalier « Ricard Moysard » (Richard Musard) le commandement au « pays de Canavays et Piémont » (F. MUGNIER, *Lettres*, p. 452).

Planche VI

Louis II de Vaud nommé sénateur à Rome (le troisième à droite).
*Dessin colorié dans le manuscrit GESTA BALDUINI (fol. 22),
conservé aux Archives d'Etat de Coblence.*

de Savoie et l'assistera en ses derniers instants. En reconnaissance de ses services, il reçoit (1324) d'Édouard le Libéral le château de Rolle dans le pays de Vaud.

Il devait aussi prendre part à la campagne des Flandres au côté de Philippe de Valois et était blessé à la bataille du Mont-Cassel.

Nous le voyons, en 1330, membre du Conseil suprême des États de Savoie, et, la même année, il doit repasser en Italie pour aider son cousin, Jean de Luxembourg. Ce fils d'Henri VII était appelé par les villes lombardes qui, lasses des discordes, attendaient la paix annoncée dans le premier chant de l'*Enfer* de Dante.

Lorsque Jean de Luxembourg nomma vicaire impérial en Lombardie son fils âgé de seize ans, le futur Charles IV, il lui donna Louis II pour conseiller. Mais le sire de Vaud avait une fille, Catherine, épouse d'Azzo Visconti, alors seigneur de Milan. Se trouvant ainsi dans une situation délicate, et ne voulant trahir ni les intérêts de son maître ni ceux de son gendre, Louis préféra renoncer à son rôle de conseiller et rentrer dans son pays. Ce seul trait suffit à marquer la loyauté de son caractère. Quatre ans plus tard, le comte Aymon, qui avait appris à estimer le dévouement dont son cadet témoignait envers la dynastie, le nomma tuteur du jeune Amédée.

En cette qualité, Louis II de Vaud gouvernera la Savoie de 1343 à 1348, ce qui ne l'empêchera pas de prendre part auprès de Philippe le Hardi à la campagne de France et, notamment, à la bataille de Crécy en 1346.

Le sire de Vaud avait épousé, en 1309, Isabelle de Chalon d'Arlais, dont il eut un fils et une fille. Bien qu'il considérât Moudon comme sa capitale, ses intérêts et ses nombreuses occupations l'obligeaient à résider successivement dans tous les châteaux de son comté. Pourtant, il vécut plus à l'étranger que dans son pays qu'il laissa très endetté. Ses devoirs de tuteur et de guerrier lui créèrent une vie errante des plus mouvementées, qu'il mena jusqu'à la fin de ses jours.

Amédée III de Genève.

En désignant Amédée III, comte de Genevois[1], comme second tuteur, Aymon accomplissait un acte particulièrement habile. Il obligeait ainsi ce puissant voisin à respecter l'intégrité du territoire et la succession de la Maison de Savoie, dont les intérêts s'opposaient naturellement aux siens.

On l'avait bien vu lorsque au début de son règne, allié au jeune Dauphin Guigues VII, Amédée III de Genève avait pris les armes contre Édouard le Libéral, infligeant une défaite au parti savoyard à Varey (1325). Mais à l'avènement d'Aymon il s'était rapproché des Savoie; ce rapprochement était d'autant plus difficile que la Maison de Genève prétendait descendre du paladin Olivier et se considérait comme plus ancienne que la Maison de Savoie; le château d'Annecy, dont elle avait fait sa résidence au XIVe siècle, rivalisait et dépassait même celui de Chambéry, par son luxe raffiné et somptueux. A la fois fin politique, libéral et vaillant soldat, Amédée III dirigea avec adresse, durant la minorité du Comte Vert, la politique des États de Savoie.

---

[1]. Le père d'Amédée III avait épousé Agnès de Savoie, fille d'Amédée V. Amédée III de Genève (1320-1367) épousa en 1334 Mathilde (connue sous le nom de Mahaut), dite de Boulogne, fille de Robert, comte d'Auvergne et de Boulogne, et de Marie de Flandre.

Amédée VI, en janvier 1348, avait eu quatorze ans ; dès lors, il était légalement majeur et fit de ses tuteurs ses conseillers intimes. Mais Louis II de Vaud, âgé, mourut au début de 1349 ; Amédée III de Genève restait donc seul, et, pour contrebalancer son influence qui aurait pu devenir prépondérante, le Conseil de Savoie lui adjoignit Gallois de la Baume[1] dont le fils Guillaume devint bientôt le compagnon du jeune souverain. Cette présence à ses côtés semblant marquer une certaine défiance à son égard, le comte de Genevois finit par se retirer.

Pourtant des liens d'affection et de fidélité l'unissaient à son pupille ; ils survécurent à la tutelle, et ne semblent s'être relâchés qu'à partir de 1352, quand le comte de Genève se rapprocha ouvertement du Dauphin et lui prêta hommage pour les terres qu'il tenait de lui en Genevois et en Faucigny[2].

En cette affaire, le jeune Amédée VI eut vite fait de percer à jour les réticences et les ambitions de son ancien tuteur ; il y gagna une prudence qui allait affiner en lui un sens diplomatique remarquable. Sans retirer à Amédée III son estime et son affection, puisqu'il devait en faire l'un des premiers chevaliers de l'Ordre du Collier, le jeune comte l'obligea toujours à reconnaître sa suzeraineté, au besoin par les armes.

La minorité d'Amédée VI s'était néanmoins déroulée dans le calme[3], grâce à la vigilance des gardiens

---

1. Déjà conseiller d'Édouard et d'Aymon de Savoie, d'une ancienne famille de la Bresse. Gallois était le surnom d'Étienne de la Baume, « parce sans doute qu'il étoit gentil de corps et d'esprit ainsi que le discours de sa vie le fera voir ». S. GUICHENON, *Histoire de Bresse et de Bugey*, p. 16.
2. Cf. CORDEY, *Les Comtes*, p. 110.
3. Durant les années 1345 et 1346 sévit en Savoie une terrible famine causée par des pluies torrentielles ; il fallut abattre le bétail et le prix des denrées augmenta considérablement. Quand, en 1348, la peste noire, ce fléau du Moyen Age, ravagea l'Europe, la Savoie ne fut pas épargnée (et

COMTES DE GENÈVE

Leurs alliances avec la Maison de Savoie

AMÉDÉE Ier
Comte de Genève
de 1128 à 1178 env.

GUILLAUME Ier
† 1195
ép. *a)* Agnès de Savoie, fille d'Amédée I.
b) Béatrice, fille d'Aymon I
de Faucigny

(b)
GUILLAUME II
† 1252
ép. Alix de la Tour du Pin

RODOLPHE
† 1265
ép. Marie de Coligny

AMÉDÉE II
† 1308
ép. Agnès de Chalon

AYMON II
† 1280
ép. *a)* Agnès de Montbéliard
b) Constance de Béarn

GUILLAUME III
† 1320
Fiancé d'abord
à Béatrix de Savoie
† 1322
puis épouse Agnès
fille d'Amédée V

AMÉDÉE III
† 1367
ép. Mahaut d'Auvergne

PIERRE, bâtard
fils d'Émeraude
de la Frasse
souche des Genève-Lullin
et des Genève-Boringe

AYMON III
† 1367

AMÉDÉE IV
† 1369
ép. Jeanne
de Frolois

JEAN
† 1370
Comte

PIERRE
† 1394
Comte
ép. Marguerite
de Joinville

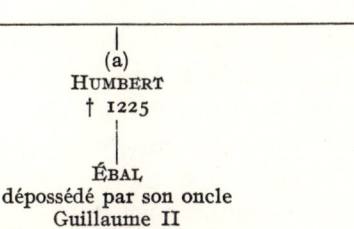

```
        |                              |
       (a)                            (b)
     HUMBERT                       BÉATRICE
     † 1225                    (ou MARGUERITE ?)
        |                           † 1236
      ÉBAL                       ép. Thomas
dépossédé par son oncle         comte de Savoie
     Guillaume II
  légua ses droits sur le
  comté à Pierre de Savoie
```

```
    |                  |                        |
  ROBERT          CATHERINE                   MARIE
  † 1394         ép. Amédée          d'abord fiancée à
Antipape sous    de Savoie       Philippe de Savoie-Achaïe
 le nom de    Prince d'Achaïe    ép. a) Jean de Chalon-Arlay
 Clément VII                          b) Humbert VII
   Comte                              de Thoire-Villars
                                              |
                                             (b)
                                       HUMBERT VIII
                                 de Thoire-Villars † 1400
                                      comte de Genève
                                   ép. Louise de Poitiers
                              lègue le comté à son oncle
                          Oddon de Thoire-Villars qui le vend à
                              Amédée VIII de Savoie en 1401
```

de la couronne, et à la loyauté de la noblesse savoyarde et piémontaise qui, pendant la crise du gouvernement, restèrent fidèles à leur jeune prince.

La tutelle et ses problèmes

Mais il est nécessaire de rappeler brièvement les tâches essentielles qui se posèrent aux tuteurs et dont la première était l'héritage lui-même, puis les projets de mariage du jeune comte, et enfin la question de la succession du Dauphiné, sans compter les interventions en Piémont[1].

Ils avaient dû, tout d'abord, intervenir énergiquement pour écarter les prétentions de la cousine d'Amédée VI, Jeanne, duchesse de Bretagne, fille unique d'Édouard le Libéral, qui se considérait comme seule héritière du Comté. Peu de jours avant sa mort, survenue en 1344, elle avait transmis tous ses droits à son héritier universel Philippe, duc d'Orléans[2]. Sur l'initiative du pape Clément VI, le roi de France signa, en 1345, une ordonnance mettant d'accord les intérêts de son fils et ceux d'Amédée VI. Le duc d'Orléans renonçait à toute succession en Savoie, à la condition que le jeune comte lui cédât, avec une somme de cinq mille livres, les châteaux de Milly et de Bicêtre. L'acte fut ratifié à Chambéry le 25 février

---

son prince Amédée VI, avec son armée, un jour, ne le sera pas davantage). De cette peste, Guillaume de Machaut nous donne une description saisissante dans son poème *Le jugement du roi de Navarre*, et aussi Boccace dans le *Décaméron*. Froissart nous dit « par tous païs une maladie que l'on clame épidémie couroit dont bien la tierce du monde mourut ». V. de Saint-Genis, I, p. 351. — En Savoie même, le peuple s'en prit aux juifs qu'il accusait d'avoir empoisonné les fontaines. Amédée VI dut intervenir pour arrêter les massacres et rétablir la justice : trois bourgeois furent pendus. V. de Saint Genis, *Histoire de Savoie*, t. I, pp. 353-354.

1. Voir chap. v.
2. Philippe d'Orléans, fils du roi Philippe VI.

1346[1]; les tuteurs s'empressèrent de payer la somme, fournie par la contribution volontaire des villes de Savoie (novembre 1346).

Mais il fallait marier le jeune comte. Son père Aymon avait, dès 1338, jeté les yeux sur Marguerite de Luxembourg, fille du futur empereur Charles IV. Puis, l'on avait songé à Jeanne[2], fille de Pierre Ier de Bourbon. Les négociations, qui durèrent de 1338 à 1344, n'aboutirent pas, malgré la faveur que ce projet avait trouvée auprès du roi. Les tuteurs pensèrent en 1345 à l'une des cinq filles d'Édouard III d'Angleterre. Par trois lettres[3], celui-ci répondit qu'il préférait, quant à lui, unir un de ses fils à la sœur d'Amédée. Il tenait avant tout à recevoir du comte l'hommage qu'Aymon de Savoie lui avait refusé. Un meilleur parti semblait être la princesse Jeanne, héritière du duché de Bourgogne. Quel riche patrimoine ce mariage aurait valu à la Maison de Savoie, un héritage comparable à celui du Marquisar d'Italie apporté par Adélaïde, du Faucigny par Agnès ou de la Bresse par Sibylle de Baugé ! En 1347, les accords conclus, la princesse Jeanne de Bourgogne fut conduite à Chambéry.

Enfin la question de la succession du Dauphiné devait, dès 1343, nécessiter de multiples interventions de la part des tuteurs pour empêcher la réussite des tentatives de Philippe de Valois qui, de son côté, n'avait pas l'intention de laisser passer l'occasion d'annexer à sa couronne une aussi belle province. Le roi avait en effet, dès 1343, engagé des

---

1. Cf. Cordey, *Les Comtes*, pp. 69-73.
2. Fille aînée du duc Pierre Ier de Bourbon et d'Isabelle de Valois, sœur du roi Philippe VI; elle épousa plus tard le dauphin Charles et devint reine de France.
3. Conservées à Turin. Archives de l'État, *Matrimoni*, VI, n° 3.

pourparlers, et un accord avait été signé en Avignon, le 30 juillet, avec Humbert II, devant le pape Clément VI. La cession du Dauphiné à la France paraissait inévitable et il fallait en pallier le plus possible les inconvénients, en obtenant des garanties. Louis de Vaud eut, sans doute à ce sujet, un entretien le 3 août 1343 avec le chancelier de France. L'influence des tuteurs d'Amédée VI se fit-elle sentir ? Cela est possible, puisque le Dauphiné devait passer à une branche cadette des Valois en la personne de Philippe d'Orléans (futur rival pour le roi ?). Mais Philippe VI modifia ce projet et obtint que ce serait son fils aîné qui aurait le Dauphiné en apanage et porterait le titre de Dauphin. Ce revirement causa peut-être la rupture des fiançailles d'Amédée VI avec Jeanne de Bourbon. Toutefois, les relations entre la France et la Savoie devaient rester bonnes, puisque nous avons vu Louis II de Vaud participer à la tête d'une armée savoyarde à la bataille de Crécy (1346). Voulant profiter de cette défaite française, les tuteurs, en 1347, essayèrent de marier le dauphin avec Blanche de Savoie, sœur d'Amédée VI[1] : elle devait apporter en dot les cent vingt mille florins d'or qu'Humbert II avait demandés pour la cession de ses États. Un traité intervenait le 27 mai 1348.

Mais le roi de France devait avoir le dernier mot. En 1349, Amédée VI s'occupait déjà des affaires politiques quand les négociations reprirent entre le dauphin et le roi pour régler définitivement le sort du Dauphiné. Humbert II vendit ses États deux cent mille florins d'or[2] à Philippe VI, en faveur de l'aîné de ses petits-fils, le futur Charles V. Le fils aîné du

---

1. En 1350, elle épousera Galéas Visconti.
2. Humbert II se réservait par ailleurs 4.000 florins de rente annuelle sur ses terres du Dauphiné. Cf. G. LETONNELIER, *Histoire du Dauphiné*, p. 68.

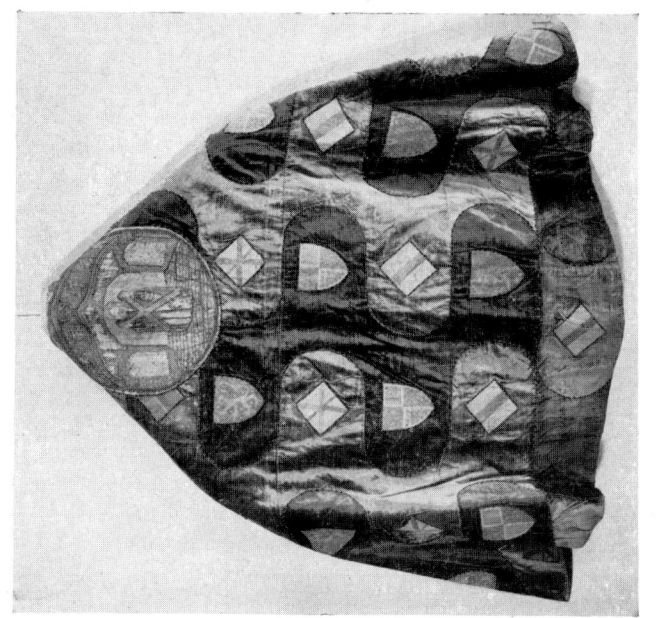

Planche VII
Ci-dessus : Chape offerte par les « Dames de Vaud » à la Cathédrale de Lausanne.
Musée historique de Berne. Inv. Nr. 47.
Ci-contre : Dalmatique de Louis II de Vaud.
Musée historique de Berne. Inv. Nr. 49.

roi de France portera désormais le titre de Dauphin de Viennois. Le Dauphiné devenait ainsi un apanage de la royauté capétienne : la France était aux portes de la Savoie, ses frontières touchaient celles du Comté.

Fin de la tutelle. Tandis qu'Humbert II se retirait dans les ordres, Amédée VI sortait de tutelle. Agé seulement de quinze ans, le Comte Vert marquait déjà une forte personnalité et savait dire « je veulx » et imposer sa volonté aux autres. Plein de fougue, dépensier et enclin aux plaisirs, il s'intéressera pourtant tout de suite et activement aux affaires de l'État, comme nous pouvons déjà le voir en 1349[1] où le comte renforce ses alliances avec le duc de Bourgogne, les Visconti, les Achaïe et Thibaut de Neufchâtel, puissant seigneur dont il achète l'hommage.

Le resserrement de ces alliances devait le protéger des continuelles vexations du Dauphin Charles qui provoquèrent une forte tension entre le Dauphiné et la Savoie. Clément VI parvint cependant à rétablir de bons rapports entre Amédée VI et le Dauphin. Le jeune comte négocia avec le nouveau roi Jean II le Bon un traité conclu en Avignon le 27 octobre 1351, sur les bases de celui de 1337 passé entre Aymon et Humbert II. L'une des clauses obligeait Amédée VI à renoncer au mariage avec Jeanne de Bourgogne, mais lui accordait en échange un hôtel à Paris et la somme de soixante mille florins. Ce traité ne fut malheureusement pas exécuté pour plusieurs raisons. Amédée accusait de trahison son propre chancelier, Georges Solier d'Ivrée, en déclarant qu'il avait été acheté par le roi de France quand il accompa-

---

[1]. Cf. CORDEY, *Les Comtes,* pp. 101-103.

SECONDE MAISON DE BOURGOGNE

ROBERT II
Duc de Bourgogne 1272-1306
Roi de Thessalonique
ép. en 1279 Agnès de France, fille de saint Louis
† 1325

BLANCHE
† 1348
ép. 1307
Édouard
comte de
Savoie † 1329

HUGUES V
Duc de
Bourgogne
1306-1315,
roi de
Thessalonique
1305 † 1315

EUDES IV
Duc de Bourgogne
1315-1349
prince d'Achaïe
et de Morée
roi titulaire
de Thessalonique
1320
comte de Bourgogne
et d'Artois 1330
† 1349
ép. 1318
Jeanne de France
fille de
Philippe V le Long
† 1347

LOUIS
Roi titulaire
de Thessalonique
prince d'Achaïe
et de Morée
† 1316
ép. 1312
Mathilde de Hainaut
qui se remariera
(en troisièmes noces)
à Jean de Sicile
duc de Durazzo

JEANNE
ép. 1329
Jean III
duc de Bretagne
† 1344

PHILIPPE
nommé d'abord Philippe Monsieur
né en 1323 † 1346
Comte de Boulogne et Sire de Salins
ép. 1338 Jeanne, comtesse d'Auvergne
et de Boulogne
† 1360
Remariée 1350 à Jean II le Bon, roi de France
† 1364

JEAN
né en 1324
mort jeune

PHILIPPE
dit de Rouvre
posthume 1346-1361
Duc et comte de Bourgogne
comte d'Artois, d'Auvergne et de Boulogne,
Sire de Salins
ép. 1357 Marguerite, comtesse de Flandre,
fille de Louis de Mâle (*alias* Marle),
et de Marguerite de Brabant 1350-1405
remariée 1369 avec Philippe de France dit le Hardi,
fils de Jean II le Bon, tige des ducs de Bourgogne
de la seconde race des Capétiens

JEANNE
née 1344 † 1361
Fiancée en 1348
à Amédée VI
comte de Savoie
fiançailles rompues
en 1355

ROBERT	MARGUERITE	JEANNE	MARIE
Comte de Tonnerre	née en 1290	† 1348	née en 1298
1304-1334	† 1315 répudiée	ép. 1313	ép. 1310
ép. Jeanne de Chalon	ép. 1305	Philippe VI de Valois	Édouard Ier
fille de Guillaume	Louis X le Hutin	roi de France	comte de Bar
comte d'Auxerre	roi de Navarre	† 1350	fils d'Henri III
et de Tonnerre	puis de France		et d'Éléonore
et d'Éléonore	† 1316		d'Angleterre
de Savoie			† 1337
† 1360			

gnait Amédée III de Genève en Avignon pour négocier certaines questions, dont celle de ramener à ses parents Jeanne de Bourgogne, fiancée au comte de Savoie; le chancelier aurait, en cette occasion, mal défendu les intérêts de son maître. Il semble qu'à travers Georges Solier on ait voulu atteindre son protecteur, le comte de Genève, qui le comprit et en fut vivement touché, lui, le principal négociateur de ce traité. Aussi Amédée III de Genève se rapprochera-t-il du Dauphin, auquel il rendra hommage pour les terres qu'il tenait de lui en Genevois et en Faucigny.

L'accord entre Dauphin et Comte ne pouvait durer bien longtemps, pour d'autres raisons encore : difficultés et zizanies provoquées par le cousin d'Amédée III, Hugues, sire de Gex, lequel soutenait les dauphinois contre Amédée VI et se déclarait même vassal du Dauphin.

Le Comte Vert, pour se défendre d'un tel ennemi, s'allia avec Albert d'Autriche qui lui promit, s'il était nécessaire, d'importants secours. Les relations devenaient plus tendues et la guerre paraissait inévitable, malgré les efforts du pape et du roi de France.

La guerre de 1352-1354. Hugues de Genève[1], lieutenant général du Faucigny et du pays de Gex pour le Dauphin, attaqua brusquement les terres du Comté de Savoie à l'automne 1352. Le Comte Vert, en

---

1. Hugues de Genève avait hérité du pays de Gex de son beau-frère Hugues de Joinville. La famille de Joinville-Gex était apparentée à celle du chroniqueur de saint Louis, Jean sire de Joinville et sénéchal de Champagne. En 1300, Guillaume de Joinville, premier baron de Champagne, avait pris pour femme Jeanne de Savoie, fille de Louis Ier, sire de Vaud; ils eurent deux fils, Hugues et Hugard de Gex, morts sans postérité, et l'une de leurs filles, Éléonore, avait épousé Hugues de Genève. Cf. GUICHENON, p. 419.

Planche VIII   Phot. B. N.
Tombeau de Blanche de Bourgogne (+1348)
et de sa fille Jeanne de Savoie, duchesse de Bretagne (+1344)
dans le couvent des Cordeliers à Dijon.

*Dessin au Cabinet des Estampes de la Bibliothèque Nationale à Paris,
recueil P e II c, fol. 59.*

représailles, prit la tête de son armée et vint rapidement mettre le siège devant Gex; il plaça sa tente et celle de ses vassaux en face de la ville, qui dut se rendre au bout de deux semaines (11 novembre 1352).

Amédée VI sut ne pas tenir rigueur aux habitants de leur résistance, et leur accorda des franchises et des privilèges commerciaux; il leur promit en outre de réparer à ses frais les murs de la ville.

Mais la prise de Gex ne signifiait pas la fin des hostilités. Du Faucigny, Hugues de Genève attaquait continuellement Thonon et les Allinges, et pendant deux ans une guérilla sévit dans toute la région située entre le pays de Gex, le Faucigny et le Dauphiné.

Pour en finir, Amédée VI, ayant renforcé ses troupes, attaqua Hugues de Genève. Une bataille acharnée eut lieu à La Bâtie des Abrets en avril 1354. Hugues dut s'enfuir, tandis que ses alliés, les Dauphinois, subirent une défaite si complète « qu'il ne resta personne de leur côté pour en porter la nouvelle »[1].

Vainqueur[2], le Comte s'avança vers Grenoble jusqu'à La Tour-du-Pin, mais les hostilités cessèrent et, le 1er juillet, une trêve fut ratifiée; de part et d'autre, on échangea les prisonniers.

Traité de Paris, 5 janvier 1355. Reprenant les sages dispositions de l'accord conclu par le comte Aymon en 1337, un premier traité fut signé le 11 octobre 1354 entre Amédée VI et Aymar de Poitiers, comte de Valentinois, lieutenant général du Dauphin à Grenoble.

---

1. Cf. Guichenon, *Hist. Généal.*, t. I, p. 407.
2. Ulrich, ménestrel du Comte, transmit à Chambéry l'annonce de la victoire. En signe de reconnaissance, les syndics lui firent don de quatre aunes de drap.

La situation extrêmement confuse causée par l'enchevêtrement des enclaves se clarifiait. En échange de ses possessions en Viennois, le comte de Savoie recevait le Faucigny, la suzeraineté du pays de Gex, les fiefs du Genevois appartenant au Dauphin, et enfin l'hommage du comte de Genève.

Mais la question si délicate des limites entre le Dauphiné et la Savoie ne devait être réglée définitivement que le 5 janvier 1355, par le traité de Paris, que signaient le roi Jean II le Bon, le Dauphin Charles et le comte Amédée VI. Il était de nouveau stipulé qu'en échange du Faucigny[1], de la suzeraineté du pays de Gex[2] et des enclaves dauphinoises en terres savoyardes, le Comte cédait toutes ses possessions au-delà du Guiers[3] et ses anciens domaines du Viennois[4]. Amédée VI obtenait aussi l'hommage du comte de Genevois et c'était un premier pas vers l'acquisition de terres qui formaient enclave dans ses territoires. La Savoie n'avait plus à craindre la menace que constituait pour elle le Dauphiné, puisque c'était un véritable traité d'alliance que venaient de conclure le roi de France et le comte de Savoie. Cette alliance était d'autant plus nécessaire que le royaume et le comté avaient maintenant une frontière commune plus étendue, constituée par le Rhône, le Guiers et les montagnes de Mau-

---

[1]. Le Faucigny, grande province de quinze châtellenies, avait déjà appartenu aux Savoie par le mariage de Pierre II avec Agnès, fille du sire Aymon II de Faucigny (1234); puis il avait passé au dauphin Guigues VII par le mariage de celui-ci avec Béatrice, fille de Pierre II.

[2]. Cette contrée comprenant Ferney, Versoix, Gex, le Fort de l'Écluse, passa par héritage, en 1350, à Hugues de Genève. Conquise, au XVIe siècle, par les Bernois, puis par les Genevois, elle fut cédée à la France en 1601.

[3]. Deux torrents, le « Vif » et le « Mort » portent ce nom avant leur confluent aux Échelles.

[4]. Sa Maison possédait dans le Viennois les châteaux de Septème, Saint-Georges d'Espérance, Saint-Jean-de-Bournay, Fallavier, la Verpillière, Saint-Symphorien, Bocsozel, Jonage.

rienne. La frontière ainsi établie entre la France et la Savoie en 1355 ne fut modifiée qu'en 1760.

Le traité de Paris obligeait donc Amédée VI à renoncer à tout espoir d'agrandissement du côté de la France. Aussi devait-il se tourner vers l'Italie, où il entrera en lutte avec de puissantes familles, telles que les Visconti, les Montferrat, les Saluces, qui cherchaient à étendre leur hégémonie sur des terres convoitées également par les comtes de Savoie, qui pouvaient se souvenir des droits apportés par la comtesse Adélaïde de Suse lors de son mariage avec Oddon. Ainsi est-on fondé à dire que ce traité de 1355 correspond, en quelque sorte, à celui qui sera signé à Lyon, en 1601, par lequel le duc Charles-Emmanuel de Savoie, pour récupérer le stérile marquisat de Saluces qui coupait en deux le Piémont, finit par céder la riche province de Bresse.

Mariage avec Bonne de Bourbon.

Ce traité marquait la ferme volonté d'un rapprochement entre les deux cours et pour cela projetait le mariage d'une jeune princesse française, Bonne de Bourbon, avec le Comte Vert.

Au moment du traité de 1351 avec le Dauphin, Amédée VI avait dû prendre l'engagement de rompre ses fiançailles avec Jeanne de Bourgogne, et il renoua avec le roi d'Angleterre pour obtenir la main de sa fille Isabelle. Tout son conseil était pour un rapprochement avec l'Angleterre, au détriment de l'amitié avec la France qu'Amédée III de Genève était seul à défendre. Au reste, le roi Jean le Bon envisageait ces deux alliances d'un fort mauvais œil : en effet, si l'une risquait d'attirer le comte dans le camp anglais, l'autre pouvait faciliter la reconstitution de l'ancien royaume de Bourgogne au profit

Alliances de la maison royale

Par Béatrice de Savoie, Comtesse de Provence, s'établissent les premiers cousinages entre les Savoie et Saint Louis, les Anjou de Naples, Louis de Vaud, etc...

Plus tard, Édouard Comte de Savoie, Amédée VI et Amédée VII renouvelleront les liens de parenté avec les rois de France en épousant des descendantes de Saint Louis. Mais

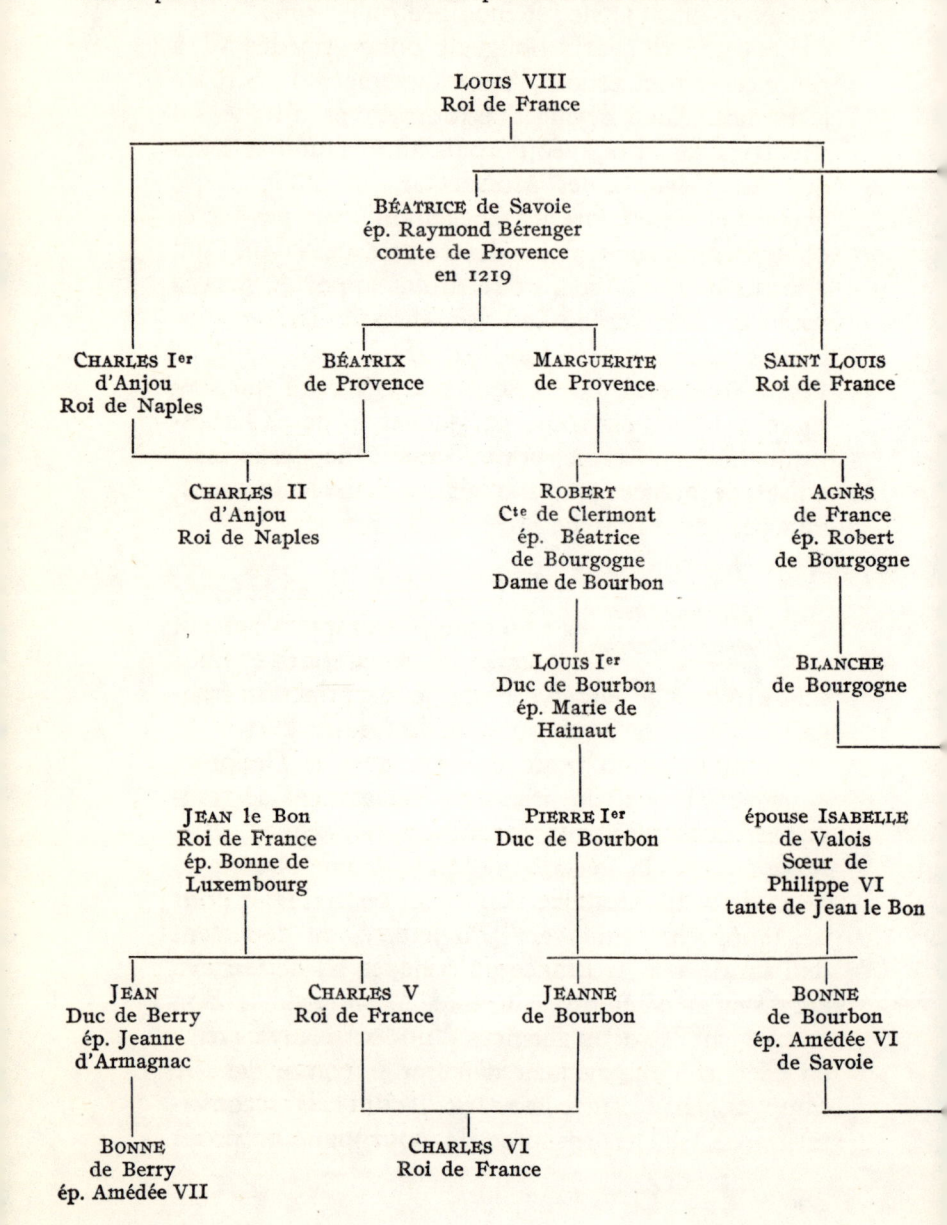

```
                              LOUIS VIII
                             Roi de France
                                  │
                         BÉATRICE de Savoie
                         ép. Raymond Bérenger
                           comte de Provence
                                en 1219
                                  │
   ┌──────────────┬───────────────┴───────────────┬──────────────┐
CHARLES Ier     BÉATRIX                      MARGUERITE      SAINT LOUIS
 d'Anjou       de Provence                   de Provence     Roi de France
Roi de Naples                                     │
      │                              ┌────────────┴────────┐
   CHARLES II                      ROBERT                AGNÈS
    d'Anjou                    Cte de Clermont         de France
  Roi de Naples                 ép. Béatrice         ép. Robert
                                 de Bourgogne        de Bourgogne
                                Dame de Bourbon
                                      │
                                  LOUIS Ier            BLANCHE
                                Duc de Bourbon       de Bourgogne
                                 ép. Marie de
                                   Hainaut
                                      │
  JEAN le Bon                     PIERRE Ier         épouse ISABELLE
 Roi de France                  Duc de Bourbon        de Valois
ép. Bonne de                                          Sœur de
 Luxembourg                                          Philippe VI
      │                                            tante de Jean le Bon
┌─────┴──────┬──────────────┬──────────────┐
JEAN      CHARLES V       JEANNE          BONNE
Duc de Berry Roi de France de Bourbon    de Bourbon
ép. Jeanne                               ép. Amédée VI
d'Armagnac                                 de Savoie
    │              │
  BONNE        CHARLES VI
 de Berry     Roi de France
ép. Amédée VII
```

France avec les Savoie

Édouard (ép. Blanche de Bourgogne) n'a pas de lignée (Jeanne de Bretagne † sans postérité). Amédée VI épouse Bonne de Bourbon, de la Maison de ce nom, nièce, cousine et tante de Philippe VI, Charles V et Charles VI. Bonne de Berry femme d'Amédée VII est petite-fille, nièce, cousine de Jean II, Charles V et Charles VI.

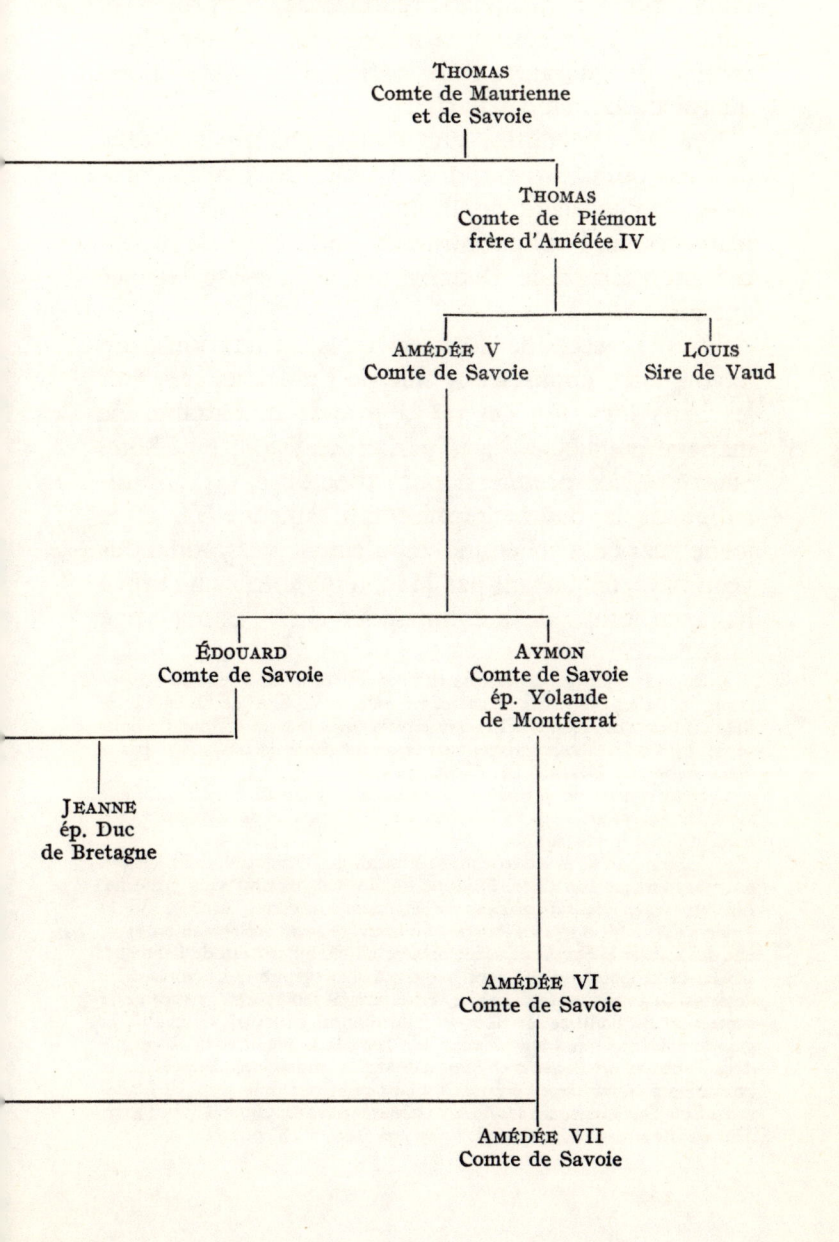

```
                    THOMAS
               Comte de Maurienne
                  et de Savoie
                        |
                        |
                    THOMAS
               Comte de Piémont
               frère d'Amédée IV
                        |
              ┌─────────┴─────────┐
          AMÉDÉE V              LOUIS
        Comte de Savoie      Sire de Vaud
              |
       ┌──────┴──────┐
    ÉDOUARD        AYMON
  Comte de Savoie  Comte de Savoie
                   ép. Yolande
                   de Montferrat
      |                  |
    JEANNE           AMÉDÉE VI
   ép. Duc         Comte de Savoie
  de Bretagne            |
                     AMÉDÉE VII
                   Comte de Savoie
```

de la Savoie. Jean le Bon fit donc pression sur le comte pour l'engager à renoncer à ce projet, et Amédée VI s'y résigna aisément, en échange d'une somme de quarante mille florins d'or et de l'hôtel du roi de Bohême à Paris[1].

Sur ces entrefaites, survint la signature du traité de Paris qui prévoyait, nous l'avons vu, outre la promesse du mariage de Bonne de Bourbon[2] avec le jeune comte, l'obligation pour Amédée VI de renoncer au mariage de Bourgogne[3], et à toute alliance anglaise.

Pour la seconde fois en trois générations, un Savoie allait épouser une fille de France, et resserrer les liens du comté et de la grande monarchie. Le mariage eut lieu à Paris par procuration, en l'hôtel Saint-Pol, les premiers jours d'octobre 1355. Guillaume de la Baume représentait Amédée VI, et la jeune mariée s'achemina rapidement vers son nouveau pays, en passant par Mâcon où elle fit une brève halte, le temps de « commander chez l'estofier une

---

1. En 1327, Philippe de Valois avait concédé cet hôtel à Jean de Luxembourg. C'est en partie sur l'emplacement de cet édifice que Catherine de Médicis fit construire l'hôtel connu ensuite sous le nom d'Hôtel de Soissons; il fut lui-même remplacé, vers la fin du règne de Louis XV, par la Halle au blé. Cf. CORDEY, *Les Comtes*, p. 128.

2. Sœur cadette de Jeanne et descendante directe de Saint Louis, elle avait été fiancée en 1350 à Godefroy de Brabant, duc de Limbourg, qui mourut avant le mariage.

3. Jeanne était de la seconde maison ducale de Bourgogne, qui s'éteignit en 1361, lorsque son frère, Philippe de Rouvre, mourut sans postérité. Née en 1344, elle fut mariée virtuellement au comte Amédée VI le 8 juin 1348, à Montréal en Auxois. Le mariage ayant été rompu en 1355, elle dut quitter la Savoie et vécut près de Dijon, au château de Lantenay. On laissa supposer qu'elle était inapte au mariage, ce qui favorisait les desseins de la politique française, en laissant éventuellement vacante la succession de Philippe de Rouvre. Elle mourut en 1361, victime de la grande épidémie qui emporta aussi son frère et sa mère, et fut ensevelie dans l'abbaye de Fontenay. Afin d'éviter la contagion, croyait-on, le gouverneur du bailliage « achepta un cuir pour mettre le corps de Mademoiselle ». Seuls quelques serviteurs assistèrent à sa sépulture. Cf. E. PETIT, *Histoire des ducs de Bourgogne de la race capétienne*, t. IX, p. 240.

paire de bottes, et trois paires de souliers; elle acheta aussi deux boucles d'argent »[1]. La jeune voyageuse n'imaginait pas alors qu'un jour viendrait où elle retournerait dans cette ville pour y finir sa vie en exil !

Pour l'instant, continuant sa route, elle franchit la frontière de Savoie à Pont-de-Veyle, le 22 octobre, accompagnée de quatre-vingts cavaliers.

« *Et là se trova le conte sur les champz, lequel la receust joyeusement et la vist moult voulantiers, et la mena en grande solempnité à Bourg où il fust moult festoyé, et de Bourg il l'amena à Chambéryé où les nopces et la feste furent faittes, et ilz vindrent dames et signieurs de toutes les pars des pays du conte; et là eust tornoys, joustes et beourdis, dances, morisques et momeryez, et dura la feste huit jours*[2]. »

Pour l'occasion, les bourgeois de la ville, qui avait alors des ateliers d'orfèvres assez renommés, offrirent à la jeune comtesse « une magnifique nef en argent montée sur quatre roues qui était l'œuvre de Poncey de Flacy et qui était estimée 400 florins »[3].

Les chroniques nous apprennent que Bonne de Bourbon fut une aide précieuse pour son mari et le rendit très heureux. Reconnaissant son esprit de justice et ses qualités politiques, et trop intelligent pour en prendre ombrage, Amédée VI lui laissera l'entière responsabilité des affaires, lorsqu'il devra s'éloigner. Malheureusement pour le renom de cette princesse, la confiance illimitée que son mari lui accorda jusque par-delà la mort devait, dans sa vieillesse, lui attirer de cruelles difficultés et susciter autour d'elle inimitié et jalousie.

---

1. Cordey, *op. cit.*, p. 86. Archives de Turin, *Comptes de l'Hôtel*, n° 1.
2. Servion, col. 289, 2ᵉ éd., t. II, p. 105.
3. Ch. Dufayard, *Histoire de Savoie*, p. 117.

CHAPITRE IV

UNIFICATION ET AGRANDISSEMENT DES ÉTATS DE SAVOIE SOUS AMÉDÉE VI

> *Au premier endroit, et plus fort à assaillir, il voulut y être en personne, comme chef de l'entreprise, et sçavoit que vertu consiste en choses ardues et difficiles*[1].

Annexion du Faucigny et siège d'Hermance. En 1355, la situation politique et géographique de la Savoie avait imposé à Amédée VI la tâche urgente d'instaurer l'unité au sein même du comté, en supprimant les enclaves étrangères.

Mais bien qu'en vertu du traité de Paris il eût acquis le Faucigny, Amédée VI ne put tout de suite en prendre possession, une résistance opiniâtre se manifestant au sein de la population de cette région montagneuse. Aymar de Poitiers, comte de Valentinois, alors gouverneur général du Dauphiné, avait beau ordonner aux châtelains du Faucigny de se soumettre au comte de Savoie, ceux-ci n'en faisaient rien; et toute la contrée se préparait à la révolte, encouragée par le comte de Genevois et Hugard de

---

1. Paradin, p. 225. — Le chroniqueur Guillaume Paradin, doyen de l'église collégiale de Beaujeu, publia son histoire en 1552. Il se sert de l'œuvre de Cabaret (cf. p. 53, n° 1) qu'il amplifie à son gré.

Gex qui refusaient, malgré le traité récent, de reconnaître leur nouveau seigneur.

Amédée VI fut donc obligé de recourir aux armes. De Genève où il établit son quartier général, il fit appel à ses vassaux qui accoururent de toutes parts avec leurs gens[1].

Ainsi que l'a écrit un historien[2] : « Ce devait être une belle chose à voir que cette forêt d'hommes d'armes adoubés de toutes pièces, mais revêtus d'armures diverses, et marchant sous des bannières aux couleurs variées qui voletaient au vent. »

La campagne devait durer de la fin mars au 22 juillet 1355, et nécessiter trois chevauchées. La lutte fut dure, et il fallut payer aux vassaux de lourdes indemnités pour les chevaux tués.

En même temps, Amédée VI avait entrepris le siège d'Hermance, citadelle importante d'où Hugues de Genève pouvait menacer le Chablais. Cette petite ville qui, avec son château, dépendait jusqu'alors du Faucigny, se révolta contre son nouveau maître, et Amédée VI mit tout en œuvre pour s'en emparer. Afin de la prendre d'assaut du côté du lac, il manda la galère qu'il avait à Chillon, et qui était commandée par un Génois[3].

---

1. L'ordre notifié comportait une inspection générale, appelée la montre (« monstra ») dont les observations se consignaient sur des carnets servant ensuite à déterminer le montant des dommages dus à ceux qui disaient avoir éprouvé des pertes. L. MÉNABRÉA, *De l'Organisation*, p. 5.
2. L. MÉNABRÉA, *op. cit.*, p. 22.
3. Dès le XIIIe siècle, les comtes de Savoie avaient créé une petite flottille de guerre pour défendre le château de Chillon devenu une véritable forteresse. A cette fin, ils avaient fait venir des Génois — grands constructeurs navals au Moyen Age — auxquels ils avaient donné mission de construire des galères dans les chantiers de Villeneuve. En 1316, cette flottille se composait de deux grandes galères avec cent dix rameurs, et deux petites avec quatre-vingt-douze rameurs. Portant sur leurs voiles l'écusson de Savoie, elles étaient destinées avant tout à la guerre, et elles naviguaient parfois vingt jours de suite; leurs cabines pouvaient même être chauffées. Ces bâtiments étaient faits sur le modèle des galères italiennes, et, aujour-

Pour réduire l'enceinte de la ville, on fit venir de Lombardie des ouvriers, avec leur chef Martin Lanzo, qui furent chargés de construire des beffrois, tours de bois très élevées où pouvaient se jucher les assaillants.

Le siège commencé au mois de mai 1355 ne se termina qu'à la fin de juin, par la prise de la ville. Mais le comte de Genevois ne se soumit qu'en juillet, au moment où les châtelains du Faucigny remirent leurs châteaux au comte de Savoie[1].

Le Comte et l'Empereur. Par ailleurs, Amédée VI sut profiter avec adresse de la rivalité du Roi et de l'Empereur. Depuis son mariage, il entretenait les meilleures relations avec la France.

En revanche, il était loin de trouver autant de satisfaction dans ses rapports avec l'empereur Charles IV, lettré et artiste, mais beaucoup moins scrupuleux que son père, le chevaleresque Jean de Bohême. Ayant abandonné la politique des Hohenstaufen en Italie, Charles IV n'avait plus besoin, comme Frédéric II et Henri VII, de l'aide des troupes du comte de Savoie en Lombardie, et, ayant ainsi moins de raison de le ménager, il préférait s'en tenir

---

d'hui, les barques du Léman ne donnent plus qu'une faible image de la flottille d'antan. Toutefois, en 1344, un incendie les détruisit, à l'exception d'une seule galère qui avait une centaine de rames. Bien que le Comte Vert eût donné l'ordre de reconstruire ces embarcations, il semble que, lors du siège d'Hermance, les nouveaux bâtiments n'étaient pas terminés. Le comte employa la seule galère en état; elle lui servit à transporter des engins tels que des treuils et autres instruments permettant de lancer de grosses pierres, dont l'usage devait se maintenir longtemps encore à côté des armes à feu. (A. NAEF, *La flottille de guerre* ; L. MÉNABRÉA, *De l'organisation*, p. 23; Louis-E. FAVRE, *Les galères des Comtes de Savoie*, mémoire lu à la Société d'Histoire de Genève le 28 mars 1952.)

1. Cf. H. GRANJEAN, dans *Histoire de Genève*, 1951, pp. 122-125 ; LEVRIER, t. I, pp. 216-234. — Amé III mourut en 1367.

MAISON DE BOURBON
jusqu'a
BONNE, femme d'AMÉDÉE VI

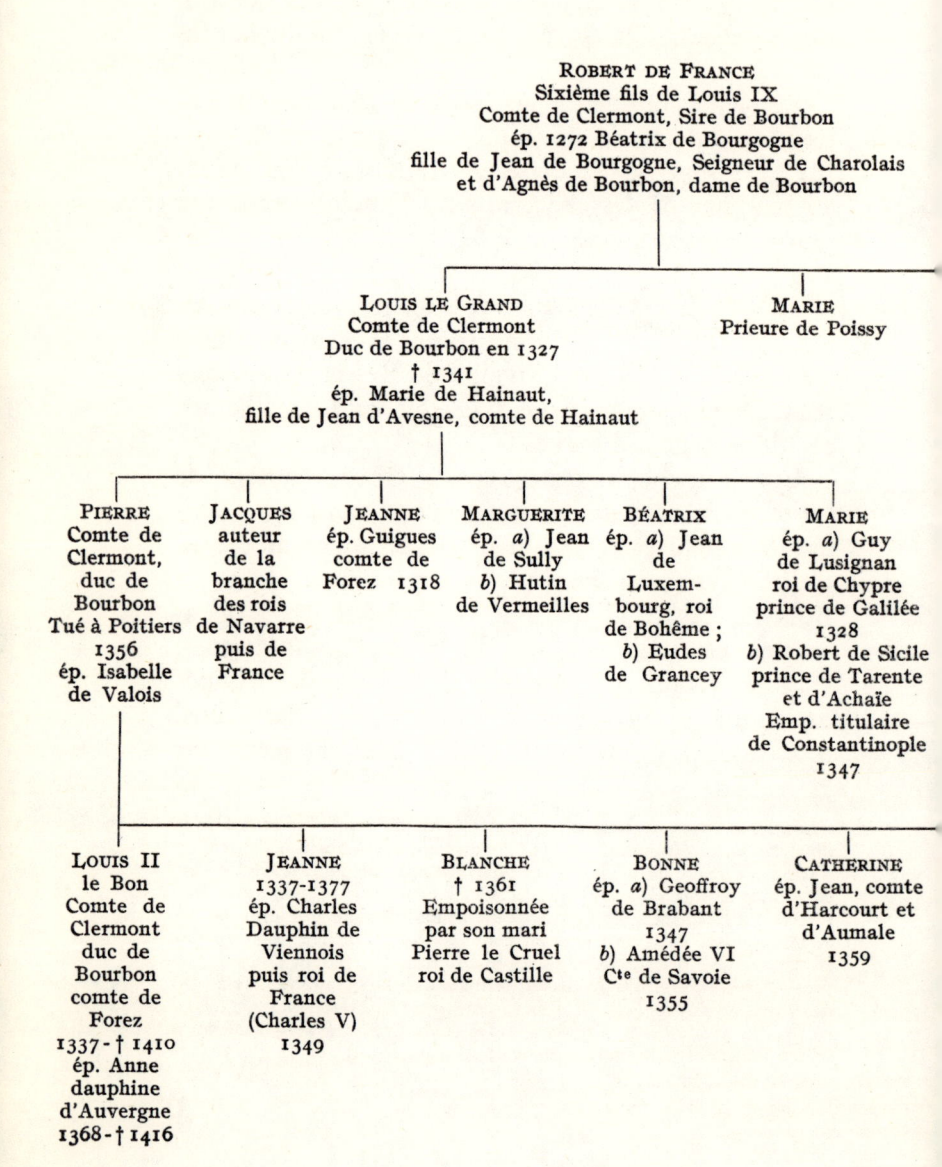

Robert de France
Sixième fils de Louis IX
Comte de Clermont, Sire de Bourbon
ép. 1272 Béatrix de Bourgogne
fille de Jean de Bourgogne, Seigneur de Charolais
et d'Agnès de Bourbon, dame de Bourbon

Louis le Grand
Comte de Clermont
Duc de Bourbon en 1327
† 1341
ép. Marie de Hainaut,
fille de Jean d'Avesne, comte de Hainaut

Marie
Prieure de Poissy

Pierre
Comte de Clermont, duc de Bourbon
Tué à Poitiers 1356
ép. Isabelle de Valois

Jacques
auteur de la branche des rois de Navarre puis de France

Jeanne
ép. Guigues comte de Forez 1318

Marguerite
ép. *a)* Jean de Sully
b) Hutin de Vermeilles

Béatrix
ép. *a)* Jean de Luxembourg, roi de Bohême ;
b) Eudes de Grancey

Marie
ép. *a)* Guy de Lusignan roi de Chypre prince de Galilée 1328
b) Robert de Sicile prince de Tarente et d'Achaïe Emp. titulaire de Constantinople 1347

Louis II
le Bon
Comte de Clermont duc de Bourbon comte de Forez
1337 - † 1410
ép. Anne dauphine d'Auvergne
1368 - † 1416

Jeanne
1337-1377
ép. Charles Dauphin de Viennois puis roi de France (Charles V) 1349

Blanche
† 1361
Empoisonnée par son mari Pierre le Cruel roi de Castille

Bonne
ép. *a)* Geoffroy de Brabant 1347
b) Amédée VI Cte de Savoie 1355

Catherine
ép. Jean, comte d'Harcourt et d'Aumale 1359

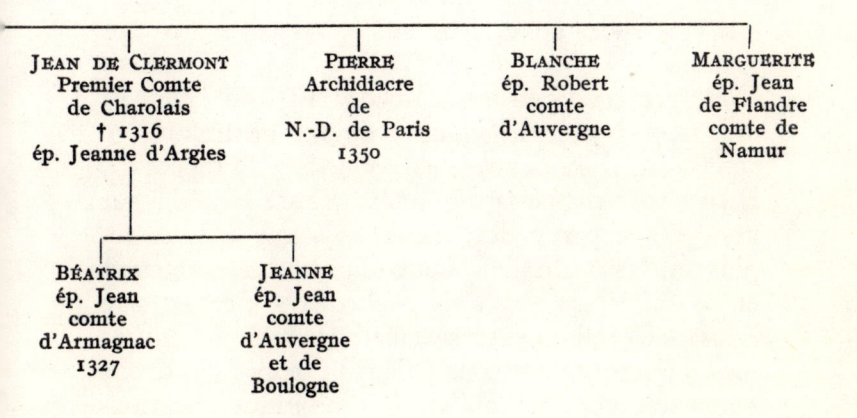

JEAN DE CLERMONT Premier Comte de Charolais † 1316 ép. Jeanne d'Argies	PIERRE Archidiacre de N.-D. de Paris 1350	BLANCHE ép. Robert comte d'Auvergne	MARGUERITE ép. Jean de Flandre comte de Namur

BÉATRIX ép. Jean comte d'Armagnac 1327	JEANNE ép. Jean comte d'Auvergne et de Boulogne

MARGUERITE
ép. Arnaud
Sire d'Albret
vicomte
de Tartas
1368

à une politique de bascule, pour maintenir l'équilibre entre ses vassaux[1].

En effet, l'Empereur n'admettait pas la validité du traité de Paris, et favorisait le comte de Genevois en le reconnaissant comme un sujet sous la dépendance immédiate de l'Empire ; il lui accordait le droit de battre monnaie à Annecy.

Il l'opposait ainsi automatiquement au comte de Savoie. Amédée VI s'attachait-il à la monarchie française, aussitôt la diplomatie impériale lui suscitait « de rudes adversaires sur le versant italien des Alpes »[2].

Malgré ces vexations, Amédée VI, qui craignait une trop grande hégémonie du roi de France, se soumettait volontiers à la suzeraineté de l'Empereur[3]. Il en obtint même la dignité de vicaire impérial sur une grande partie de l'ancien royaume d'Arles (et plus tard sur l'Italie). Cette dignité lui permettait entre autres avantages de s'affirmer à Genève et à Lausanne où il espérait se substituer toujours davantage à l'autorité épiscopale dans l'exercice des droits temporels, continuant ainsi une politique traditionnelle dans sa Maison, à l'égard des évêques.

L'expédition du Valais.
Amédée VI eut plus de succès en Valais. L'évêque de Sion, Guichard Tavelli, entretenait de très mauvais rapports avec ses sujets, tant ecclésiastiques que laïques. De plus, il était en

---

1. Charles IV de Luxembourg (1316-1378), roi de Bohême et empereur, était fils de Jean de Luxembourg, et petit-fils de l'empereur Henri VII. En 1356, il publia la fameuse *Bulle d'Or*, véritable constitution de l'Empire, qui demeura en vigueur jusqu'en 1806. Il a laissé plusieurs ouvrages, parmi lesquels il convient de citer une autobiographie, les *Commentaires de vita Caroli IV Bohemiae regis*.
2. Cf. V. DE SAINT-GENIS, *op. cit.*, t. I, p. 363.
3. Voir chap. VIII, *Le Vicariat impérial*.

lutte incessante avec la famille de La Tour Châtillon, en raison d'obscures questions de droits féodaux. Une véritable guerre civile s'ensuivit. L'évêque, ne pouvant s'appuyer ni sur les communes, ni sur le clergé (il était en litige avec le chapitre), fut contraint de chercher ailleurs des alliés. Le secours papal se faisant attendre d'Avignon, il se tourna vers la Maison de Savoie qui vit là une magnifique occasion de s'ingérer dans les affaires de l'évêché, afin de mieux poursuivre ses propres visées sur le Valais.

Sous prétexte de restaurer l'autorité épiscopale, le jeune Amédée VI était entré en campagne au printemps de l'année 1352. Les habitants, intimidés, se soumirent sans livrer bataille. Mais bientôt ils se soulevèrent, rompant le serment de fidélité que le Comte leur avait arraché par la force; l'année suivante, Amédée intervint de nouveau. Les *Chroniques de Savoye* racontent, dans leur langage pittoresque, la seconde campagne d'Amédée VI dans le Valais et comment, pendant le siège de Sion, les habitants parvinrent à ravitailler la ville :

« *Il ala tout droit atoute* (avec) *son armée mettre le siège devant la cité de Syon, et l'avironna tellement que nuls n'y povoit entrer ne yssir, excepté que par le crett dernier du chastal de Turbillon*[1] *entroyent et yssoyent les paysans à pié, et aussy ceulx du chastel : et sy s'avitualioyent malgré ceulx de l'ost, et de ses vittuaillies ils mespartysoyent à ceulx de la ville*[2]. »

---

[1]. Selon Paradin (Livre II, p. 225), le ravitaillement de la ville passait « par le canal qui estoit derrière le chasteau de Turbillon » : les textes ne sont pas contradictoires. En effet, l'on peut accéder à pied dans la ville de Sion par une crête située à l'est du château de Tourbillon, puis par le vallon séparant la forteresse de la colline de Valère : c'est le « crett », puis le « canal » (la « chenau » est un vallon, en langage suisse romand). Paradin note que le comte prit personnellement part à l'assaut, « comme chef de l'entreprise » et sachant « que vertu consiste en choses ardues et difficiles ».

[2]. Servion, col. 274, 2ᵉ éd., t. II, p. 77.

C'est au moment de l'assaut que le Comte Vert fut adoubé. L'attaque se fit au point du jour, de trois côtés. « Chescung se mist en son lieu par grant arroy. » Les trompettes, clairons, « corns et buynes » sonnèrent, « tellement que l'air et la terre en retentissoient ». « Messire Guilliaume de la Baume » vint alors prier « son signieur le conte » de vouloir bien recevoir « l'ordre de chevallerie ».

Le « bon chivallier sacqua » (tira) son épée et donna « la collée » à son maître « en disant : chivallier de par Saint George » !

La ville de Sion fut prise après une résistance acharnée et livrée au pillage et à l'incendie. Les traités qui terminèrent la campagne nous dévoilent quels avaient été les desseins d'Amédée. Les Valaisans s'engageaient à rester fidèles au comte que l'évêque venait de nommer bailli du Valais. Ils devaient lui fournir des contingents militaires. Les Haut-Valaisans en appellent à l'Empereur, puis reprennent les armes. Amédée VI, après une courte guerre, traite à Évian (1361), et, s'il renonce à la charge de capitaine du pays, il reste un arbitre entre l'évêque et le comte de la Tour, et il maintient ses positions dans le Bas-Valais. Ce n'est que beaucoup plus tard, par leur volonté d'autonomie et leur union, que les communes finiront par avoir raison de la tutelle savoisienne.

Insubordination de Jacques, prince d'Achaïe.

Amédée VI poursuivit la même œuvre d'unification et d'agrandissement au-delà des Alpes, où les querelles intestines et la convoitise de ses voisins l'obligeaient à intervenir continuellement. Il faisait aussi sentir son autorité sur l'esprit particulariste des villes, tout en

Planche IX — "Vrai dessin du lac de Genève", par Forna Zeris, 1589.
Bibliothèque de la Ville de Genève.

respectant leur autonomie communale; elles finirent par se donner spontanément à lui, et il obtint de même l'hommage d'un grand nombre de seigneurs.

Mais Jacques de Savoie, prince d'Achaïe[1], mécontent du testament du comte Aymon qui ne l'avait mentionné ni comme héritier, ni comme membre du conseil de régence pendant la minorité d'Amédée VI, ne laissait pas de repos à ce dernier qui devait sans cesse freiner les ambitions de son turbulent vassal.

C'est ainsi que, profitant de l'appui du marquis de Montferrat et des défaites de la France pendant la guerre de Cent ans, le prince d'Achaïe s'arrogea le droit de lever des impôts sur les marchandises qui venaient de Savoie, et poussa l'insulte jusqu'à mettre à mort les officiers qui lui furent envoyés pour demander réparation.

Outré de ces procédés, le Comte Vert tomba à l'improviste sur ce parent infidèle. Il s'empara de Turin et de toutes les places que Jacques tenait de lui en Piémont; puis il l'atteignit sous les murs de Pignerol[2], le fit prisonnier et le déposséda de son apanage. Au reste, il devait le lui rendre bientôt, car Jacques lui était comme une sentinelle avancée pour la garde des terres qu'il ne pouvait défendre, trop occupé qu'il était en deçà des Alpes.

Par le traité du 2 juillet 1362, Amédée VI restituait le Piémont en échange d'une indemnité de cent soixante mille florins, qui devait être réduite de

---

[1]. La principauté d'Achaïe, fondée après la prise de Constantinople par les Croisés, était l'apanage de la famille champenoise de Villehardouin. Elle échut à Isabelle, dernière du nom, et le titre fut porté par ses trois maris : Philippe d'Anjou, Florent de Hainaut et Philippe de Savoie. Bien que ce dernier y eût renoncé en faveur d'Anjou, il le reprit, ainsi que ses descendants.

[2]. Turin n'était pas encore la capitale du Piémont. Pignerol était alors la résidence des Achaïe.

MAISON DE SAVOIE

BRANCHE D'ACHAÏE

Philippe d'Achaïe Comte de Piémont
1278 † 25-9 (?) 1334
ép. *a)* 12-2-1301 Isabelle de Villehardouin † 1311
b) 1312 Catherine de Vienne, fille d'Humbert de
la Tour du Pin et Coligny, † en 1337

---

a) **Marguerite**
ép. 1324
Renaud
de Forez,
S^{gr} de Malaval,
fils de Jean
de Forez et de
Louise-Laure
de Savoie-Vaud

b) **Amédée**
Évêque
de
Maurienne

Thomas
† 1360.
Évêque
de
Turin
et
d'Aoste

Édouard
Moine de
Cluny.
Évêque
de Belley
et de Sion
Archevêque
de
Tarantaise
† 1395

Jacques
P^{ce} d'Achaïe
(Entre le 6 et
le 16-1-1315)
† 17-5-1367 ;
ép. *a)* Béatrice
d'Este, fille du
Mis de Ferrare
† 13-2-1339 ;
b) Sibylle
del Balzo † 1350
fille
de Raymond,
S^{gr} des Baux et
Cte d'Avellino ;
c) 16-7-1362
Marguerite
de Beaujeu
† 1402

Isabelle

Ligne de Busca
(*mère inconnue*)

Jeannette
ép. 1391 Jean
de Montroux

Antoine
S. de Busca,
1418

b) **Philippe II**
1340
† vers 20-12-1368
ép. décembre 1362
Louise de Thoire
et Villars

c) **Amédée**
P^{ce} d'Achaïe
1363 † 7-5-1402
ép. octobre 1380
Catherine
de Genève
† 17-10-1407

Bonne

Marguerite
la Bienheureuse
juin 1390-† 1464
ép. 1403 Théodore II
Paléologue,
Mis de Montferrat
† 26-6-1418

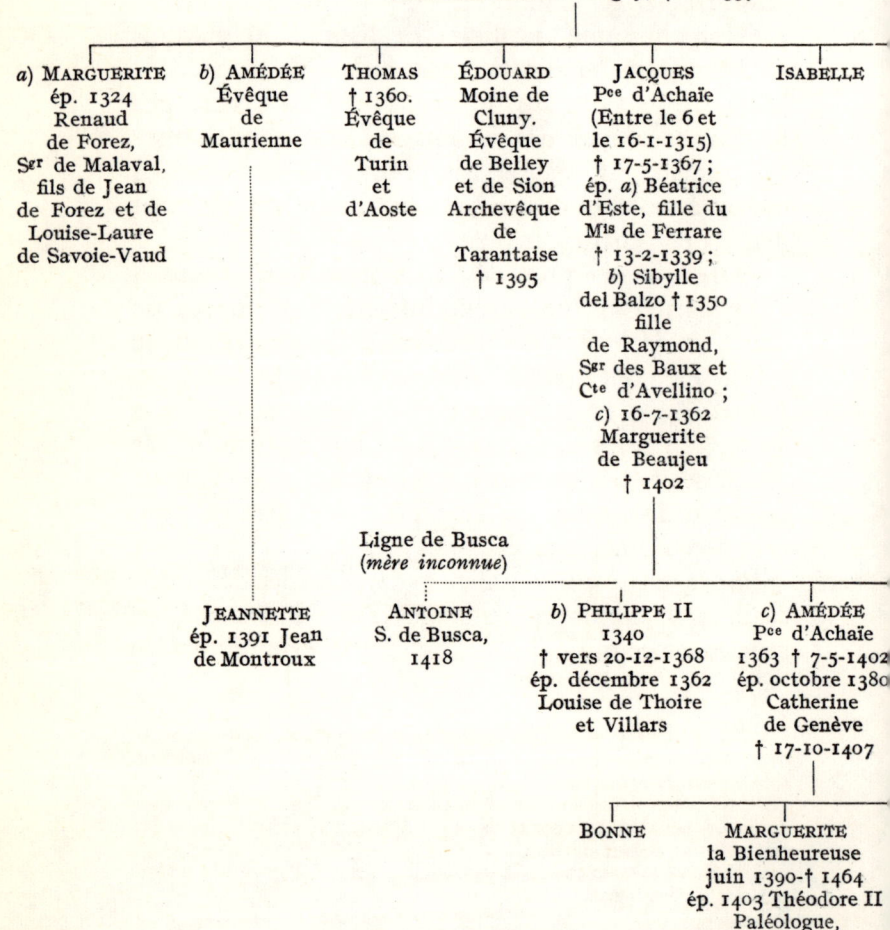

D'après l'Encyclopédie Italienne, t. XXX.

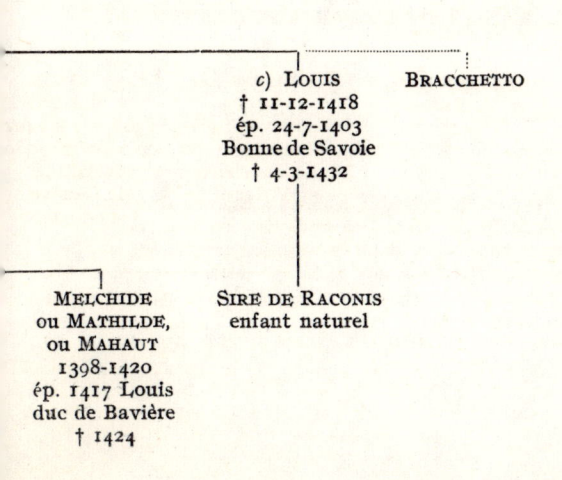

ALICE	ÉLÉONORE	JEANNE	BÉATRICE	AGNÈS	AYMON
† 1368	† 1350	† 1352	juin 1322 † 1340	ép. Jean de	† 1398
ép.	ép. Manfred	Amédée	ép. 1331	la Chambre	ép. 1385
a) 1324	de Saluces-	de	Humbert		Mencia
Manfredo	Cardé	Poitiers, Sgr	de Thoire		de Ceva
del Carretto		de St-Vallier	et Villars		† ap. 11-1-1434
b) Antelme					
de Miolans					
Sgr d'Urtières					

c) LOUIS   BRACCHETTO
† 11-12-1418
ép. 24-7-1403
Bonne de Savoie
† 4-3-1432

MELCHIDE	SIRE DE RACONIS
ou MATHILDE,	enfant naturel
ou MAHAUT	
1398-1420	
ép. 1417 Louis	
duc de Bavière	
† 1424	

moitié si Jacques d'Achaïe épousait Marguerite, fille d'Édouard Ier, seigneur de Beaujeu et des Dombes.

Le prince, alors âgé de cinquante ans, se décida à prendre pour épouse Marguerite de Beaujeu qui n'en avait que seize; ils eurent deux fils : Amédée et Louis[1].

Philippe et la fin de la résistance. Cette union eut des conséquences désastreuses, car la jeune femme réussit à évincer de la succession, au profit de ses enfants, l'héritier légitime Philippe, issu d'un premier lit. Une lutte terrible éclata alors entre le père et le fils. Philippe s'allia avec Frédéric de Saluces, et fit cause commune avec la bande de mercenaires conduite par un aventurier allemand, dit le Moine Heckz, qui ravageait alors le Piémont[2].

Sur ces entrefaites, Jacques mourut en 1367. Bonne de Bourbon, alors régente pendant que son mari était en Orient, défendit d'ouvrir le testament du défunt avant le retour du Comte. Un an plus tard, Amédée VI prenait connaissance de ce document en présence des intéressés : la succession échut au fils de Marguerite, Amédée. Satisfaite de sortir d'une situation confuse, la majorité des vassaux jura fidélité au nouveau prince.

Dépossédé de tous ses droits, Philippe reprit les armes, avec le concours de Heckz et du célèbre capi-

---

1. Jacques d'Achaïe (1315-1367) eut trois femmes : Béatrice d'Este, Sibylle del Balzo, mère de Philippe, et Marguerite de Beaujeu. Cette dernière lui apporta en dot le château de Berzé (Bourgogne); elle testa le 21 octobre 1388 en faveur de son fils Louis de Savoie, mais réserva le péage de la seigneurie à sa nourrice, Marguerite de Saint-Moris. Cf. THY DE MILLY, *Discours de réception,* p. 13.

2. Sur lui, voir DATTA, *Storia dei principi,* t. II, pp. 227-238, 256-261; F. MUGNIER, *Lettres,* pp. 442-445.

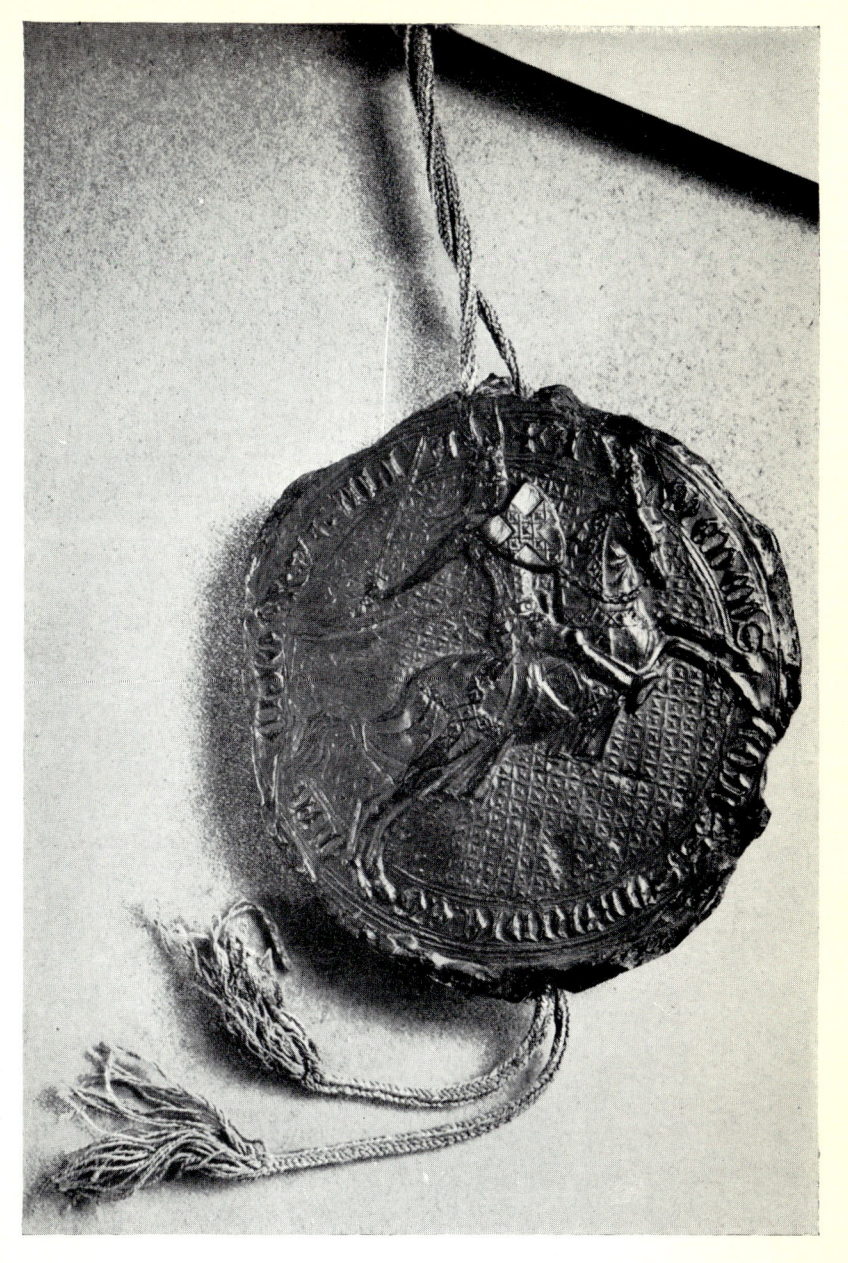

Planche X Phot. Maurice Petit
Grand sceau d'Amédée VI apposé au traité du 24 février 1377.
Paris, Archives Nationales, document 286 N° 10, sceau 11653.

taine Luchino dal Verme. Excédé des ravages causés par ces aventuriers, Amédée VI enjoignit inutilement à Heckz d'abandonner Philippe qui provoqua le Comte en duel et lui proposa un combat de cent hommes contre cent[1]. Le Marquis de Montferrat s'offrit comme arbitre, mais Amédée VI se déroba, avec l'aide de Galéas Visconti qui menaça Philippe d'intervenir avec son armée s'il osait descendre en lice avec le Comte.

Après maintes péripéties, Philippe se rendit à son suzerain qui le rencontra à Savigliano, puis à Rivoli. Marguerite de Beaujeu vint alors porter plainte contre son beau-fils, l'accusant d'avoir été la cause de tous les troubles. A la suite d'un bref jugement, Philippe fut enfermé dans le château et, selon la rumeur publique, noyé dans le lac d'Avigliana[2].

Cependant, le Comte Vert estima que d'autres précautions étaient à prendre pour que la principauté demeurât soumise : en 1369, Marguerite de Beaujeu, appelée au château du Bourget, céda ses droits de tutelle sur ses enfants Amédée et Louis, en échange d'une rente de trois mille florins. Elle fut, croit-on, internée dans un couvent. Ses deux fils furent élevés à la cour de Chambéry par Bonne de Bourbon. Amédée VI se déclara tuteur d'Amédée d'Achaïe et ce dernier ne retournera en Piémont qu'à sa majorité, en 1378. Catherine de Genève, son épouse, ne lui donna point d'héritier mâle.

L'ambition des Achaïe était brisée. Ils redevinrent

---

1. HUIZINGA, *Le déclin du Moyen Age,* p. 117. — Une forme très particulière de fiction chevaleresque sentait fortement la réclame politique; mais c'était pure bravade.
2. La noyade était alors la peine infligée en Savoie pour les délits commis contre l'État par des personnages haut placés. C'est ainsi que périrent plus tard, dans les eaux du Léman, deux chanceliers de Savoie, Guillaume de Bolomier et Jacques de Valpergue.

les fidèles vassaux de la branche aînée, jusqu'au moment où Louis, qui avait succédé à son frère Amédée, mourut en 1418 sans postérité. L'apanage revint alors au duc de Savoie, Amédée VIII.

Les « Dames de Vaud ». Si l'indiscipline des princes d'Achaïe était une cause de soucis pour les comtes de Savoie, l'attachement et le loyalisme que les sires de Vaud — titulaires de l'autre apanage — portaient à la branche aînée ne se démentirent jamais. A la mort de Jean, son fils unique tué en 1339 à la bataille de Laupen[1], Louis II de Vaud avait institué sa fille Catherine héritière universelle et, à défaut d'enfants (elle était encore stérile sept ans après son mariage), l'héritage devait revenir à Aymon de Savoie ou à ses successeurs. Louis II croyait qu'ainsi la seigneurie de Vaud reviendrait naturellement à la branche aînée. Le comte Aymon, par privilège spécial, consentit à déroger à la coutume qui, dans la Maison de Savoie, interdisait aux femmes de régner.

Louis II étant mort en février 1349, sa femme Isabelle de Chalon et sa fille Catherine prirent l'administration de la seigneurie. On les appelait les « Dames de Vaud ». Un document des Archives de Turin, du 1er octobre 1351, nous apprend qu'elles renouvelèrent une alliance[2] conclue en 1332, entre Louis II de Vaud et le chapitre de l'église de Lausanne. Elles promettaient de protéger celle-ci pendant dix ans, à condition d'en recevoir des hommes d'armes pour

---

1. Victoire des Bernois sur la coalition de la noblesse helvétique, à la tête de laquelle se trouvait Léopold de Habsbourg.
2. Archives de Turin, *Baronnie de Vaud*, II, n° 14. Ce traité fut renouvelé le 6 juillet 1370 par le Comte Vert; puis le 25 juin 1384 par le Comte Rouge; le 24 mai 1399, par Amédée VIII; enfin par Charles III.

leurs chevauchées, et une rente annuelle de cent livres de cire. Dans un autre acte daté du 29 octobre 1352, elles témoignent, non sans fierté, de leurs dispositions libérales envers leurs sujets, et des bonnes relations qu'elles entendaient maintenir avec leur suzerain de Savoie. De fait, lors de la campagne du Valais, elles soutinrent les entreprises d'Amédée VI qui leur demandait des troupes. Les Dames de Vaud firent admettre que leurs gens n'étaient pas tenus d'entrer en campagne, mais qu'ils le faisaient de leur plein gré.

En 1352, Catherine devint veuve : Raoul de Brienne, son second mari, ayant été décapité par ordre de Jean le Bon. Elle se remaria avec le comte Guillaume de Namur et en eut deux fils, Guillaume et Jean, et une fille, Marie, dont la générosité permit à Froissart d'écrire ses *Chroniques*, et qui épousa Guy de Châtillon, comte de Blois[1].

Rappelons que Catherine de Vaud, issue d'un milieu qui fut mêlé de très près à la renaissance des lettres et des arts en Italie, n'a pas manqué d'introduire dans le Namurois un renouveau artistique. Elle importa même, paraît-il, la première horloge en Belgique.

Cette femme belle et élégante qui s'habillait à Paris, était aussi très charitable ; elle aimait les humbles, et son testament nous montre qu'elle a légué des souvenirs personnels et institué des rentes à ses fidèles serviteurs[2].

---

1. Relevons ici l'erreur commise par S. Guichenon qui affirme que Catherine demeura stérile, même lors de son troisième mariage. Catherine de Vaud mourut en 1388 et fut enterrée dans le couvent des Franciscains, à Namur, auprès de son époux, le comte Guillaume de Namur. Cf. CORDEY, p. 92.

2. Voir J. BALON, *Au fil des testaments de Catherine de Savoie*, dans les *Annales de la Société Archéologique de Namur*, t. XLIV, Namur, 1947.

Disons-le, les comtes de Namur, quoique possesseurs légitimes de la seigneurie de Vaud, prêtaient plus d'intérêt à leur comté qu'à cette lointaine possession dont la situation géographique entraînait pour eux des difficultés de tous genres. Par ailleurs, à sa mort, Louis II avait laissé de grosses dettes, et Catherine et son mari étaient harcelés par une foule de créanciers : la vente de la seigneurie s'imposait.

Achat du pays de Vaud. — Soucieux de ne pas laisser échapper un si riche apanage, Amédée VI engagea en 1358 des pourparlers avec les héritiers. Aux termes d'un acte privé signé à Morges le 30 janvier 1359, le Comte Vert, Catherine et Guillaume de Namur se mirent d'accord sur le prix de cent soixante mille florins d'or, payables en trois termes.

La diligence avec laquelle les États du comte de Savoie versèrent la somme convenue fut remarquable. Même les citoyens de Genève y contribuèrent en accordant un subside gracieux. Le 17 juin, Guillaume de la Baume, conseiller d'Amédée VI, s'acquitta du premier terme. Des Lombards[1] comme les Aubert, Bertrand, Paumier-Turk et Benoît de la Chaîne, payèrent les quarante mille florins du terme suivant. Et, le 19 juin de la même année, à Golzinne, en Belgique, les comtes de Namur déclaraient céder au comte de Savoie les châteaux, terres et localités de

---

1. Au Moyen Age, on nommait ainsi, dans toute l'Europe, les banquiers et les changeurs venus pour la plupart de Lombardie, dès la fin du XIIe siècle, établir à l'étranger leurs maisons de prêts. Les Lombards étaient, comme les Juifs, l'objet de la haine populaire. Il est intéressant de relever qu'en Russie, au début du XXe siècle encore, les monts-de-piété étaient officiellement désignés sous le nom de « lombards ».

la seigneurie de Vaud[1]; ils envoyèrent dix-neuf ordres individuels à leurs vassaux du pays de Vaud, les invitant à rendre hommage au comte de Savoie et à lui obéir désormais comme à leur suzerain.

La « Grande Chevauchée ». Le 9 juillet, le Comte Vert organisa, avec tout l'éclat qu'il aimait à donner à ce genre de manifestations, une grande chevauchée pour prendre possession du pays de Vaud. Il n'était point un inconnu pour ses nouveaux sujets; il retrouvait parmi eux nombre de soldats qui l'avaient suivi dans ses conquêtes du Faucigny, de Gex, du Valais, et pour arrêter l'invasion des « grandes compagnies »[2]. Les Vaudois ne sentirent pas qu'ils avaient changé de maître. Sous Louis II, les rapports avec la Savoie étaient très étroits; sous le règne des « Dames de Vaud », l'influence savoyarde avait été prédominante et elle l'était restée sous Guillaume de Namur. Amédée VI pouvait se sentir chez lui au pays de Vaud.

Au cours de la chevauchée, le Comte s'arrêta d'abord en Valromey, puis à Morges[3] où les barons de Vaud avaient une résidence. Le 14 juillet, le Comte et ses conseillers, entourés d'une nombreuse suite, défilèrent, et ils reçurent en grande pompe

---

1. Les Clées, Yverdon, Moudon, Rue, Romont, Vaulruz, Cordon, Pierre-Châtel, Rochefort, Virieu-le-Grand, et tous leurs droits sur les châteaux, villes et mandements d'Estavayer, de Pont, de Corbière-en-Ogo, Morges, Prangins, Nyon, Châteauneuf-en-Valromey, Beaugé et Outre-Saône. (« Ultra fluvium Sogane a parte comitatus Sabaudie et terre Vaudi ». J. Cordey, *L'acquisition,* p. 76.)
2. R. Paquier, t. II, pp. 17-18.
3. Au XIIIe siècle, les comtes de Savoie firent construire à Morges un château sur le modèle de celui d'Yverdon. Ce donjon menaçant était orienté vers Lausanne, sans doute pour observer la ville de l'évêque, avec qui les comtes étaient souvent en lutte.

l'hommage des châtelains de Moudon[1], de Rues, des Clées, d'Yverdon, d'Estavayer, de Romont, de Nyon et de Vaulruz. Tous promirent de maintenir leurs châteaux en bon état, et de payer au comte de Savoie les redevances auxquelles il avait droit.

Ce même jour, montrant déjà l'esprit libéral qui caractérise sa Maison, le Comte s'empressa de confirmer aux villes du pays de Vaud les franchises et privilèges qu'au XIIIe siècle déjà elles avaient reçus des comtes de Savoie, notamment aux termes de la Charte de Moudon.

Amédée donna aussi l'investiture à un grand nombre de seigneurs accourus pour lui jurer fidélité, tels Jean de Blonay, Guillaume de Dompierre, Thomas de Glâne, Aimé Métral, Pierre d'Estavayer, Guillaume de Grandson, etc... Malgré leur attachement au Comte, ces derniers ne voyaient pas sans quelque inquiétude les villes recevoir une indépendance qui allait manifestement diminuer leur pouvoir féodal. Pourtant, Amédée VI traita avec égards cette noblesse vaudoise qui lui avait toujours rendu service, soit dans son armée, soit dans son gouvernement. Et c'est en reconnaissance de ces qualités, qu'il nommera Guillaume de Grandson chevalier de l'Ordre du Collier.

Désormais, le Comte Vert ajouta à ses titres celui de Seigneur de Vaud : « Dominusque terrae Vuaudi ».

Accompagné des sires de Grandson, de La Tour,

---

[1]. Le traité de Burier, signé le 3 juillet 1219 entre l'évêque de Lausanne et le comte de Savoie, régla pour des siècles le sort de la ville de Moudon. Le comte la recevait en fief et s'engageait à prêter l'hommage à l'évêque qui ne conservait qu'une apparence de pouvoir. Dès ce moment, les habitants de Moudon se qualifièrent de bourgeois et d'hommes libres, grâce aux dispositions libérales des comtes de Savoie. Propriétaires de Moudon, ces derniers s'installèrent solidement au centre du Pays de Vaud, et ils firent de cette ville la base de leur domination militaire et administrative.

et d'une escorte de vingt-sept cavaliers, il se rendit de Morges à Moudon, où il passa deux jours, puis à Romont où il fut reçu dans le château construit au XIIIe siècle par son ancêtre Pierre II de Savoie. Mais il évita Payerne, sous la juridiction de l'évêque, et il parvint à Estavayer qui avait aménagé en son honneur une grande loge devant le château, et qui l'accueillit par de nombreuses réjouissances.

Il s'arrêta ensuite à Yverdon et au château des Clées[1].

Durant toute cette chevauchée, le Comte Vert avait été acclamé par le peuple, qui eut sa part de plaisir : victuailles, vins, spectacles, danses au son des musettes et des violes.

Le Comte demeurait le vassal de l'évêque, pour quelques-uns de ses fiefs du pays de Vaud. Aymon de Cossonay lui en donna l'investiture dans la cathédrale de Lausanne, le 20 juillet. Ce fut là, sans doute, l'épisode le plus marquant du voyage. Agenouillé au pied de l'autel, devant la Madone[2] vénérée depuis

---

1. Clées, du latin « Cleta », claie, clôture, porte ou barrière, petite ville avec un château fort situé sur l'Orbe en un passage très étroit près des frontières de la Bourgogne. Au Moyen Age, les Clées était un fief bourguignon inféodé au comte de Genevois, et il passa ensuite à la Maison de Savoie. De tout temps la ville des Clées percevait un péage sur les marchandises qui venaient d'Italie pour aller en France. C'était le seul passage qui traversait le Pays de Vaud entre l'Italie et la Bourgogne. En 1237, le château fut compris dans un échange que fit le duc de Bourgogne avec Jean de Chalon, et c'est ainsi que la seigneurie des Clées passa à la Maison de Chalon dont les comtes de Genevois devinrent feudataires. En 1250, le comte de Genevois remit le château à Pierre de Savoie en gage d'un paiement. Louis de Savoie acheta la vallée de Joux à François de la Sarraz en 1344 et il l'annexa à la seigneurie des Clées, en lui conservant tous ses privilèges. Le 14 juillet 1359, le Comte Vert acquit le château des Clées et confirma les privilèges et les franchises que ses prédécesseurs avaient accordés à la ville. Le châtelain des Clées était le gardien et le protecteur du couvent de Romainmotier. Cf. Olivier Dubuis, *Les Clées, des origines au XVIe siècle*, in *Revue Historique Vaudoise*, 62e année, II, juin 1954, pp. 49 à 89.

2. Cordey, *op. cit.*, p. 83.

si longtemps dans sa famille, le Comte Vert jura fidélité à l'évêque de Lausanne[1]. Le 21 juillet, il revenait à Morges. Ainsi se termina la brillante chevauchée.

Conscient de l'importance de l'acquisition du pays de Vaud, Amédée VI sut agir avec clairvoyance et se procurer rapidement les fonds nécessaires à cet achat. Si ce territoire était demeuré la propriété du comte de Namur, peut-être serait-il passé un jour à la Maison de Bourgogne.

Amédée VI et la vallée d'Aoste. L'an 1351, Amédée VI fit sa première visite au Val d'Aoste[2]. Il fallait qu'il prît officiellement possession de cette vallée, dont la population particulariste fut toujours ménagée par les Comtes de Savoie. Elle avait ses coutumes, ses franchises qu'elle tenait des rois de Bourgogne, et, une fois tous les sept ans, les Comtes venaient y rendre la justice, ce qu'on appelait « l'audience générale » ou les « grands jours ». En cette occasion les Savoie déployaient toute la munificence possible.

Amédée VI, le 13 août, traversa le Petit Saint-Bernard accompagné d'une nombreuse suite dont faisaient partie deux docteurs en droit. Tous les châteaux et les tours des environs étaient réquisitionnés par ses officiers qui en détenaient les clefs pendant le mois que duraient les audiences. Amédée VI s'arrêta à Morgex pour recevoir l'hommage et les redevances des syndics et de la population de Val-

---

1. Cf. Duprat, *La Cathédrale de Lausanne.*
2. Il est probable que le pays d'Aoste, jusqu'alors Comté, reçut en 1310 le titre de Duché en faveur d'Amédée V, lorsque l'empereur Henri VII accorda à ce dernier la dignité de vicaire impérial. Cf. J.-B. Tillier, *Histoire de la Vallée d'Aoste,* p. 107.

digne. Le lendemain, il poursuivit sa route vers Aoste « salué par les cloches lancées à toute volée d'un côté à l'autre de la Doire; les communes en liesse se portaient sur son passage. La noblesse d'Aoste et de la basse vallée venaient à sa rencontre jusqu'à la plaine de Sarre, où le Comte mettait pied à terre. Après avoir été complimenté, il remontait à cheval et, suivi d'un magnifique cortège, arrivait à Aoste »[1].

L'évêque, le chapitre et les prieurs de la collégiale de Saint-Ours, et d'autres membres du clergé, l'attendaient au pont Saint-Genis, pour l'accompagner ensuite dans la cathédrale. Là, Amédée VI, après avoir baisé les saintes reliques, jurait devant l'autel, genoux en terre, la main tendue, de sauvegarder les droits et les biens de l'Église, et ceux des veuves et des orphelins. Il jurait aussi de maintenir toutes les franchises, privilèges, droits, titres, provisions, bons usages, louables coutumes et immunités de la patrie valdotaine, confirmant ainsi les promesses de Thomas Ier lorsqu'en 1191 les habitants avaient demandé sa protection[2].

Le lendemain, le Comte exerçait la justice en Assise Générale. La première audience[3] qui s'occupait des causes civiles, avait lieu parfois « en plein champ », une autre qui traitait des procès criminels en cours se tenait dans la maison Chapuis en face de la cathédrale.

---

1. Abbé Henry, *Histoire de la Vallée d'Aoste*, p. 120. A l'occasion de sa visite, les sires de Montjovet lui donnent un ours. Cibrario, *Specchio*, p. 118.
2. Première « dédition » des habitants de la vallée d'Aoste aux comtes de Savoie. De Tillier, *Historique de la Vallée d'Aoste*, p. 65.
3. Les premières « Audiences » datent de l'an 1222, et avaient lieu dans le verger du prieuré de Saint-Benin. Elles cessèrent sous le règne d'Emmanuel-Philibert en 1579.

Le Comte se rendait ensuite dans la salle de l'évêché pour juger les causes féodales. Les autorités prenaient place sur des bancs de bois : celui du Comte était légèrement plus élevé. Amédée VI avait à sa droite l'évêque et à sa gauche le sire de Challant, et, tout autour, les seigneurs pairs (des plus anciennes familles) et non pairs, et les « sages et prudents coutumiers ». La parole était donnée aux légistes et aux coutumiers qui devaient défendre les intérêts des plaignants et des accusés. Cette manière d'exercer la justice pendant les « audiences » était excellente. Les gens de toutes conditions communiquaient ainsi directement avec le souverain et gagnaient sa confiance. De son côté, le prince comprenait mieux sur place leur situation et pouvait même réprimer les abus de ses officiers et magistrats qui, échappant souvent à la loi, opprimaient injustement le peuple.

Amédée VI s'inspira de ces « assises générales » du Val d'Aoste pour créer auprès de sa personne, en 1355, un conseil de justice ambulatoire[1] qui pouvait n'être composé que de deux ou trois membres, et qui siégeait là où momentanément se trouvait le prince, favorisant ainsi les gens de robe qui, plus assidus à leur tâche que les gens d'église et d'épée, finiront, avec le temps, par rester seuls juges des sentences[2].

A côté de ces « assises générales », réservées à la justice, la Vallée d'Aoste avait une représentation particulière[3].

---

1. Voir chap. II, p. 59, note 1.
2. Cf. Victor DE SAINT-GENIS, p. 367.
3. « L'assemblée générale des États du Duché d'Aoste, qu'on appelle aussi Conseil général des Trois États, règle toutes les affaires d'État et de politique; c'est de tout temps qu'elle en a la direction. Les États d'Aoste sont composés des trois ordres du Duché : le clergé, la noblesse et le peuple. » J.-B. DE TILLIER, *Historique de la Vallée d'Aoste*, réimpression,

*Amédée VI
et les
Sires de Challant.*

Depuis des siècles, les Comtes de Savoie, en uniformisant le plus possible leurs institutions, s'efforçaient d'obtenir une plus grande cohésion dans leurs États. Cependant, dans la région des Alpes (Valais, Tarentaise, Maurienne et Vallée d'Aoste), ils devaient tenir compte davantage des anciennes traditions, ces peuples étant de races différentes et d'esprit très particulier. Mais s'ils se soumettaient aux coutumes, ils ne pouvaient tolérer dans ces mêmes contrées — comme du reste dans tous leurs États — une trop grande indépendance de certains féodaux.

Déjà à la fin du XIIIe siècle, Amédée V avait obligé les sires de Challant[1] à renoncer à la charge de vicomte d'Aoste, leurs immenses richesses les rendant presque maîtres de la vallée. Amédée VI devait bénéficier de l'énergie de son aïeul car les Challant étaient dès lors restés de fidèles vassaux. Aymon et

---

Aoste, 1953, p. 419. — « Dès les premiers siècles que la vallée d'Aoste s'est soumise à la Couronne de Savoie jusque vers le milieu du XVIe, le conseil des citoyens et bourgeois d'Aoste, conjointement avec quelques gentilshommes et seigneurs des terres voisines qui y faisaient leur résidence, réglaient une bonne partie des affaires d'État, même les plus ardues et les plus importantes, quand elles exigeaient une prompte provision, et toutes les autres communautés de la province approuvaient, sans difficulté, leurs délibérations. » J.-B. DE TILLIER, *op. cit.*, p. 424. Ce n'est qu'au XVIe siècle que l'on nommera des députés appelés « commis ».

1. Famille, croit-on, issue des marquis de Montferrat. Bozon, vicomte d'Aoste, reçoit en 1200 du comte de Savoie l'investiture du château de Villa sur Challant, d'où le nom de sa famille. Les Challant tenaient le titre de vicomte d'Aoste de l'Empereur, avec l'assentiment des premiers comtes de Savoie. C'est à ce titre que les Challant élevèrent au XIe siècle le château appelé « Tour de Bramafam », dans la ville d'Aoste. En 1232, Bozon reconnaît avoir reçu en fief le titre de vicomte d'Aoste, du comte Thomas Ier de Savoie, pour lui et ses descendants. Amédée VIII érigera en 1416 leur seigneurie en Comté. Les Challant construisirent entre le XIIIe et le XVe siècles les principaux châteaux de la vallée, tels Fenis, Verrès et Issogne. Des personnages de haute valeur de cette famille occupèrent des charges importantes dans l'évêché d'Aoste et à la Cour de Savoie.

Iblet, par leurs capacités et les charges qu'ils occupèrent, rendirent de grands services à la Maison de Savoie. Par contre, Amédée V, en Maurienne, ne put jamais faire abandonner leur titre de vicomte par les puissants sires de la Chambre, malgré un accord conclu en 1309 qui limitait leur autorité. Ces féodaux resteront longtemps des rivaux pour les comtes de Savoie. Leur fierté leur avait fait prendre pour devise : « C'est le Très-Haut qui nous a fondés[1]. »

Amédée VI et les évêques. En Val d'Aoste, Amédée VI devait aussi, sur un autre point, bénéficier de l'heureuse politique de ses ancêtres.

Redevables de larges et nombreuses concessions[2], les évêques d'Aoste se montrèrent toujours conciliants envers les Comtes de Savoie dont ils reconnaissaient volontiers la souveraineté.

La situation était différente en Maurienne, où l'évêque avait déjà reçu du roi Gontran, au VIe siècle, une juridiction très étendue. Il faudra attendre qu'en 1326 la cathédrale de Saint-Jean soit en flammes et les officiers massacrés, pour que l'évêque en fuite et se réfugiant à Aiguebelle, terre comtale, partage son pouvoir avec le Comte de Savoie.

En Tarentaise, les évêques, ayant reçu des empereurs de nombreux fiefs et droits féodaux, exerçaient un pouvoir très étendu et ils opposèrent durant des siècles une grande résistance à l'empiétement des

---

1. Altissimus nos fondavit.
2. Thomas Ier renouvelle en 1191 l'acte par lequel Amédée III renonçait au dépouillement des biens des évêques défunts, et restituait à l'évêque Valpert la troisième partie des tailles et exactions sur la ville d'Aoste et ses faubourgs. Cf. L. CIBRARIO, *Specchio*, p. 23.

Comtes de Savoie. Leur juridiction, déjà limitée par le comte Aymon, le sera encore davantage par Amédée VI, dans l'acte de partage du 27 juin 1358.

Le Comte de Savoie étendait ainsi sa domination dans la région des Alpes, et renforçait l'unité politique et juridique de ses États. En agrandissant ceux-ci de telle façon qu'ils avaient maintenant une étendue égale à celle du Duché de Bourgogne, et en leur donnant une plus grande cohésion, « le Comte Verd, chevaleresque et généreux », accomplissait « le plan secret dont la dynastie poursuivait obstinément l'exécution »[1].

Limitant le pouvoir des évêques et celui des féodaux[2], il soutenait l'émancipation des villes, soit par l'octroi des franchises, soit par le respect des droits des communes qui s'étaient données à lui. Il consolidait ainsi son pouvoir, tout en favorisant les classes moyennes et le peuple qui lui étaient reconnaissants de son esprit de justice[3].

---

1. V. de Saint-Genis, *Histoire de Savoie*, t. I, p. 372.
2. Cf. Plaisance, *Histoire des Savoyens*, t. I, p. 220 : « Il interdit aux seigneurs particuliers de se battre entre eux, en se portant arbitre dans leurs différends, ou en menaçant les perturbateurs de la perte de leurs fiefs. »
3. Cf. dans Cibrario, *Recherches sur l'Histoire et sur l'ancienne constitution de la monarchie de Savoie* (traduit par A. Boullée), Paris, 1833, pp. 166 à 171, l'analyse des statuts attribués à Amédée VI et qui concernent la justice.

CHAPITRE V

LA MAISON DE SAVOIE ET LES VISCONTI

Amitié et contraste. En 1346, la Cour de Savoie avait accueilli Galéas et Bernabo, petits-fils de Mathieu Visconti exilés par leur oncle Luchino Visconti qui détenait alors le pouvoir à Milan. Ce geste compromit momentanément les bons rapports qui existaient entre les deux Maisons. Mais à la mort de Luchino[1], l'archevêque Jean, resté seul maître de Milan, rappela ses neveux et les reconnut comme successeurs.

Galéas et Bernabo garderont toute leur vie un souvenir reconnaissant des deux années passées à Chambéry, et lorsqu'ils prendront le pouvoir, on verra se rétablir entre les deux cours des relations cordiales comme au temps de Mathieu le Grand et d'Amédée V.

Les rapports furent généralement bons entre ces deux familles pourtant si dissemblables; origine, mentalité, position géographique de leurs États les différenciaient; seules leur étaient communes, et

---

[1]. Pour écarter Luchino Novello de la succession de son père Luchino, l'archevêque Jean fit avouer à sa mère Isabelle Fieschi qu'il n'était pas le fils de Luchino I mais bien de Galéas Visconti avec lequel elle avait eu une liaison (VALERI, vol. V, p. 112).

peut-être à égale mesure, l'ambition et la volonté d'expansion qui les animaient.

Les Visconti[1], installés depuis le XIIIe siècle au milieu d'une vaste contrée aux plaines fertilisées par les affluents du Pô, et propres aux formes multiples de l'activité agricole et industrielle, avaient l'avantage d'avoir une capitale telle que Milan. Administrateurs avisés, ils surent profiter de la position géographique de cette métropole et de ce centre d'intérêts politiques et économiques, vers lequel convergeait l'activité des communes et des petits États autonomes à court d'argent.

Milan s'enrichit et absorba peu à peu ce qui l'entourait. Les Visconti en tiraient puissance et richesse. Pour affermir et étendre leur domination et leur tyrannie, ces princes engageaient mercenaires et condottieri (habitudes que Pétrarque déplorait). Ils n'étaient pas plus chevaleresques dans la guerre que

---

1. Depuis la fin du XIIIe siècle, Milan appartenait aux Visconti, famille d'abord établie dans la région du lac Majeur. Elle se prétendait issue de Didier, roi des Lombards, par un légendaire Eriprando, vicomte de Milan (il est certain que leur nom provient de la charge vicomtale qui, au XIIe siècle, leur valut diverses prérogatives. Ces grands ministériaux siégeaient en public aux côtés de l'archevêque et possédaient leur propre étendard. Le symbole héraldique du Maure englouti par la vipère, « la vouivre », est un évident témoin de la lutte contre les infidèles).

La grandeur de la Maison était cependant beaucoup plus récente : ses artisans en avaient été Othon, archevêque de Milan, qui réussit à se faire nommer, en 1277, seigneur de la ville, et Mathieu, dit « le Grand », son petit-neveu et successeur qui, par ses conquêtes dans la Haute-Italie, augmenta considérablement le territoire milanais. En 1294, il est vicaire impérial, et l'année suivante, seigneur perpétuel de Milan. Mathieu eut cinq fils : Galéas, Luchino, Jean, Étienne et Marc. Ce fut Galéas qui lui succéda, et, à la mort de celui-ci, son fils Azzo, marié à Catherine de Vaud, et qui sut, lui aussi, agrandir ses États. Azzo mourut jeune, et le pouvoir revint à ses oncles, Luchino et Jean ; ce dernier devint archevêque de Milan, mais en fait ce fut Luchino qui exerça le pouvoir et, pour en réserver la succession à son fils Luchino Novello, il fit exiler ses neveux Mathieu, Galéas et Bernabo, enfants de son frère Étienne. Le premier se réfugia chez le marquis de Montferrat, les deux autres trouvèrent asile à la cour de Savoie.

dans la paix et ne fondèrent aucun ordre de chevalerie. Après Otton, leur ancêtre, ils ne participèrent eux-mêmes à aucune croisade[1]. Souvent physiquement tarés, débauchés et cruels, leur perfidie fut plus célèbre que leur générosité. Cependant ces princes, parfois retors, furent de grands mécènes, vécurent dans le faste et protégèrent les lettres et les arts. « La souplesse, l'intrigue et le rare talent furent les instruments de cette élévation[2]. »

Bien différente était la Maison de Savoie; elle vivait dans un pays pauvre, montagneux et divisé en nombreux fiefs, maintenant encore un régime féodal qui s'appuyait sur la noblesse, élément essentiel de sa force militaire. Leur libéralité valait aux Savoie l'estime des populations et des villes reconnaissantes pour les nombreuses chartes de franchises que les Comtes leur avaient octroyées. Ils vivaient d'une façon patriarcale au milieu de leur peuple, à qui ils avaient rendu la sécurité en surveillant les routes, favorisant ainsi le passage des pèlerins et des marchands. Hardis, chevaleresques, religieux, les princes de cette Maison devaient leur ascension à leur valeur personnelle, à leur réalisme politique, à leur conception d'une bonne administration et d'une justice équitable.

Compétitions en Piémont. A ces contrastes s'ajoutaient des divergences d'autant plus graves qu'elles étaient de nature politique. Elles s'affirmaient surtout en Piémont, où les Visconti, dont les États s'étendaient

---

[1]. Mais ils y envoyèrent leurs bâtards, tels Antoine, fils de Bernabo, et César, fils de Galéas, qui accompagnèrent Amédée VI en Orient.
[2]. Costa de Beauregard, *Mémoires historiques,* t. I, p. 121.

maintenant de Verceil aux confins d'Asti, avaient des visées sur maintes villes et territoires que convoitaient également les Savoie, les Achaïe, les Montferrat et les Saluces. Ces biens appartenaient aux Anjou de Naples qui, dès le XIIIe siècle, avaient su se constituer dans le Sud-Est du Piémont actuel un domaine qui comprenait les villes d'Asti[1], Alba, Chieri, Mondovi, Tortona, Alexandrie, Cherasco. Ces possessions touchaient aux États des Saluces, des Montferrat, des Achaïe, des Savoie et des Visconti. Au début du XIVe siècle, Charles II d'Anjou avait érigé la région en Comté de Piémont, pour le donner en apanage à l'un de ses fils.

Cependant, par la faiblesse de Jeanne I[re][2], reine de Naples, cette contrée devint l'objet d'âpres convoitises de la part des Visconti, des marquis de Montferrat et de Saluces. Les troupes angevines furent battues à Gamenario[3] le 23 avril 1345 par Jean II Paléologue, marquis de Montferrat, et le Sénéchal[4] Reforzo d'Agoult y perdit même la vie. Mais grâce

---

1. Pour échapper à la trop lourde hégémonie de la commune d'Asti, en 1259, les villes de Cuneo, Alba, Cherasco, Savigliano et Mondovi s'étaient soumises au frère de saint Louis, Charles d'Anjou, roi de Sicile et de Naples, comte de Provence, devenu peu de temps après maître du comté de Nice, de Vintimille et de Tende. C'est par l'acte du 19 janvier 1258 que le comte Guillaume II de Vintimille avait cédé à Charles d'Anjou la haute souveraineté sur ses terres de la vallée de la Roja, jusqu'au sommet du col de Tende. Asti se donnera aux Anjou en 1315, sous le roi Robert de Naples. D'après les chroniques du temps, Alba était considérée comme la capitale des Anjou en Piémont. Le comté angevin de Piémont dura cent cinquante ans.

2. Jeanne d'Anjou, reine de Naples, succéda en 1326 à son aïeul Robert le Sage, son père Jean de Calabre étant mort avant lui. (Voir ci-après chap. XI.)

3. Cette bataille au pied du château de Gamenario fut si épique qu'elle inspira la dernière chanson de geste française. E.-G. LÉONARD, *Les Angevins de Naples*, p. 352.

4. Comme ils le faisaient en Provence, dans le Poitou et à Toulouse, les Anjou chargeaient un sénéchal de gouverner leurs possessions piémontaises : chef de l'administration et de la justice, ce fonctionnaire était aussi commandant suprême de la défense territoriale.

à l'intervention du prince d'Achaïe qui déclara la guerre au marquis de Montferrat et occupa les villes d'Alba et de Chieri, les Anjou purent sauver une partie de leurs possessions. Cependant, les Visconti, profitant de la situation, dominèrent les terres angevines. Alarmé, Jacques d'Achaïe fit appel au comte de Savoie, et les tuteurs, comprenant la gravité de la situation, arrivèrent bientôt avec le jeune Amédée VI qui faisait ses premières armes. Les troupes savoyardes, commandées par Anthelme de Miolans, permirent de reprendre la lutte. Plusieurs villes, appartenant aux Anjou, se livrèrent aux Savoie, préférant leur domination à celle des Visconti; ce fut le cas de Chieri, Cherasco, Mondovi, Cuneo et Savigliano.

Mais la coalition formée par les Visconti, le marquis de Montferrat, le Dauphin et le marquis de Saluces empêcha les Savoie et les Achaïe de conserver ces villes.

En 1347, les Visconti occupent tous les fiefs des Anjou en Piémont, tandis que le marquis de Montferrat s'empare d'Ivrée.

La trêve de 1348. Sur l'intervention du pape Clément VI qui voulait sauver les biens des Anjou et freiner l'ambition des Visconti, une trêve fut signée le 13 décembre 1348. Mais les Visconti restaient maîtres de la situation, tout en laissant Ivrée aux mains d'Amédée VI et du marquis de Montferrat. Le comte de Savoie et le prince d'Achaïe ne retiraient aucun avantage de ce premier conflit.

Cependant les rapports personnels avec les Visconti devaient s'améliorer à la mort de Luchino (1349). L'archevêque Jean, par inclination et par

VISCONTI

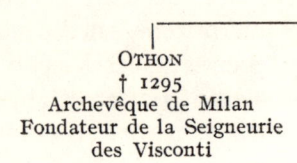

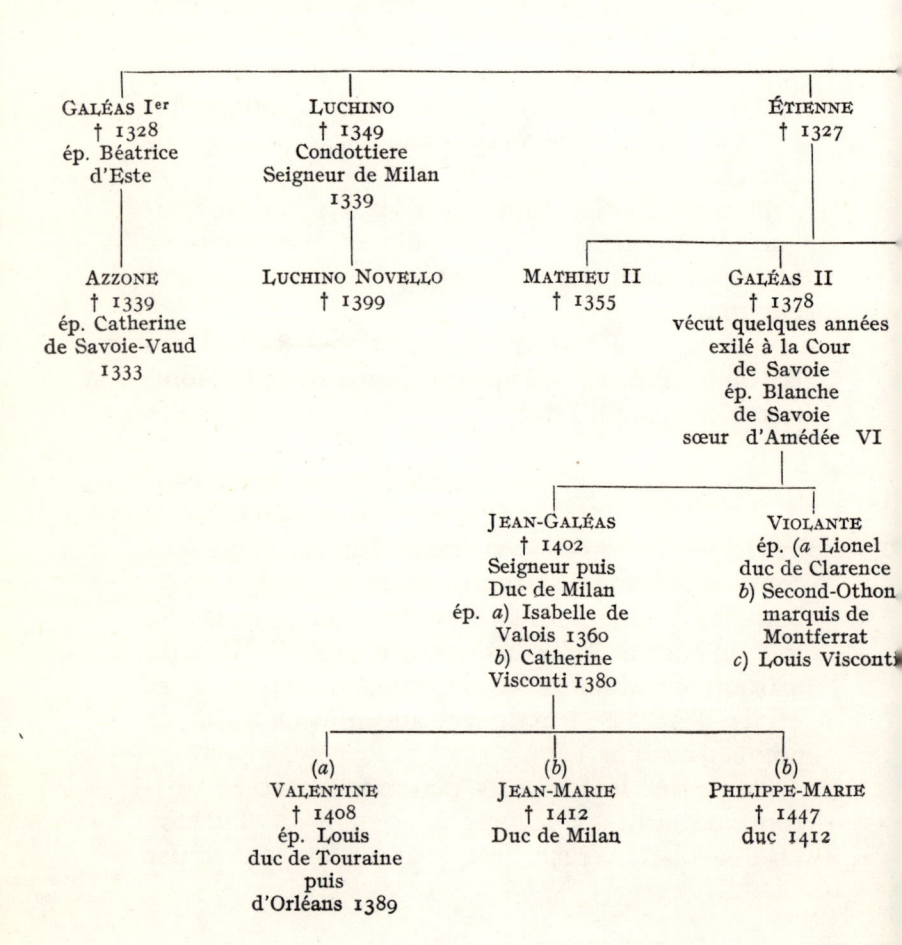

HUMBERT
│
OTHON
† 1295
Archevêque de Milan
Fondateur de la Seigneurie
des Visconti

├── **GALÉAS Ier**
│   † 1328
│   ép. Béatrice
│   d'Este
│   │
│   └── **AZZONE**
│   † 1339
│   ép. Catherine
│   de Savoie-Vaud
│   1333
│
├── **LUCHINO**
│   † 1349
│   Condottiere
│   Seigneur de Milan
│   1339
│   │
│   └── **LUCHINO NOVELLO**
│   † 1399
│
└── **ÉTIENNE**
    † 1327
    │
    ├── **MATHIEU II**
    │   † 1355
    │
    └── **GALÉAS II**
        † 1378
        vécut quelques années
        exilé à la Cour
        de Savoie
        ép. Blanche
        de Savoie
        sœur d'Amédée VI
        │
        ├── **JEAN-GALÉAS**
        │   † 1402
        │   Seigneur puis
        │   Duc de Milan
        │   ép. *a)* Isabelle de
        │   Valois 1360
        │   *b)* Catherine
        │   Visconti 1380
        │   │
        │   ├── *(a)* **VALENTINE**
        │   │   † 1408
        │   │   ép. Louis
        │   │   duc de Touraine
        │   │   puis
        │   │   d'Orléans 1389
        │   │
        │   ├── *(b)* **JEAN-MARIE**
        │   │   † 1412
        │   │   Duc de Milan
        │   │
        │   └── *(b)* **PHILIPPE-MARIE**
        │   † 1447
        │   duc 1412
        │
        └── **VIOLANTE**
            ép. (*a* Lionel
            duc de Clarence
            b) Second-Othon
            marquis de
            Montferrat
            c) Louis Visconti

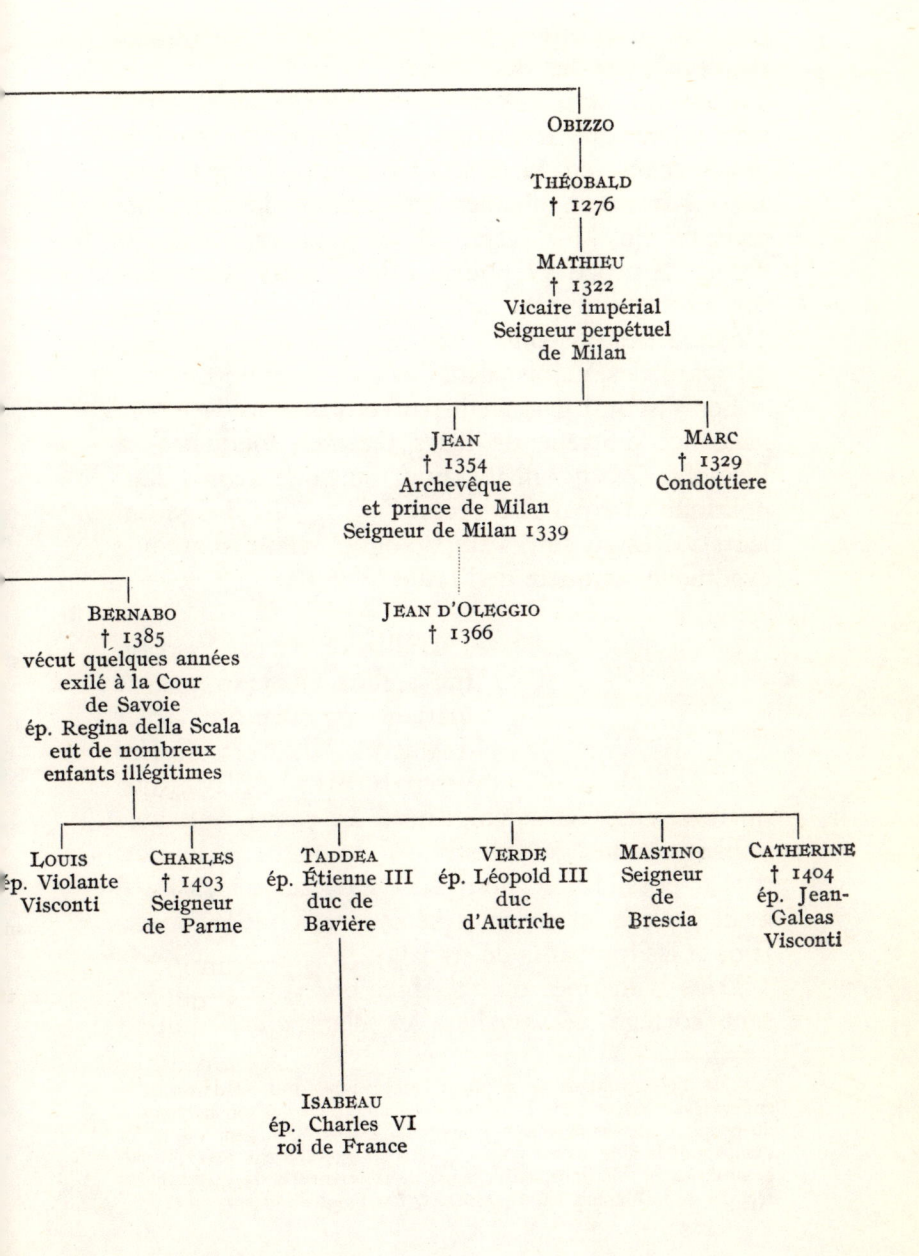

```
                          OBIZZO
                            |
                        THÉOBALD
                         † 1276
                            |
                         MATHIEU
                          † 1322
                      Vicaire impérial
                      Seigneur perpétuel
                          de Milan
                            |
            ┌───────────────┴───────────────┐
                         JEAN                        MARC
                        † 1354                      † 1329
                      Archevêque                  Condottiere
                  et prince de Milan
                  Seigneur de Milan 1339
                            |
                     JEAN D'OLEGGIO
                         † 1366
```

```
        BERNABO
         † 1385
    vécut quelques années
       exilé à la Cour
         de Savoie
   ép. Regina della Scala
    eut de nombreux
    enfants illégitimes
```

LOUIS	CHARLES	TADDEA	VERDE	MASTINO	CATHERINE
ép. Violante Visconti	† 1403 Seigneur de Parme	ép. Étienne III duc de Bavière	ép. Léopold III duc d'Autriche	Seigneur de Brescia	† 1404 ép. Jean-Galeas Visconti

ISABEAU
ép. Charles VI
roi de France

suite de nécessités politiques, rétablit les bonnes relations entre les deux cours.

Pour les Savoie, l'amitié et l'alliance leur serviront mieux que les armes à neutraliser l'expansion des Visconti en Piémont. Ce rapprochement aura aussi l'avantage d'isoler les princes d'Achaïe, les marquis de Montferrat et de Saluces, d'ailleurs rivaux. Amédée VI pourra utiliser leurs querelles à son profit, soit par l'arbitrage, soit par les armes. L'amitié des Visconti était enfin un atout précieux à l'égard des Valois, dans l'affaire dauphinoise.

Les Visconti gagnaient par cette alliance la reconnaissance officielle de leurs récentes conquêtes en Piémont. Abandonnant pour quelque temps leur politique d'expansion vers l'ouest, ils dirigeront leurs visées au sud, vers Bologne[1], étape pour une éventuelle conquête de l'Italie Centrale.

Mariage de Blanche de Savoie avec Galéas Visconti.

L'alliance Savoie-Visconti fut scellée en 1350 par le mariage de Blanche, sœur d'Amédée VI, avec Galéas Visconti. Blanche n'avait que quatorze ans, Galéas vingt-neuf. Le comte de Savoie voulait donner aux festivités du mariage le plus d'éclat possible, et pour faire face aux dépenses, il avait prélevé les sommes nécessaires chez les châtelains et les lombards de ses États.

Dans la matinée du 22 septembre 1350, un imposant cortège de cavaliers et d'amazones quittait

---

1. En 1350, Bologne se vendit à l'archevêque Jean Visconti, qui y envoya Jean Visconti, de la branche d'Oleggio, en qualité de capitaine du peuple et de lieutenant. A la mort de l'archevêque, son homonyme s'empara de la ville mais, en 1360, la céda au légat d'Innocent VI, le cardinal espagnol Albornoz, en échange de la seigneurie de Fermo et du rectorat de la Marche. Cf. G. MOLLAT, *Les Papes d'Avignon*, p. 231.

Chambéry. Blanche de Savoie s'avançait à cheval entre son frère et le comte de Genevois, suivie de Jeanne de Bourgogne — encore fiancée d'Amédée —, de la comtesse de Genevois Mahaut de Boulogne, d'Humbert le Bâtard, de Guillaume de la Baume et de beaucoup d'autres personnages.

Après les princes du sang et les chanceliers, venaient les plénipotentiaires des Visconti, le juriste Érasme Liprandi, les notaires, les moines et l'évêque d'Ivrée; suivaient de nombreux animaux de basse-cour, puis des mulets et des chevaux chargés de coffres remplis d'effets, de linge, et d'objets de toutes sortes. Ce cortège somptueux rappelait celui de la fille d'Amédée V quittant, vingt-cinq ans auparavant, le Piémont pour la lointaine Byzance.

Les routes de montagne étaient difficiles : après Montmélian, le cortège dut s'arrêter à Aiguebelle, à Saint-Jean-de-Maurienne, à Lanslebourg; le 25, il traversait le Mont-Cenis, et descendait dans la vallée de Suse; le 26, il arrivait à Rivoli où Galéas Visconti, avec une suite nombreuse, attendait sa fiancée. Le lendemain, dans la maison de Barthélemy Dro, Galéas ratifiait toutes les clauses du contrat de mariage, et Amédée VI, la main dans celle de Galéas, lui donnait le baiser rituel, jurant fidélité et aide contre tous, excepté son oncle, le seigneur de Milan, et ses frères.

Le 28 septembre, dans la chapelle du château de Rivoli, eut lieu le mariage religieux, béni par l'archevêque d'Ivrée. Puis, ce fut une semaine de réjouissances auxquelles accoururent les nobles et le peuple des environs. Afin de resserrer les liens entre les noblesses savoyarde et lombarde, le Comte Vert institua l'Ordre du Cygne Noir; les seigneurs de Savoie, de Gênes, de Bresse, de Bourgogne et de

Vaud en faisaient partie, ayant à leur tête Galéas Visconti et Amédée VI.

Les 2 et 3 octobre, les époux furent reçus à Turin par Jacques d'Achaïe et sa femme, Sibylle del Balzo[1], dans le château de la Porta Fibilliona, actuellement Palais-Madame. Blanche, après s'être séparée de son frère, continua son voyage, escortée de cinquante-deux chevaliers savoyards et des deux frères naturels du comte, Humbert et Ogier.

L'entrée solennelle à Milan eut lieu vers le 7 octobre. L'archevêque Jean, Mathieu et Bernabo Visconti, avec leurs jeunes femmes Egidia Gonzague et Regina della Scala[2], se portèrent à la rencontre des époux.

De grandes fêtes se déroulèrent pendant plusieurs jours. A cette occasion, Bernabo et Galéas introduisirent en Lombardie les tournois dont ils avaient appris l'art en France et en Allemagne pendant leur exil. Blanche était fière de voir les Savoyards se distinguer dans ces joutes chevaleresques; avec quels regrets ne dût-elle pas les voir retourner en Savoie !

Dorénavant, son existence allait s'écouler à Milan, puis à Pavie; l'agitation et le faste de la cour des Visconti allaient succéder à la douce quiétude des monts et des lacs de Savoie.

L'union voulue par l'archevêque Jean Visconti dans un but purement intéressé se révéla heureuse. Blanche, par son tact et son intelligence, favorisa

---

1. Quand Charles d'Anjou devint roi de Naples (1266), une partie de la famille des Beaux émigra avec lui dans son nouveau royaume et fut appelée, à l'italienne, « del Balzo ». Sibilla del Balzo était la fille de Bertrand, seigneur de Corteson, vicaire général en Achaïe et sénéchal en Piémont du roi Robert d'Anjou. DATTA, vol. I, p. 133.

2. De son vrai nom Béatrice, appelée Regina en raison de son caractère hautain; elle était fille de Martino della Scala, seigneur de Vérone; elle avait fondé, à Milan, l'église Sainte-Marie della Scala, sur l'emplacement de laquelle s'élève le fameux théâtre de la Scala (inauguré en 1778).

Planche XI

Statue équestre de Bernabò Visconti, au château des Sforza à Milan.
Bonino de Campione sculpteur.

Photo Sella

un rapprochement entre les deux cours, amenant ainsi une nouvelle orientation dans la politique des Visconti et des Savoie.

Galéas et Bernabo. A la mort de l'archevêque (1354), Galéas et Bernabo durent partager le pouvoir avec leur frère, Mathieu, qui mourut un an après, empoisonné, dit-on, par l'un d'eux...

Le système politique qui admettait le partage du pouvoir était presque une tradition dans la famille des Visconti, bien différente en cela de celle des Savoie où le pouvoir était aux mains d'un seul souverain, conformément à la loi salique. Celle-ci avait l'avantage d'éviter les conflits, et d'empêcher que des crimes fussent commis contre des membres ou des branches de la famille, que certains pouvaient avoir intérêt à faire disparaître.

Galéas et Bernabo avaient la souveraineté collective de Milan et de Gênes. Galéas avait Côme, Novare, Vercelli, Alba, et, à la mort de Mathieu, il hérita de Plaisance et Bobbio. Bernabo reçut Bergame, Brescia, Crême, Crémone, et, de Mathieu, Parme, Bologne et Lodi.

Grâce à leurs capacités personnelles, ils renforcèrent encore la puissance de leur État, tout en s'appuyant sur la bourgeoisie commerçante et industrielle, qu'ils comblèrent de faveurs et de charges dans le gouvernement. Par ailleurs, ils favorisaient les libertés des communes, à qui l'enrichissement faisait supporter leur tyrannie[1].

---

1. Au XIVe siècle, les villes d'Italie, qui avaient vaillamment conquis leur indépendance en combattant les empereurs Barberousse et Frédéric II, abusaient maintenant de leurs libertés pour se disputer entre elles. Mais, proie facile, elles tombèrent l'une après l'autre entre les mains de leurs

Les deux frères qui ne vivaient pas ensemble, — peut-être à cause de l'incompatibilité de leur tempérament et de celui de leurs épouses, — représentaient en fait deux tendances différentes de la mentalité italienne du Trecento (XIVe siècle).

Galéas, que Pétrarque ne considérait pas comme un très grand prince, était cependant un représentant marquant de sa famille. Il mit trois ans pour conquérir Pavie, farouchement attachée à sa liberté depuis des siècles, et y établit sa résidence en 1359. Si cette ville perdit l'indépendance, du moins gagna-t-elle une grande renommée artistique et intellectuelle. Galéas l'embellit d'un splendide château de briques rouges, dans le style renaissance-lombard. Il y fonda une bibliothèque qui devint célèbre et, en vertu d'un diplôme de l'empereur Charles IV, en 1361, il y créa une université. Avec sa cour de lettrés, Galéas incarnait le type même d'un prince de la Renaissance.

Tout différent était Bernabo, encore imbu des mœurs brutales du Moyen Age; « condottiere » dans l'âme, il ne se plaisait qu'au milieu de la soldatesque et des capitaines d'aventures. Il n'était cependant pas insensible à la musique et à la poésie. Bouffons, jongleurs et bateleurs distrayaient sa cour de Milan, près de la Porta Romana, et chantaient ses hauts faits d'armes. Il devait avoir dix-sept enfants de sa femme légitime et plus de vingt bâtards : la plupart firent de brillants mariages.

Pourtant, les deux frères rivalisaient par leurs excentricités et leurs caprices, voire par leur cruauté. Bernabo avait la passion des chiens et en possédait

---

chefs militaires, les Scala (Vérone), les Gonzague (Mantoue), les Malatesta (Rimini), les Carrare (Padoue), qui exerçaient souvent le pouvoir de manière tyrannique.

plus de cinq mille. Galéas raffolait des chevaux et les laissait courir en liberté dans le parc de son château de Pavie. Enfin, tous deux exerçaient un pouvoir tyrannique sur leurs sujets.

Ils s'étaient, sans doute en raison de leurs mariages, entendus pour délimiter la zone d'influence qui revenait à chacun d'eux. Galéas s'occupait plus particulièrement du Piémont et du Montferrat, tandis que Bernabo exerçait son activité surtout en Émilie et en Toscane.

En politique, si vastes étaient leurs ambitions et leur soif de conquêtes qu'ils risquaient de rompre l'équilibre des États italiens. En 1355, les Gonzague, les Este, le marquis de Montferrat, les villes de Gênes, de Pavie, et bien entendu le pape Innocent VI[1] décidèrent de se liguer contre eux.

Les Visconti devaient perdre leurs conquêtes du Piémont angevin au profit des Saluces et des Montferrat; Jean II Paléologue, se présentant comme vicaire impérial, soutenait l'esprit des communes, mais il dut bientôt s'effacer devant les Anjou, et le Comté de Piémont était reconstitué. Amédée VI, alors, intervient, reprend Ivrée et le Canavais au prince d'Achaïe qu'il oblige à quitter les Visconti pour se joindre à la ligue. Le comte de Savoie s'allie avec Jean II qui lui reconnaît ses droits sur Ivrée.

En 1358, l'empereur Charles IV rétablit la paix qui laisse Novare aux Visconti, Asti aux Montferrat,

---

1. Résidant en Avignon, le Souverain Pontife désigna comme légat en Italie le cardinal Gil Alvarez Carillo Albornoz (1353) : ce prélat, archevêque de Tolède, avait fui la cour de Pierre le Cruel et s'était réfugié auprès de Clément VI (1350). Doué de réels talents politiques et militaires, le nouveau légat chercha d'abord à détacher les Visconti du parti hostile à la ligue formée dès 1355 par les ennemis des Visconti. Cf. MOLLAT, *Les Papes d'Avignon*, pp. 212-239.

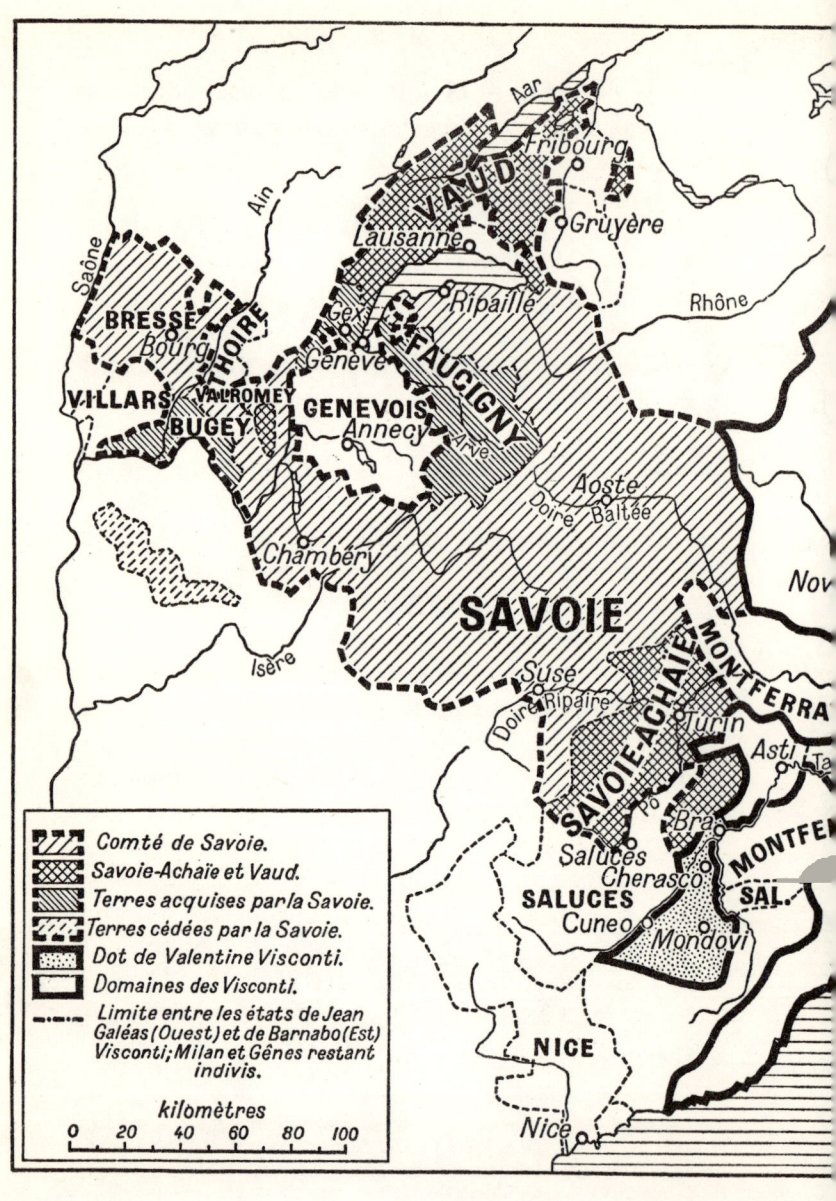

CARTE II. — *Territoires des Maisons*

...voie et de Visconti au XIVᵉ siècle.

mais pour peu de temps, car la guerre se rallume, les Visconti voulant s'emparer de Pavie. Le marquis de Montferrat reprend les armes et Amédée VI, qui jusqu'alors avait ménagé son oncle dont il pouvait espérer l'héritage, s'allie aux Visconti quand Jean II eut un fils de sa deuxième femme, Élisabeth de Majorque.

Amédée VI, fin diplomate, ne voulait pas se compromettre avec ses nouveaux alliés. Il se tint hors de la coalition tout en la surveillant, de façon à éviter le déséquilibre des forces. Son intérêt n'était pas l'anéantissement des Visconti, mais seulement l'affaiblissement de leur puissance, qui portait atteinte à ses possessions en Piémont. Du reste, les Visconti lui étaient nécessaires pour neutraliser l'expansion des Achaïe, des Montferrat et des Saluces. Jeu habile pour un prince de vingt et un ans.

En 1360, Amédée VI négocie à Paris le mariage de son neveu Jean-Galéas Visconti avec Isabelle de Valois, fille du roi de France. Les seigneurs de Milan achetaient cher cette alliance; ils offraient cent mille florins à la Cour de France, qui en avait grand besoin pour payer la rançon de trois millions de florins du malheureux Jean le Bon encore captif d'Édouard III d'Angleterre. Amédée VI escorta Isabelle de Valois de la frontière de ses États jusqu'à Milan. A son passage à Chambéry, la comtesse Bonne de Bourbon lui témoigna de grands égards.

En 1361, Amédée VI dut se rendre en Piémont pour lutter contre Jacques d'Achaïe et la Compagnie anglaise d'Hawkwood qui, à la solde de Jean II, ravageait la région. Allié des Visconti, Amédée VI leur laissant les mains libres au sud du Pô, se réserve le Canavais et profite du duel Visconti-Montferrat pour prendre sa revanche sur le marquis de Saluces qui venait de renouveler à Embrun son hommage au Dauphin. Le comte de Savoie s'empare de plusieurs villes et châteaux du Marquisat, oblige les deux frères de Saluces, Azzo et Galeazzo, à lui jurer fidélité, et, bientôt, c'est le marquis lui-même qui, après la chute de Saluces, se soumet et rend hommage au Comte Vert. Mais l'appui de la France devait protéger les Saluces, et, à Montluel le 28 février 1364, furent délimités les droits réciproques du comte, du marquis et du dauphin de France.

Pendant ce temps, la lutte se terminait entre les Visconti et le marquis de Montferrat et la paix était conclue près de Turin, le 27 janvier 1364, sur l'initiative du légat du Pape. Les Visconti délaissaient leurs terres de la région d'Asti et Jean II Paléologue ses conquêtes du côté de Pavie.

Si, à l'issue de cette lutte de dix ans, les Anjou avaient pu rétablir leur souveraineté, ils étaient, en quelque sorte, sous la dépendance des comtes de Savoie; les Visconti perdaient leurs conquêtes en Piémont, et le marquis de Montferrat consolidait ses positions dans la région d'Asti. Si le prince d'Achaïe et le marquis de Saluces ne peuvent plus jouer qu'un rôle secondaire, par contre le Comte Vert, qui a su tirer parti des événements, sort grandi de la lutte, et il faudra maintenant, en Piémont, compter avec lui.

Planche XII

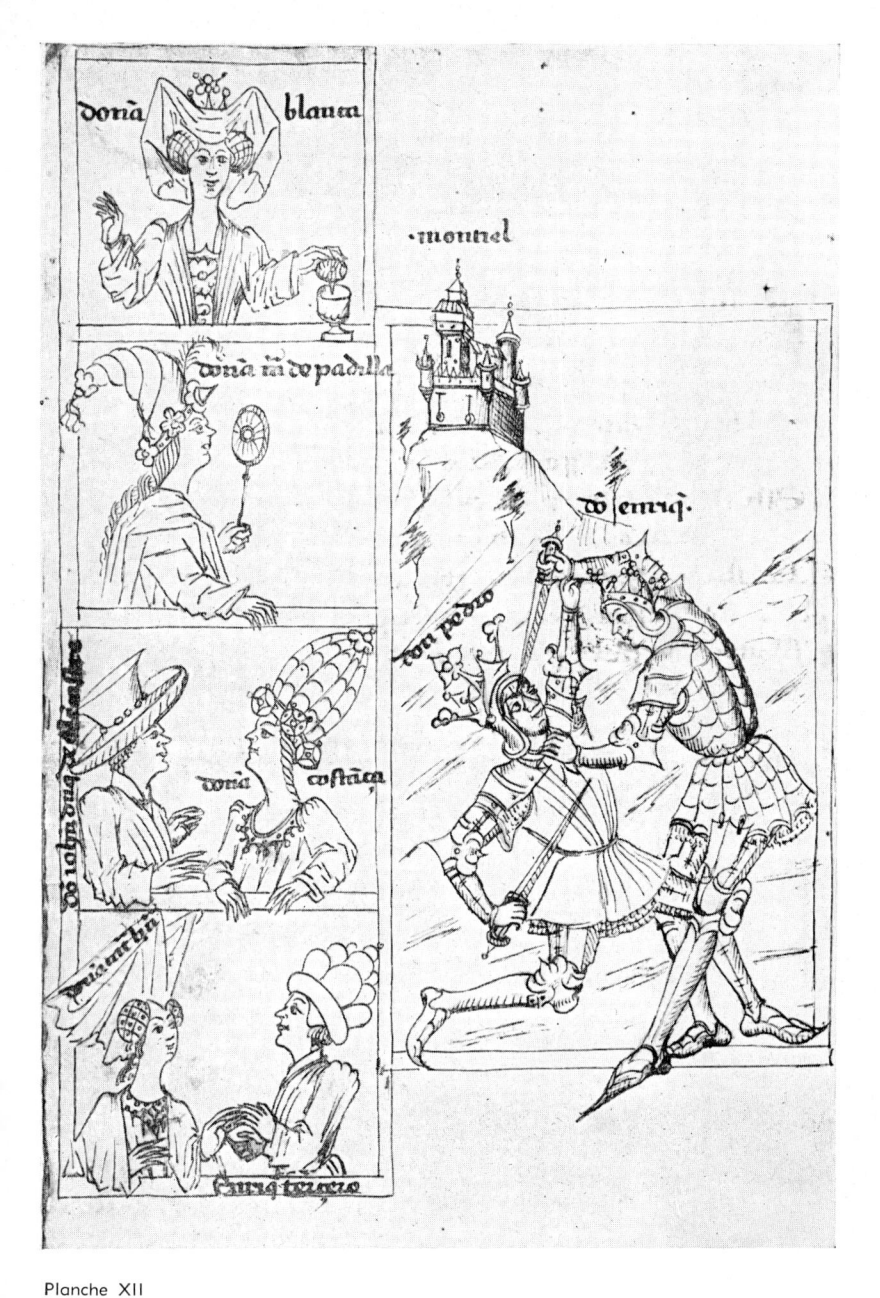

Blanche de Bourbon, sœur de la comtesse Bonne de Bourbon représentée dans un des dessins qui enrichissent le manuscrit d'Alphonse de Carthagène.

Généalogie des Rois d'Espagne ; Madrid, Bibliothèque du Palais, cod. 3009, fol. 185 verso.

CHAPITRE VI

AMÉDÉE VI
ET LES GRANDES COMPAGNIES

Les Routiers. La guerre de Cent ans, le désastre de Poitiers en 1356, les successives descentes d'Édouard III à Calais et celles du Prince de Galles à Bordeaux, la captivité du roi Jean II le Bon, avaient plongé la France dans un état d'anarchie extrême, au point que le fils du roi, le dauphin Charles, lieutenant général du Royaume, n'avait pu maîtriser le mouvement révolutionnaire, et avait dû quitter la capitale sous les menaces d'Étienne Marcel. Aussi, les armées étaient-elles en plein désarroi, les routes et les campagnes infestées de déserteurs et de pillards qui n'étaient pour la plupart que d'anciens soldats des armées anglaises et françaises licenciés en 1360 par le traité de Brétigny.

Peu à peu ces mercenaires s'étaient groupés en compagnies, commandées par des capitaines[1] qui se mettaient à la solde du plus offrant !

Amédée VI fut le premier prince de sa dynastie qui engagea à son service ces aventuriers de toutes conditions et de toutes nationalités.

A deux reprises, mais pour peu de temps, il prit

---

1. En italien, « capitani di ventura, condottieri ».

à gage le chef de bande allemand Anichino Baumgartner[1], qui lui prêta main-forte dans sa guerre contre les Achaïe en 1360. Lors du siège de Savigliano, la ville fut horriblement pillée et saccagée; cependant Baumgartner, pour le prix de ses services, n'en exigea pas moins une somme de trois mille florins.

Puis, en 1372, ce capitaine vint une seconde fois en aide au Comte contre le marquis de Saluces et les Visconti avec douze cents lanciers, six cents brigands[2] et trois cents archers hongrois, se faisant payer pour quatre mois plus de vingt mille florins.

En vérité, Amédée VI faisait un usage très restreint de ces coureurs de grand chemin. Son esprit chevaleresque pouvait difficilement admettre leur cupidité et leur manque de loyauté. Ainsi le prouve une lettre[3] datée de 1373, dans laquelle Galéas Visconti rappelle au Comte les termes violents dont il avait usé à leur égard, un jour où tous deux conversaient sous les arcades du château de Pavie. « Par m'arme » (sur mon âme !), ce « sont tous truans », répétait-il, « touts guarsçons et touts ribaus et sont gens de rien ». Amédée VI estimait que mille lances[4] savoyardes, sous la conduite d'un bon capitaine, seraient capables d'écraser toutes les troupes mercenaires du monde.

Le Comte Vert avait pourtant reçu d'eux une rude

---

1. « Né de sang clair sur les rives de la Moselle », Ricotti, *Storia delle Compagnie di Ventura in Italia,* t. II, p. 125.
2. Les « briganti » étaient les fantassins des bandes, soit les routiers incorporés en brigade. De leurs excès provient le sens péjoratif du mot. Cf. Mugnier, *Lettres,* pp. 384-385.
3. Cf. F. Mugnier, *Lettres,* p. 405.
4. Groupe de combat comportant, avec le cavalier seul armé de la lance, six hommes ou davantage : l'écuyer, le page, un ou deux archers et des coutilliers qui, à l'aide d'une arme appelée coutille, avaient pour mission d'achever l'ennemi.

humiliation lorsqu'il assiégeait Jacques d'Achaïe à Carignan; une bande d'aventuriers anglais, sans doute encouragée par le marquis de Montferrat, l'avait encerclé avec ses chevaliers dans la vallée de Lanzo. Pour retrouver la liberté, le Comte avait dû payer une rançon de dix-huit cents florins d'or.

D'autre part, les finances de la cour de Savoie ne permettaient pas d'entretenir un grand nombre de mercenaires et de condottieri comme pouvaient le faire les Visconti, le roi de France, l'Empereur, les républiques de Venise et de Florence, ou même la papauté[1].

Si pour des raisons économiques, le Comte n'abusait pas de l'emploi de ces soldats à gage, il se méfiait aussi de leur perfidie et préférait les engager par petits groupes plutôt qu'en masse, en les faisant commander par ses officiers ou par certains de leurs capitaines devenus ses fidèles vassaux, grâce aux terres qu'ils avaient reçues de lui[2].

Mais ces compagnies errantes n'en constituaient pas moins un réel fléau pour les populations aux dépens desquelles elles vivaient de brigandage et de rapine !

Même régulièrement enrôlées à la solde d'un prince, elles n'étaient pas sans dangers pour celui qui les employait. Pétrarque, pourtant diplomate à la cour des Visconti, déplorait amèrement que les

---

[1]. Innocent VI, pape d'Avignon, les convia à une croisade contre les Turcs, et, « après leur avoir livré tout l'argent qu'il possédait, leur prodigua des indulgences et leur donna l'absolution de tous leurs péchés, ce qu'ils exigeaient avec insolence ». (J.-H. COSTA DE BEAUREGARD, *Mémoires Historiques*, t. I, p. 152.)

[2]. Ce fut, entre autres, le cas du capitaine anglais Richard Mussard, ou Musard, à qui le Comte Vert octroya des terres pour le remercier de services rendus au siège de Carignan (1361). Musard se déclara fidèle sujet du comte, avec la seule réserve de ne pas être appelé à combattre contre le roi d'Angleterre. Il devint plus tard l'un des premiers chevaliers de l'Ordre du Collier. Cf. F. MUGNIER, *Lettres*, pp. 388-391, 452.

princes italiens engageassent à leur service des « sans-patrie » avides de pillages et de dévastations, qui menaçaient de ruiner complètement l'Italie[1] :

> *Que font ici tant d'épées étrangères ?*
> *Pourquoi le sang barbare doit-il*
> *Teindre ces vertes contrées ?*
>
> *On dirait un déluge qui, débordant*
> *Les déserts lointains,*
> *Inonde nos douces campagnes.*
>
> *Si le mal est venu par nos propres fautes,*
> *Qui nous en délivrera donc ?*

Pourtant les villes et les princes commencèrent à se lasser d'être exploités par ces capitaines étrangers et dès 1380, on vit peu à peu les « forestieri » remplacés en Italie par les mercenaires nationaux sous le commandement de ces fameux condottieri qui relevèrent momentanément l'ancienne réputation des armes italiennes. Ces nouvelles troupes se recrutaient principalement parmi les émigrés et les bannis des factions guelfes et gibelines triomphantes et vaincues tour à tour, et formèrent des unités régulièrement constituées, soumises à une véritable discipline militaire et habiles à exécuter des mouvements stratégiques, à tel point qu'elles donnèrent une nouvelle impulsion à l'art militaire.

Désormais, la noblesse féodale, dont la carrière des armes était la véritable raison d'être, eut à prendre exemple sur ces armées de profession.

La difficulté, pour les princes, était de se débar-

---

[1]. F. Pétrarque, *Mon Italie,* traduction de T. R. Castiglione. Avec F. Lot, on peut dire que la terreur causée par les routiers contribua à réveiller le « sentiment de l'italianité ».

rasser des Compagnies après les avoir employées. La paix revenue, ils se les renvoyaient l'un à l'autre.

Le projet du Pape de les enrôler pour une croisade avait échoué, et les troupes qu'il dépêcha en Italie pour combattre les Visconti en 1361, revinrent l'année suivante. Le roi de France imagina alors de les expédier hors du royaume. Du Guesclin en entraîna un grand nombre en Espagne, pour soutenir la cause de Henri de Transtamare contre le roi de Castille, Pierre le Cruel, qui, en plus de ses autres crimes, avait, pour plaire à Dona Padilla, fait ignominieusement périr sa jeune femme, Blanche de Bourbon, sœur de la comtesse de Savoie et de la reine de France[1].

De son côté, Amédée VI emmena une grande partie de ces gens jusqu'à Constantinople, lors de sa Croisade.

Mais la plupart des tentatives pour se débarrasser des routiers échouèrent, car souvent, dégoûtés des pays étrangers, ils revenaient au plus vite, préférant, selon Froissart :

« ... *le Royaume de France, lequel est rempli de gros villages, de beaux pays, de douces rivières, de bons estangs, de belles prairies, de courtois vins et substantieux pour gendarmes nourrir et rafraîchir, et de soleil et à point attrempé* ».

Menaces et ripostes. Amédée VI avait su, grâce à sa vigilance, organiser une défense qui avait maintenu ses États à l'écart de l'invasion des aventuriers, et cette situation privilégiée amenait ses puissants voi-

---

1. « Il fist une nuys prendre la royne Blanche et la fist estraindre et estoffer entre deux couttres, et ainsy morust, de la quelle mort la contesse de Savoye en mena grant dueil. » SERVION, col. 299 ; 2ᵉ éd., t. II, p. 122.

sins à demander son aide, ce qui renforçait son prestige à leurs yeux.

Aussi l'appui du Comte fut-il sollicité tour à tour par le Pape, le duc de Bourgogne, le roi de France et même les Dauphinois.

Un aventurier du nom de Robert Knoll, à la tête d'une bande anglaise, menaçait la plaine du Rhône et la Bourgogne. Antoine de Beaujeu, seigneur des Dombes et du Beaujolais, fit appel au comte de Savoie, qui, craignant aussi pour ses États, envoya à diverses reprises d'importants corps de troupes, sous les ordres, entre autres, de Gallois de la Baume.

Amédée VI eut aussi l'occasion de prêter main-forte au Pape lorsque les « Tard Venus », attirés par les richesses pontificales, quittèrent la Champagne, où cette grande compagnie s'était rassemblée, pour se diriger sur Avignon.

Le 10 janvier 1361, Urbain V supplia le comte de Savoie, le duc de Bourgogne et le gouverneur du Dauphiné de barrer le passage aux routiers, contre lesquels du reste il prêchait une véritable croisade.

Il n'est pas jusqu'aux ennemis d'hier, les Dauphinois, qui ne sollicitèrent l'alliance d'Amédée VI contre les grandes compagnies. Le Comte accepta, et, en mai 1362, il signa avec le Conseil Delphinal un traité de défense.

Le comte de Tancarville (lieutenant du roi de France en Bourgogne) avec Jacques et Pierre de Bourbon, avaient tenté de chasser les aventuriers des portes de Lyon, car ils s'étaient emparés de Brignais. Le comte de Savoie avait même envoyé des renforts à son beau-frère, mais les routiers remportèrent la victoire.

Jacques de Bourbon fut tué, et les sires de Beaujeu

et Neuchâtel, et d'autres personnages de marque, tombèrent entre leurs mains.

Après ces combats, les routiers se montrèrent plus menaçants.

Toute la région était sur le qui-vive ! On éleva des bretèches sur les châteaux, des courtines sur les tours, on augmenta les sentinelles dans toutes les places fortes.

C'est alors que le roi Jean II de France, à peine sorti de captivité et se rendant en Avignon, fut attaqué par des routiers et obligé de se réfugier sur les terres du comte de Savoie.

Amédée VI profita de cette occasion pour voir le Roi, et remettre en question certaines clauses du traité de Paris qui n'avaient pas été exécutées, parmi lesquelles le paiement de la dot de Bonne de Bourbon.

Le Comte accompagna le Roi jusqu'à Lyon, et lui offrit de loger dans son hôtel, près du port du Temple[1].

Bonne de Bourbon les rejoignit en bateau, et repartit le 19 novembre, regagnant le Bourget à cheval.

A Lyon, Amédée VI rencontra aussi Pierre II de Chypre, qui faisait une tournée dans toutes les cours d'Europe pour persuader les souverains et les princes d'entreprendre une croisade en Orient pour délivrer des Turcs l'Empire byzantin[2].

Puis le Comte rejoignit le roi de France en Avignon, par bateau, emmenant avec lui ses chevaux et des troupeaux pour se ravitailler[3]; il évitait ainsi les routes infestées par les bandes armées.

---

1. Y. Cordey, *Les Comtes,* p. 167.
2. Voir chap. VIII.
3. Cordey, *Ibid.*, p. 168 : « 31 vaches, 34 porcs, 108 moutons et 1 bœuf. Ce bœuf et 5 moutons se perdirent en arrivant à Avignon. »

Le roi de France était venu voir Urbain V pour négocier plusieurs questions importantes, parmi lesquelles le mariage de son fils avec la reine Jeanne de Naples. Mais la préoccupation essentielle de cette entrevue fut d'envisager les moyens de lutter contre les routiers.

Le Pape en 1363, pour évincer le danger des Compagnies, réussit à former une ligue dont faisaient partie les puissants seigneurs du royaume d'Arles.

Le Comte n'adhéra pas tout de suite à cette ligue; il espérait pouvoir se défendre par de savants stratagèmes, et garder son indépendance. Aussi, le Comte crut-il habile d'opposer aux routiers d'autres routiers, tactique qu'il avait déjà employée dans le Piémont en opposant Baumgartner à Heckz. Il prit encore à sa solde des Gascons, et s'entendit avec le capitaine routier Concidus de Strata qui, avec ses hommes, défendit les châteaux de la Bresse et des Dombes.

Mais, en automne, des routiers traversèrent la Saône et envahirent les Dombes. Un de ces aventuriers, Seguin de Badefol, le vainqueur de Brignais, était aux portes de Montluel, menaçant Bourg-en-Bresse. Amédée « recevait la monnaie de sa pièce » : les routiers pénétraient dans ses États. Aussi s'empressa-t-il d'adhérer à la ligue d'Urbain V avec les autres feudataires de la vallée du Rhône (23 janvier 1364).

Pourtant, le Comte se sentait encore assez fort pour conduire au duc de Bourgogne un gros contingent de ses troupes, afin de l'aider à reprendre la ville de La Charité-sur-Loire, tombée aux mains du capitaine gascon Bernardon de La Salle. La ville était en outre devenue le boulevard du parti du roi de Navarre, Charles le Mauvais, ennemi des Valois.

Amédée VI, à la tête de son armée, rejoignit celle commandée par Philippe le Hardi. Ensemble, ils assiégèrent La Charité; les Gascons durent s'enfuir !

Pendant ce temps, en Bresse, le sire de Saint-Amour, qui était l'âme de la résistance, ne put empêcher les routiers de passer la Saône, et d'entrer dans les États de Savoie. Aussitôt, Saint-Amour les poursuivit avec soixante cavaliers, en dispersa une partie et pendit tous ceux qui étaient tombés entre ses mains.

Mais les routiers essayaient par tous les moyens de pénétrer en Savoie; même, déguisés en paysans, ils cherchaient à gagner des complices et se faufilaient sur les terres du Comte. La surveillance dut être augmentée par des éclaireurs et des gens d'armes.

En 1365, Amédée VI essaya d'entrer en pourparlers avec les Compagnies et de gagner à son service certains de leurs capitaines, comme Seguin de Badefol et Arnauld de Cervole, dit l'Archiprêtre; à ce dernier, il offrit même un beau coursier.

Tandis que le Pape formait de nouveau le projet d'enrôler les mercenaires dans une croisade contre les Turcs, Arnauld de Cervole devait en prendre la direction, lorsqu'on l'assassina. Ce fut bien malheureux, car l'Archiprêtre savait se faire obéir de ses hommes et pouvait maintenir l'ordre et la sécurité dans les régions que ses bandes infestaient[1].

Leur chef assassiné, rien ne retenait plus les routiers. Ils envahirent le Mâconnais, la Bourgogne, la Bresse et le Bugey, en semant partout la terreur et le désarroi !

En 1368, les habitants de Lyon menacés appelèrent

---

1. Pendant que le comte de Savoie était en Orient, Bonne de Bourbon, alors régente, était entrée en relations avec Arnauld de Cervolle. J. Cordey, *Les Comtes*, p. 180; A. Cherest, *L'archiprêtre*, p. 350.

à leur secours le comte de Savoie qui leur envoya Janiaud Provana, bailli de Valbonne, avec des renforts.

Cependant, peu à peu, le danger des Compagnies diminuait.

La guerre avec l'Angleterre recommençait, le roi de France négociait avec les chefs de bandes pour les prendre à son service, et les nobles, à l'exemple des princes de la Péninsule, engageaient dans leurs armées le reste des routiers.

De même, les condottieri Caminus de Trema et Pierre de Saint-Sulpice se mirent au service du comte de Savoie.

Pourtant, la menace des compagnies d'aventures n'avait pas tout à fait cessé. En 1373, des bandes de routiers apparurent en Bourgogne; la Savoie était de nouveau en péril.

Le Comte, alors en Piémont, enrôla à Gênes un corps d'arbalétriers et leva des troupes dans tous ses États.

Les frontières du pays de Vaud étaient aussi menacées par des compagnies bretonnes, attirées par la richesse de ces terres. Pour défendre les châteaux, de l'Écluse à Chillon, les châtelains étaient sur leurs gardes. Mais l'ennemi se dispersa sans attaquer. Les fortes sommes qu'on lui offrit expliquent sans doute son inaction.

En 1380, les Compagnies disparurent de la vallée du Rhône; la sécurité était enfin revenue en Savoie[1].

---

1. L'impression laissée par ces coureurs de grands chemins, meurtriers et pillards, devait être bien forte, pour que le théâtre, alors naissant, représentât dans des jeux et des histoires les drames des grandes compagnies. Cf. CIBRARIO, *Specchio*, p. 135.

CHAPITRE VII

UN PRINCE CHEVALERESQUE

Amédée VI ne fut pas seulement un valeureux guerrier et un habile politique, mais aussi un prince chevaleresque dans toute l'acception du terme.

Dès son plus jeune âge il avait été rompu à tous les exercices physiques, comme le voulait l'éducation de la noblesse du temps[1]. Équitation, escrime, chasse, tournois, joutes, étaient ses divertissements favoris. En 1347, âgé seulement de treize ans, il avait pris part à de grandes compétitions qui s'étaient déroulées à Chambéry.

Les Arabes d'Andalousie avaient, paraît-il, introduit les tournois en Europe. Mais ces exercices violents étaient souvent si dangereux que le pape Nicolas III, en 1279, avait lancé l'excommunication contre ceux qui y participaient et refusé la sépulture à ceux qui y succombaient. Saint Bernard déclarait que les « tornéors », décédés au cours d'une joute, allaient inévitablement en enfer. Philippe-Auguste

---

[1]. Si les seigneurs connaissent les tournois et se réservent de plus en plus la chasse, surtout à partir du XIIIᵉ siècle, la jeunesse paysanne sait, elle aussi, monter à cheval et « behourder », c'est-à-dire rompre des lances et les ficher dans un écu fixé sur un poteau. Les artisans rivalisaient de même. R. Pernoud, *Des origines au Moyen Age*, p. 281.

et Philippe le Bel condamnaient aussi ces jeux meurtriers.

Outre les dangers de mort, ces combats avaient lieu parfois dans une atmosphère si passionnée qu'il s'ensuivait de graves désordres.

Pourtant, vers la fin du XIIIe siècle, la violence des tournois s'atténua, les règles étant devenues plus sévères. Des juges, ainsi que des maréchaux de camp, les faisaient respecter.

Les concours connurent alors leur apogée. La mise en scène s'inspirait des romans de la Table Ronde et avait, comme l'écrit un historien[1], « la fantaisie enfantine d'un conte de fées ». L'amour courtois s'y introduisit très tôt : la galanterie tempère l'instinct brutal, et le jeune chevalier doit mériter l'estime de sa dame par ses prouesses ! « La carrière militaire et la vie de cour offraient peu d'occasions pour les sentiments d'héroïsme amoureux, mais l'âme en était pleine; on voulait les vivre et, par le somptueux tournoi, on se créait une vie plus belle[2] ! »

En principe, les tournois et les joutes avaient pour but d'entretenir entre deux guerres le courage et la dextérité des chevaliers.

Les comtes de Savoie, gardiens des Alpes, plus que nul autre seigneur, devaient se maintenir dans l'exercice des armes, et devinrent très tôt de grands experts des tournois.

Amédée V prit part personnellement à une joute donnée à Rome en 1313; Jeanne de Savoie, épouse de l'empereur Andronic Paléologue, emmena

---

1. J. HUIZINGA, *Le déclin,* pp. 96-98.
2. *Ibid.* — Par les motifs qui l'animent, le tournoi s'apparente de très près aux combats de l'ancienne épopée hindoue; dans le Mahâbhârata aussi, la pensée centrale est le combat pour la femme.

à Byzance de valeureux chevaliers savoyards qui apprirent aux Grecs l'art des tournois et des joutes[1].

En Savoie, ces fêtes avaient lieu à Chambéry, Lausanne, Pont-de-Veyle, Pont-de-Beauvoisin, Rumilly, Bourg-en-Bresse, généralement à l'occasion d'une victoire, d'un mariage ou d'une visite princière, et se prolongeaient souvent plusieurs jours.

Avant le tournoi, les comtes de Savoie envoyaient des messagers partout où ils pouvaient trouver des montures, depuis les grands coursiers de bataille jusqu'aux chevaux de campagne. Au Moyen Age, les princes étaient très amateurs de destriers et palefrois; ils se les envoyaient comme cadeau de choix ou se les vendaient très cher.

En 1365, Amédée VI acheta au duc de Bourbon un de ces rares coursiers, pour le prix de mille florins et le donna à son beau-frère, Galéas Visconti[2].

Puis les comtes de Savoie réquisitionnaient les châteaux et les habitations des environs pour loger leurs hôtes de marque, venus souvent de très loin.

Le jour du tournoi, les invités prenaient place dans des tribunes richement pavoisées. Les combattants, ne pouvant lever leur heaume avant d'avoir gagné la partie, se reconnaissaient par leurs armoiries[3] et les emblèmes qui ornaient leur surcot et boucliers, par la couleur de leur pennon et de leur lance en bois peint, et parfois par « le cri », devise qu'ils tenaient de leurs dames.

Les exploits étaient proclamés par les ménestrels et les hérauts qui répétaient plusieurs fois le nom

---
1. Entre autres, Pierre de la Baume, Hugues de la Palud, Aymon de Beauvoir, Stéphane Dandelet. CIBRARIO, *Opuscoli*, p. 9.
2. CIBRARIO, *Opuscoli*, p. 8.
3. Les armoiries dateraient probablement de la première croisade. Les chevaliers adoptèrent des signes emblématiques pour se distinguer et rallier autour d'eux leurs soldats.

des vainqueurs — d'où le mot « renommée ». Chaque chevalier qui combattait en joute se vouait à une dame dont il se reconnaissait le fervent esclave. S'il était victorieux, elle lui accordait une faveur : une partie de l'un de ses vêtements[1] ou l'un de ses joyaux.

Les chevaliers ne quittaient jamais l'arène sans rompre une lance en l'honneur de celles qui étaient l'âme de leurs actions. Le nom du vainqueur était inscrit sur les registres des officiers d'armes, ce qui montre l'importance que l'on donnait à ses exploits, et sa gloire quelquefois était immortalisée par des chants et des poèmes.

Amédée VI portait, lorsqu'il prenait part à ces jeux, un cimier d'argent en forme de tube, orné de plume d'autruche ou d'une tête de lion en argent doré surmonté d'ailes semé de cœurs[2].

Le tournoi du Comte Vert (1353).

Les *Chroniques de Savoie* nous livrent de curieux détails sur le fameux tournoi organisé à Bourg-en-Bresse, au mois de mai 1353, pour célébrer la prise de Sion, où le jeune Amédée VI avait reçu l'accolade « de par saint Georges » ! Il allait trouver ici le surnom que lui consacra l'histoire.

On vit entrer en lice douze chevaliers, parmi lesquels le jeune Amédée, tous vêtus de vert, ainsi que leur monture, et que les dames tenaient enchaînés par des cordons de soie verte. Au moment du combat,

---

1. « Il n'était pas rare que, comme gage d'admiration, une dame lançât sa manche au chevalier vainqueur, qui en ornait son cimier. La locution : « C'est une autre paire de manches » nous est venue de cet usage. » R. Pernoud, p. 273.
2. L. Cibrario, *Opuscoli*, p. 13. — *Delle giostre alla Corte di Savoia*, Torino, 1841.

les dames libérèrent leurs cavaliers, qui, casque en tête et lance au poing, s'élancèrent sur leurs adversaires.

La première joute commença à trois heures de l'après-midi et finit au crépuscule, éclairée par des torches et des falots. Les dames réenchaînèrent alors leurs cavaliers, et les emmenèrent au château pour être désarmés. Après quoi eut lieu le souper, et les vainqueurs reçurent leur récompense. Ils avaient le droit d'embrasser quatre dames et de recevoir de chacune, en gage, un anneau d'or. Et il en fut ainsi durant trois jours !

Le vainqueur du premier jour fut Messire Antoine de Grammont, du second, Messire Pierre comte d'Arberg, du troisième, Messire Thibaud comte de Neuchâtel. Ils obtinrent les faveurs qu'ils méritaient, sur quoi les douze dames du cortège, portant chacune un anneau d'or, s'approchèrent d'Amédée et lui dirent :

« *Monseigneur, pour nous flatter, vous avez été le premier, faisant mieux que les autres, et pour ce, nous vous donnons le prix.* »

Amédée accepta volontiers les baisers, mais refusa les anneaux d'or, priant les dames de les donner aux chevaliers de Villars, Entremont et Corgeron, qui, disait-il, les méritaient plus que lui.

Mais tous trois protestèrent, déclarant qu'ils préféraient les baisers aux anneaux d'or !

Cette réponse amusa beaucoup le Comte. « *La risée en fust grande, et lors recomensça la feste triomphe, qui dura jusque au jour du matin.* »

Dès lors, Amédée VI se vêtit de vert et adopta cette couleur pour ses appartements, les tentes de ses campagnes, les cadeaux qu'il offrait, et jusqu'aux voiles des bateaux qui l'emmenèrent en Orient.

Depuis ce jour, Amédée VI fut appelé le Comte Vert[1].

Si, dans sa jeunesse, le Comte Vert organise de nombreux tournois (une dizaine de 1347 à 1356), il s'intéresse bientôt à d'autres jeux, ceux de la politique et, s'il prend part au tournoi de 1368 à Milan, il n'en organise plus en Savoie qu'en 1371 et en 1381. Mais il reste, pour ces régions alpines, l'équivalent de « ce que fut en Angleterre le roi Arthur ou dans la Gaule carolingienne le paladin Roland »[2].

Les ordres de chevalerie. Jusqu'au XIIe siècle, la chevalerie conserva toute sa valeur. Le chevalier, guerrier accompli, mettait son épée au service du Droit et de l'Église : il était le protecteur des faibles, le défenseur des causes justes, modèle de loyauté envers son suzerain, auquel il était dévoué corps et âme. Aux XIIIe et XIVe siècles, la chevalerie suit dans sa décadence celle de la féodalité; les liens entre vassaux et suzerain s'affaiblissent progressivement, surtout en France pendant la guerre de Cent ans.

Les désastres de Courtrai (1302), Crécy (1346) et Poitiers (1356) contribuèrent encore à diminuer la force et le prestige de la noblesse française décimée dans ces rencontres où elle s'était rendue comme à un tournoi. Les princes appelèrent à leur service mercenaires et capitaines, dont Du Guesclin, au

---

1. Selon A. PERRIN, *Histoire de Savoie,* p. 88, suivi par R. PAQUIER (t. II, p. 9), la première fois qu'Amédée se serait présenté habillé de vert, aurait été le tournoi de Chambéry, au Verney, en automne 1348. D'après PLAISANCE, *Histoire,* p. 199, il s'agirait du tournoi de 1351, en l'honneur du mariage de Blanche de Savoie. Avec F. COGNASSO, *Il Conte Verde,* p. 20, nous appuyons nos dires sur SERVION, col. 278, 2e éd., t. II, pp. 80-84.
2. V. DE SAINT-GENIS, *Histoire de Savoie,* t. I, p. 347.

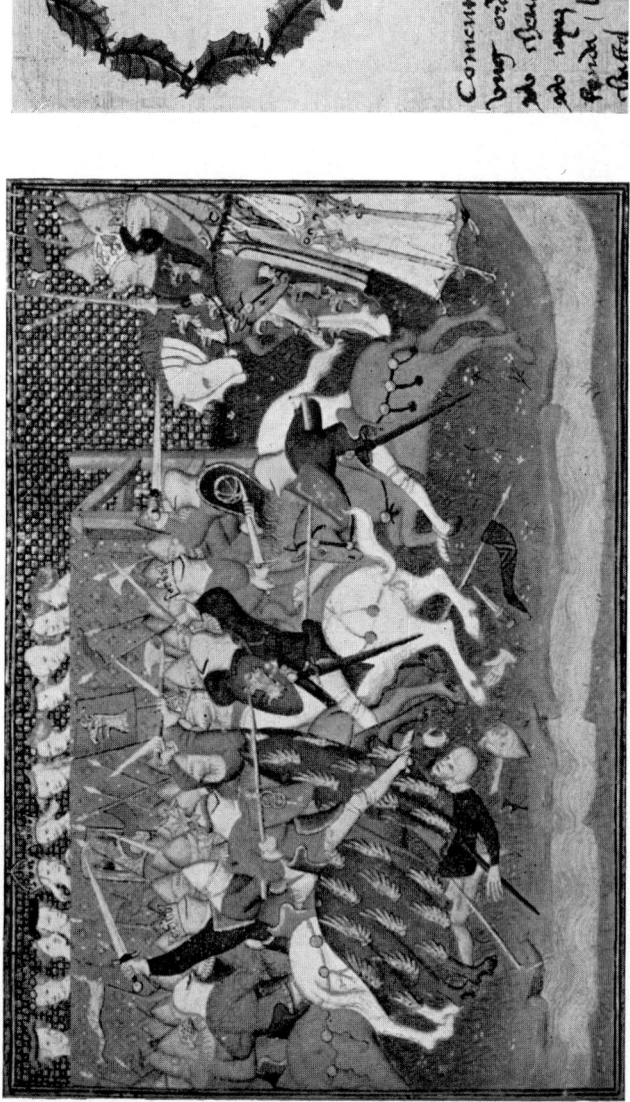

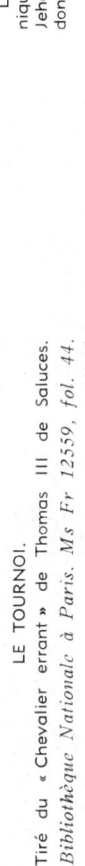

Planche XIII

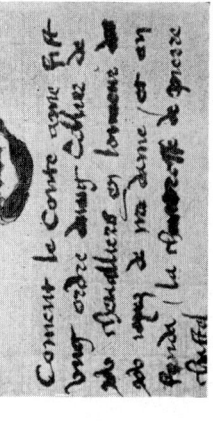

LE TOURNOI.
Tiré du « Chevalier errant » de Thomas III de Saluces.
Bibliothèque Nationale à Paris. Ms Fr 12559, fol. 44.

LE COLLIER, Dans « Gestez et croniques de la Mayson de Savoye », par Jehan Servion, reproduit dans l'édition donnée par F.E. Bollati, Turin, 1879.

demeurant noble de naissance, reste le type. Charles V en fera un connétable[1].

Mais ces services, il faut les rétribuer en donations ou en faveurs, et l'argent prend ainsi le pas sur l'idéal ; les hautes vertus n'existeront bientôt plus que dans les chansons de geste et les épopées. Pourtant, cette époque de transition est riche en contrastes : au XIVe siècle, des personnages, tel Amédée VI, incarnent un renouveau chevaleresque. Tournois et faits d'armes, expéditions lointaines et croisades seront les préoccupations constantes de grands seigneurs comme Louis d'Anjou, Pierre de Lusignan, Louis de Bourbon et Jean le Bon.

Les ordres de chevalerie, créés à l'origine dans un esprit exclusivement militaire et religieux[2], deviennent au XIVe siècle un moyen politique par lequel les souverains se concilient une noblesse peu disposée à soutenir leurs efforts de centralisation. Et bientôt ces ordres connurent l'engoûment de la mode[3]. Le roi de France Jean II fonde en 1351 celui de l'Étoile, la reine Jeanne de Naples en 1352 celui du Saint-Esprit, Charles III de Durazzo celui du Navire en 1381 et Louis d'Orléans celui du Porc-Épic, qui tourne ses piquants vers la Bourgogne. En Angleterre surgit l'ordre de la Jarretière, en 1349, un peu plus tard en Bourgogne celui de la Toison

---

1. « Il n'avait rien des façons courtoises et des préjugés de la chevalerie de son temps. » — A. Coville, in *Histoire Générale — Histoire du Moyen Age*, t. VI; *l'Europe Occidentale de 1270 à 1350*, p. 606 (Paris, 1941).
2. Ainsi les Hospitaliers de Saint-Jean de Jérusalem, devenus ensuite Chevaliers de Rhodes, puis de Malte, les Templiers et les chevaliers de Saint-Jacques de Compostelle : ordres fondés pour recevoir et soigner les pèlerins, ou les défendre contre les infidèles. Ces institutions charitables perdirent de leur valeur à mesure que s'accroissaient leurs richesses. Le mot « ordre » conservait une signification religieuse; on le remplaçait souvent par le mot « religion ».
3. Cf. Huizinga, *op. cit.*, p. 103.

d'Or. Amédée VI enfin n'était pas en reste, et, lors du mariage de sa sœur Blanche avec Galéas Visconti en 1350, instituait, l'on s'en souvient, l'ordre du Cygne Noir, qui n'eut d'ailleurs qu'une existence éphémère. Rappelons encore Philippe de Mézières qui voulait entraîner toute la chrétienté dans une grande croisade contre les Turcs. Ce chevalier-écrivain, ce grand idéaliste, en créant l'ordre « de la Passion du Christ » voulut rassembler toutes les classes de la société « dans un amour qui ne fût pas feint » et avec « une volonté obéissante et bien réglée »[1].

La fondation de l'Ordre du Collier. — Le roi de Chypre Pierre Ier de Lusignan et Philippe de Mézières avaient fait appel à tous les souverains d'Europe afin d'obtenir leur appui en faveur d'une grande croisade contre les Turcs, proclamée par le pape Urbain V en Avignon.

Amédée VI accepta et jura de s'enrôler dans cette périlleuse aventure. Urbain V lui donna, en 1364, l'insigne des croisés et « la rose d'or », distinction attribuée chaque année au prince le plus religieux de la chrétienté. Il est possible qu'Amédée VI eut alors l'idée de fonder un ordre de chevalerie qui grouperait autour de lui avant son départ pour la croisade l'élite des seigneurs de ses États et des pays voisins, afin de les unir dans un idéal commun de justice, de courage et de piété. La date précise de l'événement est d'ailleurs incertaine et se place à peu près entre les années 1362 et 1364. Il est pourtant très probable qu'Amédée VI fonda l'Ordre du Collier lors de son serment de croisé fait au Pape en Avignon, l'année 1364, en présence d'une imposante

---

[1]. N. IORGA, *Philippe de Mézières*, p. 74.

suite de chevaliers[1]. Voici ce que nous disent les *Chroniques* :

« *Quant le conte Amé se vist sy belle compagnye de gens d'armes et sy belle noblesse, le cuer ly creust en honnour, et se penssa de fayre ung ordre de quinze chivalliers en l'onnour des quinze joyez de Nostre Dame ; et l'ordonna tout tellement que le collier seroit fait d'or à feuillies de lorier entretenans l'une à l'aultre, esmailliez de vert esmail, et en la rompure dessoubz auroit ung pendant à trois neux de las entrelassés, correspondant l'ung à l'aultre.* »

Les sources nous donnent la preuve que les quinze colliers furent confectionnés en Avignon au mois de janvier 1364 par des orfèvres italiens.

Une messe précéda la fondation de l'ordre. Au banquet, « menestriers, clerons et trompettes » jouèrent, puis lecture fut donnée des « ordonnences et chapitres » de l'ordre. Il était spécifié entre autres que les chevaliers devaient protéger les orphelins et les veuves, éviter les « fausses querelles et soutenir loyauté ». Ayant devant lui les « quinze colliers d'or touz pareilz », Amédée VI « fist cryer cilence et paix, par Savoye le hérault, et puis dist : « Mes signieurs, sachiez que je jure et promès à tenir ces chapitres, et sy preng le collier le prumier, non pas comme signieur, maiz comme frère et compagnon de ceulx qui en seront, car c'est ordre de frères. » Après cela, il appela soy mesme Conte Amé de Savoye le prumier chivallier : le deuxième, le Conte de Genève, puis le Conte Aymon de Genève-Anthon (cousin du précédent), Gaspard de Montmayeur, Étienne de la Baume, Guillaume de Chalamont, Berlion de Foras, Roland de Vessy et Simon de Saint-Amour », … et enfin le quinzième « qui fust Richard Musard,

---

1. D. MURATORE, *Les Origines de l'Ordre du Collier*, p. 24.

un vailliant chivallier d'Engleterre, bon et hardy. Et tous fyrent le sayrement celon les chapitres, et baisarent l'ung et l'aultre en la bouche, et se tindrent frères; et ce estre fait, le Conte Amé les fist assire tous en une table, et il fust le dernyer qui s'assist ».

Suivirent les réjouissances et divertissements d'occasion pour fêter la fondation de l'ordre :

« *à joustes, à tournoys, à beours*[1], *à momeries*[2], *à la nuyt iusques au jour. L'on ne sauroit raconter les desduys et plaisances qui là furent faittes, et se il faisoit beau voir les quinze chivalliers atout leurs quinze colliers, tous vestus de mesmez... Ainsi fust encomensé l'ordre du noble collier de Savoye* »[3].

Les symboles, la devise et les statuts.

L'ordre qu'il fondait était à la fois religieux et chevaleresque. Religieux par l'obligation faite à ses membres d'accomplir leurs devoirs de chrétiens et de participer à la croisade; le nombre même des premiers chevaliers fut fixé à quinze, en souvenir des quinze mystères du rosaire, témoignage de la piété que le Comte avait pour la Sainte Vierge. Chevaleresque, il l'était par le symbolisme des emblèmes que les titulaires devaient porter pour montrer la fraternité qui les unissait. Le collier était composé d'une large bande circulaire d'argent doré, fermée par une boucle à laquelle étaient suspendus les trois nœuds ou lacs d'amour : signe d'union, qu'affirmait encore le cordon replié sur lui-même en forme de huit (nœud

---

1. Ces jeux tiraient leur nom d'une pièce d'armure couvrant le poitrail du cheval.
2. Mascarades.
3. Servion, col. 295, 2ᵉ éd., t. II, pp. 113-116, parle d'une forme plus tardive, l'ancien collier étant celui que nous décrivons dans le texte.

Planche XIV

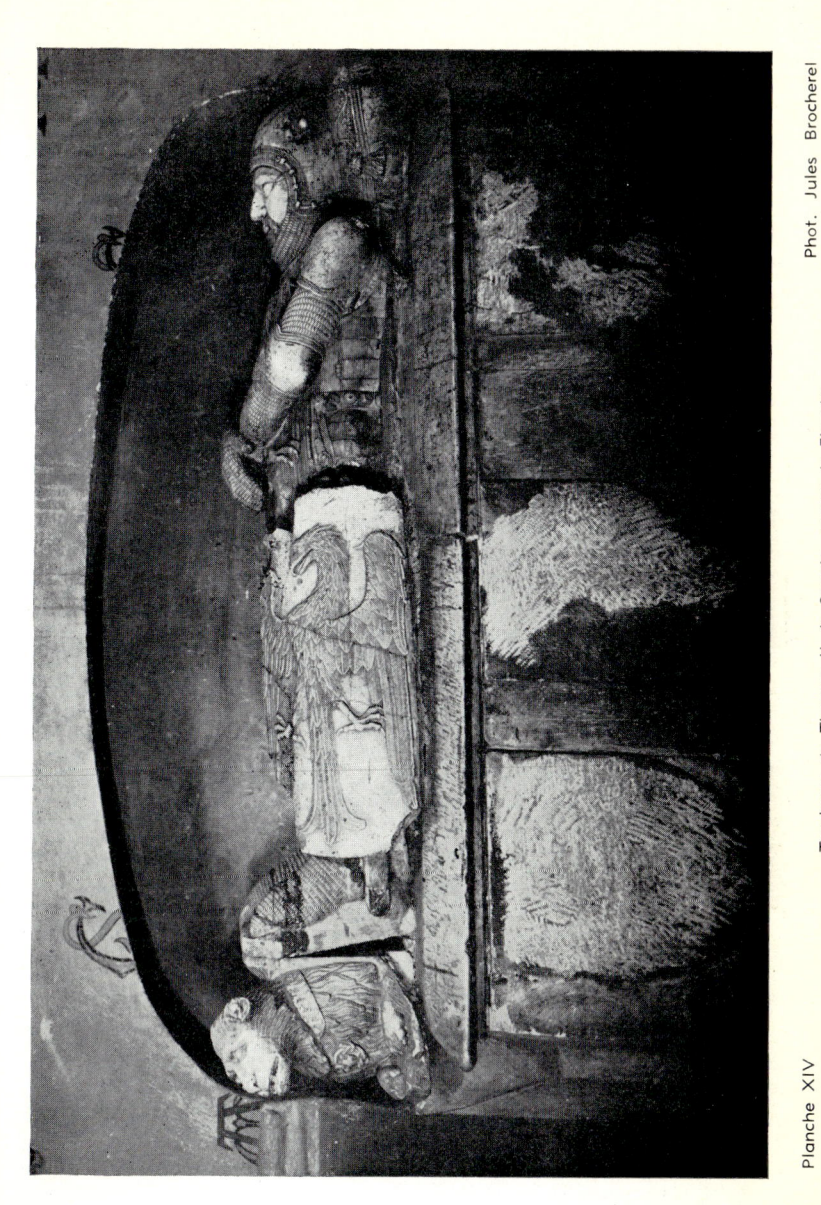

Tombeau de Thomas II de Savoie, comte de Flandre.
Cathédrale d'Aoste. Le lion porte le collier et l'inscription F.E.R.T.

Phot. Jules Brocherel

Planche XV — La Madone de Lausanne. Armoiries d'Amédée VI et le Collier dans sa forme primitive. Fondation par Amédée VI en 1382 d'une messe en la Cathédrale de Lausanne.

Phot. G. Cometto

Archives d'Etat de Turin.

stylisé), signifiant l'indissolubilité des liens qui enserraient les chevaliers, tous égaux entre eux[1].

La devise FERT a été adoptée après la fondation de l'ordre; on la trouve sur les monnaies de Savoie à partir de 1392. Sans nous arrêter à toutes les explications qui ont été fournies, et dont aucune ne donne pleine satisfaction, nous nous bornerons à citer l'opinion de Dino Muratore[2]... « Ma ferme conviction ... est que ce mot ne doit pas son origine à la fondation de l'ordre, et n'a, par conséquent, aucune relation avec lui. Mais quelle que soit sa signification (et pour mon compte, je m'en tiendrai à l'explication la plus simple, c'est-à-dire la troisième personne du singulier du verbe *ferre*, porter), le mot est antérieur au mémorable événement [la fondation de l'ordre], et eut son origine en même temps que l'usage de « porter » sur les armes et les vêtements le nœud d'amour préféré. »

Les statuts primitifs de l'Ordre du Collier n'ont

---

[1]. Le lacs d'amour, emblème préféré du Comte Vert, était au Moyen Age le signe de la véritable et indissoluble amitié, de la foi jurée et donc inaltérable. Il fut l'insigne de l'Ordre du Saint-Esprit, dit aussi du Nœud, fondé en 1352 par Jeanne de Naples, pour le couronnement de Louis de Tarente, son second époux. On rencontre ce symbole déjà au IXe siècle (voir L. Mazenod, *L'art primitif*, planches 26, 53 et 58). Le troubadour Arnoud Daniel, qui écrivait entre 1180 et 1210, composa ces vers charmants :

> *En ma dame est si ferme mon vouloir*
> *Que d'elle jamais il ne fit détour...*
> *Le Rhône par toutes les eaux qui l'enflent*
> *N'est pas si bouillonnant qu'ondes de cœur*
> *Qui font un lacs d'amour quand la regarde.*

(*Les troubadours*, pp. 104-106.)

Dans la suite, le lacs d'amour est entré dans la composition de nombreux blasons. Le comte de Renesse *(Dictionnaire)* n'énumère pas moins de quarante-six familles ayant choisi cet emblème, parmi lesquelles les Blonay. Après la fondation de l'Ordre du Collier, le lacs d'amour ornera souvent les sceaux et les monnaies d'Amédée VI et de ses successeurs : aussi l'appellera-t-on fréquemment le « nœud de Savoie ».

[2]. *Les origines de l'Ordre du Collier*, A.H.S., t. XXIV, 1910, p. 83.

pas été retrouvés. On ne peut cependant douter de leur existence si l'on pense aux dispositions prises pour les funérailles de deux chevaliers de l'ordre : Simon de Saint-Amour et Roland de Veyssy, morts à Gallipoli en 1366. Le compte de l'expédition d'Amédée VI en Orient mentionne les dépenses faites pour écussons « ad devisam colarium » (à la devise des colliers) et pour grandes torches, dépenses supportées par le Comte lui-même «pro debito colaris » (pour les frais du collier). Plus tard, en 1409, Amédée VIII publiera les statuts qui régiront l'ordre jusqu'à sa réforme par le duc Charles III en 1518.

Que ce soit dans les tournois de sa jeunesse, ou lors de la fondation de l'Ordre du Collier, ou, plus tard encore, dans sa croisade en Orient, Amédée VI, prince habile politique, gardera toujours cet esprit chevaleresque qui le faisait estimer même de ses adversaires. Les années passeront mais, peu avant sa mort, se souvenant des chevaliers de l'Ordre du Collier, il fondera en leur honneur la chartreuse de Pierre-Châtel[1].

---

1. Cf. chap. XIII.

CHAPITRE VIII

LE VICARIAT IMPÉRIAL

Le Comte Vert et l'Empereur.
La politique à laquelle Amédée VI imprima tant de grandeur et de hardiesse était pourtant conforme aux vues traditionnelles de la Maison de Savoie. Ses efforts tendaient à la soumission des seigneuries locales, ainsi qu'à l'entente avec les communautés urbaines et rurales; ils visaient à affermir, sur le temporel des évêchés alpins, une domination toujours délicate au sein de populations particularistes. Tout en s'efforçant inlassablement de pénétrer à Genève, et en exerçant sur les comtes de Genevois une pression continuelle, le prince maintenait son contrôle, au-delà des Alpes, sur les apanagistes d'Achaïe. En outre, il s'employait à sauvegarder ses États, menacés, depuis 1328, par les velléités des Valois.

L'achat du Dauphiné par la France (1349) avait donné au jeune Comte Vert un voisin inébranlable et dangereux : n'allait-il pas tenter un rétablissement, en sa faveur, de l'ancien royaume de Bourgogne dont cette terre impériale faisait partie? La chose était possible, car Charles IV de Luxembourg était capable de céder au Roi une délégation importante des droits impériaux. Même un peu théorique, pareille concession aurait été pour la France autre chose qu'une fiction, et la Savoie, par contre-coup, risquait de se trouver un jour vassale de la couronne française[1].

Prince avisé, Amédée VI préférait la suzeraineté lointaine de l'Empereur, désireux lui aussi de contenir l'influence capétienne.

L'Empereur, lors de son passage en Savoie (1365), allait encore servir les visées ambitieuses d'Amédée VI. Charles IV, très jaloux de ses prérogatives sur le royaume d'Arles, avait été indigné de n'avoir pas été consulté, lui, le suzerain, au moment du traité de Paris (1355). Pour en atténuer les effets, il l'avait proclamé illégal juridiquement, essayant, par ce moyen, de brouiller les bons rapports entre le comte de Savoie et les Valois. Il s'ingéniait en même temps à attirer Amédée VI dans la hiérarchie de l'Empire, par la confirmation de privilèges (1355)[2]. L'Empereur, craignant la puissance grandissante des Valois et l'annexion successive des riches terres du royaume d'Arles, cherchait par tous les moyens à faire sentir son autorité et à relever son prestige dans ces régions. Pourtant, l'Empire était trop éloigné pour que Charles IV puisse exercer une influence vraiment efficace; aussi tenait-il à se concilier l'appui des vassaux du Rhône, dont le comte de Savoie était l'un des plus puissants.

Amédée VI, de son côté, gagnait à cette faveur. Ces liens directs avec l'Empire étaient une précieuse garantie d'indépendance vis-à-vis de la France. Dès

---

1. La crainte n'était point sans fondement : le père de Charles IV, Jean, roi de Bohême, avait déjà proposé aux Valois de leur abandonner le royaume d'Arles. — Sur l'ensemble de la question, cf. P. FOURNIER, *Le Royaume d'Arles* (particulièrement son chapitre sur les vicariats impériaux).
2. COGNASSO, *Le Comte Vert*, pp. 94-95.

Planche XVI   Châsse de Saint Sigismond, offerte par l'empereur Charles IV.
Eglise paroissiale Saint-Sigismond à Saint-Maurice.

LISTE DES ROIS D'ALLEMAGNE ET EMPEREURS ROMAINS

Dynastie Saxonne.

			Couronnés Empereur	
Henri Ier l'Oiseleur	Roi	919		
Otton Ier le Grand	—	936	—	962-973
Otton II		973	—	973-983
Otton III	Roi	983	—	983-1002
Henri II le Saint	—	1002	—	1014-1024

Dynastie Franconienne.

Conrad II le Salique	Roi	1024	Empereur	1027-1039
Henri III le Noir	—	1039	—	1046-1056
Henri IV	—	1053	—	1084-1106
Rodolphe de Souabe, anti-Emp.				(1077-1080)
Herman de Luxembourg, anti-Emp.				(1081-1088)
Conrad, fils de Henri IV rebelle				1087-1093 († 1101)
Henri V	Roi	1099	Empereur	1111-1125

Dynastie Saxonne.

Lothaire II	Roi	1125	Empereur	1133-1138

Dynastie des Hohenstaufen.

Conrad III	Roi	1138	Empereur	1138-1152
Frédéric Ier Barberousse	—	1152	—	1155-1190
Henri VI	—	1190	—	1191-1197
Philippe de Souabe			—	1198-1208
Otton IV de Brunswick, anti-Emp.				(1198-1208)
puis			Empereur	1209-1218
Frédéric II	Roi	1212	—	1220-1250
Conrad IV	—	1250	—	1250-1254
Guillaume de Hollande, anti-Emp.		—		(1248-1254)

Interrègne.

Guillaume de Hollande			Roi	1254-1256
Richard de Cornouailles			Roi	1257-1272
Alphonse de Castille (compétiteur)			Roi	1257-1272

Dynastie des Habsbourg.

Rodolphe de Habsbourg	Roi	1273	Empereur	1273-1291
Adolphe de Nassau	—	1292	—	1292-1298
Albert Ier de Habsbourg	—	1298	—	1298-1308

Dynastie de Luxembourg et de Bavière.

Henri VII de Luxembourg	Roi	1308	Empereur	1312-1313
Louis V de Bavière	—	1314	—	1314-1347
Frédéric III de Habsbourg, associé à l'Empire de				1314 à 1325
—		anti-Emp.		1325-1330
Charles IV de Luxembourg	Roi	1347	Empereur	1355-1378
Gonthier de Schwarzbourg, anti-Emp.				(1349)
Venceslas de Luxembourg	Roi	1378	Empereur	1378-1400

1361, il avait envoyé une ambassade auprès de Charles IV pour obtenir que le comté de Savoie dépendît, non plus du royaume d'Arles, mais directement de l'Empire, et l'Empereur, par un diplôme du 17 mai 1361, libérait ses domaines de la juridiction du royaume d'Arles, pour les placer sous la dépendance directe de l'Empire.

Amédée VI prévoyait-il ce qui devait arriver dix-sept ans plus tard (1378) : l'offre par Charles IV au roi de France du Vicariat impérial sur l'ancien royaume d'Arles ? Pour le moment, il avait devancé son dangereux rival.

L'Empereur, profitant de son voyage en Avignon, voulut se faire couronner par le Pape dans la cathédrale d'Arles, cérémonie qui n'avait plus eu lieu depuis deux siècles. Ostensible affirmation de son pouvoir impérial sur ces terres.

Le 4 mai 1365, à Morat, limite extrême de ses États, le Comte Vert s'était porté à la rencontre de l'Empereur qui arrivait par la route de Berne.

Charles IV s'avançait à cheval, sous un baldaquin de drap d'or que soutenaient quatre chevaliers, et entouré d'un impressionnant cortège de deux mille cavaliers, parmi lesquels on distinguait : les évêques d'Eichstadt, d'Augsbourg, de Strasbourg, de Bâle et de Worms; Robert, comte palatin et duc de Bavière; les ducs de Stettin, de Liegnitz, d'Oppeln et de Teschen; le burgrave de Magdebourg, majordome, et Léopold de Nortemberg, directeur des cuisines impériales.

L'Empereur et le comte de Savoie passèrent à Morat toute la journée du 5. Devant l'Empereur, se présentèrent l'évêque de Sion, Guichard Tavelli, favorable au Comte Vert, et Antoine de la Tour, seigneur valaisan, féroce ennemi de l'évêque qui, du reste, le précipitera un jour par la fenêtre de son château.

Mais Charles IV ne voulut rien entendre de leur litige. Si, auparavant, l'Empereur demandait au comte de Savoie de ne pas se mêler des affaires du diocèse de Sion, maintenant il était tout disposé à lui laisser le champ libre en Valais. Les vicaires impériaux de cette région reçurent même l'ordre de conclure une trêve avec le Comte Vert[1], ce qui fut fait par la paix d'Évian.

Le cortège impérial traversa le pays de Vaud en s'arrêtant à Payerne, puis à Moudon où le comte de Savoie dut prendre des précautions contre les compagnies d'aventures qui menaçaient la Bresse. A Lausanne, l'Empereur fut reçu pompeusement par l'évêque, qui n'obtint que la confirmation des droits datant encore de l'époque des rois de Bourgogne. L'illustre voyageur passa la nuit à Nyon.

Il était le 9 à Genève, où l'accueil de la population fut très chaleureux. L'évêque et les syndics espéraient que Charles IV leur donnerait de nouveaux privilèges, mais il n'en fit rien.

Puis, évitant Annecy et les terres du comte Amédée III de Genève[2] (sans doute pour ne pas se trouver dans une situation embarrassante), le cortège se dirigea sur Rumilly.

Enfin, le 11 mai 1365, l'Empereur entrait solennellement à Chambéry. Amédée VI chevauchait à ses côtés, l'épée nue.

---

1. En 1354 et 1355, Charles IV avait nommé deux vicaires dans le Valais : Burchard le Moine, de Bâle, et Pierre d'Aarberg, pour défendre les intérêts de l'église de Sion contre la mollesse de l'évêque et les ambitions du comte de Savoie, et aussi pour soumettre les rebelles à l'Empire. Cf. Fournier, *op. cit.*, p. 464.

2. Il était difficile pour le comte de Genève de recevoir à Annecy avec des festivités son suzerain, au moment où celui-ci accordait tant de faveur à son rival, Amédée VI.

Devant les portes du château, l'archevêque de Tarentaise, Philibert de la Baume, Humbert le Bâtard, les sires de la Chambre et de Saint-Amour, et d'autres grands personnages, la comtesse Bonne de Bourbon et ses nobles dames, reçurent Charles IV et l'accompagnèrent dans ses appartements, tandis que sa suite était logée dans la ville, apportant beaucoup d'animation parmi la population.

Concession du Vicariat impérial. Le 13 mai eut lieu, sur la place du château de Chambéry, la grande cérémonie durant laquelle Charles IV investit le comte de Savoie de ses hautes fonctions de Vicaire impérial.

Paradin[1] nous a laissé une description mémorable de cette cérémonie : sur une estrade faisant face à la foule, Charles IV, revêtu de tous les insignes de sa dignité, et entouré des princes électeurs, des légats pontificaux et des ambassadeurs, s'assit « dedans un grand et magnifique tribunal à l'impériale ». Le Comte fit alors son entrée, « richement vestu et bien à cheval, armé de belles et riches armes, avec tornelet[2] de velours verd couvert de luisantes broderies », et précédé de six chevaliers porteurs de bannières. « La première estoit la bannière de Sainct Maurice; la seconde, des armes anciennes de ses prédécesseurs, d'or à une aigle de sable membrée de gueules; la tierce estoit des armes du marquisat de Suse, qui sont un escu parti d'argent et de gueules au chasteau d'un en autre; la quatrième estoit de la duché de Chablais; qui sont d'argent à un lyon rampant de sable; la cinquième, de la duché d'Oste, qui sont de

---

1. Pages 244-245.
2. Sorte de surcot recouvrant la cuirasse. Leloir, *Dictionnaire*, p. 407, article « Tonnelet ».

sable à un lyon rampant d'argent; la sixième estoit de gueules à la croix d'argent, dont il usoit pour ses vrayes armes. » Les barons, deux à deux, puis les autres nobles chevauchaient à sa suite. Tous mirent pied à terre devant l'estrade où Amédée VI monta s'agenouiller et rendre hommage à l'Empereur. « Lequel faict, luy fit quant et quant l'Empereur investiture de tous ses tiltres et dignités. » Puis, selon le rite, les gens de Charles IV se saisirent des bannières, les déchirèrent et les jetèrent au sol, « excepté celle de la croix blanche, pour laquelle le Comte pria l'Empereur qu'il ne voulsist permettre qu'elle fust mise en pièces, disant que jamais n'avoit esté jectée par terre, ny jamais ne seroit, aydant Dieu ». Lors du grand festin qui suivit, le Comte et ses barons, tous à cheval, « portoyent les viandes par la sale », et servaient l'Empereur : « et entre autres singularités, y avoit une fontaine de vin blanc et clairet qui ne cessoit ny nuict ny jour de jecter vin ».

Les vœux les plus chers d'Amédée VI étaient comblés. Désormais, le Comte recevrait à la place de l'Empereur l'hommage des évêques de Sion, Tarentaise, Maurienne, Genève, Lausanne, Belley, Mâcon, Lyon, Grenoble, Ivrée, Aoste et Turin, avec la juridiction en dernier ressort sur les instances des évêques, abbés, prélats et juges dans ces diocèses, et le pouvoir de rétablir l'ordre, à la place de l'Empeteur, chaque fois que les circonstances l'exigeraient.

Ainsi le Comte se trouvait être, dans la hiérarchie impériale, au-dessus des évêques !

Naturellement, Amédée VI, pour recevoir le vicariat, avait dû verser à l'Empereur une somme de cent mille écus d'or. A ce moment, Charles IV se désintéressait de l'Italie et concentrait son attention sur Prague dont il voulait faire sa capitale; pour trouver des fonds, il vendait titres et diplômes au plus offrant. On l'accusait même d'avoir fait de sa cour un comptoir après avoir « acheté en gros son Empire pour le revendre en détail »[1].

Son contemporain, le chroniqueur florentin Villani, nous a laissé un portrait de ce curieux prince, espèce d'homme d'affaires, n'ayant plus rien d'un chevalier du Moyen Age :

« D'après ce que nous savons de ceux qui parlent de l'Empereur, il était de taille moyenne, petit aux yeux des Allemands ; un peu bossu, ce qui déportait quelque peu en avant son cou et son visage, mais sans que cela heurtât ; ses cheveux étaient noirs, son visage un peu plat, ses yeux gros et ses joues remontées ; sa barbe noire, et son chef dégarni sur le devant. Il portait des vêtements décents et toujours serrés au corps, sans ornements, mais courts, s'arrêtant à la hauteur du genou. Il était peu prodigue et besognait pour amasser de l'or, et récompensait mal ceux qui le servaient en armes. Il avait encore pour habitude, lorsqu'il tenait audience, d'avoir à la main des branchettes de saule et un petit couteau ; il les taillait pour son plaisir avec une application minutieuse ; pendant que l'occupait ce travail manuel, et tandis que devant lui les solliciteurs, à genoux, présentaient leurs suppliques, il promenait ses regards sur l'assemblée, si bien que ceux qui étaient en train de lui parler avaient l'impression qu'il ne prêtait aucune attention à leur discours ; et cependant il les suivait et les entendait parfaitement. En quelques mots pleins de sens et adaptés avec justesse aux demandes formulées, ne suivant que sa volonté propre, et sans qu'il eût besoin de plus de temps ou de délibérations, il donnait la réplique par des réponses pleines de sagesse. Et ce, malgré les trois activités auxquelles il s'appliquait en même temps, et qui

---

1. Costa de Beauregard, *Mémoires*, t. I, p. 280, n° 110.

ne lésaient ni ne troublaient son jugement : la mobilité de ses regards, le travail de ses mains, la pleine intelligence de ses audiences et ses réponses concertées. C'est là une chose digne d'admiration et fort remarquable chez un monarque[1]. »

Ce vivant portrait de Villani nous permet de mieux connaître le suzerain du comte de Savoie et de mieux comprendre de quelle habileté dut faire preuve Amédée VI pour l'amener dans ses vues.

Le mardi 13, l'Empereur, accompagné d'Amédée VI, quittait Chambéry pour Avignon. Ils traversèrent le Dauphiné par La Buissière et La Terrasse, s'arrêtant à Grenoble, où le gouverneur Raoul Louppy se permit de demander à l'Empereur, naturellement de la part du roi de France, le vicariat pour la Savoie, la Provence et Genève, ainsi que l'hommage du marquis de Saluces. Mais Charles IV refusa, au grand soulagement d'Amédée VI.

Après avoir passé par Saint-Marcellin et Romans, le cortège impérial longea la rive gauche du Rhône. A Valence, le duc d'Anjou vint saluer l'Empereur, et sur le pont de la Sorgue se trouvait, au grand complet, le Sacré Collège d'Urbain V.

Le 22 mai, Charles IV entrait en Avignon, reçu au chant du *Te Deum,* et logeait dans le somptueux château des Papes.

Les pourparlers entre Urbain V et l'Empereur portèrent sur la lutte contre les Grandes Compagnies (derrière laquelle se préparait déjà celle contre les Visconti, qui avaient toujours à leur service le plus grand nombre de ces routiers et capitaines), le retour du Pape à Rome, et la Croisade. Quant à cette dernière, Charles IV promit de s'occuper du trans-

---

[1]. Matteo VILLANI, *Cronica*, Libro IV, cap. LXXIV.

port des troupes en Orient, et Amédée VI put tranquilliser Urbain V de vive voix, car le Pontife commençait à douter de ses bonnes intentions et même lui avait retiré la dîme[1], concédée l'année précédente et qui devait pourvoir en partie aux frais de la Croisade.

Des raisons d'État avaient retenu l'élan généreux d'Amédée VI de partir tout de suite pour la guerre sainte : l'indiscipline du marquis de Saluces, les soulèvements dans la vallée d'Aoste, et le désordre causé par les bandes anglaises dans le Canavais.

Diplôme de fondation d'une académie à Genève.

C'est en Avignon que le comte de Savoie, usant du titre de vicaire qui venait de lui être octroyé, sollicita de l'Empereur le privilège de fonder une université dans l'un de ses nouveaux évêchés, et Genève paraissait la ville la plus indiquée. Son rêve, comme du reste celui de tous les princes de la Maison de Savoie, était d'incorporer cette ville à ses États. Espérait-il voir le royaume d'Arles lui être cédé par l'Empereur « au moment où en France Charles V montait sur un trône chancelant »[2]?

---

1. Urbain V, croyant qu'Amédée VI manquait à sa promesse, avait révoqué par bulle du 27 janvier 1365 les concessions octroyées l'année précédente; l'argent reçu devait être restitué au cardinal de Saint-Martin (*Datta, Crociata*, p. 21). Amédée VI devait pourtant réaliser son projet, plus honnête en cela que Philippe VI, Jean le Bon et Charles V qui, ayant obtenu des papes d'Avignon les décimes destinés à une croisade s'en servirent pour payer les frais de leurs guerres avec les Anglais (CALMETTE, *Le Moyen Âge*, p. 581).

2. Le jour même où l'Empereur ceignait la couronne du royaume d'Arles, le dauphin Charles, alors régent de France, écrivait à son cher cousin de Savoie : vu les affinités qui relient les deux maisons, il le supplie de se rendre à la Semonce d'Arras avec 300 gens d'armes et les meilleurs ! le jour de la Saint-Jean au plus tard. Le besoin d'aide était urgent; la France était en plein désarroi politique et militaire. Cf. GUICHENON, *op. cit.*, t. III, p. 202.

Alors Genève, ville universitaire et capitale, deviendrait doublement nécessaire à ses États. En attendant la réalisation de ce projet grandiose, la fondation d'un foyer de culture à Genève serait un moyen pour le Comte de s'immiscer dans les affaires de la ville et d'augmenter son influence auprès du chapitre de Saint-Pierre, collège électeur de l'évêque. En ce temps l'Université conférait des grades qui permettaient d'accéder aux plus hautes dignités ecclésiastiques et publiques : princes de l'Église, et chancelier d'État pouvaient en sortir. En plus, un foyer de culture à mi-chemin entre les célèbres universités de Prague, Bologne, Paris, Montpellier, rehausserait encore le prestige de la Savoie[1].

Le 2 juin, par un diplôme daté du Château des Papes en Avignon, Charles IV autorisait la fondation d'une Université à Genève, sous la haute protection du comte de Savoie. Les sept arts libéraux devaient y être enseignés[2]. Les clercs du temps ne négligeaient pas le beau style; ils savaient, dans un texte officiel, allier la gravité et la fantaisie. Ainsi retrouve-t-on dans la bulle relative à la fondation de l'université cette charmante description de la cité épiscopale : « L'agrément de notre dite cité de Genève [c'est évidemment l'Empereur qui parle], les richesses naturelles de l'endroit et des environs en ressources nécessaires à la vie humaine, la douceur de l'air, le passage d'eau très limpide et jaillissante, abritant une masse innombrable de poissons d'espèces variées, constitue une abondance souhaitable à la réfection de la nature humaine, propre à susciter l'effort men-

---

1. Borgeaud, *Histoire de l'Université*, t. I, pp. 2, 7, 619, 622.
2. En plus de la théologie, du droit canon et du droit civil, on enseignait la médecine, la grammaire, la rhétorique, la philosophie, l'astronomie, la musique, l'arithmétique, la géométrie et l'astrologie. Cf. Carbonelli, p. 13.

tal, à aiguillonner et à diriger l'homme intérieur vers l'exercice plein de vertu du travail, toutes choses concourantes grâce auxquelles le bien-être de la communauté entière est augmenté et la gloire de l'Empire répandue[1]. »

Ainsi, les jeunes gradués qui voulaient conquérir le doctorat n'auraient plus besoin de s'expatrier.

Le 4 juin, l'Empereur se faisait couronner dans l'église de Saint-Trophyme d'Arles[2], au pied du grand autel, par le cardinal de La Garde, devant le comte de Savoie, Reforciat d'Agout, sénéchal de Provence, le duc de Bourbon et beaucoup de nobles chevaliers[3].

La reine de Naples, pourtant vassale de Charles IV dans les terres de Provence, n'assista pas à la cérémonie : peut-être ne voulait-elle pas rencontrer Louis d'Anjou qui espérait substituer en Provence son pouvoir au sien.

Le 9 juin, l'Empereur quittait Avignon, passant par Orange qu'il venait de doter d'une université, sur la demande de Raymond de Baux, puissant feudataire de la région.

Le 14, dans l'abbaye de Saint-Antoine de Vienne, Charles IV reçoit du duc de Bourgogne la procuration pour son mariage avec Élisabeth de Hongrie, fille du roi Louis Ier le Grand. Il retraverse le Dauphiné et s'arrête aux Marches, près de Montmélian, puis, sans repasser par Chambéry, il arrive au Bourget, où Bonne de Bourbon le reçoit avec une nom-

---

1. BORGEAUD, *Histoire de l'Université*.
2. Charles IV voulut marquer par un signe extérieur son affirmation royale et créera des monnaies d'or et d'argent où il s'intitule « Charles IV par la clémence divine, empereur, roi de Bohême et d'Arles ». Frédéric Barberousse, Frédéric II et Henri VII n'avaient pas cru devoir en faire autant pour affirmer leur hégémonie dans ce royaume. Cf. FOURNIER, p. 474.
3. « E motos quavalieros e gran senhor. » MURATORI, p. 177.

breuse suite. La comtesse avait fait de ce château sur les rives du lac sa résidence favorite avant de construire Ripaille.

L'Empereur prend congé d'elle et se dirige vers Rumilly, où il passe la nuit, puis dîne le lendemain au château de Sallenove, sur les Usses, toujours accompagné d'Amédée VI.

A Genève, il est reçu froidement; l'évêque Alamand de Saint-Jeoire proteste déjà vivement contre la concession du Vicariat au comte de Savoie.

Visite de Charles IV à Saint-Maurice. La décision de Charles IV d'aller visiter la célèbre abbaye fut prise à Genève, lorsque l'Empereur demanda au Comte Vert où se trouvait le monastère de Saint-Maurice, parce que là, dit-il, est enterré un de mes ancêtres appelé Sigismond, roi de Bourgogne, avec deux de ses fils. Quand Charles IV sut que l'abbaye se trouvait en Chablais, il changea l'itinéraire de son retour car cette visite n'était pas prévue dans le programme. La suite trop nombreuse dut se diviser et la plus grande partie attendit à Lausanne le retour de l'Empereur.

Alors Charles IV, le Comte Vert et quelques dignitaires ecclésiastiques se rendirent en Chablais, dînèrent à Évian, traversèrent la vallée de la Dranse, le pas de Morgin, pour être le 21 juin à Saint-Maurice.

Reçu par l'abbé et les moines, Charles IV s'enquit aussitôt du lieu de la sépulture de son ancêtre.

« *L'abbé et religieux dudit couvent, qui n'estoyent pas fort grands docteurs, firent response qu'ils n'en sçavoyent nouvelles*[1]. « *Signeurs, dist labbé, leglise savons nous*

---

[1]. Paradin, p. 245.

bien, mais la sepulture ignorons ou elle soit[1]. » Dont l'Empereur estant desplaisant, et voyant les religieux s'en rapporter à leur Abbé, et l'Abbé à eux, se regardant l'un l'autre, leur dit qu'ils n'estoyent vrais moines, attendu leur ignorance, et contemnement des choses honnestes et vertueuses... L'Abbé etant sage et modeste respondit qu'il avoit toujours estimé que l'ignorance des vices estoit autant proffitable aux religieux, que le grand sçavoir des lettres séculières aux mondains. A ceste response print l'Empereur grand plaisir[2]. »

Charles IV, devant l'ignorance du pauvre Abbé, « *lors fit tirer de ses coffres un livre de Chroniques authentiques* », relatant la vie et la mort de saint Sigismond, et comment il fut enterré sous une chapelle[3], avec tous les renseignements pour retrouver son corps.

Alors l'abbé et les moines, avec des piquets et des torches, conduisirent l'Empereur vers la petite église et descendirent dans sa partie la plus basse. « Lors dist aux religieux percer le mur cy endroit », et l'on trouva « une cave a magnière d'une armoire et là gisoit saint Sigismont et ses enfans, auprès de luy ».

Saisis d'admiration, les moines se mirent à chanter des hymnes à la louange du Seigneur.

Satisfait de ses talents d'archéologue, l'Empereur emporta la tête du saint dont le corps, mis dans une superbe châsse, fut placé sur l'autel de l'église alors appelée Saint-Jean[4].

---

1. *Chroniques de Savoie*, p. 337.
2. Paradin, p. 245.
3. Paradin, p. 245.
4. Dans le vaste enclos de l'abbaye se trouvait la chapelle Saint-Jean, construite sur une éminence, où furent ramenés les corps de Sigismond et de ses deux enfants, tués près d'Orléans par les fils de Clovis en 523. Sur la chapelle Saint-Jean fut ensuite élevée l'église paroissiale de Saint-Sigismond. La châsse, don de Charles IV, où furent déposées les reliques de saint Sigismond est toujours conservée dans l'église paroissiale de Saint-Sigismond. Cette châsse en métal doré représente des personnages en

Avant son départ, Charles IV voulait encore des reliques de saint Maurice; Amédée VI s'y refusa, ne voulant pas qu'on démembrât le corps du saint, cependant il lui fit don de sa hache.

Le 22 juin, l'Empereur redescendit la vallée du Rhône jusqu'à Villeneuve, puis, côtoyant le lac Léman, traversa Chillon et Montreux. A la Tour de Vevey l'attendait l'autre moitié de sa suite. Après un déjeuner au château de Romont, il quittait les terres du comte de Savoie pour Berne, et c'est dans cette ville qu'Amédée VI prit congé de son hôte illustre.

L'Empereur, pour bien marquer toute sa reconnaissance et son estime envers son fidèle vassal, envoya, datées de Berne, une série de lettres patentes aux évêques et seigneurs qui dépendaient maintenant du nouveau vicaire, leur enjoignant de rendre l'hommage au comte de Savoie[1]. Charles IV voulait ainsi montrer qu'il ne tenait en aucune considération les récriminations d'indépendance des évêques de Genève et de Lausanne.

La révocation du Vicariat. Mais les grandes espérances que la Maison de Savoie avait fondées sur le royaume d'Arles allaient se révéler chimériques.

Profitant de l'absence du Comte alors en Orient et pendant que les États de Savoie étaient sous la régence de sa femme, évêques et prélats protestèrent

---

costume de l'époque. Elle porte la date de 1365. Cf. A. DONNET, *Guide artistique du Valais*, p. 7 et J.-M. THEURILLAT, *L'Abbaye de Saint-Maurice d'Agaune*, I « Des origines à la réforme canoniale 515-830 », extrait de *Vallesia*, Sion, 1954, p. 109; et Louis BLONDEL, *Les Basiliques d'Agaune*, « Études Archéologiques », extrait de *Vallesia*, III, 1948.

1. L'archevêque de Lyon et de Tarentaise, les évêques de Genève, de Sion, d'Aoste, d'Ivrée, de Turin, de Lausanne, de Belley, de Mâcon et de Grenoble, ainsi que les seigneurs de Châtillon, d'Aarberg, de Massino, des Dombes. MURATORE, p. 182.

auprès du Pape et de l'Empereur, contre les mauvais traitements exercés par les officiers du Comte Vert chargés de maintenir les droits du vicariat.

L'évêque de Genève, Allamand de Saint-Jeoire, conscient des dangers qu'offrait une Université sous les auspices du comte de Savoie, obtint gain de cause auprès du Pape, et l'Université ne fut pas fondée[1].

Son successeur, Guillaume de Marcossey, défendit avec encore plus d'énergie les intérêts de l'évêché, et le 13 septembre 1366, Charles IV, sensible à une telle réaction, révoca le vicariat impérial, spécialement pour Genève[2].

A Chambéry, du 1er septembre au 7 novembre 1366 siégeait en permanence le Conseil de Régence. Il déployait une grande activité diplomatique : courriers et ambassadeurs faisaient la navette entre Vienne, Avignon, Chambéry. Il parvint certainement à atténuer la rigueur de la première révocation du 13 septembre.

Mais sur les instances réitérées de Marcaussey[3], l'Empereur lança de Prague une seconde révocation le 25 février 1367, définitive cette fois. Les droits du Comte Vert sur Genève et les alentours lui étaient clairement retirés.

Revenu d'Orient en 1367, Amédée VI ne s'arrêta pas à ces successives révocations. Il semble bien que les diplômes impériaux n'avaient plus les vertus nécessaires pour modifier les faits accomplis, mais étaient seulement capables de confirmer un état de choses préexistant[4]. Ce fut le cas pour Genève où le

---

1. Une nouvelle tentative échoua en 1418. L'Académie ne fut fondée qu'en 1559 par Jean Calvin.
2. Sur l'opposition successive des deux évêques Allamand de Saint-Jeoire et Guillaume de Marcossey, voir H. GRANDJEAN, *Histoire de Genève*, pp. 128-129.
3. L'évêque Marcaussey entoura la ville de Genève d'une nouvelle enceinte avec 22 tours. *Histoire de Genève*, p. 129.
4. FOURNIER, *Royaume d'Arles*, p. 492.

Comte, après s'être obstiné, malgré les censures de l'évêque, à exercer les droits de juridiction et de souveraineté, dut finalement céder en 1371 toute prétention au nom de l'Empire sur la souveraineté de Genève, obéissant plus en cela aux injonctions du Pape qu'aux volontés de son suzerain.

A Lausanne, la lutte avec l'évêque, Guy de Prangins, dura plus longtemps, et le Comte grâce à son juge (dit de Billens) imposé au chapitre en 1365, put, malgré la révocation, faire valoir ses droits de vicaire jusqu'en 1379.

A Sion, le Comte renonça volontairement assez vite au Vicariat, s'en servant seulement pour obliger le terrible sire Antoine de la Tour[1] à lui rendre l'hommage en 1367. Tandis qu'en Tarentaise, où les archevêques subissaient depuis longtemps l'influence de la Maison de Savoie, le Comte put faire triompher ses droits de Vicaire d'une façon absolue.

Du reste, Amédée VI savait bien que Charles IV avait l'habitude de concéder puis de révoquer ses privilèges. Ce qu'il donnait aux uns, il le retirait aussitôt pour le donner à d'autres, suscitant partout mécontentement et confusion. C'était une tactique politique, mais surtout un moyen de s'assurer des revenus.

Toutefois, l'échec du Comte Vert n'était que partiel : sa diplomatie avait réussi à freiner, pour un temps, l'expansion française en empêchant que le Dauphin de France obtînt de recevoir, au nom de l'Empereur, l'hommage du comte de Savoie. Le Vicariat, d'ailleurs, s'il n'était plus général, s'étendait encore à certains fiefs ecclésiastiques, moins jaloux de leur indépendance, ainsi qu'à tous les fiefs laïques.

---

1. Muratore, *Vicariat*, pp. 189-231.

CHAPITRE IX

LA CROISADE

(1366-1367)

Les causes. Les avantages accordés par l'Empereur lors de son passage à Chambéry et les récentes conquêtes qui avaient agrandi les États de Savoie semblaient devoir engager Amédée VI à se consacrer au rétablissement des finances, comme au développement du commerce et de l'agriculture.

Or le Comte Vert pensera à tout autre chose : son âme chevaleresque rêvera de partir en croisade. Ces lointains pays attiraient son imagination nourrie dès l'enfance de chansons de geste et de romans de chevalerie. Son ancêtre Amédée III, mort en croisade, n'était pas oublié. Des liens de proche parenté l'unissaient aussi aux empereurs de Byzance. D'autre part, Amédée VI voulait rester fidèle à la promesse qu'il avait faite au pape Urbain V.

Encore au XIVe siècle, tout souverain se croyait obligé de délivrer Jérusalem, mais les temps avaient changé. L'ère des grands croisés était révolue; la prise de Saint-Jean-d'Acre par les Sarrasins (1291) avait découragé les plus vaillants, et la chevalerie décadente n'avait plus l'esprit mystique et réalisateur d'un Saint Louis[1].

Dorénavant, c'est la lutte contre les Turcs qui remplacera le devoir sacré : la délivrance du Saint-Sépulcre. Mais les intérêts économiques l'emportaient peu à peu sur l'idéologie religieuse. Des républiques comme Gênes et Venise, qui auraient pu affaiblir la puissance des Ottomans, préféraient se rapprocher du Sultan pour renouer avec l'Orient des rapports commerciaux.

Byzance avait perdu en même temps que sa flotte la suprématie des mers. Les Infidèles menaçaient gravement son Empire.

En 1326, ils sont à Brousse, trois ans plus tard à Nicée, puis à Nicomédie en 1339. Le sultan Amurath Ier fera d'Andrinople soumise sa capitale (1366).

Bien qu'ils contribuassent à ralentir l'invasion musulmane, les Bulgares[2] et les Serbes, redoutables guerriers, menaçaient aussi Byzance. Enfin, épuisée par les querelles dynastiques et religieuses de la Cour, Constantinople était incapable de faire front à ses

---

1. L'on croit souvent qu'il n'y a eu que huit croisades, et que la dernière fut celle où mourut Saint Louis, en 1270. Leur nombre fut bien plus grand, même sans parler de celles d'Occident; commencées en 1099, elles se terminèrent avec le siège et la libération de Vienne, en 1683. Sans compter Amédée VI, d'autres princes de sa Maison ne restèrent pas indifférents au mouvement des Croisades. Amédée II fut pressenti en 1073 par le pape Grégoire VII pour participer à une expédition en Palestine, non suivie d'exécution. Humbert II devait prendre part à la Ire croisade, mais les événements du Piémont l'en empêchèrent. Amédée III fit une expédition avec les Vénitiens en 1123 et était, nous l'avons vu, aux côtés de Louis VII à la IIe croisade. Pierre II et Thomas II devaient partir en 1251-1263 dans une croisade projetée par le pape Alexandre IV. Humbert de Savoie, fils bâtard du Comte Rouge, combattit avec les Hongrois contre les Turcs. Enfin, Eugène de Savoie-Soissons commanda les troupes autrichiennes qui défirent les Turcs près de Zenta.

2. Les Bulgares étaient devenus chrétiens en 687 ainsi que leur tzar, Boris Ier, fils de Siméon Ier.

ennemis[1]. Schismatique, l'Empereur d'Orient ne pouvait espérer une aide de l'Occident qu'en se rapprochant de l'Église romaine. En 1342 déjà, une ambassade avait été envoyée dans ce but auprès du pape Clément VI par Anne de Savoie, veuve d'Andronic III[2], et, quelque vingt ans plus tard, à la demande de Jean V Paléologue[3] qui promettait d'abjurer le schisme si on le secourait contre les Turcs. Urbain V prêcha la croisade. Seuls, les rois de France, de Chypre, de Hongrie, et le comte de Savoie, répondirent à son appel.

En 1364, le roi de France, Jean II, qui devait conduire l'expédition, mourut, et son fils Charles V ne pouvait quitter le royaume. Impatient, le roi de Chypre, sans attendre le Comte, partit de Venise pour Rhodes, où, avec les chevaliers de l'île, il se dirigea sur l'Égypte, assiégea et prit Alexandrie, mais ne put garder la ville, trop attaquée par les nombreuses troupes du Sultan. Ainsi s'évaporait en fumée la croisade de Pierre II de Lusignan, annoncée depuis si longtemps.

Restait le roi de Hongrie, qui avait promis au Pape de venir au secours de l'Empire byzantin. Il

---

1. De 1355 à 1391, l'empire de Byzance perdit toutes ses provinces en Europe, qui passèrent au pouvoir d'Amurath Ier. « Fermez les portes de la ville pour régner dans l'enceinte de ses murs », mandait le successeur d'Amurath au fils de Jean Paléologue, « car tout ce qui est en dehors de cette enceinte est à moi ». SISMONDI, *Histoire des républiques*, t. VII, p. 190.

2. A plusieurs reprises, l'impératrice Anne essaya de rapprocher les deux Églises, mais sans y aboutir. Avant de mourir, elle manifesta le désir d'être enterrée à Assise, dans l'église de saint François, pour lequel elle avait une grande dévotion, mais son vœu ne fut pas exaucé. D. MURATORE, *Une princesse de Savoie sur le trône de Byzance*, Chambéry, 1906, p. 246.

3. La dynastie des Paléologue commence en 1261, quand Michel Paléologue, renversant l'Empire latin fondé en 1204 par Baudoin, comte de Flandre, lors de la IVe croisade, restaura l'Empire grec à Byzance. Sa famille détint le pouvoir pendant près de deux siècles durant lesquels les arts et les lettres connurent un grand éclat. En 1453, le dernier empereur de Constantinople, Constantin III, mourut les armes à la main, sous les murs de sa capitale assiégée.

PALÉOLOGUE,
EMPEREURS DE BYZANCE

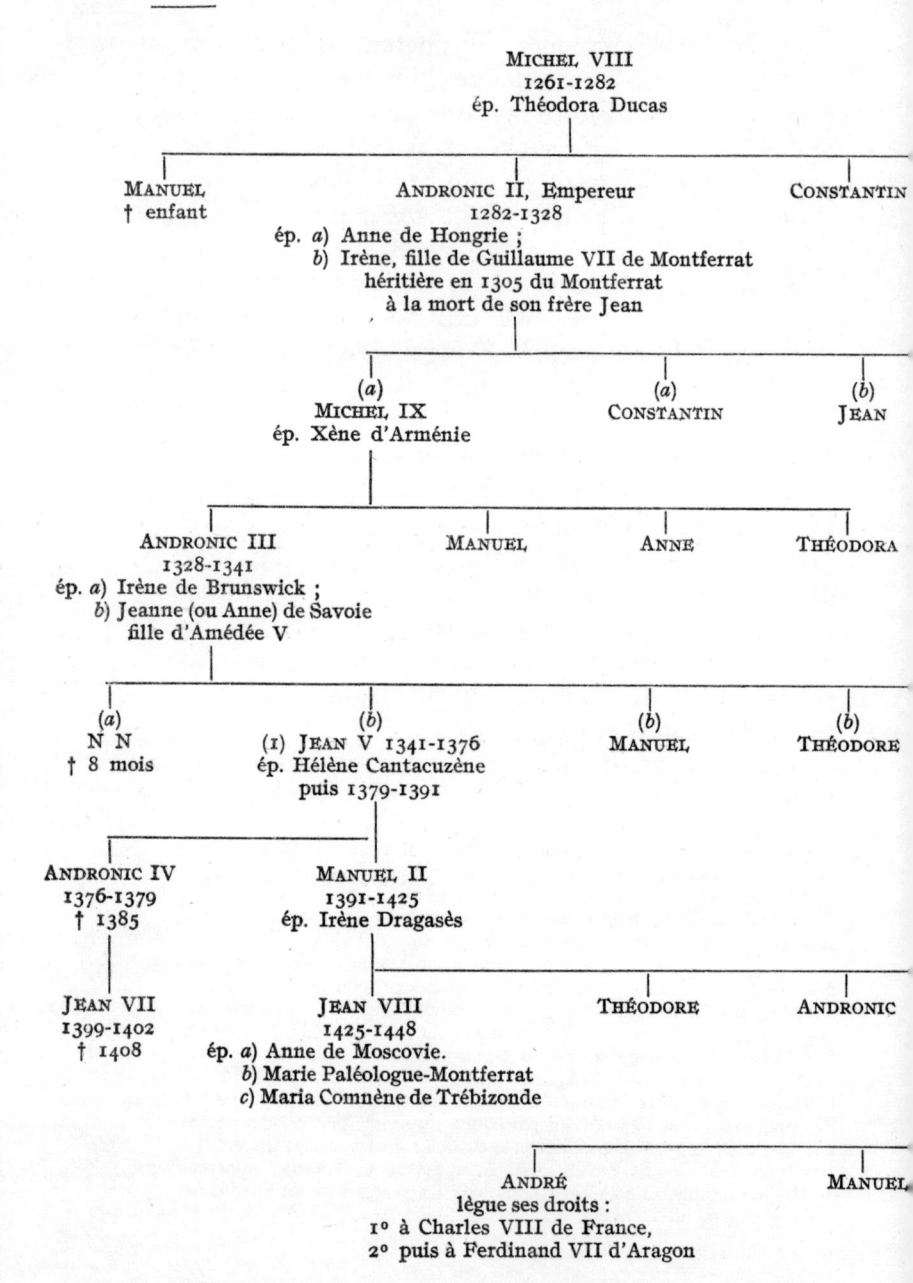

MICHEL VIII
1261-1282
ép. Théodora Ducas

- **MANUEL** † enfant
- **ANDRONIC II, Empereur** 1282-1328
  ép. *a)* Anne de Hongrie ;
  b) Irène, fille de Guillaume VII de Montferrat héritière en 1305 du Montferrat à la mort de son frère Jean
- **CONSTANTIN**

  - *(a)* **MICHEL IX** ép. Xène d'Arménie
  - *(a)* **CONSTANTIN**
  - *(b)* **JEAN**

    - **ANDRONIC III** 1328-1341
      ép. *a)* Irène de Brunswick ;
      b) Jeanne (ou Anne) de Savoie fille d'Amédée V
    - **MANUEL**
    - **ANNE**
    - **THÉODORA**

      - *(a)* N N † 8 mois
      - *(b)* (1) **JEAN V** 1341-1376 ép. Hélène Cantacuzène puis 1379-1391
      - *(b)* **MANUEL**
      - *(b)* **THÉODORE**

        - **ANDRONIC IV** 1376-1379 † 1385
        - **MANUEL II** 1391-1425 ép. Irène Dragasès

          - **JEAN VII** 1399-1402 † 1408
          - **JEAN VIII** 1425-1448
            ép. *a)* Anne de Moscovie.
            b) Marie Paléologue-Montferrat
            c) Maria Comnène de Trébizonde
          - **THÉODORE**
          - **ANDRONIC**

            - **ANDRÉ** lègue ses droits :
              1° à Charles VIII de France,
              2° puis à Ferdinand VII d'Aragon
            - **MANUEL**

1) Jean VI Cantacuzène, beau-père de Jean V, exerça le pouvoir en son nom, de 1347 à 1355.

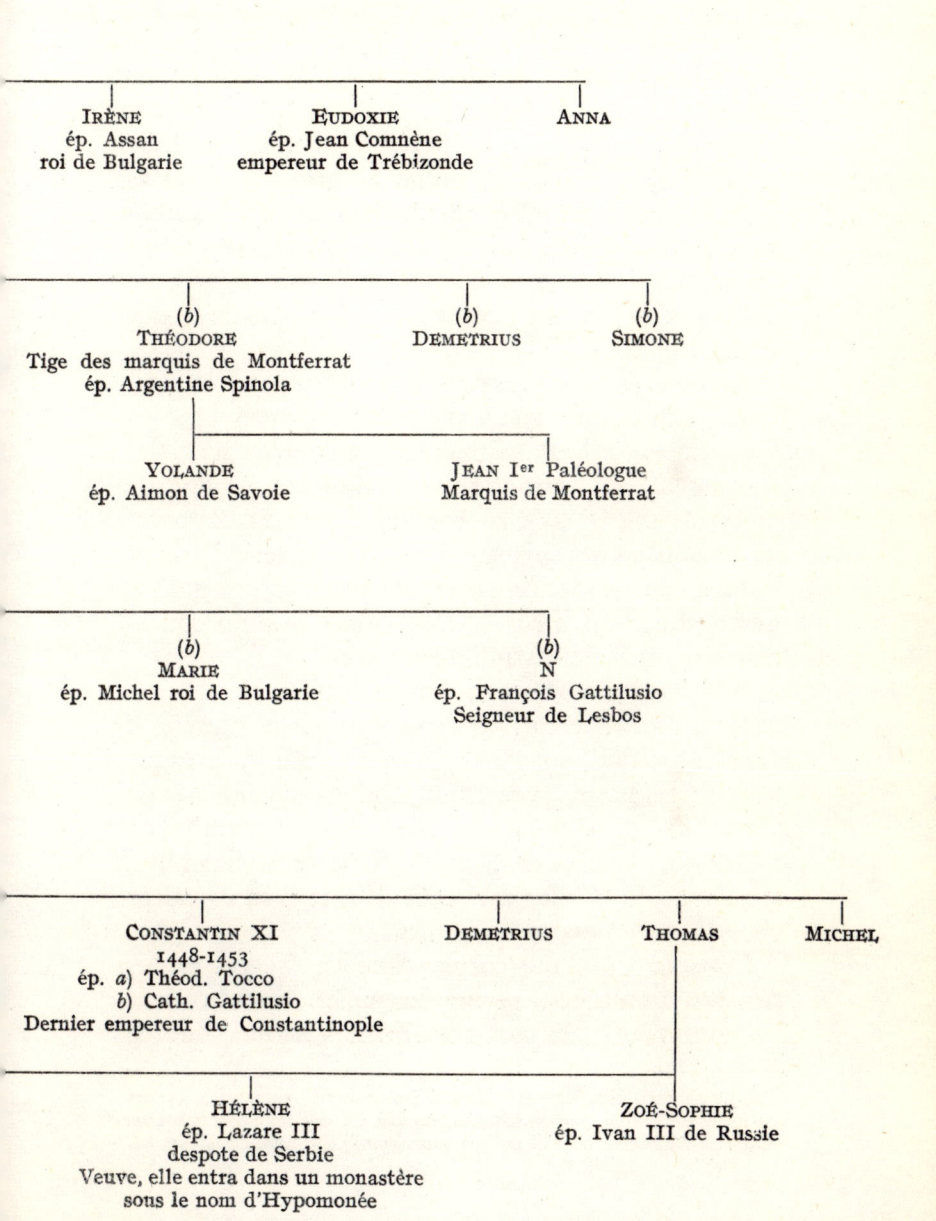

```
        |                    |                    |
      IRÈNE              EUDOXIE              ANNA
    ép. Assan         ép. Jean Comnène
   roi de Bulgarie   empereur de Trébizonde


              (b)              (b)              (b)
           THÉODORE         DEMETRIUS         SIMONE
    Tige des marquis de Montferrat
        ép. Argentine Spinola
                 |                    |
             YOLANDE          JEAN Ier Paléologue
         ép. Aimon de Savoie    Marquis de Montferrat


            (b)                      (b)
           MARIE                      N
     ép. Michel roi de Bulgarie   ép. François Gattilusio
                                    Seigneur de Lesbos


          |                |            |            |
     CONSTANTIN XI     DEMETRIUS     THOMAS       MICHEL
       1448-1453
    ép. a) Théod. Tocco
        b) Cath. Gattilusio
   Dernier empereur de Constantinople
          |                              |
        HÉLÈNE                      ZOÉ-SOPHIE
      ép. Lazare III             ép. Ivan III de Russie
      despote de Serbie
   Veuve, elle entra dans un monastère
      sous le nom d'Hypomonée
```

devait descendre le Danube et rejoindre les troupes du Comte Vert qui arriveraient par mer, mais, aux prises avec les Serbes, et en mauvais termes avec les Bulgares, Louis de Hongrie finit par se dérober.

Préparatifs. Resté finalement seul, le Comte fit appel à d'autres princes parmi ses alliés et parents, qui répondirent sans enthousiasme ; les Achaïe, en proie à des luttes de famille, gardèrent le silence ; son beau-frère Galéas Visconti lui promit quatre-vingts brigands et deux galères.

Amédée VI mit plusieurs mois à préparer la croisade. Pour former son armée, il dut demander à ses vassaux, aux villes et aux communes affranchies, des contingents de cavalerie et d'infanterie. Obligé de pourvoir aux frais de la croisade, pour ne pas grever les revenus de ses sujets, il vendit sa vaisselle d'argent pour le prix de sept cent soixante dix-huit ducats d'or. Les décimes des biens ecclésiastiques que lui concédait Urbain V ne lui suffisaient pas.

Il divisa ses troupes en quatre corps : dans le premier, il enrôla ses propres sujets, « gentes domini »; dans le second quatre-vingt-neuf nobles[1], presque tous ses vassaux, avec leurs troupes : le comte de Genevois, Guillaume de Grandson, Chivrard de Menthon, Aymon de Seyssel, Amé de la Chambre, Anselme de Collegno; huit d'entre eux étaient chevaliers de l'ordre du Collier.

Dans le troisième corps, Amédée VI enrôla les troupes auxiliaires, parmi lesquelles se trouvaient les contingents de son beau-frère Visconti, que ce

---

1. La loi féodale en Savoie n'obligeait pas au service militaire, en dehors des terres du Comte; par conséquent, Amédée VI dut pourvoir aux frais de quatre-vingt-neuf chevaliers, pendant toute la croisade. DATTA, p. 51.

dernier ne consentait à payer que pendant six mois.

Ces troupes étaient en grande partie allemandes, provenant de la compagnie de Baumgartner. Parmi les auxiliaires, se trouvaient aussi les volontaires, qui, par conviction religieuse, voulaient participer à la Croisade.

Enfin le quatrième corps d'armée était constitué par des mercenaires provenant pour la plupart des grandes compagnies.

L'empereur Charles IV, en Avignon, avait promis à Urbain V de s'occuper du transport des troupes en Grèce, mais ne tint pas parole et toute la charge resta sur les épaules du Comte, qui dut commander les galères à des armateurs de Gênes, de Venise et de Marseille. La République Sérénissime cependant lui en promit deux gracieusement.

Le départ de la flotte. . Après avoir confié la régence[1] à son épouse, la comtesse de Bourbon, durant toute la durée de l'expédition, le Comte quitta la Savoie le 8 février 1366. A Pavie, il s'arrêta pour assister au baptême de la petite Valentine, future duchesse d'Orléans, et enfant premier-né du comte de Vertus et d'Isabelle de Valois. A cette occasion, eut lieu un grand tournoi, auquel prit part le Comte.

Le 11 juin, il est à Venise, reçu brillamment au palais ducal par le doge Cornaro. Mais la République, craignant d'irriter le « Soudan »[2], hésita avant de lui

---

1. Cf. Raccolta, *Archivi Camerali*, VII, 57 et 62. — Selon cet acte du 3 janvier 1366, Bonne de Bourbon devait exercer le pouvoir avec l'assistance d'un conseil de 7 membres, dont la régente pouvait augmenter le nombre suivant la nécessité. En faisaient partie, le chancelier Gérard d'Estré, le trésorier Pierre de Gerbaix, Humbert le Bâtard, sire des Molettes, Aimon II de Challant.
2. Nom que l'on donnait jadis au Sultan.

remettre les galères qui lui avaient été promises[1]. Enfin, le 16 juin, par les grandes chaleurs, le Comte quitte Venise avec sa flotte, disposée dans l'ordre suivant : en avant-garde, les six galères frétées à Gênes, commandées par Étienne de la Baume, amiral des flottilles du Léman et du Rhône. Au centre, les six galères vénitiennes, dirigées par Gaspard de Montmayeur et par Amédée VI en personne, puis les trois galères de Marseille, aux ordres du sire de Basset[2].

L'escadre du Comte Vert fit escale à Pola, puis longea les côtes de la Dalmatie, s'arrêtant à Raguse, ensuite à Corfou, pour être le 19 juin à Corona, le 27 au Cap des Colonnes. Enfin, le 2 août, Amédée VI était en vue de Nègrepont[3].

Le Comte y attendit ses navires retardataires, qui, à cause de la mauvaise mer, ou par quelques avaries, étaient restés en arrière. Puis il passa sa flotte en revue : devant «les équipages en ordre», on «leva ses bannyères, ses estandars, et ses pennons sur tous ses navires; tellement que c'estoit belle et riche chose à veoir. Ey puis se prindrent à voguer à l'encontre de la Grèce qu'il veut délivrer des Turcs »[4].

Pendant que le Comte était à Nègrepont, il apprit cette fâcheuse nouvelle par un envoyé de l'impératrice Hélène : l'Empereur n'était plus à Byzance[5]. En effet, Jean V Paléologue, qui s'était acheminé

---
1. Amédée VI dut promettre à la République que tant qu'il emploierait ses deux galères, il ne molesterait personne dans les eaux de la Syrie, sans le consentement des Vénitiens. *Commemoriali della rep. di Ven.*, t. III, p. 46, Venise, 1883.
2. Datta, *Sped. in Oriente*, p. 82.
3. Port dans l'ancienne Chalcis, maintenant l'île d'Eubée.
4. Servion, t. II, p. 132.
5. Il est curieux de noter combien peu de chroniqueurs byzantins parlèrent de l'emprisonnement de l'Empereur. Ceux qui le firent, en parlent avec très peu de détails, et d'une manière très confuse. Datta, *Crociata*, p. 97. — La prise de Gallipoli ne sera mentionnée par aucun historien arabe ou byzantin.

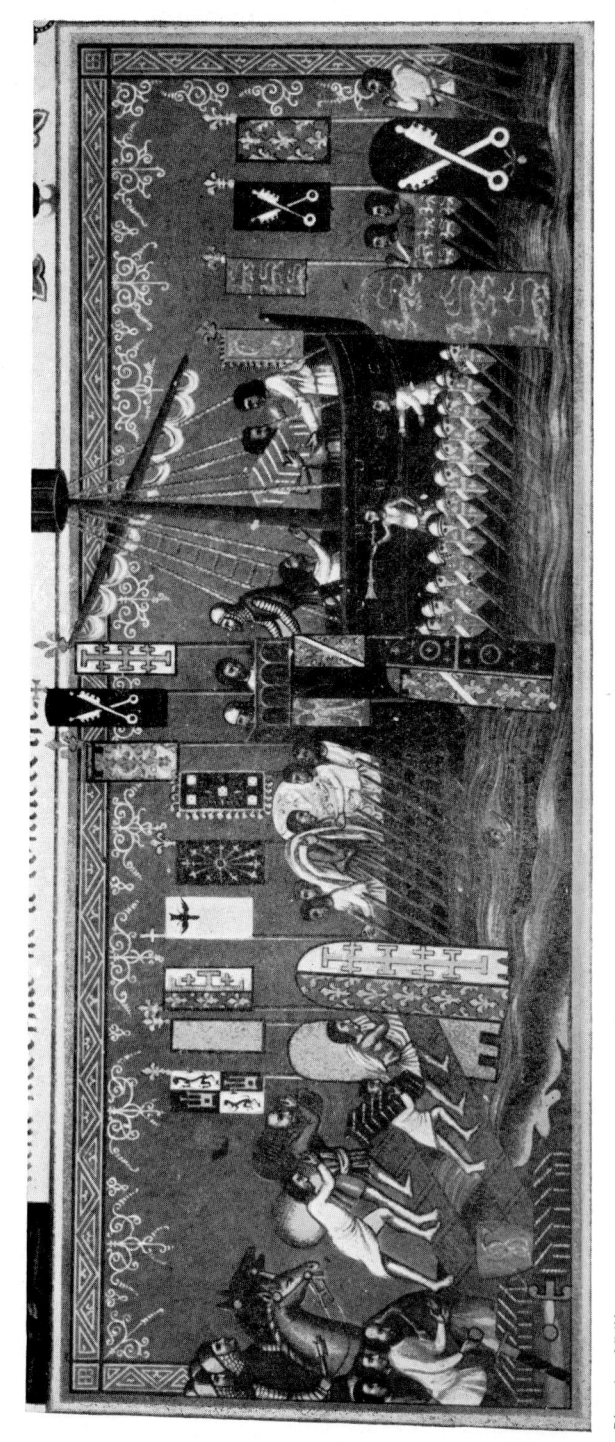

Planche XVII. Un départ pour la croisade, celui de l'ordre du Saint-Esprit. Manuscrit du XIVe siècle, au Louvre. Publié par le comte Horace de Viel-Castel, Paris 1853.

vers Budapest pour solliciter l'aide du roi de Hongrie, avait été traîtreusement saisi à Viddin, sur le Danube, par l'ordre du tsar des Bulgares, et enfermé, croit-on, dans la citadelle de Varna.

Prise de Gallipoli. Sur-le-champ, Amédée jure de délivrer son cousin, et d'assiéger Gallipoli, important port stratégique sur le détroit des Dardadanelles, qui domine l'entrée de la mer de Marmara, et où les Turcs entassaient le butin pris aux chrétiens.

Le 22 août, Amédée VI s'élança à l'assaut de la ville. Durant toute la journée, les croisés du Comte Vert se battirent héroïquement, essayant avec leurs échelles d'escalader les hautes murailles de la citadelle. Plusieurs de ses preux chevaliers moururent à la tâche, parmi lesquels Roland de Vaissy, Simon de Saint-Amour, Gérard Maréchal et Jean d'Yverdon. Dans la nuit, les Turcs, craignant une attaque plus forte des Savoyards, quittèrent la ville. Le lendemain, le Comte Vert entrait librement dans Gallipoli, établissait une garnison dans la citadelle et y faisait hisser l'étendard à la Croix Blanche. Gallipoli, clef du Bosphore, enlevé aux Turcs, Amédée VI reprit la mer en direction de Constantinople, mais, pendant qu'il traversait la mer de Marmara, une terrible tempête fracassa plusieurs de ses vaisseaux.

Le Comte arriva pourtant à Constantinople le 14 septembre. Il fut frappé par l'état de misère et de prostration dans lequel se trouvaient les habitants, par cette attente résignée qui précède souvent les catastrophes ou les grands changements historiques. Il logea ses troupes dans le faubourg de Péra, et, dans l'église des Franciscains il fit enterrer les vaillants chevaliers morts à Gallipoli, et avec eux François de Lucinge, Philippe de Lomberg, l'écuyer Dorame et le cuisinier Jean de Belleville[1]. La commune de Péra, qui comprenait surtout des Génois, mit deux galères à la disposition d'Amédée VI.

A Constantinople, l'Impératrice offrit aussi deux galères au Comte et lui avança douze mille perperi[2].

La campagne en Bulgarie. Sans s'attarder, Amédée VI partit délivrer son cousin, dirigeant maintenant contre les Bulgares les forces destinées à arrêter l'invasion turque. Il remonte avec sa flotte remise à neuf[3] la côte occidentale de la mer Noire, prenant d'assaut l'importante ville de Mesembrie, prise aux Byzantins par les Bulgares, et arrive jusqu'aux portes de Varna, alors capitale de la Bulgarie. Effrayé, le tsar des Bulgares, Yvan Aleksander, fit des propositions de paix. Le Comte en profita pour imposer ses conditions et négocier la libération de Jean V Paléologue. Des plénipotentiaires furent envoyés à Tirnovo, à l'extrémité de la Bulgarie, où se trouvaient le Tsar et son prisonnier. Même le prince Dobroditch, chef d'un État indépendant sur les bouches du Danube, appelé Dobrudjia, s'employa à la cause[4].

La réponse se faisant attendre, Amédée VI installa son quartier d'hiver dans cette région bien pauvre, très froide, au milieu d'une population hos-

---

1. DATTA, p. 140.
2. Perperus, hyperperus, monnaie impériale fameuse dans toute l'Europe, DATTA, p. 118.
3. Amédée VI avait fait mettre sur son navire un drapeau sur lequel le peintre Amoro Magistrum de Veneciis avait représenté l'effigie de la Sainte Vierge (DATTA, p. 120), marquant ainsi son culte pour la Mère de Dieu !
4. COGNASSO, p. 170.

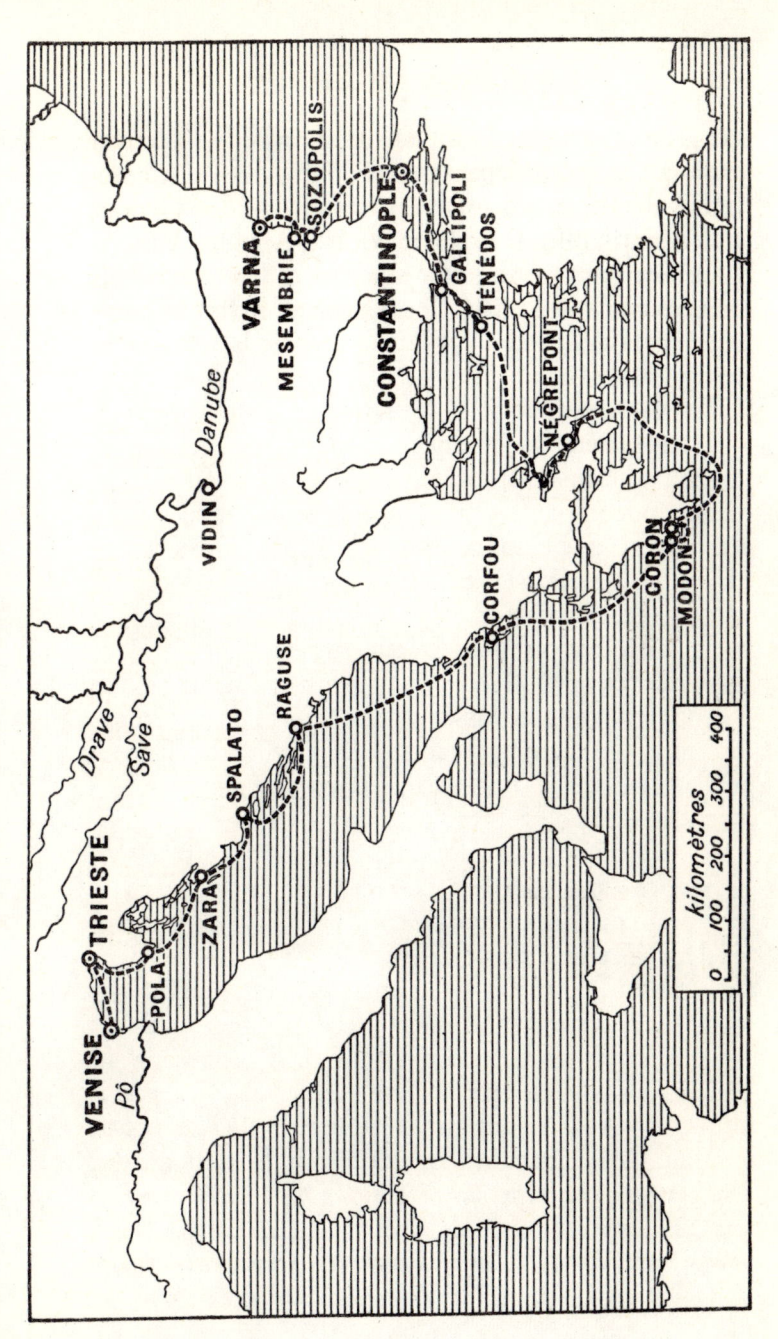

CARTE III. — *La croisade du Comte Vert.*

tile. Heureusement le Comte avait acheté des fourrures à Constantinople, et s'était muni d'un important ravitaillement, mais la saison était mauvaise et le temps long ! Amédée VI et ses hommes passaient les journées à jouer aux dés et fêtèrent tristement Noël. Finalement, le 23 janvier, arriva la nouvelle de la délivrance du Basileus et de la restitution des prisonniers.

Le Tsar renonçait à Mesembrie et à Sozopole, qui resteraient à Byzance. L'Empereur délivré et revenu à Constantinople, Amédée VI avait fini sa tâche; pourtant, il voulut encore combattre contre les Turcs, et s'empara dans le Bosphore des forteresses d'Enneacosia et de Caloveïro ! Malheureusement, le manque d'argent vint mettre fin à tant d'exploits. La campagne était ruineuse, et Amédée en était réduit à faire des emprunts. D'autre part, l'Empereur ne put verser que la moitié de la somme promise, les engagements des chefs de galères étaient arrivés à échéance, et les soldats manifestaient le désir de rentrer chez eux. A toutes ces difficultés s'ajoutait le manque de confiance et de reconnaissance de la part des Grecs, qui voyaient en la personne du Comte un Latin, c'est-à-dire un ennemi de leur race et de leur religion.

Pourtant Amédée VI, contrairement à bien des princes, n'avait rien d'arbitraire dans son caractère. Tandis qu'il était encore l'hôte de l'Empereur au Palais des Blachernes à Constantinople, les chroniques nous racontent qu'un jeune chevalier savoyard manqua à l'hospitalité en séduisant la fille de qui l'hébergeait et « *que le père et la mère les trouvarent couchiez ensamble, dont ilz furent tres mal contanz et sen alèrent plaindre au Conte, lequel fist incontenant prendre le chevallier et lenvoya à lempereur affin que raison fut faicte de lui selon le cas* ». L'Empereur, flatté de l'honneur que lui faisait le Comte, ne voulut pas infliger la punition et demanda à Amédée VI de rendre la justice, lequel voulut s'en remettre aux usages du pays. On lui répondit : « *Nous avons accoustume de taillier la barbe publiquement à ceulx qui font telx delis. — Taillier la barbe dist le Conte ; par la Mort Dieu, il nen aura iamains.* » Le Comte fut tout de même rassuré parce qu'il aimait son chevalier et craignait qu'on lui coupât la tête. Sur la place de Sainte-Sophie, on lui coupa donc la barbe, « *de laquelle justice lempereur et tous ses subgetz furent sy tres content, qui reputerent le conte lung des plus vaillians justiciers du monde* »[1].

Le retour. Au mois de juin 1367, Amédée VI se décida à reprendre le chemin de ses États, non sans avoir reçu de l'Empereur la promesse qu'il irait à Rome abjurer le schisme devant le Souverain Pontife.

Le 29 juillet, le Comte était à Venise, accueilli par la population aux cris de « Vive le libérateur de Gallipoli ! ».

Il envoya tout de suite un messager à Chambéry, pour apporter à la comtesse Bonne un oiseau appelé papaquey[2].

Très peiné par la mort de son médecin Guidone Albini, qui l'avait accompagné durant toute la Croisade, le Comte lui fit de très belles funérailles à Venise, dans l'église des frères mineurs, avec trente-deux torches et soixante bougies[3].

Le 7 octobre, Amédée VI était à Viterbe, d'où

---

1. *Chron. de Savoie*, p. 315.
2. DATTA, p. 159, de l'ancien français « papegai », ancien provençal « papagai », perroquet.
3. DATTA, p. 157.

Urbain V préparait son entrée solennelle à Rome. Le Comte, avec Pandolfo Malatesta, le marquis de Ferrare et plus de deux mille cavaliers, escorta le Pape dans la Ville éternelle, où depuis soixante ans aucun pontife n'avait séjourné.

Amédée VI demeura quelques jours auprès d'Urbain V, lui exposant comment il avait convaincu Jean V d'abjurer le schisme s'il voulait obtenir des secours contre les Infidèles.

Ensuite, le Comte présenta au Souverain Pontife les ambassadeurs grecs qui lui confirmèrent que l'Empereur viendrait en mai 1368 se soumettre à l'Église romaine.

Le 25 octobre, en dépit du souhait d'Urbain V, le Comte Vert quitta la Ville éternelle pour regagner enfin ses États.

Abjuration de Jean V Paléologue. — Deux ans plus tard (1369), dans l'église du Saint-Esprit, Jean V s'agenouillait devant le Pape et abjurait solennellement le schisme; en retour, il fut reçu avec les honneurs impériaux à Saint-Pierre, où le Souverain Pontife officia en personne.

De cet événement, le Comte Vert reçut justement les louanges, et sa renommée s'accrut dans toute la chrétienté. Malheureusement, le rapprochement entre les deux Églises ne dura pas : à son retour de Rome, Jean V Paléologue se heurta à une violente réaction des Grecs, irrités de sa soumission. Ils ne pouvaient admettre que leur Basileus (le roi des rois), chef suprême du clergé et de la foi, abandonnât ses privilèges à un étranger. L'émeute gronda jusque sous les voûtes de Sainte-Sophie. Trop de raisons de prestige et de caractère séparaient les Grecs des

Latins[1] et ils allaient jusqu'à dire qu'ils préféraient le turban turc à la tiare pontificale.

Il est regrettable que la Croisade d'Amédée VI, si brillamment conduite, n'ait pas contribué davantage à l'union des esprits. Le désintéressement du prince aurait dû rassurer les Grecs, et servir d'exemple à la chrétienté.

Les deux croisades[2] qui suivirent celle du Comte Vert échouèrent lamentablement, et les papes ne répondirent plus dorénavant que par de vagues promesses aux appels des empereurs d'Orient.

La Croisade d'Amédée VI fut chantée par Alphonse Delbène, abbé d'Hautecombe, contemporain et ami de Ronsard, dans un poème intitulé l'*Amédéide*[3] :

> *Je chante les travaux, les faicts et la valeur*
> *Du généreux Amé qui des monts de Savoye*
> *En Orient alla secourir l'Empereur,*

> *Lorsque le Turc félon issu du sang de Troie*
> *Vint ravager l'Europe et s'en faire seigneur,*
> *Bouleversant la Grèce et la mettant en proie.*

> . . . .

> *Le généreux Amé qui voit devant ses yeux*
> *Le péril éminent, lors fut saisy de crainte,*
> *Et oultré de douleur levant ses maix aux cieux,*

---

1. Tandis que l'Empereur byzantin tranchait des questions dogmatiques, le Pape, jugeant intolérable l'ingérence de l'État dans les affaires spirituelles, se déclarait seul juge des consciences et seul défenseur des intérêts divins. Le conflit avait commencé au Ve siècle, où la politique des empereurs Zénon et Anastase, jointe au nationalisme du clergé byzantin, provoqua une première séparation. Tempérament et culture opposaient d'ailleurs les deux races. Théologiens subtils et diserts, les Grecs se heurtaient à l'ignorance et à la rudesse des prélats romains, ce qui faisait dire à saint Grégoire le Grand : « Nous n'avons point votre finesse, mais nous n'avons point non plus votre fausseté. » Cf. DIEHL, *Byzance*, p. 242.

2. De Nicopolis, en 1396, et de Varna, en 1444.

3. L'*Amédéide*, dont nous citons quelques strophes, fut écrite entre 1580 et 1588.

Disoit : « *Royne du ciel, oy ma juste complainte*
Tornant sur nous chétis tes beaux yeux gracieux
Sy jamais as esté de vray piété attainte.

Je veux en ton honneur un bel ordre sacrer
De nobles chevaliers, valeureux et preud'hommes,
Et nos armes et vis à ton nom consacrer,

Sy tu fais que ma flotte, advocate des hommes,
A ton ayde et secours puisse à bon port ancrer,
Nous tirant du danger et péril où nous sommes. »

. . . .

...... Amé vers la ville marchoit,
Superbement armé sous sa coste dorée,
Et comme esclair brillant d'un tonitre luysoit ;

Son destrier pied léger d'une lame acérée,
Avoit le front couvert, à grandes ondes flotoit
Ung grand panache verd sur sa teste esgarée.

En ce point équipé, ce prince généreux
Marchoit en conduisant sa troupe bien aymée
De ses preux chevaliers aux fronts audacieux,

Il montroit entre tous sa taille bien formée :
Son port et son maintien, non l'habit précieux,
Le fait cognoistre chef d'une puissante armée.

De la croisade d'Amédée VI en Orient il faut surtout retenir la beauté du geste et l'idée qu'il eut de servir l'unité de l'Église, idée reprise par son petit-fils Amédée VIII, quand il acceptera les décisions du concile de Bâle.

Planche XVIII Phot. Grassi
Fresque dans une salle du Palais de l'Evêque à Colle Val d'Elsa ;
art siennois de la seconde moitié du XIVe siècle.
Sous le chevalier de gauche on lit en bas : comte de Savoie.

CHAPITRE X

REPRISE DES RIVALITÉS PIÉMONTAISES
(1367-1379)

De Chambéry à Milan. Les manœuvres et les intrigues des Visconti en Piémont troublaient leurs rapports avec les Savoie. Ainsi, pendant que le Comte Vert se disposait à partir pour sa glorieuse croisade, Galéas Visconti, désireux de reprendre Cuneo et d'autres villes appartenant aux Anjou, s'allia avec Jacques d'Achaïe, le 16 février 1366, afin de protéger son entreprise. Amédée VI, mécontent mais résigné, du reste trop absorbé par ses préparatifs de voyage, remit lui-même à son beau-frère, le 28 mai 1366, Cherasco, Cuneo et Mondovi. Il fallait toute la sagesse et l'habileté du Comte pour maintenir entre les deux familles des rapports cordiaux. En 1367, tandis qu'après sa campagne d'Orient, Amédée VI séjournait en Italie, on vit Bonne de Bourbon et son petit-fils accueillir somptueusement le seigneur Bernabo au château de Chambéry.

Bernabo, escorté par une suite de quatre cents cavaliers, traversait le Mont-Cenis, accueilli à Saint-Jean-de-Maurienne par Humbert le Bâtard et des officiers savoyards qui le guidèrent à travers les difficiles routes de montagne. Après avoir passé la nuit dans le château d'Aiguebelle, il arrivait à Chambéry dans la matinée du 27 juillet 1367. Le seigneur de Milan fut logé dans la meilleure chambre du château, tandis que sa suite prenait place dans tous les hôtels de Chambéry. Le soir, un opulent festin lui fut offert, pour lequel on aménagea dans la cour du château une cuisine en bois où étaient accumulées des provisions énormes : deux cents moutons, quatre vaches, et des centaines de poules et de pigeons. D'après les comptes de la trésorerie, cette seule journée coûta à la comtesse cinq cent trente-sept florins.

Après deux jours de fêtes et de réception, Bernabo quitta Chambéry pour Lausanne, où il devait rencontrer son futur gendre, Étienne III de Bavière, fiancé à sa fille Taddea, ainsi que sa future belle-fille Élisabeth, sœur d'Étienne III, destinée à son fils Marc Visconti[1].

A cette occasion, Bernabo déposa au pied de la Madone de Notre-Dame de riches ex-voto, entre autres son effigie ornée de pierres précieuses. Cette même année, il y eut un grand échange de lettres et de cadeaux entre Blanche de Savoie et Bonne de Bourbon. Les deux comtesses s'envoyaient mutuellement, l'une de belles anguilles de Ferrare, des raisins blancs et des vins d'Italie, l'autre des fromages et des tissus de Savoie[2].

Mariage de Violante Visconti. A son retour de croisade, Amédée VI était arrêté à Pavie pour négocier le mariage de sa nièce, Violante Visconti[3], avec le duc Lionel de Clarence, fils cadet du roi Édouard III d'Angleterre.

---

1. Ces deux mariages furent célébrés simultanément à Milan le 12 août 1367. Étienne III et Taddea Visconti eurent une fille, la fameuse Isabeau de Bavière, qui épousa en 1380 le roi de France Charles VI.
2. CIBRARIO, *Spech. Cron.*, p. 134.
3. Fille de Galéas Visconti et de Blanche de Savoie. Ne pas confondre avec Valentine Visconti, fille de Jean-Galéas, plus tard duchesse d'Orléans.

Le Comte Vert se rendit ensuite à Paris, où il logea dans l'hôtel du roi de Bohême.

Il assista au grand banquet donné en l'honneur du duc de Clarence à l'hôtel d'Artois, le 18 avril 1368, par les ducs de Berry et de Bourgogne; là se trouvaient réunis un grand nombre de princes français et anglais; la paix régnait momentanément entre les deux pays.

Amédée VI profita de son voyage à Paris pour régler avec le roi de France le paiement de certaines indemnités arriérées prévues au traité de 1355.

C'est également à la cour de France qu'Amédée VI rencontra le poète Guillaume de Machaut, qui lui remit une de ses œuvres, peut-être *Le livre du Voir Dit*[1].

A Chambéry, le Comte ménagea au duc de Clarence une réception grandiose, dont Froissart recueillit les échos : « *Li gentils contes de Savoye le rechut très honorablement en Chamberi, et fu là onze jours en très grans reviaus de danses, de caroles et de tous esbatemens*[2]. »

Les Anglais s'émerveillèrent de la beauté des dames et demoiselles :

> ..... *VI*^{xx} *jones et belles*
> *Toutes dames et damoiselles,*
> *Filles de chevaliers ou fames,*
> *Dou pays les plus frices dames,*

---

1. Le comte de Savoie fait donner à Messire Guillaume de Machaut 300 francs d'or pour un roman qu'il lui offrit (cf. J. Cordey, *Les comtes de Savoie et les rois de France*, p. 185). Il est intéressant de constater qu'Amédée VI fut en relation avec l'un des poètes-musiciens les plus influents de son époque. Nous savons que Froissart, Christine de Pisan, Othon de Grandson, Eustache Deschamps, Martin le Franc, Alain Chartier, Chaucer, se sont inspirés des poèmes de Machaut. En Italie, Ugolino d'Orvieto fait son éloge en tant que musicien et chef d'école (*Œuvres de Guillaume de Machaut*, par Ernest Hoepffner, t. I, p. viii, Paris, 1908).
2. *Œuvres*, t. VII, p. 247.

Moult ricement et bel arrées,
Très-noblement et bien parées
En draps de canjans et de soie :
Plus rices deviser n'osoie ;

. . . .

Cure n'avoient de seoir,
Mès de danser à l'estrivée ;
Toute joie y ert arrivée,
Et quand les menestrels cessoient,
Les dames pas ne se lassoient,
Ains caroloient, main à main,
Tout le soir jusqu'à l'endemain ;
Et quant chanté li une avoit
Un virelay, on ne savoit
Encores s'il avoit fin pris,
Quant uns aultres estoit repris
Ou de dame ou de demoiselle[1].

Puis Amédée escorta Lionel, accompagné d'une nombreuse suite de chevaliers anglais, jusqu'à Milan, où d'autres festivités les attendaient, auxquelles prirent part trois des plus illustres esprits de ce temps : Pétrarque le Prince des Poètes, Froissart le Chroniqueur et le poète anglais Chaucer.

Hélas, toutes ces réjouissances préludaient à une union bien courte. Après cinq mois de mariage, le duc de Clarence faisait son testament, où figurent de nombreux legs à ses amis anglais venus avec lui en Italie. Il mourait à Alba le 17 octobre 1368. Autour de Lionel s'étaient réunis plus de deux mille cavaliers anglais, en plus de son chevalier-banneret, le sire Despencer, Édouard de Contenain, Robert

---

1. CORDEY, *op. cit.*, p. 187.

Aston, Thomas de Grandson. Croyant le duc empoisonné par son beau-père, ses chevaliers voulurent venger sa mort.

Toutefois, Galéas réussit à se justifier et envoya le corps embaumé en Angleterre, accompagné par un évêque anglais.

Afin de soustraire à la domination des Savoie les villes[1] récemment prises aux Anjou : Bra, Alba, Cherasco, Mondovi, Centallo, Demonte et Cuneo, Galéas s'empressa de les donner en dot à sa fille Violante en y ajoutant cent mille florins. Mais les chevaliers de Lionel, prétendant conserver cette région pour le roi d'Angleterre, s'y installèrent, la parcoururent et la dévastèrent. Puis, comme le marquis de Montferrat les encourageait à rester, ils lui vendirent ces villes et se mirent à son service, ce qui ranima la guerre entre les Visconti et les Montferrat (octobre 1369).

Neutralité d'Amédée VI. Ainsi, la paix signée entre les Visconti et le marquis de Montferrat dura peu de temps, puisque, déjà en octobre 1369, les hostilités recommençaient. La vraie raison de ce conflit était la reprise, par le marquis Jean II Paléologue, de la ville d'Asti[2] convoitée depuis toujours par les Visconti,

---

1. La plupart de ces villes avaient été consignées à Galéas Visconti par le Comte lui-même, le 28 mai 1366.
2. Favorisé par sa situation géographique qui lui fit jouer un rôle international très important entre le XIIe et le XIVe siècle, Asti avait été célèbre, dès le XIe siècle, par son activité commerciale et bancaire, et par son industrie du drap. Ses banquiers exerçaient alors dans toute l'Europe l'art du change avec une renommée plus grande encore que ceux de Florence. Mais la perte de sa liberté entraîna son déclin. En 1330, après la mort de Robert d'Anjou, Asti se donna à Jean, marquis de Montferrat, puis aux Visconti qui la cédèrent ensuite à la couronne de France avec la dot de Valentine Visconti.

première étape vers un débouché sur la mer. Au vrai, le Montferrat lui-même était un obstacle à cette expansion, et les seigneurs de Milan, s'ils l'avaient pu, en auraient volontiers fait la conquête. Mais pour le comte de Savoie, l'indépendance du Montferrat était nécessaire; c'était le tampon protecteur entre ses États et la puissance des Visconti, un pion indispensable au jeu d'équilibre entre Saluces et Achaïe.

Amédée VI resta neutre dans ce conflit; il refusa de marcher avec Galéas pourtant son allié, ou d'aider le marquis de Montferrat; et, profitant de ce que Paléologue était occupé à défendre ses terres, le Comte fit attaquer, mais en vain, la ville de Saluces par des aventuriers, pour la somme de seize mille florins.

Envers un vassal insoumis l'attitude d'Amédée VI se justifiait. Thomas II de Saluces, ne recevant plus de secours du Dauphin, se tourna vers Bernabo Visconti, qui lui envoya d'importants renforts. Entre temps, le capitaine de Galéas Visconti, François d'Este, avait repris toutes les villes achetées par le marquis de Montferrat aux cavaliers anglais, y ajoutant même Casale et Valence (1370).

La situation générale de l'Italie vint compliquer encore celle du Piémont. En 1370, Urbain V mourait en Avignon, après avoir quitté Rome à cause de son insécurité[1]. Son successeur, Grégoire XI, comprit lui aussi la nécessité de rétablir définitivement la papauté sur les bords du Tibre[2], mais pour cela il fallait une Italie pacifiée. L'œuvre du cardinal Albor-

---

1. Si la féodalité romaine avait été matée par l'énergie du cardinal Albornoz, les États de l'Église étaient dévastés par des brigands et malfaiteurs. Cf. HAYWARD, *Histoire*, p. 305.
2. Cf. L. MIROT, cité par R. FAWTIER, *La double expérience*, p. 153.

noz paraissait s'effriter. Bologne[1], où s'affrontaient les ambitions des Visconti et de la Papauté, échappait à la domination de l'Église pour retrouver son indépendance. La République de Florence, pourtant irritée de la lourde domination des légats du Pape, commençait à manifester son impatience, donnant comme prétexte de son mécontentement la trop longue permanence du Pape en Avignon.

Mais, en Italie, les plus grandes perturbations venant de Milan, il fallait avant tout détruire la puissance des Visconti, en unissant contre eux tous les princes italiens de la péninsule. Il fallait briser l'expansion des seigneurs de Milan qui menaçaient presque toute l'Italie avec leurs bandes et leurs capitaines d'aventures. Amédée VI se verra peu à peu obligé de sortir de sa réserve pour prendre finalement position contre les Visconti, d'autant plus que l'appui que Galéas donnait aux Saluces et aux Achaïe dans leur révolte contre lui devenait un danger.

Alliance Savoie-Montferrat. Sur ces entrefaites, Jean II de Montferrat meurt en 1372, laissant un fils mineur, Second-Othon[2] et désignant dans son testament Othon de Brunswick[3] et Amédée VI comme tuteurs.

Le Pape, qui soutenait le Montferrat dans sa lutte

---

1. En 1350, l'archevêque Jean Visconti achète Bologne aux Pepoli. A la mort de l'archevêque, en 1354, la ville tombe sous la tyrannie de son représentant, Giovanni Oleggio. En 1360, elle est prise par le légat du pape, Egidio Albotnoz, et en 1374 elle s'érige en république indépendante.
2. Ainsi prénommé, du nom de saint Secondo, patron d'Asti.
3. Prince cadet de la maison de Brunswick, n'ayant point d'héritage, il devint « condottiere » en Italie (1363). Pendant 9 ans, il resta au service du marquis de Montferrat; à la mort de celui-ci, il reçut la tutelle de ses fils. En 1376, il épouse Jeanne d'Anjou, reine de Naples. Othon de Brunswick était apparenté avec les Montferrat par les Paléologue. L'empereur Andronic III de Byzance avait épousé, en première noce, Irène de Brunswick.

contre les Visconti, intervint immédiatement, obtenant par sa médiation l'accord Savoie-Montferrat, signé à Rivoli le 17 juin 1372.

Amédée VI s'engageait à reprendre Casale et les autres terres occupées par les Visconti, avec l'obligation de les partager avec le marquis de Montferrat.

Siège d'Asti. Les relations entre les Savoie et les Visconti s'enveniment. L'abondante correspondance d'Amédée VI et des seigneurs de Milan nous éclaire à ce sujet; aux propos pacifiques du Comte Vert, ils répondent en termes violents. Quand Amédée VI intervient dans la question d'Asti que Galéas se préparait à assiéger, ce dernier lui écrit de s'occuper des affaires de Chambéry, tout en évoquant avec tristesse les longues années de leur fraternelle entente, et son regret que la haine ait remplacé la douceur de leur ancienne amitié.

Au milieu de juin 1372, les Visconti assiègent Asti avec une armée commandée par les capitaines François d'Este, Jacques del Verme, Ambrogio Visconti (fils naturel de Bernabo), Ugolin de Saluces et Jean Hackwood. Othon de Brunswick se trouvait dans Asti avec deux mille hommes seulement. Le comte de Savoie vint à son secours avec de nombreux Savoyards, et le prince de Galilée[1], proche parent du marquis de Montferrat. Les Milanais, effrayés devant tant de forces armées, demandèrent des renforts. Galéas envoya son fils, le comte de Vertus encore à ses premières armes. Sa mère, Blanche de Savoie, avait chargé les capitaines Cavallino de Cavalli et Étienne Porri de le protéger. A peine

---

1. Fils d'Hugues IV de Chypre et de Marie de Bourbon.

Planche XIX

Le capitaine Jean Hackwood.
Fresque de Paolo Uccelo.
Cathédrale de Florence.

Phot. Alinari.

arrivé, Jean-Galéas envoya un héraut au comte de Savoie « luy signifiant la bataille, dont le Comte Amé fut si joyeux qu'il donna au héraut d'armes une coupe d'or, pleine de vin, pour la bonne nouvelle »[1].

Après quelques sérieuses rencontres où périrent de part et d'autre tant d'hommes et de vaillants chevaliers, le comte de Vertus, voyant qu'il était inutile de continuer plus longtemps le siège, « d'une nuyt celeement, sans sonner trompette, [les Milanais] se partirent de leur logis et tirèrent vers Alexandrie de la paille »[2]. Le Comte, découvrant que « Vertus et Compagnie » avaient déguerpi, les fit poursuivre à cheval. S'ils furent saufs, leurs bagages et toutes les provisions tombèrent aux mains des Savoyards.

La ligue contre les Visconti. Entre temps, le pape Grégoire XI intensifiait la lutte contre les Visconti : il cherchait à les discréditer en Europe, les faisant passer pour des hérétiques. Prêchant contre eux une véritable croisade, il encourageait par des indulgences ceux qui combattaient les tyrans sous le drapeau papal. Contrariant même leurs projets de mariage, il s'opposa à celui de la fille de Bernabo, Antonia, avec Frédéric III d'Aragon, roi de Sicile, comme plus tard il s'opposera au mariage de Marie, fille de Frédéric III et son héritière, avec un fils de Bernabo. Avec la menace de l'excommunication, le Pape s'oppose au mariage de Violante, veuve de Lionel, avec Albert d'Autriche.

Les Visconti s'efforçaient cependant de maintenir

---

[1]. *Chronique* de PARADIN, livre II, p. 243.
[2]. *Chroniques de Savoie,* p. 332.

à la cour d'Avignon leurs ambassadeurs qui, chaque fois, étaient renvoyés, ce qui leur faisait dire : « Traitez-nous au moins comme les ambassadeurs du sultan d'Égypte... »

Enfin, le Pape, avec l'adhésion du marquis de Montferrat, de l'évêque de Verceil, de Niccolo d'Este, de Jean d'Hackwood, passé au service de Grégoire XI, des Carrare, de la reine de Naples, du roi de Hongrie, des républiques de Gênes et de Florence qui devaient procurer l'argent, parvenait à constituer une nouvelle ligue contre les Visconti. Pour lui donner un chef militaire et un appui important, il demanda au comte de Savoie de se mettre à la tête de la coalition. Le prestige militaire que le Comte s'était acquis ces dernières années influença certainement le Pape dans ce choix.

Le 17 juin, les ambassadeurs du Comte Vert signaient en Avignon son adhésion à la ligue, moyennant une forte somme pour ses frais de guerre.

Si Amédée VI assumait la direction militaire de la guerre contre les Visconti, les décisions suprêmes étaient réservées au Pape. Le Comte s'engageait à faire la guerre indistinctement à Galéas et à Bernabo, et devait se trouver, avec deux mille lances, le 15 octobre 1372, au cœur de la Lombardie, entre l'Adda et le Tessin. Le Pape lui avait promis les terres angevines du Piémont que l'on parviendrait à reprendre aux Visconti.

Sur ces entrefaites, l'empereur Charles IV, espérant que le retour du Pape à Rome rétablirait la paix en Italie, adhéra à la ligue, et, enlevant le Vicariat impérial donné par lui aux Visconti pour la Lombardie, le remit à Amédée VI.

Cependant Bernabo, passant à l'offensive, remportait une première victoire près de Modène. Amédée qui, depuis 1371, avait réuni de gros contingents en Piémont pour sa guerre contre Saluces, et avait nommé son neveu, Enguerrand de Coucy[1], lieutenant général en Piémont, commença par s'emparer de Cuneo alors qu'il avait promis de se trouver en Lombardie dès le mois d'octobre. Mais, voulant obtenir des Anjou une aide plus importante, le Pape, malgré sa promesse, obligea Amédée VI à céder la ville au sénéchal Spinelli, représentant de la reine Jeanne.

Amédée VI temporise. Après de longs pourparlers entre belligérants — et le comte de Savoie dut chercher à temporiser le plus possible — la guerre fut renvoyée au printemps suivant. Ce délai permettait au Comte d'organiser ses troupes, qu'il plaça sous le commandement de Gaspard de Montmayeur et d'Étienne de la Baume. Après le départ de la compagnie de Baumgartner passé aux Visconti, son armée était constituée presque uniquement de Savoyards en qui le Comte avait toute confiance.

Au printemps de 1373, Amédée VI traversa le Tessin et s'établit avec ses gens à Vimercato, au nord de Milan. Othon de Brunswick et Lucchino Novello, devenu célèbre capitaine, se trouvaient à ses côtés. Le Comte, qui ne voulait pas entreprendre une vraie guerre avec les Visconti, se borna à quelques combats autour de Milan. Les chroniques

---

1. Enguerrant VII, le dernier et le plus illustre des Coucy, était gendre du roi d'Angleterre Édouard III. Au moment de la ligue, il participa à la guerre contre les Visconti, infligeant une grosse défaite à Bernabo, en 1373, et fut engagé plusieurs fois par le Comte Vert dont il était parent, pour commander ses armées. Cette puissante maison féodale était plus connue pour son orgueil que pour sa sagesse : sa devise était « Roi ne suis, ne prince aussi, je suis le sire de Coucy. »

racontent la manière malicieuse dont Amédée enleva des chevaux à Galéas dans son parc de Pavie.

Au mois d'avril, Amédée VI se transporta avec son armée de Vimercato à Brivio, qu'il entoura de fossés et de palissades; sur l'Adda, il fit construire un pont pour rejoindre Bergame où se trouvaient les troupes de Coucy, d'Hackwood et du Pape; Bernabo était à Brescia avec les compagnies de Baumgartner et le comte de Vertus. Le 7 mai, les deux armées se livraient une rude bataille à Montechiari. Celle des Visconti fut mise en fuite et Jean-Galéas, plus doué pour la diplomatie que pour la guerre, y perdit sa lance et son casque. Toutefois, malgré le désir du Pape, l'armée pontificale ne poussa pas plus avant ses succès. Erreur qu'exploita Bernabo qui, pour bloquer le Comte à Brivio, brûla le pont que celui-ci avait fait construire sur l'Adda.

Heureusement, le Comte Vert parvint à sortir de la Lombardie, relevant par son courage le moral des troupes en leur disant qu'il était préférable de mourir en combattant, plutôt que de périr par la faim ! Au mois de juin, il rejoignait Bologne. En août, il est encore confiné avec son armée dans les Apennins. Impatient, Galéas lui envoie une lettre de défi : « Décidez-vous de combattre, maintenant que nous vous envoyons des gens commandés par le comte de Vertus ? Pourquoi restez-vous sur les hauts des monts à vous fortifier avec de beaux fossés; quand vous avez laissé le camp, vous êtes parti laissant vos vivres; vous n'êtes donc pas parti parce que vous en manquiez. Au lieu d'aller tout droit, vous avez fait un grand détour et un si long chemin que les chèvres et les bêtes seraient bien embarrassées à faire, et bien fatiguées. Nous ne pensons pas, en vérité, qu'elle [cette décision] vienne de votre tête qui est bonne, et d'un cœur si grand que le vôtre[1]. »

Rejetant le défi de Galéas, Amédée VI continua à se cantonner dans son apparente inertie. Imitant la tactique de Du Guesclin, il préférait user les armées des Visconti, du reste supérieures en force. Peut-être aussi combattait-il à contre-cœur pour satisfaire les désirs du Pape.

Tombé malade, en raison des fatigues de l'expédition, le Comte fut transporté en civière jusqu'à Modène. Mais, le 21 octobre, il était de nouveau à cheval et se dirigeait sur Ferrare.

En Janvier, il gagne la Toscane avec deux cents lances, au grand soulagement des gens de Lucques, menacés par Bernabo.

Le 18, il entre en triomphateur à Pise, d'où il s'embarque pour Savone, et le 24 février il est à Rivoli, pour reprendre le gouvernement de ses États, après un an d'absence.

Mais à peine avait-il déposé les armes, que le duc d'Anjou l'appelait au secours de Montauban en Languedoc, menacé par les Anglais. Et Amédée, infatigable, accepte, malgré les protestations de ses conseillers.

« *Vos gentilz hommes* », lui disaient-ils, « *ont souffert assez et tant de mésaires que à peine l'ont peu endurer, sy ne les laissiez ung peu reposier. Quel homme este vous, qui n'avés pitié de vous ne de vos gens ?* »

A la nouvelle de son arrivée, les Anglais se retirèrent, et le Comte repartit, en refusant les sommes que lui offrait le duc d'Anjou.

« *Prist congié le Conte de Savoye, du duc, lequel luy volut donner grant somme d'or et d'argent, mais il n'en*

---

[1]. Archives Départementales de la Savoie, série C–628.

volut nulle recevoir, ains luy dist qu'il n'estoit pas venus vers luy pour estre souldoyer, mais pour servir franchement le roy et luy[1]. »

L'alliance Savoie-Visconti rétablie. Amédée VI jugeait le moment venu de faire la paix avec les Visconti, alors que la situation politique lui était encore favorable et avant que ses alliés ne s'emparent de territoires qu'il se réservait. En effet, le 17 octobre 1373, le sénéchal Spinelli et Othon de Brunswick avaient repris Verceil aux Visconti; le drapeau papal et celui des Anjou flottaient sur les tours du château. Il fallait négocier au plus vite avec les seigneurs de Milan. C'est ainsi que, le 6 juin 1375, Amédée VI se trouvait à Casale pour traiter avec le comte de Vertus, envoyé par son père alors atteint d'hydropisie. La rencontre, on le pense, fut orageuse entre l'oncle et le neveu, mais grâce à l'intervention pacifique de Blanche de Savoie, la vieille alliance fut rétablie.

Dès le printemps de 1374, Grégoire XI jugea les Visconti plus forts que jamais. Les succès partiels obtenus dans cette guerre pouvaient être réduits à néant par la dissolution de la ligue, déjà ébranlée par le désistement de la République de Florence. Celle-ci, inquiète des succès militaires de l'Église, craignait maintenant plus sa puissance que celle des Visconti, et s'accordait secrètement avec Bernabo. Le Pape, obligé de concentrer ses forces vers la Toscane, se trouva dans la nécessité de traiter avec les seigneurs de Milan.

Amédée VI qui, dans cette guerre, avait pensé plus à la stratégie politique que militaire, et n'avait aucune

---

1. Les citations sont tirées de Servion, col. 346-347; 2ᵉ éd., t. II, pp. 207-208.

prétention territoriale sur la Lombardie, devenait le médiateur le plus indiqué pour rétablir la paix entre le Pape, les Visconti, les Anjou et le Montferrat.

Grégoire XI qui, dorénavant, ne se préoccupera plus que de son retour à Rome, et qui avait cessé de dire : « ou bien je détruirai les Visconti, jusqu'au dernier, ou bien ils détruiront l'Église de Dieu », envoya son représentant, Guillaume de Noïllet, à Bologne, où fut acceptée (juin 1375) une trêve d'un an. Et le 19 juillet 1376, la paix fut signée près de Bologne, à Samoggia.

Cette paix n'apporta pas un grand changement dans la situation générale de l'Italie : les Visconti gardaient toutes leurs possessions, et se préparaient secrètement à une nouvelle alliance avec la République de Florence, alliance dirigée contre la papauté qui s'affirmait de plus en plus comme une principauté italienne. Grégoire XI était revenu à Rome, mais obligé de renoncer à ses visées sur la Lombardie et la Toscane, il espérait encore agrandir ses États du côté de Plaisance et de Ferrare.

En Piémont (1376), l'influence des Anjou se trouvait apparemment rétablie. Mais les villes qui avaient subi le flux et le reflux des combats préféraient la protection des comtes de Savoie, capables d'assurer leur défense contre Milan et les Saluces, aux lointains Anjou, incapables de les défendre. Ainsi, les principales familles de Cuneo reconnaissaient la conquête définitive de la ville par Amédée VI.

Le problème des Saluces. Avec le marquis de Saluces le Comte Vert ne parvint jamais à des accords satisfaisants pour sa politique d'unification en Piémont. Grégoire XI essaya, mais en vain (1371 et 1373) de les réconcilier. Les marquis de Saluces étaient restés les seuls alliés des Visconti durant toute la ligue, et le Comte Vert avait habilement obtenu, le 6 juin 1374, à Casale, la promesse de Galéas et de Bernabo Visconti de ne plus intervenir dans ses démêlés avec le marquis de Saluces.

Le Comte Vert, fort de cette promesse, envahit, le 25 juin 1374, le marquisat, et conduisit son armée sous les murs de Saluces. Mais surgirent des ambassadeurs milanais qui le contraignirent d'arrêter les hostilités. L'année suivante, Amédée VI voulut recommencer, à la tête d'une forte armée, mais son élan fut ralenti quand il vit les drapeaux du roi de France flotter sur les tours de Saluces et de Carmagnole.

Que s'était-il passé ? Le marquis de Saluces, se voyant de nouveau menacé par Amédée VI, recourut cette fois directement au roi de France, et lui rendit l'hommage pour tout le marquisat. Charles V, qui voulait pourtant ménager son beau-frère, le comte de Savoie, chargea le conseil du Dauphin de prendre le marquis de Saluces sous sa protection et d'intimer l'ordre à Amédée VI de cesser toute attaque contre le marquisat. Charles V invita, ensuite, les deux intéressés pour qu'ils défendissent leurs droits en sa présence. Puis, il crut préférable de confier l'affaire à son frère, le duc d'Anjou, qui, à son tour, la remit au Parlement de Paris, ce qui était faire traîner les choses en longueur. La France était trop intéressée dans la question de Saluces pour que le comte pût garder l'espoir de faire prévaloir ses droits. Encouragé par le Pape et le duc d'Anjou, le Roi reprenait ses visées sur l'Italie, maintenant que diminuait le péril anglais, et il ne pouvait tolérer que Saluces passât aux mains des Savoie.

Planche XX

Phot. M. Perotti

Statue tombale représentant Blanche de Savoie, trouvée à Pavie au couvent des Clarisses.
(Fondé par ladite Blanche.)

Musée archéologique de Milan. Palais Sforza.

Amédée VI recourut alors à l'empereur Charles IV qui, par décret impérial, priva Frédéric de Saluces de ses droits sur le marquisat, pour cause de félonie envers son suzerain, le comte de Savoie.

C'était, pour ce dernier, une satisfaction purement formelle, car le décret impérial ne fut pas reconnu en France.

L'affaire du Montferrat. Quant à la question du Montferrat, d'après les clauses du traité de Samoggia, Amédée VI devenait l'arbitre entre le marquis Second-Othon et les Visconti. Mais le Pape, considérant que le comte de Savoie avait trop d'intérêts dans cette affaire, décida d'intervenir personnellement pour garder les possessions angevines à la couronne de Naples, son alliée.

Croyant renforcer la Maison d'Anjou en resserrant ses liens avec le Montferrat, le Pape favorisa le mariage d'Othon de Brunswick avec la reine Jeanne. L'union fut célébrée le 25 mars 1376. Dorénavant, Othon dut s'occuper des affaires de Naples, et son absence du Marquisat profita grandement aux Visconti. Ce mariage, s'il favorisait le royaume de Naples en lui donnant un soldat et un conseiller, ne procura aucun avantage au Pape dans son action contre les Visconti.

Le jeune Second-Othon restait maintenant seul aux prises avec les perfides intrigues des seigneurs de Milan. Il ne pouvait guère compter sur son autre tuteur, Amédée VI, en raison de l'indemnité qu'il lui devait pour l'aide apportée au siège d'Asti et à la guerre du Montferrat.

Galéas se présenta donc au jeune marquis de Montferrat avec des propositions de paix et de mariage, lui offrant sa fille Violante. Le marquis accepta les deux et, en été 1377, la paix fut signée entre Milan et le Montferrat. Le comte de Vertus paraissait renoncer à Asti et à Mondovi en faveur de son nouveau gendre. Sans pouvoir s'y opposer, Amédée VI voyait ainsi s'établir le protectorat des Visconti sur le Montferrat.

Un incident malheureux vint encore précipiter les choses. Balthazar, frère d'Othon de Brunswick, et gouverneur d'Asti, refusa, pour des raisons inconnues, l'entrée de la ville à Second-Othon. Le jeune marquis, imprudent et sans expérience, implora alors l'aide du comte de Vertus qui, ravi, le rejoignit aussitôt et le fit entrer dans la ville (6 février 1378). En reconnaissance, il nomma Jean-Galéas gouverneur d'Asti. Ainsi, les Visconti, après vingt ans de luttes, réoccupaient la ville. Cette mainmise des Visconti sur la capitale du Montferrat renversait les plans politiques d'Amédée VI qui, six ans auparavant, avait fait la guerre pour sauver Asti de l'emprise des seigneurs de Milan.

Amédée VI protesta, rassembla même des troupes aux frontières du territoire d'Asti, et envoya des ambassadeurs à Galéas se plaindre d'un état de choses contraire à tous les accords. Mais Visconti se borna à répondre qu'il interdirait au comte de Vertus tout acte hostile contre les tuteurs du marquis de Montferrat.

Sur ces entrefaites, Galéas mourut le 4 août 1378. Dorénavant, le comte de Savoie devra traiter avec un prince dont l'imposante personnalité dominera, de 1378 à 1402, toute l'histoire de la péninsule.

Amédée VI n'assista pas à Pavie aux funérailles de son beau-frère, mais resta en rapport avec le comte de Vertus par l'intermédiaire de sa sœur

Blanche. Jean-Galéas laissait à sa mère le soin de discuter les questions du Piémont et du Montferrat avec les représentants du comte de Savoie et du jeune marquis Second-Othon. Ces entretiens eurent lieu à Pavie, au mois d'août 1378. Amédée VI y gagna l'occupation des terres prises à Galéas dans les pays de Verceil et d'Ivrée, mais devait, en échange, renoncer tacitement à Asti qui restait entre les mains des Visconti.

Ces avantages n'empêchèrent pas le Comte Vert de réclamer à son pupille le remboursement des frais engagés par lui lors du siège de la ville. Second-Othon dut céder Chivasso, Riva, Poirino, Mazze et d'autres terres encore. Devant un tel accord qui le dépouillait complètement, Second-Othon, atterré, s'enfuit de Pavie pour ne point ratifier ce traité. Il fut assassiné le 16 décembre 1378. Violante, après quelques années de mariage, devenait veuve pour la seconde fois.

Amédée VI revenait à ses anciens plans politiques. La rupture entre Milan et le Montferrat était consommée. Comme par le passé, le marquis de Montferrat devra désormais demander protection au comte de Savoie contre les Visconti. Le Comte Vert eut la satisfaction de voir bien des communes, entre Verceil et Biella, se donner à lui, préférant à la tyrannie des Visconti le gouvernement paternel des Savoie.

Une vie communale[1] très intense s'était développée dès la fin du XIIe siècle dans toute cette région,

---

1. Une différence notable existait entre les franchises très limitées octroyées aux habitants des villes en Savoie et dans le pays de Vaud (exemple la charte de liberté concédée par Amédée VI le 5 juin 1377 aux terres de Morat, qui n'était que la confirmation de celle concédée deux siècles auparavant par Berthold de Zaeringen pour soustraire la région aux incursions des barons féodaux), et celles du Piémont où les communes avaient conquis une très grande autonomie,

MONTFERRAT
(ALÉRAMIDES ET PALÉOLOGUE)

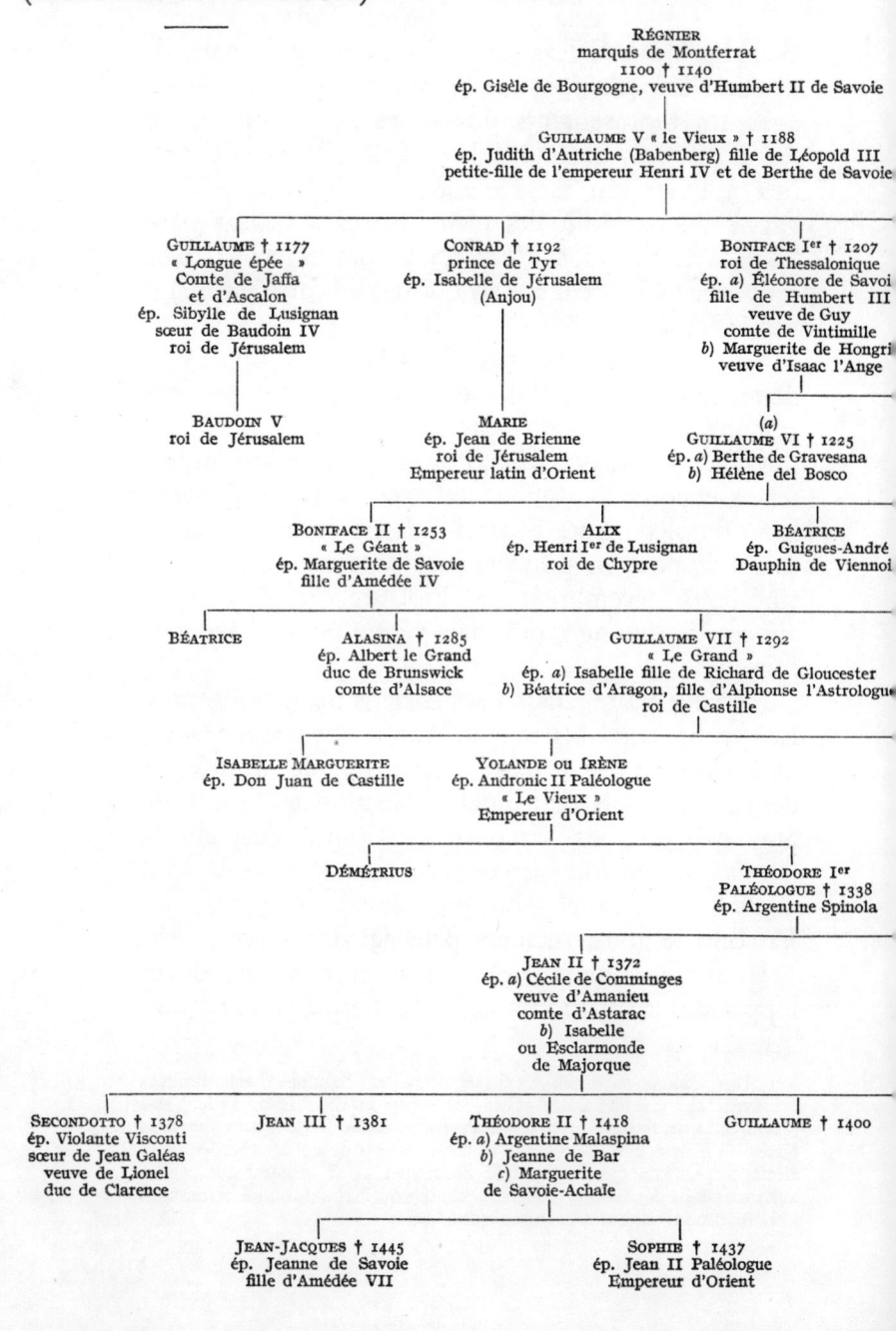

RÉGNIER
marquis de Montferrat
1100 † 1140
ép. Gisèle de Bourgogne, veuve d'Humbert II de Savoie

GUILLAUME V « le Vieux » † 1188
ép. Judith d'Autriche (Babenberg) fille de Léopold III
petite-fille de l'empereur Henri IV et de Berthe de Savoie

GUILLAUME † 1177
« Longue épée »
Comte de Jaffa
et d'Ascalon
ép. Sibylle de Lusignan
sœur de Baudoin IV
roi de Jérusalem

CONRAD † 1192
prince de Tyr
ép. Isabelle de Jérusalem
(Anjou)

BONIFACE Ier † 1207
roi de Thessalonique
ép. a) Éléonore de Savoie
fille de Humbert III
veuve de Guy
comte de Vintimille
b) Marguerite de Hongrie
veuve d'Isaac l'Ange

BAUDOIN V
roi de Jérusalem

MARIE
ép. Jean de Brienne
roi de Jérusalem
Empereur latin d'Orient

(a)
GUILLAUME VI † 1225
ép. a) Berthe de Gravesana
b) Hélène del Bosco

BONIFACE II † 1253
« Le Géant »
ép. Marguerite de Savoie
fille d'Amédée IV

ALIX
ép. Henri Ier de Lusignan
roi de Chypre

BÉATRICE
ép. Guigues-André
Dauphin de Viennois

BÉATRICE

ALASINA † 1285
ép. Albert le Grand
duc de Brunswick
comte d'Alsace

GUILLAUME VII † 1292
« Le Grand »
ép. a) Isabelle fille de Richard de Gloucester
b) Béatrice d'Aragon, fille d'Alphonse l'Astrologue
roi de Castille

ISABELLE MARGUERITE
ép. Don Juan de Castille

YOLANDE ou IRÈNE
ép. Andronic II Paléologue
« Le Vieux »
Empereur d'Orient

DÉMÉTRIUS

**THÉODORE Ier
PALÉOLOGUE** † 1338
ép. Argentine Spinola

JEAN II † 1372
ép. a) Cécile de Comminges
veuve d'Amanieu
comte d'Astarac
b) Isabelle
ou Esclarmonde
de Majorque

SECONDOTTO † 1378
ép. Violante Visconti
sœur de Jean Galéas
veuve de Lionel
duc de Clarence

JEAN III † 1381

THÉODORE II † 1418
ép. a) Argentine Malaspina
b) Jeanne de Bar
c) Marguerite
de Savoie-Achaïe

GUILLAUME † 1400

JEAN-JACQUES † 1445
ép. Jeanne de Savoie
fille d'Amédée VII

SOPHIE † 1437
ép. Jean II Paléologue
Empereur d'Orient

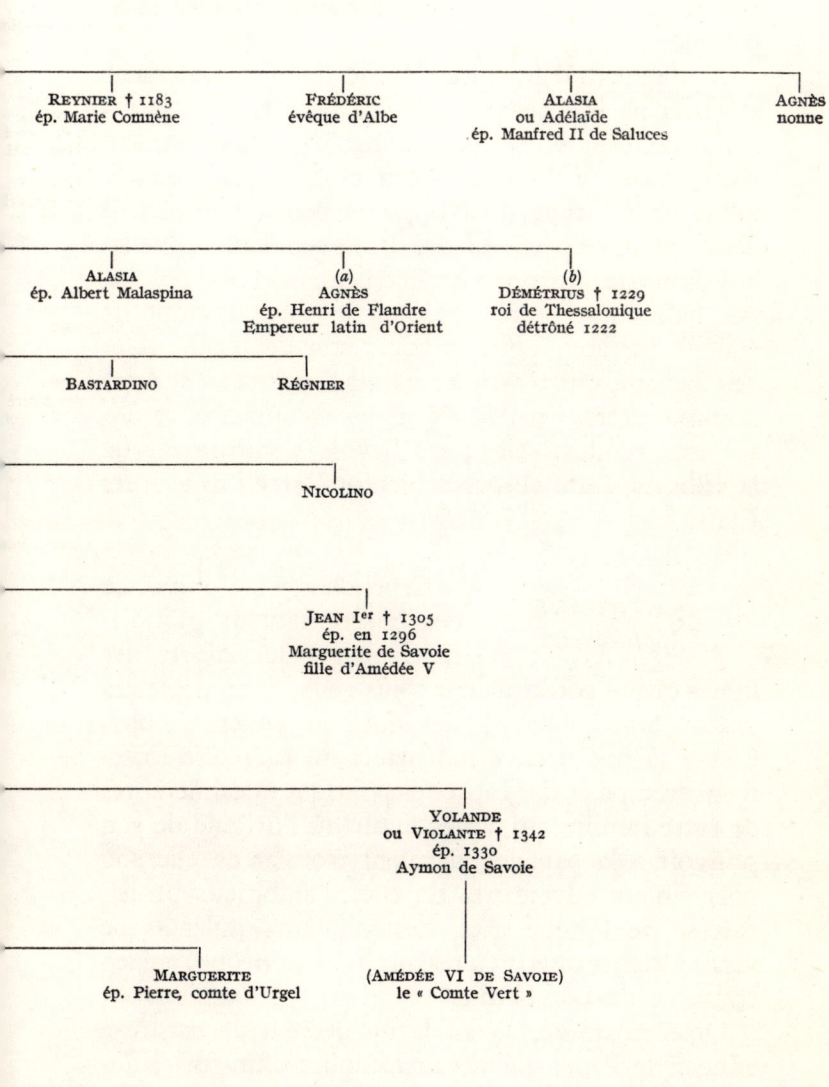

REYNIER † 1183	FRÉDÉRIC	ALASIA	AGNÈS
ép. Marie Comnène	évêque d'Albe	ou Adélaïde	nonne
		ép. Manfred II de Saluces	

ALASIA
ép. Albert Malaspina

(a) AGNÈS
ép. Henri de Flandre
Empereur latin d'Orient

(b) DÉMÉTRIUS † 1229
roi de Thessalonique
détrôné 1222

BASTARDINO — RÉGNIER

NICOLINO

JEAN Ier † 1305
ép. en 1296
Marguerite de Savoie
fille d'Amédée V

YOLANDE
ou VIOLANTE † 1342
ép. 1330
Aymon de Savoie

MARGUERITE
ép. Pierre, comte d'Urgel

(AMÉDÉE VI DE SAVOIE)
le « Comte Vert »

mais les Anjou, pas plus que les Montferrat et les Visconti, ne surent la respecter. Aussi ces localités préféraient-elles passer sous la domination des Savoie qui leur garantissaient une autonomie presque complète.

L'influence d'Amédée VI se faisait également sentir dans le Canavais : il y arbitrait, avec beaucoup de doigté, ces interminables disputes entre les vassaux, où l'intérêt tenait plus de place que la politique. En 1379, à Rivoli, il parvenait à les mettre d'accord en respectant leurs droits féodaux. A Biella, le Comte sut aussi profiter habilement d'une révolte des habitants contre l'évêque de Verceil, dont ils étaient vassaux, pour envoyer son lieutenant Iblet de Challant, qui réussit à rétablir l'ordre et à se faire nommer recteur par l'évêque, en reconnaissance des services rendus. Ainsi, les Savoie s'emparaient de la ville, espérant absorber bientôt Verceil dans leurs États.

Conséquences politiques.

Cependant, la puissance des Visconti allait grandissant, malgré les efforts des ligues qui se constituaient contre eux, et en dépit des excommunications papales dont ils étaient l'objet. C'était là une preuve indéniable du caractère fortement trempé et des capacités politiques des membres de cette famille qui, après avoir dû l'origine de son pouvoir à la papauté, devaient trouver en elle son plus violent adversaire. En effet, l'ambitieux projet, caressé de longue date, des seigneurs milanais ne visait à rien moins qu'à restaurer à leur profit l'ancien royaume de Lombardie.

On s'en doute, c'était là un dessein de nature à effrayer le Pape, qui voyait toujours d'un fort mauvais œil l'affermissement de tout État italien capable, à la longue, d'unifier la péninsule et, ainsi, d'affaiblir le pouvoir du Saint-Siège.

Le royaume des Anjou à Naples, établi en 1263 sur les dépouilles des successeurs de Frédéric II, ne présentait pas les mêmes dangers. Dans le sud de l'Italie, le Pape préférait voir des princes guelfes et vassaux, tels les Anjou, plutôt que de puissants empereurs de la famille des Souabe.

Usant tour à tour de force et de douceur, aimant à provoquer les « donations spontanées », la politique du Comte Vert, entre les années 1350 et 1379, fut d'amener peu à peu ses adversaires, ou même ses alliés, à lui céder toutes les villes et terres qui devaient, à la longue, faire du Piémont un État homogène sous la domination des Savoie. C'était là œuvre plus importante que la destruction du pouvoir des Visconti, souhaitée par le Pape et les autres États de la coalition.

CHAPITRE XI

LA PAIX DE TURIN
L'ORGANISATION DES ÉTATS DE SAVOIE

Le prestige du Comte Vert, acquis ces dernières années, allait encore une fois le mettre en vedette pour une question d'arbitrage. Cette fois sa médiation ne se limitera pas à la Savoie et à l'Italie, mais s'étendra jusqu'à l'Orient.

Rivalité entre Gênes et Venise. Venise ne parvenait pas à s'entendre avec Gênes, sa puissante rivale. Depuis longtemps, les deux seigneuries se disputaient des places utiles à leur commerce en Grèce, en Turquie et jusque sur les bords de la mer Noire[1].

Né en Orient, le conflit s'étendit à toute la Méditerranée. Les flottes génoise et vénitienne, commandées par de grands amiraux[2], se poursuivaient inlassablement dans l'Adriatique, la mer Égée et le long

---

[1]. Tana à l'embouchure du Tanaïs, près de la mer d'Azov, et Caffa en Crimée, étaient des villes commerçantes et prospères. Dès le XIVe siècle, les Génois et les Vénitiens y avaient acquis des Tartares de nombreux comptoirs. La guerre entre les deux républiques commença vers 1348-1349 à propos de ces colonies.
[2]. Du côté vénitien : Victor Pisani et Carlo Zeno. — Du côté génois : Spinola, Napoléon Grimaldi, Philippin Paganini, Pierre et Lucien Doria et Maruffo.

des côtes de Ligurie, s'infligeant tour à tour de sanglantes défaites, mais n'obtenant que leur affaiblissement réciproque.

Les alliés de Gênes et de Venise. La guerre entre les Républiques de Gênes et de Venise avait entraîné des alliances de part et d'autre.
Les alliés de la République de Gênes étaient le roi de Hongrie, et l'archiduc d'Autriche. Le premier, voulant garder l'hégémonie dans l'Adriatique et s'emparer de la Dalmatie, avait déclaré la guerre à Venise (1378) et envoyé son neveu, Charles de Durazzo, avec des troupes hongroises, attaquer par terre la Sérénissime République. Ces troupes s'unirent à celles de François de Carrare, sire de Padoue, désireux de prendre Trévise et d'autres villes appartenant à la Vénétie. L'archiduc Léopold, ayant des visées sur le Frioul, profita de l'affaiblissement de Venise pour entrer dans la guerre, mais il se trouva en opposition avec le patriarche d'Aquilée, pourtant lui aussi allié des Génois contre les Vénitiens.

Les alliés de Venise étaient les Visconti, (sans doute par haine des Carrare de Padoue qu'ils voulaient asservir), ainsi que l'empereur de Byzance et le roi de Chypre, tous deux désireux de voir s'affaiblir la puissance des Génois[1] qui envahissaient leurs comptoirs en Orient.

Tentatives de paix. A plusieurs reprises, les adversaires avaient essayé de se réconcilier, mais sans résultat durable. Les papes Clément VI et Innocent VI effrayés de voir les Turcs

---

1. Les hostilités des Génois contre l'empereur de Byzance et le roi de Chypre commencèrent en 1348, à Chypre et à Péra.

profiter en Orient de l'épuisement de la Chrétienté qui se consumait dans une guerre inutile, cherchaient en vain à apaiser la lutte entre les républiques maritimes. L'illustre Pétrarque n'eut pas davantage de succès en écrivant au doge Dandolo (1352) une lettre où il déployait toute son érudition et sa rhétorique en faveur de la paix.

En 1379, le conflit tournait complètement au désavantage des Vénitiens : les Génois, leur ayant infligé un désastre à Pola, parvinrent, aidés par le sire de Padoue François de Carrare, à occuper l'île de Chioggia en pleine lagune vénitienne. Le gouvernement de la Sérénissime songeait déjà à se retirer dans l'île de Crète lorsque, par des efforts désespérés, la République réussit à redresser la situation, et même à faire prisonniers les envahisseurs.

Pendant l'hiver de 1380, des propositions de paix furent faites, et un congrès se réunit à Citadella[1], mais les deux républiques et leurs alliés ne purent trouver de terrain d'entente, et les hostilités recommencèrent.

Les Vénitiens demandèrent à Charles de Durazzo de négocier la paix (de là date son surnom de Charles de la Paix). Mais les conditions trop rigides du roi de Hongrie firent échouer cette tentative.

L'intervention d'Amédée VI. C'est alors qu'Amédée VI proposa sa médiation. Il s'adressa d'abord au doge de Venise, qui accueillit avec gratitude sa proposition. Encouragé par ce premier succès, le Comte Vert fit part de ses intentions aux autres États entraînés dans le conflit. Tous lui donnèrent une réponse

---

1. Près de Padoue.

favorable, et promirent d'envoyer leurs représentants à Turin au mois de mai suivant (1381).

Le Comte Vert était tout désigné pour cette œuvre de paix : chef de ligue dans la guerre contre les Visconti, arbitre entre Milan, Montferrat, Saluces et Scaliger[1], influent dans tout le Piémont, il jouissait d'un grand prestige. On le respectait, non pas tant pour sa puissance militaire que pour ses dons politiques et sa diplomatie. De plus, son expédition en Orient le faisait considérer comme le meilleur expert des questions levantines. De son côté, le Comte Vert désirait une Italie du Nord pacifiée avant de partir pour son expédition de Naples.

La paix de Turin. Les délégués choisis étaient à Turin au milieu de mai 1381, dans le vieux château de la Porta Fibiliana[2]. On y voyait, avec les représentants de Venise et de Gênes, les ambassadeurs du roi Louis de Hongrie, du patriarche d'Aquilée, de Léopold d'Autriche et de François de Carrare, alliés des Génois, ainsi que les envoyés de l'empereur de Byzance, Jean V Paléologue, et du roi de Chypre, brouillés dès le début des hostilités avec Gênes et par conséquent alliés de Venise.

Les insuccès des troupes des Visconti soutenant les Vénitiens dans leur guerre contre les Génois privèrent les seigneurs de Milan du prestige nécessaire pour appuyer toutes revendications dans la paix de Turin[3].

---

1. Cf. L. Cibrario, *Specchio Chronologico*, p. 144.
2. Château construit entre les années 1276-1280 par Guillaume VII, marquis de Montferrat, qui s'était emparé de Turin. Les Savoie l'agrandirent au XIe siècle et le munirent de tours. Au XVIIIe siècle, embelli par la veuve de Charles-Emmanuel II, il prit le nom de « Palais-Madame ».
3. N. Valeri, *Storia d'Italia illust.*, p. 245, vol. V, Mondadori.

Amédée VI craignait que les Visconti, représentés par les mêmes ambassadeurs que le roi de Chypre, leur ami, n'interviennent trop activement dans les pourparlers et ne rendent ainsi plus difficiles les accords; il agit sans eux, et ne tint aucun compte de leurs protestations ! Très habilement, le Comte Vert mit d'abord en présence les mandataires des deux républiques rivales, afin que les questions importantes soient réglées entre elles.

Il sut profiter de l'occasion pour signer avec les deux républiques un traité secret valable pour dix ans, avec l'obligation d'aide mutuelle contre toute communauté et prince ayant des terres en Lombardie[1]. Cette triple alliance était naturellement au détriment des Visconti; mais leurs rapports avec la Maison de Savoie restaient cordiaux.

Les négociations durèrent deux mois. Amédée VI y déploya toute son énergie et son habileté pour les faire aboutir. Signée le 8 août 1381, la paix de Turin réglait définitivement le conflit entre Venise et Gênes, ainsi que les autres conflits de moindre importance qui se rattachaient à celui-ci.

Gênes dut renoncer à fermer aux Vénitiens les marchés de la mer Noire[2]. Une clause stipulait l'interdiction pour les Génois de naviguer à Tana durant un temps qui serait déterminé par le comte de Savoie et que celui-ci fixa tout de suite à deux ans.

Il fut décidé que l'île de Ténédos, dans la mer Égée, si disputée entre les deux républiques, serait, dans un délai de deux mois et demi, remise par les Vénitiens au Comte Vert, comme garantie de son bon vouloir de médiateur.

Venise s'engageait à donner une caution de cent

---

1. Cf. F. Cognasso, *Il Conte Verde*, p. 236.
2. Cf. N. Valeri, *Stor. dell'Ital. illus.*, p. 245, vol. V, Mondadori.

cinquante mille florins. Des banquiers de Florence reçurent des bijoux qui représentaient cette somme, somme qui serait dévolue aux Génois si la cession n'était pas effectuée dans le temps prévu.

Amédée VI obtenait de l'une et de l'autre république la promesse d'une aide efficace pour obliger, au besoin par les armes, l'empereur de Byzance à renoncer au schisme.

Enfin, les Vénitiens durent rendre Trévise à Léopold d'Autriche, et François de Carrare fut rétabli dans ses anciennes possessions, à son grand mécontentement. Le roi de Hongrie conserva la Dalmatie, avec la promesse de Venise de l'aider à en écarter les corsaires qui infestaient les côtes. Le patriarche d'Aquilée, seigneur de Frioul, rentrait en possession de la ville de Trieste que les Vénitiens lui avaient enlevée. Le roi de Chypre fut obligé de laisser Famagoste aux Génois.

Conclusions. Dans l'ensemble, ces accords paraissaient équilibrés et inspirés par un esprit de justice.

Certes, les deux républiques sortaient amoindries du conflit, surtout Venise qui perdait une grande partie de son territoire, mais ce mécompte devait être pour elle comme le point de départ d'une nouvelle grandeur, tandis que Gênes, qui avait remporté tant de victoires, était épuisée et payait la rançon de ses efforts. Comme le dit Sismondi : « Une période de désastres et de ruine commence pour les Génois à la guerre de Chioggia et ne se termine qu'après de longues années de servitude sous des maîtres étrangers[1]. »

En cette occasion, le Comte Vert eut plus d'hon-

---

1. Sismondi, *Histoire des Républiques Italiennes,* t. VII, chap. LII, p. 238.

neur que de profit. Vexé d'avoir été tenu à l'écart des négociations, Bernabo lui écrivait le 23 août 1381 : « Illustre et très cher frère, pour gagner un tel honneur devant le monde, il n'était pas nécessaire de vous fatiguer à faire une telle paix, telle que vous l'avez faite[1]. »

Paroles amères, empreintes de jalousie devant le succès personnel du comte de Savoie, qui, certainement, avait augmenté considérablement son prestige en apaisant les conflits qui divisaient l'Italie du Nord.

Au roi de Chypre, allié des Visconti, Amédée VI n'avait pas non plus témoigné les égards auxquels il pouvait prétendre, et dans la paix de Turin les Génois avaient été favorisés à ses dépens. Mais le Comte ne se désintéressait pas de la question de Chypre et voulait la résoudre à son avantage.

Sollicité par les Visconti et le doge de Venise, Amédée VI donnait, déjà en septembre 1381, les pleins pouvoirs à Barthélemy de Chignin et à Jean et Pierre Provana, pour se rendre à Gênes et négocier la paix entre la République et le roi de Chypre. Les pourparlers furent longs et difficiles, et ce n'es⸢ qu'en février 1382 que la paix fut conclue.

Ces négociations mirent le Comte Vert sous un jour très favorable aux yeux de la République de Gênes; nous en verrons bientôt les conséquences. Quant à l'île de Ténédos, Amédée VI ne put l'occuper que temporairement, et non sans difficultés, après que les Vénitiens en eurent rasé les fortifications.

Le 10 janvier, Humbert et Boniface de Piossasco vinrent prendre en consigne l'île de Ténédos. Le

---

1. « Illustris frater carissime pro lucrando honorem per mundum non expediebat vos laborare in faciendo pacem predictam em modo quo ipsam fieri fecisti. » Cité par CIBRARIO, *Storia*, p. 363 et MUGNIER, *Lettres des Visconti aux comtes de Savoie*, S.S.H.A., t. XXXV, 1896, pp. 416-417.

bailli Jean Muazzo, qui gardait l'île au nom de Venise, refusa de la céder. Était-ce, de la part du bailli, un acte courageux de révolte, ou une ruse combinée avec la République de Venise ?... Quoi qu'il en soit, les discussions tirèrent en longueur ! Las d'attendre dans une situation si délicate, les commissaires d'Amédée VI finirent par revenir à Venise.

La seigneurie protesta de ses bonnes intentions, promettant d'envoyer quatre galères pour soumettre les rebelles.

Cependant Muazzo restait inflexible. Alors, les Génois, garants de la paix, demandèrent aux Florentins la cession des cent cinquante mille florins dont ils étaient dépositaires. Comme les Florentins hésitaient à leur remettre la somme, les Génois saisirent leurs marchandises qui se trouvaient dans le port de Gênes et dont la valeur s'élevait à deux cent mille florins. Pourtant, Venise assurait qu'elle n'avait aucune responsabilité dans la révolte de Muazzo; craignant la rupture de la paix et la reprise des hostilités, elle chargea Charles Zeno, le vainqueur de Chioggia, de ramener Muazzo au devoir. Après de nouvelles discussions, et seulement au cours de l'été 1383, l'île de Ténédos se rendit.

Acte de soumission de Gênes. Le traité secret qu'Amédée VI signa le 7 novembre 1381 avec la République de Gênes stipulait que les parties s'engageaient à se défendre réciproquement contre tout ennemi à l'exception du Pape et de l'Empereur. L'habileté avec laquelle ses plénipotentiaires négocièrent la paix entre les Génois et le roi de Chypre en février 1382 améliora encore les sentiments de la « superbe » République envers le comte de Savoie. Gênes était alors déchirée par la guerre civile entre Guelfes et Gibelins. Un parti secret s'était créé, dirigé par Nicolas et Charles Fieschi, comtes de Lavagna, qui estimaient que seul un maître puissant pouvait mettre fin à ces désordres. Au mois de mars 1382, un religieux de l'ordre des Carmes, Dominique de Dominicis, apportait au Comte Vert des lettres de la part de Nicolas et de Charles Fieschi et d'une vingtaine de personnalités du parti guelfe de la ville pour qu'il acceptât de devenir leur protecteur, défenseur et doge[1].

Le plan d'occupation de Gênes, qui était fort avancé au moment où Amédée VI se préparait à partir pour son expédition de Naples, sera malheureusement anéanti par sa mort. Amédée VII reprendra le projet de son père, car la Savoie avait besoin d'un débouché sur la mer, et il craignait aussi la mainmise des Visconti sur Gênes.

**

Organisation et activités des États de Savoie.

C'est aussi, en quelque sorte, un rôle d'arbitre que le comte de Savoie joue à l'intérieur de ses États. Il doit faire face à des situations souvent complexes, et tous ses efforts tendront à unifier, à forger un État de ses possessions diverses et disparates chevauchant les deux versants des Alpes. Aux régions piémontaises et savoyardes viendront s'ajouter, sous Amédée VII, Cuneo, Barcelonnette et Nice[2].

---
1. En choisissant pour protecteur Amédée VI, les Fieschi n'étaient pas désintéressés car, en récompense, ils espéraient récupérer le château de Montjovet, près de Biella, propriété de leur frère, l'évêque de Verceil, qui fut confisqué au nom du Comte par Iblet de Challant en 1378.
2. Voir chap. XVI : « Cession de Nice à la Savoie ».

Le Comte Vert, au début de son règne, avait accompli l'unification territoriale de ses domaines[1], mais il devait leur donner une plus grande cohésion intérieure et les tendances centralisatrices s'accentuent, l'État s'organise. Chambéry, la capitale, admirablement placée au nœud des routes de France, de Suisse et d'Italie, voit sa population plus que tripler en un siècle; elle compte au temps d'Amédée VI sept mille deux cent vingt habitants. Là siègent le Conseil résidant et la Chambre des Comptes, là, aussi se trouve le Trésor.

Amédée VI est vicaire impérial depuis 1365, mais sa dépendance envers l'Empire exprime plus une « déférence » qu'une « soumission réelle ». Sur ses vassaux, ecclésiastiques ou laïques, il affirme sa souveraineté dont le caractère féodal s'affaiblit, et, déjà, l'État moderne apparaît. A ses sujets le Comte assure bonne administration, protection et justice.

Dans son œuvre de réorganisation, Amédée VI utilise les cadres anciens, mais il les complète, les élargit, les transforme. Le pays est toujours divisé en bailliages, châtellenies et mestralies, mais de nouveaux bailliages sont créés dans le pays de Vaud et le Faucigny. Des lieutenants du Comte administrent en son nom les villes acquises en Piémont et, dans le comté de Nice Amédée VII mettra un gouverneur.

Par ordonnance du 27 juillet 1355, le Conseil résidant, créé par le comte Aymon, comprend désormais vingt-sept membres : sept ecclésiastiques, dix nobles, huit jurisconsultes et deux chevaliers; dans ce conseil siègent le chancelier ou garde des sceaux et deux

---

1. Voir chap. IV : « Unification et agrandissement des États de Savoie sous Amédée VI ».

magistrats, l'avocat et le procureur fiscal. Le Conseil juge les causes civiles et criminelles et les questions domaniales et féodales. Au-dessous du Conseil résidant, la justice est rendue localement par les juges de bailliages et les châtelains, mais on peut toujours en appeler au juge supérieur, au Conseil résidant. A côté de la justice comtale subsiste celle des barons et bannerets et même celle des abbés, mais au XIVe siècle le Comte affermit son pouvoir de juge souverain et, de plus en plus, l'on va en appel devant lui.

Pour juger, l'on suit le droit romain mais complété, modifié par les coutumes locales et surtout par les Statuts des Princes. Amédée VI, en 1379, publia un Statut général en soixante-huit articles réglementant les divers ordres de tribunaux, abrégeant la durée des procès (toute cause serait jugée dans l'année et les juges d'appel devaient rendre leurs sentences dans les six mois), diminuant formalités et frais de justice; d'autres mesures s'appliquaient aux fonctions et aux actes des notaires. Cette même année il crée l'office d'avocat des pauvres que la France, nous l'avons vu, devait emprunter à la Savoie cinq siècles plus tard.

Mais les dépenses augmentent à mesure que l'État étend ses attributions, et l'organisation financière se transforme et s'adapte. Depuis Pierre II des auditeurs contrôlaient les comptes des châtelains. Une ordonnance du 7 février 1351 crée une Chambre des Comptes, et en 1358 est établie une Cour des Monnaies[1].

Amédée VI, s'il fait peu de frais en bâtiments, dépense l'argent en fêtes et en tournois, en expédi-

---

1. Il y avait des ateliers monétaires à Chambéry, Aiguebelle, Saint-Genix, Bourg et Genève.

tions de l'autre côté des Alpes, en croisade. Pour faire face à toutes ces charges, il faut bien avoir recours aux subsides extraordinaires, aux offices donnés en gage, aux emprunts aux juifs et aux banquiers lombards; mais ce ne sont que des expédients.

Les revenus de la couronne, outre les produits des immenses biens domaniaux, se composent d'impôts et de taxes de toutes sortes : cens des vassaux et des gens taillables du Comte, payables en argent ou en nature; lods sur les ventes de propriété; toisé sur la largeur de la façade des maisons; impôts sur les cultures, sur le droit d'usage des forêts ou des pâturages; en Piémont, impôt par feu; confiscations, amendes et droits de justice; droits de chancellerie; redevances des juifs (stagium) qui reçoivent en 1355 un statut spécial; casane ou redevances des banquiers lombards; leydes, sur le commerce intérieur; enfin les droits de péage.

Pour les assister dans le gouvernement et l'administration les comtes réunissent des États Généraux. Ceux-ci composés des trois états de la Nation, s'occupent surtout des questions dynastiques et d'affaires extraordinaires : ils présentent aussi aux comtes les doléances de leurs classes. Les réunions furent nombreuses au moment de la minorité d'Amédée VI et, surtout, après la mort du Comte Rouge, pendant la régence de Bonne de Bourbon. Il est remarquable que ce sont les États des pays formant marches du Comté qui s'assemblèrent le plus souvent, et, en premier lieu, ceux du pays de Vaud.

La vie sociale. Le comte Thomas, dans une charte de 1221, avait clairement délimité les trois classes : « Le Seigneur a créé trois ordres, les clercs pour prier, les cheva-

liers pour combattre, les manants pour labourer[1]. »
Mais les choses évoluent. Le clergé, s'il est toujours
le premier des trois états, a perdu sa puissance politique au profit des comtes, qui s'emparent du pouvoir temporel des évêques, et sa valeur sociale
s'affaiblit. Mais l'on assiste depuis la deuxième moitié du XIIIe siècle à un véritable pullulement des
ordres mendiants, dominicains, cordeliers, carmes,
ermites de Saint-Augustin, franciscains, et même
des ordres de femmes, les Clarisses. Les collégiales
se multiplient.

La noblesse, qui a vu décliner son influence politique, reste à la tête d'importants domaines. Barons
et bannerets conservent leurs droits de justice, mais
le Comte limite de tous côtés leurs pouvoirs.

La bourgeoisie, le tiers état, qui représente le progrès, voit sa force croître et les comtes s'appuient
sur elle dans leur lutte contre les puissances féodales
qui déjà prennent figures du passé. Les villes reçoivent des chartes d'affranchissement et le mouvement,
déjà important au XIIe siècle, augmente nettement
dès la fin du XIIIe. Les riches cités piémontaises, au
caractère urbain plus prononcé, ont derrière elles
une longue hérédité, celle des cités romaines, et les
luttes en Italie leur ont donné conscience de leur
personnalité. Le Comte, avec elles, agit plus en seigneur qu'en souverain. Les villes savoyardes, plus
pauvres, plus jeunes aussi de tradition, gardent
encore un caractère rural nettement prononcé et les
comtes, en leur accordant des franchises, augmenteront volontairement l'exode des campagnes vers
les villes. Ces franchises, d'ailleurs, ne créent pas
souvent de droits nouveaux, elles se contentent de

---

1. Ch. Dufayard, *Histoire de Savoie*, p. 109.

donner la garantie du pouvoir central aux droits déjà acquis. A côté des riches cités marchandes du Piémont, Verceil où siège une université, Turin, Ivrée, Bielle, Cuneo et Pignerol, les villes de ce côté des Alpes ont encore peu d'importance. Genève, pourtant, est une active cité commerciale où comme dans Chambéry affluent les marchandises venues de l'étranger. Seules ont de l'importance les cités épiscopales de Sion, Aoste, Lausanne, Moutiers et Saint-Jean-de-Maurienne. Dans les villes la condition des personnes s'améliore et la dignité humaine s'affirme; le mouvement s'accomplit aussi, mais plus lentement, dans les campagnes. Les comtes agissent avec sagesse et modération à l'égard des villes; leur domination est moins dure que celle des barons ou des seigneurs ecclésiastiques. Les terres comtales seront paisibles quand grondera la révolte des Arves, quand les villes et villages de Tarentaise et de Maurienne se dresseront contre leurs évêques et leurs abbés.

La vie économique. Mais le pays de Savoie reste pauvre. Le peuple vit surtout des produits de l'agriculture et de l'élevage. La vallée d'Aoste et le Piémont, bien irrigués, ont de riches moissons et un important élevage. Le commerce local, malgré foires et marchés, reste médiocre, et pourtant la vie économique se développe car le commerce de transit est florissant et la Savoie voit passer sur ses routes les marchandises de France, d'Allemagne et d'Italie. La grande voie commerciale des Alpes occidentales, celle du Mont-Cenis, si fréquentée par les marchands toscans et lombards qui vont aux foires de Champagne est, en même temps qu'une source de richesse, l'intérêt commun qui lie les comtes de Savoie à la riche cité commerçante de Turin ; cette ville joue aussi un rôle d'attraction pour les territoires venant peu à peu se soumettre au pouvoir des comtes[1].

On comprend aisément le soin avec lequel les princes de la Maison de Savoie veillent au bon état des routes, obligeant les paroisses à les bien entretenir. Le long des grandes voies les refuges accueillent voyageurs, marchands et pèlerins, qui empruntent le Petit Saint-Bernard et le Mont-Cenis pour aller à Rome ou à Saint-Jacques-de-Compostelle.

Les péages établis à Suse, Montmélian, Pont-de-Beauvoisin, Seyssel et les Clées, sont une abondante source de revenus[2] et l'on comprend toute l'importance du Valais, dans la politique des Savoie, quand on sait que Sion commande le passage du Grand Saint-Bernard.

Les juifs, plus nombreux en Savoie depuis que Philippe le Bel les a chassés de France, détiennent une grande partie du commerce; et avec les lombards, celui de l'argent.

L'industrie n'est florissante qu'à l'intérieur des cités, mais a relativement peu d'importance. Les produits manufacturés viennent d'Italie, de France et de Flandre. En 1350, Faverges possédait trois forges pour le cuivre, deux pour le fer, cinq coutelleries, une tannerie et une papeterie; l'on trouvait

---

1. COGNASSO, *Storia di Torino*, pp. 72 et ss.
2. CIBRARIO, dans le *Specchio Cronologico,* nous donne quelques exemples de l'activité des péages : En 1283, « Dans l'espace d'un an le péage de Bard enregistre le passage de 2.225 chevaux ordinaires et de 99 chevaux anglais » (p. 65). En 1284, « De mi-décembre 1284 à août 1286, passèrent au péage de Villeneuve de Chillon, 4.060 balles de draps de France et de Lombardie, 320 balles de laines et de peaux, 200 bêtes chargées de draps et d'autres marchandises; et dans les 30 dernières semaines, 2.568 bêtes chargées de sel » (p. 66). En 1300, « Au péage de Pont-de-Beauvoisin, furent imposées en un an 1.745 balles et 1.438 charges de bêtes de somme, outre 333 balles et 233 charges imposées dans les 15 jours qui précédèrent et suivirent la Saint-Jean-Baptiste » (p. 76), etc...

d'autres forges à Tamié, Saint-Hugon, Aillon, Bellevaux. Chambéry fabrique déjà du drap et des armes, et l'on tente d'y installer une tuilerie.

Depuis l'époque romaine on savait exploiter les riches mines de fer, de cuivre et de plomb; les gisements de combustibles minéraux, les mines d'ardoises[1]. Les mines de Maurienne étaient mises en valeur dès le milieu du XIVe siècle; on trouvait d'autres mines à Aoste et à Ivrée. Saint-Georges d'Hurtières fournissait la plupart du minerai de fer traité dans les forges de Savoie et donnait aussi du cuivre et du plomb. En 1338, on en retirait trente-cinq mille kilos de cuivre[2], et en 1344, une transaction divisait la propriété entre le comte Amédée VI et le seigneur des Hurtières; mais l'activité de cette mine dut cesser en 1349 par suite de la peste qui décima les ouvriers[3].

Pour mieux comprendre la situation des États de Savoie il faut, bien entendu, considérer qu'à ce moment-là les hommes pensaient et agissaient d'une manière bien différente de celle d'aujourd'hui. Il faut aussi se rendre compte, et cela explique beaucoup de choses, que les populations de la Savoie et du Piémont étaient bien inférieures à celles d'aujourd'hui.

Les historiens ont fait de louables efforts pour évaluer la population de ces États aux XIIIe et XIVe siècles, mais ils n'ont pu arriver à de grands résultats, car il n'existait alors ni registres paroissiaux, ni état civil. Les plus utiles renseignements sont ceux fournis par les « decimae » imposés par les évêques aux églises, en proportion du nombre d'âmes de chaque

---

1. BARBIER, *La Savoie industrielle*, t. II, p. 3.
2. BARBIER, *La Savoie industrielle*, t. II, p. 315.
3. BARBIER, *La Savoie industrielle*, t. II, p. 3.

paroisse, et aussi par les impôts par « feu » que les comtes de Savoie imposaient aux communautés. On appelait « feu », dans les régions alpines, l'unité familiale groupée autour du foyer, et l'on peut dire que chaque « feu » se composait, en moyenne, de cinq habitants. Tous les renseignements donnés par les documents permettent seulement de dire que les États de Savoie étaient alors peu peuplés.

Les Lettres et les Arts au XIVe siècle. Dans cette région alpestre, relativement pauvre, où « la dynastie est largement absorbée par les préoccupations politiques qui donnent une si frappante originalité à son histoire »[1], les lettres et les arts ne sont guère favorisés et ne peuvent briller d'un éclat particulier. Les comtes pour décorer leurs châteaux, plus tard pour écrire leurs chroniques, sont obligés de faire appel à des étrangers, et leur cour, où ils vivent près de la noblesse et du peuple, n'est pas formée de lettrés et d'artistes sauf au temps de Pierre II, de Thomas II, d'Amédée V et de Yolande de Montferrat.

Les châteaux savoyards, plus modestes que ceux de France, étaient meublés sobrement, et les artisans du pays employaient le plus souvent les bois de noyers et de poiriers. Le fond du mobilier était constitué de coffres portatifs où l'on entassait vaisselle, tapisserie, habits et même reliques, et que l'on transportait, par terre ou par eau, d'une résidence à l'autre. L'on se servait de paille pour faire les lits et l'on en tapissait les planchers.

La vie à la cour de Savoie avait gardé un caractère

---

1. Ch. Dufayard, *Histoire de Savoie*, p. 115.

patriarcal et intime; Alain Chartier n'aurait pu dire d'elle ce qu'il disait de celle de France, « couvent de gens qui soubz sainteté du bien commun, se assemblent pour eux entre tromper »[1].

Les rois de France estimaient la courtoisie et la façon de vivre de cette cour où l'on parlait français et qui avait gardé les usages de l'antique chevalerie, remis en honneur par Amédée VI. D'autre part, l'étiquette, le cérémonial, la noble simplicité, chez elles de tradition, rapprochaient étroitement ces deux cours.

En littérature, la Savoie, à cette époque, possède un seul écrivain digne de ce nom, le poète Othon de Grandson[2]. Les chroniqueurs apparaissent seulement au xve siècle, avec Perrinet du-Pin et Jean d'Orvielle dit Cabaret, et ce ne sont pas des Savoyards. Populaires étaient les Mystères qui du xiiie au xvie siècle mêlèrent art et religion.

L'instruction, pourtant, est répandue dans le pays, mais ceux qui veulent poursuivre leurs études de droit, de rhétorique ou de théologie sont obligés de tenter l'aventure et de s'acheminer, besace au dos, vers quelque lointaine ville universitaire de France, d'Italie ou d'Allemagne. C'est pourquoi Amédée VI attachait tant de prix à la création d'une université à Genève[3], ce qui aurait permis un plus grand essor intellectuel dont la jeunesse savoyarde aurait bénéficié.

S'ils ne peuvent faire figure de mécènes, les comtes attirent à leur cour mimes et ménestrels qui par des jeux et des chants charment leurs loisirs en s'accompagnant de violes et de harpes. Certains,

---

1. Cité par Cognasso, *Amédée VIII*, t. I, p. 72.
2. Cf. chap. xxi.
3. Cf. chap. viii.

attachés à la personne du prince, vivent familièrement à la cour, et rendent même des services en dehors de leur art. D'autres musiciens, groupés en corporations, offrent des concerts « en plein air » suivis de quêtes et, lors des fêtes, font danser le peuple sur les places publiques. Ils jouent de la harpe, de la cithare, de la viole ou vielle et de l'orgue qui est alors de petite dimension et que l'on transporte aisément, tel celui que l'empereur Constantin avait envoyé à Charlemagne.

S'ils s'intéressent peu aux arts qui, pour eux, sont un luxe, les comtes de Savoie, par contre, favorisent les artisans, groupés en corporations et dont l'activité est remarquable pour l'époque[1], seulement devancés par ceux de l'Italie, qui connaît alors une floraison artistique des arts et métiers. Les artisans en Savoie étaient nombreux mais ils ne gardaient pas trace de leur histoire et de leurs œuvres, et il est donc bien difficile de faire revivre ces maîtres ouvriers dont l'art, plein de sève, était un précieux apport pour la nation.

Amédée VI et Amédée VII eurent pour architecte Jean de Liège qui bâtit Pierre-Châtel et sculpta les stalles de l'église Saint-François de Lausanne.

Région montagneuse et pauvre, la Savoie, toutefois, profite de sa position géographique entre la France et l'Italie, elle eut chez elle « avant la France des peintres à l'huile venus d'Italie et avant l'Italie des vitraux peints que des artistes français venaient poser dans ses chapelles »[2].

---

[1]. Cf. dans les *Mém. de la Société Sav. d'Histoire et d'Archéologie,* « Notes pour servir à l'Histoire des Savoyards de divers États », publiés par Dufour et Rabut.

[2]. A. Dufour et F. Rabut, « Les peintres et les peintures en Savoie du xiiie au xixe siècle », p. 8, in *Mém. et Doc. de la Soc. Sav. d'Histoire et d'Archéologie,* t. XII, 1870.

Alors que le mobilier subit l'influence française, l'architecture et la sculpture empruntent beaucoup à l'Italie[1].

En architecture, les États de Savoie, à part quelques très beaux monuments[2], n'offrent pas la même richesse que d'autres pays comme la Bourgogne, l'Auvergne ou la Provence, sans parler des pays d'Italie où fleurissait alors la Renaissance.

---

1. Émile VESCO, « L'Art en Savoie », dans *Visages de la Savoie,* p. 192.
2. On peut toutefois citer : en Savoie, Suisse romande et Val d'Aoste : les abbayes d'Abondance, de Saint-Jean d'Aulps, de Hautecombe, de Saint-Maurice d'Agaune, de Payerne, de Romainmôtier, la chartreuse et la chapelle de Pierre-Châtel; le prieuré et l'église du Bourget, la crypte de Lémenc, la basilique de Saint-Martin d'Aime; à Sion, l'église de Notre-Dame de Valère, et celle de Saint-Pierre de Clages; les cathédrales de Lausanne, de Genève, de Saint-Étienne à Moudon, d'Aoste, où Amédée VI fit construire le tombeau de Thomas II, et la collégiale de Saint-Ours. Les châteaux de Chambéry, d'Annecy, de Miolans, de Menthon, de Ripaille, de Vufflens, de Verres. Il faut signaler aussi les trente-cinq châteaux édifiés ou fortifiés au XIIIe siècle sous Pierre II par son architecte Mainier, dont Yverdon, Morges et Chillon; ce dernier commencé au XIIe ne connut sa réelle grandeur qu'au XIIIe siècle. On peut noter également sur la place de Conflans la « Maison Rouge », construite par Pierre Voisin, trésorier d'Amédée VI, qui, accompagnant le comte lors de sa dernière campagne en Italie, s'est certainement inspiré de l'architecture des Palais de Sienne. Le « Château Rouge » ou Maison du Noyer fut édifié par André Belletruche, autre trésorier d'Amédée VI; il fit plusieurs séjours à Venise et cela explique sans doute l'influence du style vénitien dans l'architecture de sa maison. En Piémont, le château d'Ivrée, construit par le Comte Vert en 1358, et celui de Rivoli. La basilique de Saint-André à Verceil. L'abbaye de Saint-Antoine de Ranverso près d'Avigliano. La Sagra de Saint-Michel de Chiuse; le baptistère de Bielle; la cathédrale de Saint-Just à Suse; le Dôme et le palais des Achaïe à Pignerol.

CHAPITRE XII

L'HÉRITAGE DU ROYAUME DE NAPLES. MORT D'AMÉDÉE VI

Élection d'Urbain VI et de Clément VII. Rentré à Rome le 17 janvier 1377, Grégoire XI mourait subitement, le 27 mars de l'année suivante, à l'âge de quarante-huit ans. Il avait été le dernier des papes qui se succédèrent en Avignon avant le grand schisme, terminant ainsi la « seconde captivité de Babylone »[1].

Les cardinaux, réunis en conclave, élirent, le 8 avril, le Napolitain Barthélemy Prignano, cardinal de Bari, par treize voix sur seize; mais devant les cris menaçants de la foule qui réclamait un pape romain, les cardinaux, pris de terreur, s'empressèrent de revêtir des ornements pontificaux le cardinal romain Tebaldeschi, qu'ils présentèrent à la populace aussitôt apaisée.

En effet, un courant populaire antifrançais s'était déchaîné en Italie où l'on souhaitait vivement l'élection d'un pape romain, un Napolitain paraissant

---

[1]. Appellation donnée par les Italiens aux soixante-dix années que les Pontifes romains passèrent sur les bords du Rhône. De 1309 à 1377, sept papes français se succédèrent en Avignon : Clément V, Jean XXII, Benoît XII, Clément VI, Innocent VI, Urbain V et Grégoire XI. L'ancien palais épiscopal devait être transformé en un somptueux palais pontifical, surtout par les papes Jean XXII, Benoît XII et Clément VI.

trop inféodé aux Anjou. L'Arétin nous donne les raisons pour lesquelles les Italiens détestaient les papes français[1].

Le calme revenu, Barthélemy Prignano, le 18 avril, fut officiellement couronné pape sous le nom d'Urbain VI. Les Romains le reconnurent alors, suivis par la majorité des Italiens.

Mais les événements ne tardèrent pas à se gâter quand arriva à Rome Jean de la Grange, cardinal d'Amiens. Ce dernier, qui ne participait pas au conclave, avait été délégué par le roi de France à la conférence de Sarzana (tentative de paix entre le Pape et les Florentins par la médiation de sainte Catherine de Sienne et de Bernabo Visconti). Le roi de France, déçu de la nomination d'un pape italien, espérait que le cardinal parviendrait à faire rompre par le Sacré Collège l'engagement pris envers Urbain VI, moyennant la promesse de son appui. La rupture fut facile, d'autant plus que le nouveau pape avait un caractère entier ! Il prétendait réformer les mœurs et prohiber le luxe de certains cardinaux, corrompus par la vie de mollesse qu'ils avaient menée en Avignon.

Sous prétexte d'éviter les chaleurs de l'été, treize d'entre eux se retirèrent d'abord à Agnani, puis à Fondi, sur les terres du comte Onorato Gaetani,

---

1. « Depuis que le Saint-Siège avait été transporté au-delà des Monts, des légats français gouvernaient tous les pays soumis à l'Église ; leur manière de commander était altière et presque intolérable ; ils s'efforçaient d'étendre leur autorité sur les villes libres ; leurs officiers, leur cortège, n'étaient jamais d'hommes de paix, mais de guerre ; ils remplissaient l'Italie d'ultramontains ; ils élevaient, avec une dépense excessive, des forteresses dans toutes les cités, et ils laissaient voir par là combien la servitude des peuples dont ils avaient ravi la liberté, était misérable et forcée ; aussi excitaient-ils à juste titre la haine de leurs sujets et la défiance de leurs voisins. » *Leonardus Aretinus Historiar*. l. VIII, cité par Simonde Sismondi : *Histoire des Républiques italiennes du Moyen Age,* Paris, 1809, t. VII, p. 70.

d'où, après avoir vainement exhorté Urbain VI à démissionner, ils le menaçèrent des pires anathèmes. Le 20 septembre, les mêmes cardinaux élirent Robert de Genève sous le nom de Clément VII ; le couronnement solennel eut lieu dans la cathédrale de Fondi.

Le 16 novembre 1378, Charles V publiait une ordonnance par laquelle il obligeait tous ses sujets à reconnaître le nouveau pape. Ainsi commença le grand schisme de l'Église d'Occident qui dura trente-neuf ans (1378-1417).

Ce fut en fait une question de nationalité et de personne plus que de doctrine ; il fallait choisir entre un pape français et un pape romain, deux conceptions différentes de l'équilibre européen.

Du côté d'Urbain VI, se rangèrent bientôt les ennemis de la France : Richard d'Angleterre, l'empereur Charles IV et son successeur Wenceslas, Louis de Hongrie, la Pologne, le Danemark, la Suède et la Norvège, et tous les Italiens qui voulaient se dégager de l'influence française, comme la république de Florence, ou encore ceux qui se laissaient gagner par l'extraordinaire ferveur de Catherine de Sienne pour soutenir la légitimité de l'élection d'Urbain VI. De 1377 jusqu'à sa mort, en 1380, Catherine écrivit des lettres enflammées aux personnalités les plus marquantes de son époque, leur enjoignant de lutter pour la cause du pape de Rome, contre celle du « démon incarné ».

La reine de Naples[1], qui s'était d'abord réjouie de l'élection d'un pape napolitain, sous l'influence

---

1. Dès le 31 octobre, Jeanne reconnut la légitimité du pape Clément VII, et fut ainsi le premier souverain à encourager le schisme. L'asile qu'elle donna aux cardinaux français sur les terres de son feudataire, Onorato Gaetani, comte de Fondi, fut décisif pour l'élection de Clément VII. Les cardinaux n'auraient rien osé faire avec le seul appui de leur milice bretonne. LÉONARD, p. 454.

de son conseiller Nicolo Spinelli, se décida à soutenir la cause de Robert de Genève, de même que son mari Othon de Brunswick et le marquis de Montferrat.

Amédée VI et la papauté. Le comte de Savoie avait immédiatement reconnu son cousin, heureux de se rapprocher une fois encore de la France, d'autant plus que l'empereur Charles IV, lors de son dernier voyage à Paris en janvier 1378, l'avait frustré de ses droits sur le royaume d'Arles, en nommant vicaire impérial le dauphin Charles, le futur Charles VI. Or cet honneur n'avait jamais été conféré à un prince français.

Mais Amédée VI réussit à se libérer de l'autorité du nouveau vicaire impérial et obtint de relever directement de l'Empereur. Par cette manœuvre, il échappait à une trop grande ingérence française dans ses États, et, en soutenant la cause de Clément VII, il favorisait les visées de Charles IV en Italie, jeu habile qui devait aussi lui être profitable dans ses ambitions transalpines.

Amédée VI voulait au plus vite descendre jusqu'à Fondi pour secourir le Pape. Dans ce but, il avait demandé les services du célèbre condottiere Alberico da Balbiano, commandant la Compagnie de Saint-Georges, réputée la meilleure d'Italie. Mais Urbain VI avait déjà acheté le capitaine et ses troupes; aussi, à Marino près de Rome, le 30 avril 1379, Alberico da Balbiano[1] faisait subir une terrible défaite aux bandes gasconnes et bretonnes de Clé-

---

1. Ce capitaine était passé au service d'Urbain VI, qu'il avait rendu maître de Rome en s'emparant du château Saint-Ange le 27 avril 1379.

Planche XXI   Phot. Bartesago
Tête de la statue tombale du Pape Clément VII (Robert de Genève).
Musée lapidaire, Avignon.

ment VII, alors commandées par Louis de Montjoie.

Clément VII, après s'être réfugié à Naples, dut quitter cette ville à cause des troubles populaires. Le peuple était resté plus favorable au pape napolitain Urbain VI. Il revint alors à Sperlonga, près de Fondi, où Louis d'Anjou lui envoya un messager afin de conclure un accord. Anjou proposait son aide au pape français, en échange d'une partie de ses terres, qu'il s'engageait à constituer en « royaume d'Adria », comprenant presque tout l'État pontifical, sauf Rome[1].

Dans cet accord, scellé par une bulle de Clément VII, le 17 avril 1379, était stipulé que Louis d'Anjou, le nouveau feudataire, en plus de l'hommage-lige au Saint-Père, garantissait le paiement annuel de quarante mille florins. En outre, il donnait sa parole de ne jamais soumettre les royaumes d'Adria et de Naples à l'autorité du même prince. Clément VII, prévoyant peut-être qu'un jour la puissance française serait trop grande en Italie, si les rêves de Louis d'Anjou venaient à se réaliser, voulait se réserver une petite partie des biens temporels de l'Église.

L'effondrement des ambitions de Robert de Genève et de Louis d'Anjou empêchera la réalisation de ce fumeux projet, qui sera repris plus tard, mais sans jamais s'effectuer.

Le contrat donnait deux ans au duc d'Anjou pour préparer son expédition; s'il se dérobait, l'accord serait annulé. En attendant la réalisation des promesses de Louis d'Anjou, Clément VII jugea plus

---

1. Les marches d'Ancône, le duché de Spolète, les Romagnes, Bologne, Ravenne, Pérouse, Todi, Massa.

sûr de quitter l'Italie pour la Provence et, le 22 mai 1379, s'établit en Avignon.

Urbain VI, qui avait espéré un moment que la reine Jeanne, sous la menace des émeutes, se rangerait de son côté, s'apercevant qu'un revirement momentané de sa part n'était qu'une feinte, lança contre elle, le 17 juin 1379, anathème et excommunication, la déclarant hérétique et déchue de ses droits au trône de Naples !

Puis, afin de se protéger des alliés de Clément VII, il appela à son secours Charles III de Durazzo, lui promettant la couronne de Naples. Charles, petit-fils d'un frère cadet de Robert Ier d'Anjou, était proche parent de la reine Jeanne dont il avait épousé la nièce. Il prétendait, non seulement au trône de Naples, mais aussi à celui de Hongrie[1]. Vexé par le mariage de Jeanne Ire avec Othon de Brunswick (1376), il ne demandait pas mieux que de détrôner la reine et de s'emparer du royaume par les armes. Il mettait son épée au service d'Urbain VI avec une armée de dix mille hommes.

La reine Jeanne, se sentant menacée par celui qu'elle avait toujours considéré comme son éventuel fils adoptif, envoya en novembre 1379 Onorato Gaetani, comte de Fondi, à la cour d'Avignon pour proposer au pape Clément VII de former une ligue avec Louis d'Anjou.

La reine s'engageait à adopter le frère du roi de France comme son légitime successeur si celui-ci lui venait en aide. L'adoption fut ratifiée par une bulle du 1er février 1380 et Louis d'Anjou, nouvel

---

[1]. Louis Ier voyait avec plaisir les offres qu'Urbain VI faisait à Charles III pour la succession du royaume de Naples, car il espérait que Durazzo vengerait la mort de son frère André. C'est avec plaisir aussi qu'il voyait s'éloigner de ses États un prétendant dangereux.

héritier, promettait d'aider la reine aussi bien en Provence qu'à Naples, et mettait à sa disposition quatre galères.

Ces premières tractations devaient rester secrètes, mais, à son retour à Naples, Onorato Gaetani propagea imprudemment la nouvelle de l'arrivée prochaine de Louis d'Anjou, ce qui alarma davantage encore Urbain VI et hâta l'arrivée de Charles de Durazzo. Le 11 mai 1380, le Pape publiait une autre bulle, dépossédant la reine Jeanne de tous ses droits, et obligeant ses sujets à rejeter son autorité.

Mais Jeanne restait confiante : elle avait deux hommes pour la défendre, son mari et Louis d'Anjou !

Le 29 juin 1380, au château de l'Œuf, à Naples, elle signait l'acte officiel d'adoption, déclarant Louis d'Anjou son légitime successeur, et le nommant duc de Calabre (titre porté par l'héritier dans la famille des Anjou de Naples).

Entre temps, Charles de Durazzo prêtait serment au Pape qui le proclamait, le 1er juin 1381, légitime souverain de Naples sous le nom de Charles III. Le peuple romain acclama le défenseur de la papauté.

Charles de la Paix marche sur Naples pour détrôner la reine hérétique. Son armée se composait de sept mille Hongrois, d'Allemands et de la Compagnie de Saint-Georges, commandée par Alberico da Balbiano.

Il met en fuite à Anagni l'armée d'Othon de Brunswick. La seigneurie de Florence, en relation avec Amédée VI, informe ce dernier de l'entrée à Naples de Charles de Durazzo[1].

---

1. « Les deux princes avaient leurs camps très voisins l'un de l'autre et s'observaient depuis quelques jours, lorsque Monseigneur Othon, envoyant à son adversaire un gant entaillé et taché de sang, sembla demander

LES ANJOU DE NAPLES ET DE HONGRIE

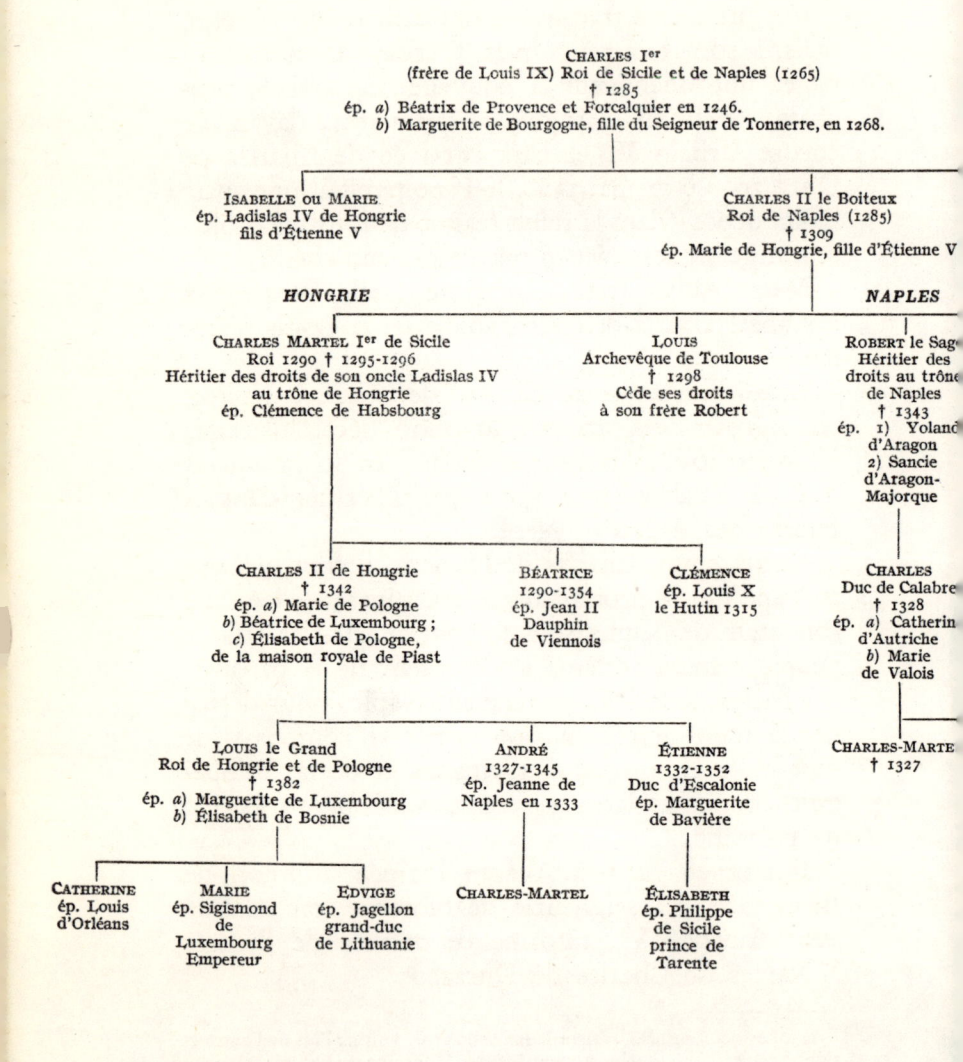

CHARLES Ier
(frère de Louis IX) Roi de Sicile et de Naples (1265)
† 1285
ép. *a)* Béatrix de Provence et Forcalquier en 1246.
b) Marguerite de Bourgogne, fille du Seigneur de Tonnerre, en 1268.

ISABELLE ou MARIE
ép. Ladislas IV de Hongrie
fils d'Étienne V

CHARLES II le Boiteux
Roi de Naples (1285)
† 1309
ép. Marie de Hongrie, fille d'Étienne V

HONGRIE — **NAPLES**

CHARLES MARTEL Ier de Sicile
Roi 1290 † 1295-1296
Héritier des droits de son oncle Ladislas IV
au trône de Hongrie
ép. Clémence de Habsbourg

LOUIS
Archevêque de Toulouse
† 1298
Cède ses droits
à son frère Robert

ROBERT le Sage
Héritier des
droits au trône
de Naples
† 1343
ép. 1) Yolande
d'Aragon
2) Sancie
d'Aragon-
Majorque

CHARLES II de Hongrie
† 1342
ép. *a)* Marie de Pologne
b) Béatrice de Luxembourg ;
c) Élisabeth de Pologne,
de la maison royale de Piast

BÉATRICE
1290-1354
ép. Jean II
Dauphin
de Viennois

CLÉMENCE
ép. Louis X
le Hutin 1315

CHARLES
Duc de Calabre
† 1328
ép. *a)* Catherine
d'Autriche
b) Marie
de Valois

LOUIS le Grand
Roi de Hongrie et de Pologne
† 1382
ép. *a)* Marguerite de Luxembourg
b) Élisabeth de Bosnie

ANDRÉ
1327-1345
ép. Jeanne de
Naples en 1333

ÉTIENNE
1332-1352
Duc d'Escalonie
ép. Marguerite
de Bavière

CHARLES-MARTEL
† 1327

CATHERINE
ép. Louis
d'Orléans

MARIE
ép. Sigismond
de
Luxembourg
Empereur

EDVIGE
ép. Jagellon
grand-duc
de Lithuanie

CHARLES-MARTEL

ÉLISABETH
ép. Philippe
de Sicile
prince de
Tarente

PHILIPPE
Roi de Thessalonique, prince d'Achaïe
† 1277
ép. Isabelle de Villehardouin

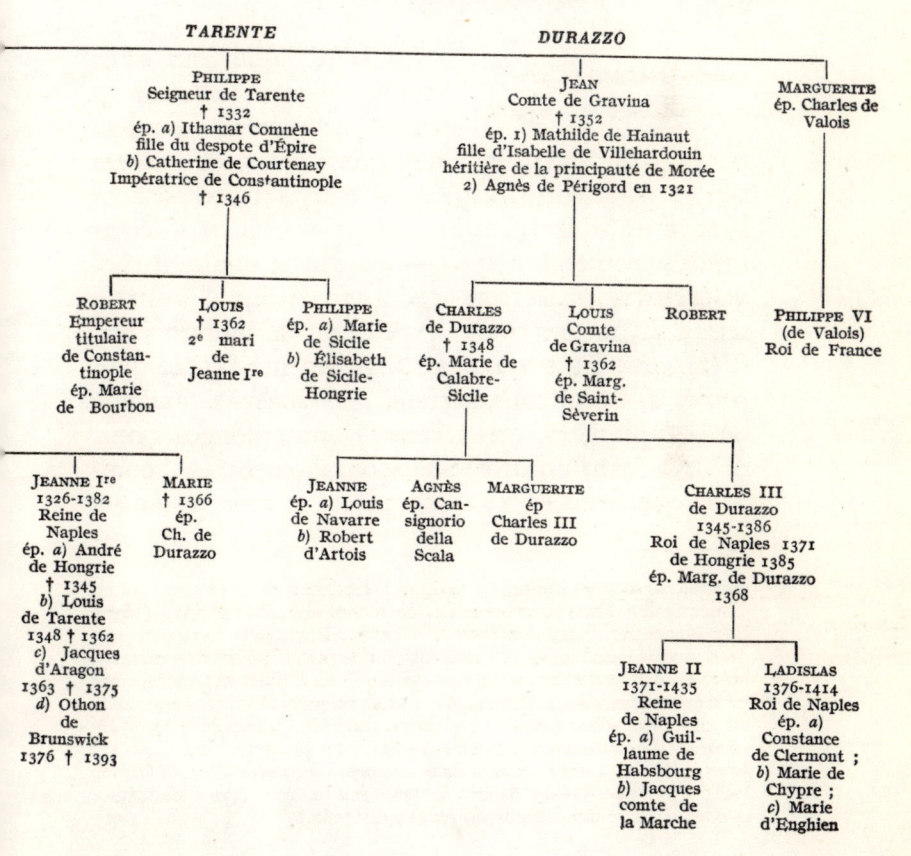

TARENTE

PHILIPPE
Seigneur de Tarente
† 1332
ép. a) Ithamar Comnène
fille du despote d'Épire
b) Catherine de Courtenay
Impératrice de Constantinople
† 1346

DURAZZO

JEAN
Comte de Gravina
† 1352
ép. 1) Mathilde de Hainaut
fille d'Isabelle de Villehardouin
héritière de la principauté de Morée
2) Agnès de Périgord en 1321

MARGUERITE
ép. Charles de
Valois

ROBERT
Empereur
titulaire
de Constantinople
ép. Marie
de Bourbon

LOUIS
† 1362
2ᵉ mari
de
Jeanne Iʳᵉ

PHILIPPE
ép. a) Marie
de Sicile
b) Élisabeth
de Sicile-
Hongrie

CHARLES
de Durazzo
† 1348
ép. Marie de
Calabre-
Sicile

LOUIS
Comte
de Gravina
† 1362
ép. Marg.
de Saint-
Séverin

ROBERT

PHILIPPE VI
(de Valois)
Roi de France

JEANNE Iʳᵉ
1326-1382
Reine de
Naples
ép. a) André
de Hongrie
† 1345
b) Louis
de Tarente
1348 † 1362
c) Jacques
d'Aragon
1363 † 1375
d) Othon
de
Brunswick
1376 † 1393

MARIE
† 1366
ép.
Ch. de
Durazzo

JEANNE
ép. a) Louis
de Navarre
b) Robert
d'Artois

AGNÈS
ép. Cansignorio
della
Scala

MARGUERITE
ép
Charles III
de Durazzo

CHARLES III
de Durazzo
1345-1386
Roi de Naples 1371
de Hongrie 1385
ép. Marg. de Durazzo
1368

JEANNE II
1371-1435
Reine
de Naples
ép. a) Guillaume de
Habsbourg
b) Jacques
comte de
la Marche

LADISLAS
1376-1414
Roi de Naples
ép. a)
Constance
de Clermont ;
b) Marie de
Chypre ;
c) Marie
d'Enghien

Le 25 août, Othon de Brunswick essaya de reprendre la ville; il put entrer dans le château de Saint-Elme, mais après une sanglante bataille, Othon fut fait prisonnier et son pupille, Jean III Paléologue, tué. La reine Jeanne, se sentant perdue, se rendit à son cousin. Les dix galères venues de Provence avec le comte de Caserte pour la délivrer arrivèrent trop tard. Jeanne fut enfermée, d'abord dans le Castelnuovo, puis à Nocera, ensuite dans le château de Muro, au milieu des Apennins, le 28 mars 1382.

Retard fatal de Louis d'Anjou. Louis d'Anjou, qui avait promis de venir délivrer au plus vite sa mère adoptive, ne soupçonnait pas encore la gravité des événements qui se passaient à Naples. Retenu à ce moment en France où il exerçait la régence — Charles V étant mort en septembre 1380 — ce prince, pourtant chevaleresque, mais trop léger, croyait qu'il avait le temps et on renvoyait l'expédition de jour en jour. C'était une faute grave qui allait amener l'échec d'un projet si longtemps caressé. La fâcheuse nouvelle de la capitulation de la reine Jeanne plongea Louis d'Anjou dans un profond découragement, et il comprit que toutes ses espérances étaient à jamais

---

chevaleresquement la bataille. Mais, dès le lendemain, il avait levé le camp d'une manière assez peu honorable; de la sorte, le roi s'en vint à Naples sans rencontrer aucune résistance — chose incroyable — et put entrer dans la ville sans fatigue et sans effusion de sang. Il possède à présent la plus grande partie du royaume; la vieille reine est durement assiégée par terre et par mer dans le Castelnuovo; son vainqueur est reconnu partout; il confère les offices, perçoit les revenus, transfère les bénéfices, reçoit les serments d'hommage et de fidélité. » Michel DE BOÜARD, *Les Origines des guerres d'Italie. La France et l'Italie au temps du grand schisme d'Occident*, Paris, 1936, pp. 48-49. (Arch. di Stato in Firenze, Signori Carteggio, missive della prima cancelleria, reg. 19, fol. 162.)

détruites. Il annonça à Charles VI qu'il renonçait à poursuivre son entreprise !

Mais, sur les instances du pape Clément VII, qui voulait revenir en Italie, et sur celles des ducs de Bourgogne et de Berry, point mécontents de voir leur brillant rival quitter la France, Louis d'Anjou revint bientôt sur sa décision, et, le 15 janvier 1382, il lance de Paris un manifeste où il annonce qu'il va délivrer sa mère adoptive, grâce à l'aide extraordinaire accordée par le roi de France.

Traité de Lyon. En Italie, Louis d'Anjou n'a qu'un allié, c'est le comte de Savoie, aussi le ménage-t-il. Il signe avec lui, à Lyon, le 19 janvier 1382, un traité par lequel le Comte Vert lui permettait de traverser ses États et lui promettait douze cents lances, en échange de toutes les terres angevines du Piémont[1]; en étaient exceptées Demonte et la haute vallée de la Stura, que tenait maintenant le sénéchal de Provence.

Ce traité coûtait très cher au duc d'Anjou, car, en plus des quarante-cinq mille florins qu'il promettait au Comte, il s'engageait à payer toutes les troupes levées pour l'expédition.

Mais ces dépenses et ces risques étaient pour ce prince peu de chose si le rêve de sa vie venait à se réaliser.

Le triomphe des ambitions de Louis d'Anjou signifiait aussi le retour de Clément VII à Rome et la fin du schisme. On comprend tout l'intérêt d'une

---

1. En 1382, seule la ville de Cuneo appartenait encore aux Anjou, mais plus nominalement que de fait. Louis d'Anjou cédait Asti (bien que les Visconti l'occupassent), Alba, Mondovi, Tortona, Alexandrie, Cherasco, Cuneo, Savigliano au comte de Savoie, en échange de son aide pour reconquérir le trône de Naples.

telle entreprise pour le comte de Savoie. Pourtant Amédée VI hésita avant de donner son adhésion au traité de Lyon. Car, à ce moment-là, il projetait une nouvelle croisade. Cette fois, il voulait délivrer Jérusalem, mettre la ville sous la protection des chevaliers de Rhodes, et, s'il faut en croire les chroniques, ramener le Saint-Sépulcre en Savoie pour le transporter au sommet du Mont Gella. Amédée VI renonçait, non sans regret, à un projet aussi séduisant pour une âme chrétienne.

Mais, devant les hésitations d'Amédée VI, Louis d'Anjou crut bon de chercher un autre allié en Italie, et fixa son choix sur Bernabo Visconti, et, à la suite d'actives négociations, un accord intervenait, en mars 1382, avec le seigneur de Milan.

Dans cette alliance offensive et défensive, Bernabo s'engageait à combattre contre Charles III de Durazzo, mettant, pour une durée de six mois, à la disposition de Louis d'Anjou, deux mille lances sous la conduite d'un de ses fils. En outre, Bernabo promettait en mariage sa fille Lucie au fils aîné de Louis, avec une dot de deux cent mille florins, destinés à couvrir les frais de la campagne.

Si le comte de Savoie avait adhéré au traité de Lyon avec une certaine réticence, Bernabo donna son appui sans difficulté, et accepta tout de suite l'offre de mariage pour sa fille; il était toujours heureux d'élever sa famille par d'illustres alliances. D'autre part, la souplesse de sa conscience, signe caractéristique des Visconti, lui permettait, tout en s'étant rallié à l'élection d'Urbain VI, de servir la cause de Clément VII, en combattant contre Charles III de Durazzo, allié du pape Urbain.

Au printemps 1382, la campagne de Louis d'Anjou était assurée, grâce aux subventions que lui

Planche XXII

La reine Jeanne de Naples et son second époux Louis de Tarente.
Miniature, statuts de l'Ordre du Saint-Esprit (1352-1353).

Ms. Français, Réserve 4274 de la Bibliothèque Nationale à Paris.

accordaient le roi de France et le pape d'Avignon, grâce aussi à l'aide militaire du comte de Savoie et de Bernabo.

Appelé par Louis d'Anjou, Amédée VI se rendit en Avignon avec plusieurs de ses chevaliers, le 24 mai 1382. Le Pape le reçut avec beaucoup d'honneur et le logea dans son château.

Les journées se passaient en discussions entre le duc d'Anjou et le comte de Savoie au sujet de l'expédition. Le duc de Berry se joignit à eux, leur apportant les encouragements du roi de France. Louis d'Anjou, avec sa légèreté habituelle, lui promit le duché de Tarente, qui appartenait à François del Balzo, duc d'Adria.

Pour assurer le succès de la campagne, on organisa une procession solennelle, à laquelle prirent part le Pape, les cardinaux et les princes, et qui fut suivie d'un service religieux dans l'église de Notre-Dame-des-Doms.

Enfin, le 30 mai, Clément VII donnait l'investiture du royaume de Naples et la couronne de roi à Louis d'Anjou; ce dernier ayant laissé passer le délai prévu, il n'était plus question du royaume d'Adria.

La descente sur Naples. Le 13 juin, Louis d'Anjou quitte Avignon pour l'Italie, avec un grand déploiement de force : des dizaines de milliers d'hommes et de nombreux chevaux[1]. Les Provençaux, impressionnés, se rallient à Louis d'Anjou, qui devait rejoindre Amédée VI à Rivoli, en passant par le Mont Genèvre.

Avant de quitter la Savoie, le Comte Vert fondait

---

1. E. G. Léonard, *Les Angevins de Naples*, p. 466.

une messe perpétuelle, qui devait être célébrée dans la cathédrale de Lausanne pour lui et les siens. Avait-il de funestes pressentiments ?

Comme il manquait d'argent, le Comte est obligé d'emprunter à des juifs les sommes nécessaires pour mettre sur pied son appareil de guerre. Chaque cavalier avait droit à trente francs d'or par mois.

Au mois de juin, l'armée du Comte était réunie à Rivoli : les douze cents lances convenues par le traité de Lyon, commandées par les chevaliers, Archimandi de Grolée avec trente-deux lances, puis les cent lances d'Amédée de Challant, les quarante lances de Guillaume et Jean de Corgeron, Jean de la Baume, Le Galois de Viry, Jean de Miolans, Stéphane de la Baume, Gaspard de Montmayeur, Mussard... Enfin, le 21 juin, l'armée du duc d'Anjou, qui avait plus de quinze mille hommes, rejoint celle du Comte à Rivoli. Le 15 juillet, les armées, en deux longues colonnes, quittaient le Piémont.

A Pavie, les Visconti reçoivent les deux princes et règlent définitivement les conditions du mariage de la fille de Bernabo.

A Castel San Giovanni, Bernabo reçoit encore Amédée VI. Il est accompagné par l'une de ses concubines, Donnina Porri, qui remet au Comte un chapeau de paille orné de perles, pour l'aider à supporter l'ardeur du soleil de l'Italie méridionale.

La mort de la reine Jeanne. Ainsi, Louis d'Anjou et le comte de Savoie risquaient la périlleuse aventure de délivrer Jeanne de Naples, l'un pour réaliser son rêve de grandeur, l'autre pour obtenir tous les fiefs des Anjou en Piémont, et gagner encore plus de prestige auprès du roi de France et du pape d'Avignon.

Pendant ce temps, Charles de la Paix faisait étouffer ou étrangler Jeanne de Naples dans son château de Muro le 27 juillet 1382. Durazzo voulait à tout prix empêcher son rival de libérer sa prisonnière.

Ainsi périssait celle qui fut célèbre pour sa beauté et dont Boccace fréquentait la cour. Celle que ses contemporains avaient surnommée, peut-être à tort, « la reine impudique ».

Son grand malheur fut de n'avoir pas d'héritier qui eût vécu assez pour lui succéder.

Les quarante années de son règne furent marquées par des intrigues et des luttes entre ses maris et ses fils adoptifs.

Jeanne eut beau recevoir l'absolution du Pape pour son second mariage, en lui vendant Avignon pour quatre-vingt mille florins d'or le 19 juin 1348; elle eut beau fonder l'Ordre du Saint-Esprit pour apaiser les barons napolitains, outrés de l'impudence de son second mari, Louis de Tarente, complice de la mort d'André de Hongrie; jamais elle ne put se laver de l'accusation d'avoir tué son premier mari, fils de Carobert (premier roi de Hongrie de la branche d'Anjou), et frère du roi Louis Ier de Hongrie, s'aliénant ainsi ses redoutables parents hongrois.

C'est pourquoi, en 1382, Charles de la Paix pouvait encore prétendre venger par la mort de Jeanne le meurtre de son cousin André de Hongrie.

Avec Jeanne Ire finissait la Maison des Anjou de Naples. Cette Maison, pourtant française, avait su, pendant plus d'un siècle, garder son indépendance, même vis-à-vis de la France.

Les lettres et les arts de cette époque nous donnent un témoignage du caractère très particulier de ces Anjou qui laissaient maintenant la place à une autre branche, moins française, presque napolitaine, ne

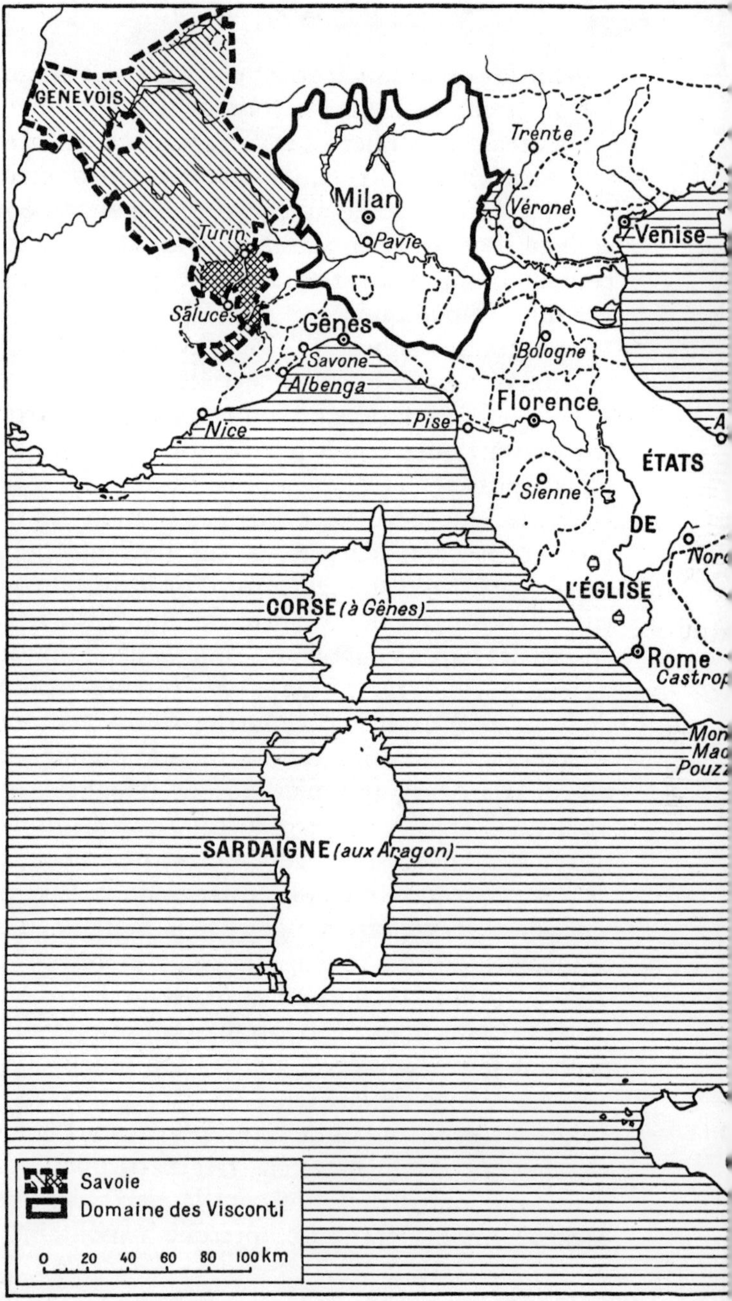
GENEVOIS
Milan
Pavie
Trente
Vérone
Venise
Turin
Saluces
Gênes
Savone
Albenga
Nice
Bologne
Florence
Pise
Sienne
ÉTATS
DE
L'ÉGLISE
Rome
CORSE (à Gênes)
SARDAIGNE (aux Aragon)
Savoie
Domaine des Visconti
0 20 40 60 80 100 km

de Dieu avant celles du monde, c'est pourquoi il me semble qu'il faut commencer d'aller à Rome et de mettre l'union en l'Église »[1].

Mais Louis d'Anjou, infatué par ses rêves de grandeur, a en tête d'arriver à Naples le plus tôt possible. Le 17, il entre à Aquila, où il est reçu comme un souverain par un suivant de la feue reine Jeanne, le duc de Montorio; puis il descend dans la vallée du Volturno. Le 25 octobre, il est à Caserte, où il reste deux longues semaines à perdre un temps précieux, puis, au lieu de continuer sur Naples, il se retire à Montesarchio; cette hésitation devait lui être fatale.

Entre temps, Urbain VI, se voyant hors de danger, dépêche Hackwood et ses bandes aux Napolitains alarmés de l'arrivée du duc d'Anjou. Le 31 novembre, le célèbre capitaine et ses troupes rejoignaient Charles de Durazzo à Naples.

Louis d'Anjou et Amédée VI, sans cesse harcelés par les bandes d'Hackwood, sont obligés de se retirer toujours plus haut dans les Apennins. Ils y passent l'hiver, leurs armées souffrent de la faim et du froid, et pour priver son ennemi de tout ravitaillement, Charles de Durazzo fait ravager la campagne.

Louis d'Anjou se retire à Bénévent avec le reste de son armée. Le jour de Noël 1382, il fait son testament car il est profondément découragé.

Le comte de Savoie essaye d'entrer en négociations avec Charles de Durazzo. Il lui demande un sauf-conduit pour rapatrier ses troupes et celles du duc d'Anjou, et lui propose de laisser à ce dernier la Provence en échange du royaume de Naples.

Mais Charles de la Paix refuse tout accord avec un schismatique. Certain maintenant de la victoire,

---

[1]. *Mon. Hist. Patriæ*, p. 362.

il préfère laisser les troupes de son adversaire dans l'inaction. Puis, trouvant l'hiver long et devant payer très cher ses mercenaires et capitaines, il propose un duel de dix chevaliers contre dix; mais les pourparlers tirèrent en longueur et, comme souvent les duels princiers au XIVe siècle étaient annoncés avec beaucoup de fracas, mais rarement exécutés[1], le duel entre Charles de Durazzo et Louis d'Anjou n'eut pas lieu.

Mort du Comte Vert. Amédée VI, de Montesarchio, s'était retiré dans les Abruzzes, vers Campobasso. Au début de février, la peste éclate dans son armée; plusieurs de ses meilleurs chevaliers succombent et le Comte lui-même tombe malade. Le 15 février, il est transporté à Santo Stefano, dans une maison près de Castropignano. Son état s'aggrave. Le 17, il fait encore un don à un serviteur qui avait découvert un dépôt de grains. Le 27, il dicte un second testament (le premier date de 1366, avant la Croisade) devant son fidèle maréchal Gaspard de Montmayeur, et lui remet l'anneau de saint Maurice pour son fils, le futur Amédée VII.

Il meurt dans la nuit du 1er au 2 mars 1383, entouré du duc d'Anjou, de Pierre de Genève, Louis d'Achaïe, Jean de Bueil, Gaspard Montmayeur, Richard Mussard et d'autres fidèles chevaliers. Il avait quarante-neuf ans.

**

La chance finit par délaisser les plus hardis. Tel fut le cas du chevaleresque Amédée VI, pour qui maintenant mieux valait la mort que de voir l'échec

---

1. Huizinga, *op. cit.*, p. 117.

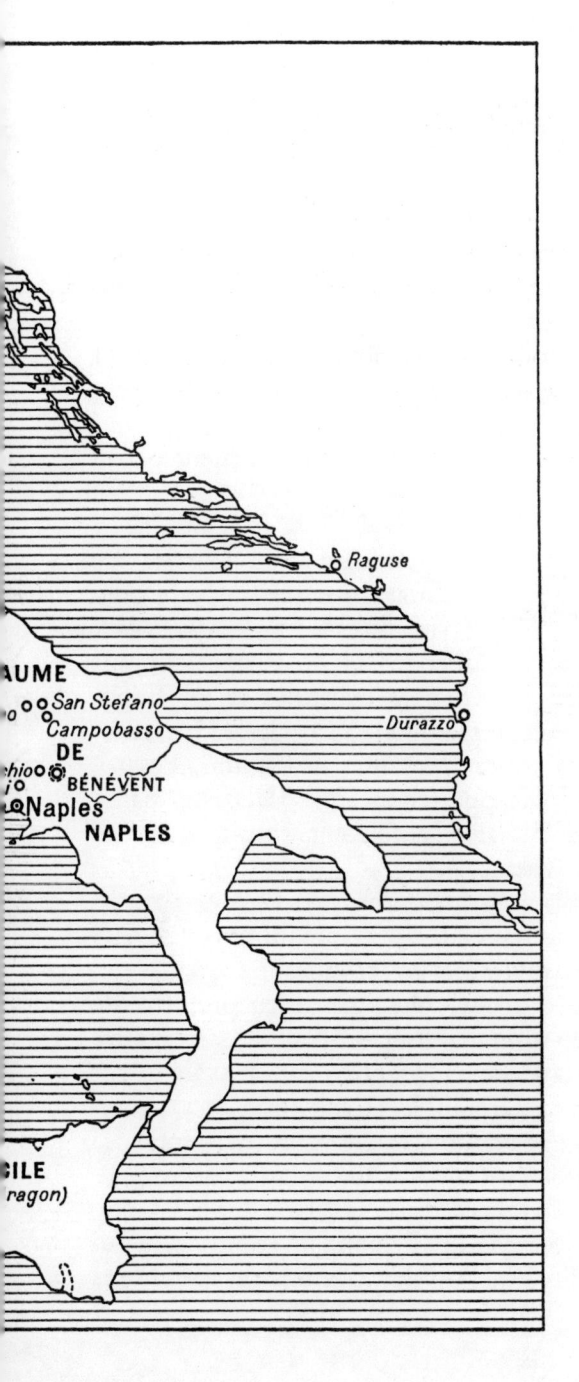

CARTE IV.

*Amédée VI
et la Campagne
de Naples.*

dépendant ni du roi de France, ni du pape d'Avignon.
Charles de la Paix fut reçu à Naples comme un libérateur.

Il fit exposer le cadavre de la reine pendant plusieurs jours dans l'église de Santa Chiara, au pied du monument qu'elle avait fait élever à son aïeul, Robert Ier.

Pour bien montrer à la population qu'elle était morte hérétique, ni prêtre, ni cierge n'entouraient sa dépouille.

La France et la papauté d'Avignon avaient perdu une fidèle alliée.

La campagne de 1382-1383.

Pendant que Charles de Durazzo entrait à Naples en triomphateur, le 30 août, Louis d'Anjou et Amédée VI se dirigeaient sur Ancône, obligés d'éviter le territoire de la République de Florence, restée fidèle à Charles de Durazzo. Ils durent aussi éviter les villes de Rimini, Pesaro, Faenza et Cesena, appartenant aux Malatesta, partisans d'Urbain VI. Ils s'enfoncent ensuite dans les difficultés des Apennins.

Louis d'Anjou commet une première erreur, en perdant le contact avec la flotte que lui envoyait Clément VII pour ravitailler ses troupes.

Sa deuxième erreur, plus grave encore, fut de vouloir tout de suite marcher sur Naples, sans mettre à profit le retard des Florentins qui n'avaient pas encore envoyé à Urbain VI Hackwood et sa compagnie. C'était pourtant le moment de tenter la chance, le Pape étant alors à Rome sans défense.

Amédée VI l'avait compris. « Sire », dit le Comte, à Louis d'Anjou qui lui demandait son avis, « j'ai toujours ouï dire que l'on doit commencer les œuvres

De sancto renato antiphona.

Confessor domini renati astantem plebem corrobo
ra sancta intercessione ut qui peccatorum pondere
premimur beatitudinis tue gloria subleuemur.

Planche XXIII

Louis II d'Anjou, roi de Sicile :
miniature dans le « Livre d'Heures du roi René ».
Paris, Bibliothèque Nationale, latin 1156 A, fol. 61.

de cette campagne où périt la moitié de son armée, avec ses meilleurs chevaliers.

La nouvelle de son décès consterna d'abord ce qui restait de ses troupes, puis ce fut la débandade générale. Les soldats se mirent à fuir ces régions insalubres, et regagner au plus vite leur pays, tandis que les quelques chevaliers valides s'occupaient de ramener les restes du Comte.

Le corps, après avoir été embaumé avec des aromates et du vin, fut mis dans un cercueil en bois de cyprès.

Pour traverser le royaume de Naples, il fallait un laissez-passer, et Gaspard de Montmayeur est obligé d'aller le demander au roi Charles III de Durazzo; le 28 mars, deux navires attendent dans la baie de Pozzuoli pour transporter la dépouille funèbre avec les survivants de l'expédition.

Dans le premier vaisseau était placé le cercueil, entouré de moines en prière pour l'âme du défunt. Dans le second, les gens du Comte Vert et tout ce qui restait comme équipement de cette campagne. Le triste convoi se dirige sur Savone.

D'après les comptes du trésorier, Rouget Mermet, nous pouvons suivre la pénible odyssée de ceux qui transportaient la dépouille de leur capitaine. Ils furent surpris près de l'île de Monte-Cristo par un terrible orage. Le 7 avril, ils étaient près de Gênes, devant Albenga, mais ils ne purent aborder à cause de l'hostilité du marquis del Carretto[1] qui avait cette ville sous sa protection. Seuls, quelques chevaliers débarquèrent. Malade, Gaspard de Montmayeur y mourut, remettant l'anneau de saint Maurice à

---

1. Les del Carretto, comme les Saluces, descendaient des Aleran, et refusaient l'hommage au comte de Savoie.

Louis d'Achaïe. Le 11, ils abordaient à Savone, où le corps du Comte Vert fut déposé dans une modeste auberge, pendant que ses preux chevaliers cherchaient de l'argent pour continuer le voyage. Ils furent obligés de donner des gages, et même de vider les poches de leurs camarades mourants.

A Savone, mourut Richard Mussard, fidèle compagnon d'armes du Comte durant vingt ans. Il fut enseveli dans l'église des chevaliers de Saint-Jean.

De Savone, le convoi put continuer sa route, grâce à l'intervention du prince d'Achaïe, qui paya une partie des frais du voyage.

A la fin d'avril, le cortège funèbre traversait le Piémont; la dépouille était posée sur une litière noire, tirée par huit mulets. A Vigone, le prince d'Achaïe convia tous les hauts dignitaires de la région à rendre un dernier hommage au Comte Vert.

Les funérailles. Quarante porteurs de torches accompagnaient le corps d'une châtellenie à l'autre jusqu'à Hautecombe où il arriva le 8 mai[1], attendu par Bonne de Bourbon, Amédée VII, sa femme Bonne de Berry, avec les évêques, abbés, et grands feudataires de la Savoie.

Les funérailles eurent lieu quarante jours après l'ensevelissement, selon la coutume. Capré[2] nous a laissé l'ordonnance de cette cérémonie.

Ce jour-là, le lac du Bourget était sillonné par de nombreuses barques, et l'église d'Hautecombe pouvait à peine contenir la foule de nobles, de prélats, de princes venus de tous les pays d'Europe pour assister à la cérémonie.

---
1. C. BLANCHARD, *Histoire de l'Abbaye d'Hautecombe*, p. 244.
2. CAPRÉ, *Traité historique de la Chambre des Comptes de Savoie*, pp. 38-40.

L'église était entièrement tapissée de drap noir « parsemé d'écussons aux armes de Savoie, [et] éclairée par des centaines de flambeaux et de torches »[1] entourant le catafalque dressé au milieu du transept.

L'archevêque de Tarentaise officiait, entouré de vingt-quatre prélats et d'un grand nombre d'abbés. Après l'offertoire, on présenta les offrandes avec le cérémonial d'usage[2].

Deux chevaliers portant d'abord la bannière de Notre-Dame, puis deux chevaux caparaçonnés montés par des hommes tenant la bannière de Saint Georges, suivis de deux autres à cheval portant la bannière de Saint Maurice.

Le prince de Morée portait l'épée de guerre et la tenait par la pointe; un écuyer devant lui portait l'épée de justice en la serrant par la poignée.

Deux chevaliers présentaient l'écusson aux armes de Savoie, le cimier, le collier, deux bannières de guerre. Un homme à cheval portait les armes de « Monseigneur »; puis venaient les deux chevaux des bannerets de Savoie, le cheval de l'étendard, le cheval des tournois couvert des armes de Savoie en argent battu, monté par un homme couvert des mêmes armes, le casque en tête, une épée brisée à la main.

La joute fut représentée par un homme d'armes portant la devise des nœuds, un faucon sur son heaume.

« Ainsi, tout ce qui avait servi à la gloire du défunt était offert à Dieu après sa mort, depuis le grand étendard de la monarchie, qui était d'azur, avec l'image de la Vierge Marie, jusqu'à ses propres

---

[1]. Cibrario, *Économie politique du Moyen Age*, p. 265.
[2]. Capré, *Traité historique de la Chambre des Comptes de Savoie*, pp. 38-40.

armes et jusqu'aux étendards qui avaient été les témoins de ses triomphes dans les joutes et les tournois[1]. »

« Pour faire oublier tous les souvenirs brillants de ce monde et en montrer la vanité »[2], arrivait enfin le quadrige de la mort : quatre chevaux noirs, montés par quatre hommes tout habillés de noir, et tenant quatre bannières noires.

**

Amédée VI qui disparaissait après un long règne de quarante années fut un précurseur.

Ce prince du Moyen Age présentait déjà les vertus et les qualités de l'homme d'État moderne. Il unissait la bravoure et l'honneur du chevalier à des qualités politiques comparables à celles que, plus tard, Machiavel louera dans *Le Prince*. Et comme le dit si joliment Ch. Dufayard : « C'est le regard clair et précis d'un homme d'État qui luit sous le heaume empanaché dont il aime à être casqué[3]. »

Ce prince ambitieux avait pris pour devise un fleuve grossi de ses affluents, avec, en exergue, « vires acquirit eundo ». Il disait un jour — était-ce confidence ou intimidation — à son beau-frère Galéas Visconti : « *par le sant dyex ne venra un an que je ayra plus de pais que not mais nul de mes ancesseurs et que il sera plus parle de moy que ne fust mais de nul de nostre lignage ou que je mourroy en la poine* ».

Ce prince hardi, si souvent les armes à la main et attiré par les aventures lointaines, donnait pourtant la paix à ses peuples qu'il avait à cœur de bien admi-

---

1. C. BLANCHARD, *Histoire de l'Abbaye d'Hautecombe*, p. 247.
2. C. BLANCHARD, *Histoire de l'Abbaye d'Hautecombe*, p. 247.
3. C. DUFAYARD, *Histoire de Savoie*, p. 94.

nistrer et en toute justice. Habile diplomate, tant de fois appelé à arbitrer les conflits, il fut, pour l'histoire de son temps et de sa Maison, un magnifique exemple de souverain.

Un souverain qui, amené à gouverner des populations aux caractères ethniques et aux genres de vie très différents, imposait à tous sa volonté, mais savait comprendre aussi bien les aspirations religieuses et les traditions de la vieille terre savoyarde que l'esprit d'indépendance et de progrès des cités piémontaises.

Le Comte Vert, aimant le faste et le panache, mais réaliste dans ses actes, poursuivit une politique de grandeur et d'unification de ses États, sous les dehors brillants d'une épopée chevaleresque.

CHAPITRE XIII

LES DEUX TESTAMENTS D'AMÉDÉE VI
FONDATION DE LA CHARTREUSE
DE PIERRE-CHATEL

Les testaments de 1366 et 1383. Le premier testament d'Amédée VI porte la date du 3 janvier 1366 et fut rédigé avant son départ pour l'Orient. Le Comte institue héritier universel son fils Amédée, et après lui ses autres fils légitimes et naturels[1]; et il désigne sa femme Bonne de Bourbon comme régente des États de Savoie et tutrice du jeune Comte. A défaut de son fils ou de ses descendants mâles, il nomme héritiers Amédée d'Achaïe et son frère Louis, évinçant ainsi de la succession leur demi-frère, Philippe, bien qu'il fût issu d'un premier mariage de Jacques d'Achaïe. Amédée VI jugeait prudent d'écarter d'une éventuelle succession ce parent qu'il tenait pour félon, car Philippe s'était allié au marquis de Saluces, et combattait à la fois les Savoie et les Achaïe.

La succession devait échoir ensuite à Aymon, fils du comte Amédée de Genève, mais avec l'obligation de porter le nom et les armes de Savoie.

Voulant à tout prix éviter que la succession ne passe un jour aux Visconti, il laisse en héritage à sa

---

1. Non adoptifs : donc nés en légitime mariage.

sœur, Blanche de Savoie épouse de Galéas III, une rente de cinq mille florins prélevée sur les terres du comté de Savoie, à la condition qu'elle renonce à toute autre prétention. On reconnaît bien là le souci constant du Comte Vert de maintenir l'intégrité territoriale de ses États. Les hasards de la guerre, les complications de la politique, la mort d'enfants en bas âge, les intrigues des envieux sont autant de facteurs capables de compromettre l'exécution des dernières volontés du Comte. Aussi Amédée VI se montre-t-il désireux de les prévenir en désignant nommément les héritiers successifs.

Le 27 février 1383, à San Stefano, près de Campobasso, Amédée VI rédigeait son second testament.

Si, dans le premier, il confiait à Bonne de Bourbon la régence et la tutelle, dans le second il lui reconnaissait en outre le droit de gouverner les États de Savoie tant qu'elle vivrait. Il lui témoignait ainsi « une confiance qui n'avait fait que s'accroître avec le temps »[1].

Bonne de Bourbon et la régence à vie.

Amédée VI nomme « sa chère femme dame Comtesse Bonne de Bourbon véritable maîtresse, administratrice et usufruitière dans le Comté de Savoie, le duché de Chablais, le marquisat d'Italie, les villes et châteaux, etc... ». Il précise que « ses sujets lui devront obéissance et fidélité, tant qu'elle vivra, et s'abstiendra de se remarier », et désire que « son cher fils Amédée de Savoie se montre un fils soumis et obéissant, et qu'elle, de son côté, témoigne envers lui de douceur et de modération ».

---

1. Cf. Max BRUCHET, *Le château de Ripaille*, p. 28.

Planche XXIV Abbaye et fort de Pierre-Châtel Phot. Studio Guy
d'après la Topographie française, par *Claude Chastillon, Paris 1691.*

Selon les dispositions du premier testament, le douaire de Bonne de Bourbon comprenait les châteaux et châtellenies de Bourg, Bagé, Pont-de-Veyle, Pont-de-Vaux, Saint-Martin, Saint-Trivier, Treffort, Jasseron; les châteaux du Bourget, Évian, Féterne, Allinges, Thonon, Saint-Branchier, Entremont. Ces biens étaient disséminés dans tout le comté. Tandis que, dans le testament de 1383, son douaire était réduit aux châteaux et châtellenies de la Savoie et du Chablais (Bourget, Hermance, Allinges, Thonon, Féterne, Évian)[1]. En contre-partie, Bonne de Bourbon recevait à vie la direction de l'État.

Le droit de primogéniture.

Examinons de plus près ce testament d'une haute importance juridique. Amédée VI pose si clairement les règles de la succession qu'il érige le droit de primogéniture en loi dynastique, écartant ainsi pour l'avenir tous les dangers possibles.

Jusqu'alors, ce droit n'était pas strictement observé dans la Maison de Savoie; parfois, la succession était donnée aux frères ou aux parents consanguins au lieu de suivre la loi de filiation directe[2], bien qu'en général la Maison de Savoie ait adopté le droit d'aînesse, en vigueur depuis le XIe siècle dans certaines régions de l'Europe féodale. Les grands fiefs étaient transmis à l'aîné de la famille, pour des raisons d'intégrité domaniale, et les chefs des grandes familles préféraient qu'un seul héritier fût investi de

---

1. Peut-être ce dernier douaire était-il déjà compris dans le contrat de mariage de Bonne de Bourbon, qui ne nous est pas parvenu.
2. En 1285, le comte Philippe de Savoie désigna son neveu Amédée V pour lui succéder, au lieu de son frère aîné Thomas III. Généralement, on appelait à la succession les hommes les plus âgés de la famille, ainsi Pierre et Philippe de Savoie furent préférés à leurs neveux.

la totalité des biens. Toutefois, ces lois, non codifiées, laissaient toute initiative au chef de famille.

Au XIVe siècle, la Savoie subissait encore les conséquences de cette survivance. Mais, si le titulaire de la couronne pouvait léguer ses biens à des héritiers indirects (oncle ou neveu par exemple), la succession par descendance mâle était de tout temps rigoureusement observée dans la Maison de Savoie[1].

Les régences. Les femmes étaient infailliblement écartées du pouvoir comme elles l'étaient en France d'après la Loi salique. Par contre, régence et tutelle étaient confiées à la mère du jeune Comte.

Il peut toutefois paraître étrange qu'Amédée VI obligeât son fils âgé de vingt-trois ans à subir encore la régence de sa mère, alors que lui-même était sorti de tutelle à l'âge de quatorze ans. Mais à l'époque, la chose n'était pas si extraordinaire : bien que majeurs, les fils du marquis de Montferrat étaient encore sous tutelle. Pierre Ier et Amédée II, à la mort de leur père Oddon, demeurèrent toute leur vie sous l'autorité tutélaire d'Adélaïde de Suse.

A plusieurs reprises, pendant les absences du Comte Vert, Bonne de Bourbon avait exercé seule le pouvoir, donnant la preuve de ses capacités. Amédée VI croyait-il que sa femme poursuivrait son œuvre avec plus de rigueur politique que son fils, impatient de s'affirmer par les armes ? Craignait-il que Bonne de Berry n'engage son époux dans une autre voie, qui pourrait être contraire aux intérêts

---

1. Le comte Boniface de Savoie, mort sans enfant en 1263, avait trois sœurs, Béatrice, Léonore et Constance, qui prétendaient à la succession, et en furent exclues par leur oncle, Pierre de Savoie. Celui-ci n'ayant qu'une fille, Béatrice, la succession passa à son frère Philippe en 1268.

de la dynastie ? Bonne de Bourbon était d'ailleurs une remarquable administratrice, ainsi que le prouvent les comptes détaillés qu'elle exigeait en plusieurs exemplaires, avec les reçus en bonne et due forme.

Le règne glorieux du Comte Vert avait appauvri les États de Savoie et il était nécessaire de restaurer l'équilibre des finances[1]. Amédée VII, jeune et hardi guerrier, aurait peut-être entraîné ses États dans des guerres ruineuses si sa mère n'avait été à ses côtés pour le retenir.

Accord entre mère et fils. Les dispositions testamentaires d'Amédée VI furent approuvées par le Conseil de Régence[2] qui se réunit à Chambéry et un accord fut signé le 18 juillet 1383 entre Amédée VII et Bonne de Bourbon. Le Comte Rouge accordait à sa mère, en augmentation de son douaire, plusieurs châteaux et châtellenies, et de plus tout le Faucigny sa vie durant, même si elle se remariait.

De son côté, la Comtesse remettait le gouvernement à son fils, se réservant toutefois de façon « expresse et solennelle, l'administration, la souveraineté et le gouvernement de toute la Savoie, tant de ce côté de la montagne que de l'autre... soit aussi quand et toutes les fois où il plaira à notre Dame et Comtesse d'avoir à exercer la souveraineté et l'admi-

---

1. C'est Bonne de Bourbon qui rétablira, en 1389, les fonctions de maître et d'officier de la Chambre des Comptes au château de Chambéry. Désormais, nul compte ou mandat ne sortira du château sans l'agrément du prince. Cf. F. Capré, *Traité d'Hist. Chamb. des Comptes de Savoie,* p. 26.
2. Les conseillers étaient Guillaume de Grandson, sire d'Aubonne et de Sainte-Croix, Louis de Cossonay, Aymon de Challant, sire de Fenis, Girard d'Estrées, chancelier, Savin de Florin, évêque de Maurienne, et Jean Métral.

nistration de façon partielle ou entière en toute occasion et événement susceptible d'arriver »[1].

Ainsi, Amédée VII gouverna; mais, en reconnaissant les remarquables dons de sa mère, il acceptait parfaitement sa collaboration. Il signa ainsi un grand nombre d'actes, usant de la formule consacrée : « consilium illustris et magnifici principis et Domine Bone de Borbonio Comitisse Sabaudie ».

On le voit, il était superflu qu'Amédée VI recommandât par testament à son fils de se montrer soumis et obéissant envers sa mère, et à cette dernière de témoigner en retour à Amédée VII de la douceur et de la modération...

Fondation de la chartreuse de Pierre-Châtel.

Amédée VI ne mentionne pas l'Ordre du Collier dans son premier testament, mais seulement dans le second. C'est dans le second aussi qu'il ordonne de fonder à Pierre-Châtel[2] un monastère en l'honneur des chevaliers de l'Ordre du Collier et de leurs descendants. Pierre-Châtel restera la propriété de la communauté des Chartreux : quinze moines (comme les quinze roses du Collier) y séjourneront et prieront pour le salut de l'âme du Comte et de ses preux.

Situé entre Yenne et Belley, dans le bailliage de Novalaise, Pierre-Châtel est un château fort bâti sur un rocher qui domine la vallée du Rhône. Dès le XIe siècle, l'empereur Henri IV l'avait cédé, en même temps que le Bugey, au comte de Maurienne Amédée II. Le château, dont une partie subsiste encore aujourd'hui, fut très tôt fortifié avec de

---

1. Turin, Arch. de Cour, *Protocole Genevesii*, 105, *in fine*, f° 25.
2. Cf. Abbé E. Vesco, *Pierre-Châtel*, pp. 270-284, et ci-dessus, chap. VII.

grosses tours en calcaire blanc. Un petit port sur le Rhône, au pied du rocher, en facilitait l'accès.

Le 28 septembre 1383, Bonne de Bourbon, suivant les volontés testamentaires du Comte Vert, confirma par lettre patente la construction de la Chartreuse de Pierre-Châtel. Il est probable que le choix de l'ordre cartusien fut inspiré par le Révérend Birelle[1], prieur de la Grande Chartreuse et conseiller spirituel d'Amédée VI. Le premier prieur de Pierre-Châtel fut le Révérend Orgelet (1385).

De 1393 à 1395, sous la haute surveillance de Bonne de Bourbon, le maître d'œuvre Jean Robert, de Genève, construisait le cloître et l'église conventuelle à nef unique et chapelles latérales que l'on peut encore admirer. Cette église servit jusqu'en 1601 aux rares cérémonies de l'Ordre; les colliers des chevaliers défunts étaient suspendus aux murailles.

Les moines durent quitter les lieux en 1791. Le Mont Saint-Michel savoyard deviendra une forteresse; dorénavant le son bruyant du canon remplacera le murmure des pieuses psalmodies des moines et les prières des chevaliers.

---

1. Cf. Abbé F. Vesco, *ibid*.

III
LE COMTE ROUGE

CHAPITRE XIV

LES DÉBUTS D'AMÉ MONSEIGNEUR COMTE DE BRESSE

(1360-1386)

> *Chevaliers et escuiers de hault cuer effaczant le nom de Noir qui procède de douleur, et donnans lieu à proesse, l'ont par ses hault hardimant et embrasement de vigueur dit et nommez Conte Rouge*[1].

Enfance et mariage d'Amédée VII. Le Comte et la Comtesse étaient déjà mariés depuis plusieurs années lorsque Amédée VII naquit, le 24 février 1360, à Chambéry. Les pèlerinages que sa mère avait faits à Lausanne, à Bourg-en-Bresse, à Saint-Claude, à la Grande Chartreuse et les ex-voto offerts à ces différents sanctuaires prouvent à quel point l'enfant était désiré.

A l'âge de six ans, on lui donna comme précepteur le vaillant chevalier Jean d'Orlyé, mais, au contraire de son père, il fut élevé dans une ambiance féminine. Ce qui ne l'empêcha pas d'être initié très tôt aux exercices physiques les plus variés : équita-

---

1. Du-Pin, col. 452. — Le chroniqueur Perrinet du Pin écrivait dans la seconde moitié du XVe siècle; il utilisa les chroniques de Cabaret (cf. p. 18, n. 1), son prédécesseur, en les développant suivant sa propre fantaisie (cf. Cognasso, *Conte Rosso*, pp. 71-73); il n'utilise pas Servion.

tion, chasse au faucon (sport favori du jeune Comte), tournois, joutes, où il montra le même courage et la même habileté que son père.

Amédée Monseigneur[1], comme l'appelaient les sujets de son père, était encore enfant lorsque ses parents projetèrent son mariage avec Bonne, fille du duc Jean de Berry et de Jeanne d'Armagnac. Le 7 mai 1372, un premier contrat fut signé à Valence. Bonne de Berry recevait en dot cent mille florins d'or, avec la promesse qu'elle hériterait d'une partie des richesses de son père[2]. Ce mariage allait encore consolider les bons rapports de la Maison de Savoie avec le roi de France, le duc de Berry étant le frère de Charles V. L'union fut célébrée le 18 janvier 1377 à Paris, dans l'hôtel Saint-Pol[3]. Pour fixer la date du mariage, Amédée VI avait consulté l'astrologue du roi de France, Thomas de Bologne, père de Christine de Pisan[4].

Après la cérémonie, le jeune couple alla en bateau de l'hôtel Saint-Pol au Louvre, où le duc de Berry offrit un splendide festin. Puis les époux, encore enfants, se séparèrent. Le jeune Amédée revint en Savoie, et Bonne de Berry, qui n'avait pas dix ans, resta en séjour chez sa tante, la reine Jeanne de France (sœur de Bonne de Bourbon) à l'hôtel Saint-

---

1. L'on appelait ainsi le jeune prince tant que vécut son père. Ce titre sera réservé plus tard à l'héritier du Comte Rouge.
2. Des quatre frères Valois (Charles V, Bourgogne et Anjou), Berry avait la plus importante et la plus belle collection d'art (300 manuscrits enluminés et 14 châteaux remplis de trésors incomparables). Voir inventaire du duc de Berry annoté par Jules Guiffrey.
3. L'hôtel Saint-Pol, bâti au quai des Célestins par le roi Charles V en 1364, et primitivement nommé « hôtel solennel des grands ébattements », était moins un palais qu'une vaste suite d'habitations. Il était entouré d'un immense parc décoré de tonnelles. Abandonné déjà par Louis XI qui lui préférait Vincennes, l'hôtel Saint-Pol tombait en ruines lorsque François Ier en vendit une partie (1519). Plus tard, l'hôtel fut tout entier démoli.
4. Cf. *Le livre des fais*, éd. Solente, t. I, Introduction.

Pol. Elle y était encore quand la reine mourut en couches, le 6 février 1378. La nouvelle de cette mort plongea la Cour dans un grand désarroi. L'on ferma l'hôtel Saint-Pol et Bonne de Berry se trouva loin de ses parents, sans habitation, les comtes de Savoie ayant vendu leur hôtel de Bohême à Louis d'Anjou en 1372; elle se serait trouvée « littéralement sur le pavé »[1] si un ambassadeur du comte de Savoie ne s'était occupé d'elle.

Les premières armes.

Le futur Amédée VII, à son retour de France, reçut l'hommage du pays de Bresse que son père lui avait donné en apanage lors de son mariage[2]. Les rapports des Savoie avec certains féodaux de la principauté des Dombes, limitrophe de la Bresse, étaient difficiles. D'autant plus que les frontières entre ces États étaient mal définies. Depuis des siècles les terres entre le Rhône et l'Ain étaient considérées « terres de l'Empire ». En conséquence, les sires de Beaujeu, bien que vassaux du roi de France, se considéraient comme souverains de la principauté des Dombes; les comtes de Thoires et de Villars, qui battaient monnaie à Trévoux, étaient aussi vassaux de l'Empereur.

Édouard II de Beaujeu refusa de rendre l'hommage au jeune Amédée VII pour les châteaux de Lent et Toissey. Cette attitude hostile provoqua une guerre. Le sire de Beaujeu ouvrit les hostilités avec

---

1. Cf. Cordey, *op. cit.*, p. 219.
2. A Bourg, Amédée VII s'était lié avec Françoise Arnaud, dont il eut deux enfants, Humbert le Bâtard et Jeanne qui épousera André de Clareins. (Sur Humbert le Bâtard, voir l'étude d'Ernest Cornaz, *Mém. et Doc. de la Société d'Histoire de la Suisse Romande*, 3ᵉ série, t. II, Payot, Lausanne, 1946, pp. 305 à 391, avec une note sur ses armoiries par Donald Galbreath.)

PHILIPPE III le Hardi
Roi de France
† 1285

PHILIPPE IV le Bel
† 1314

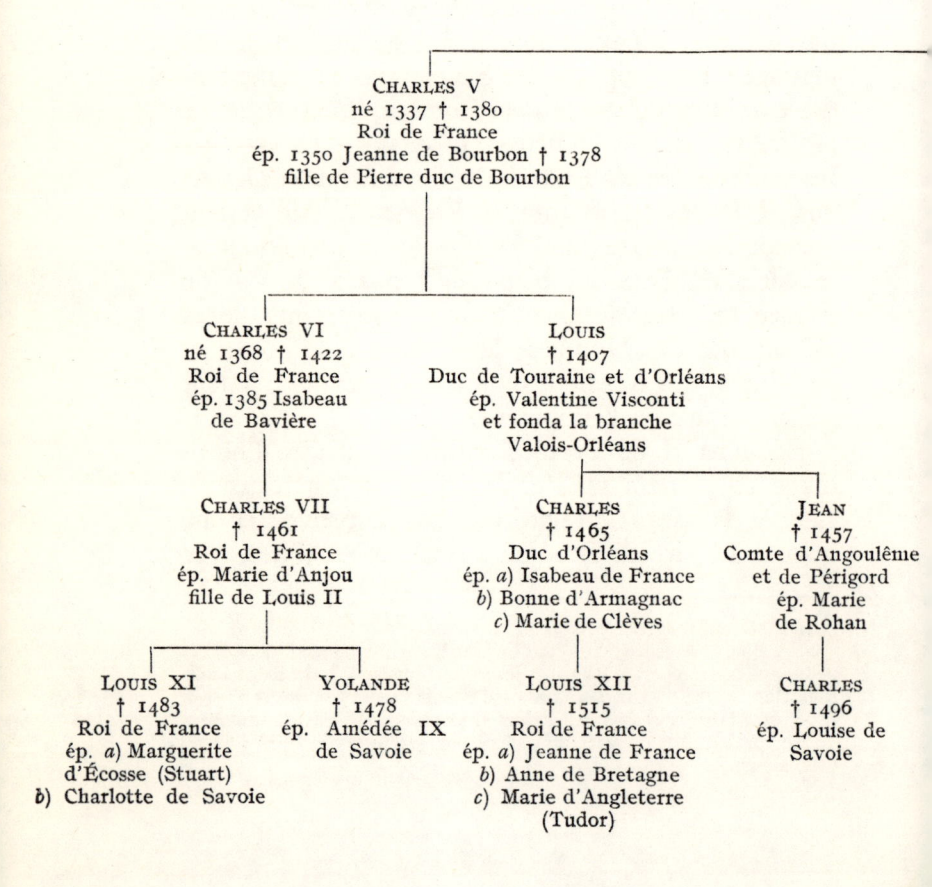

CHARLES V
né 1337 † 1380
Roi de France
ép. 1350 Jeanne de Bourbon † 1378
fille de Pierre duc de Bourbon

CHARLES VI
né 1368 † 1422
Roi de France
ép. 1385 Isabeau
de Bavière

LOUIS
† 1407
Duc de Touraine et d'Orléans
ép. Valentine Visconti
et fonda la branche
Valois-Orléans

CHARLES VII
† 1461
Roi de France
ép. Marie d'Anjou
fille de Louis II

CHARLES
† 1465
Duc d'Orléans
ép. *a*) Isabeau de France
b) Bonne d'Armagnac
c) Marie de Clèves

JEAN
† 1457
Comte d'Angoulême
et de Périgord
ép. Marie
de Rohan

LOUIS XI
† 1483
Roi de France
ép. *a*) Marguerite
d'Écosse (Stuart)
b) Charlotte de Savoie

YOLANDE
† 1478
ép. Amédée IX
de Savoie

LOUIS XII
† 1515
Roi de France
ép. *a*) Jeanne de France
b) Anne de Bretagne
c) Marie d'Angleterre
(Tudor)

CHARLES
† 1496
ép. Louise de
Savoie

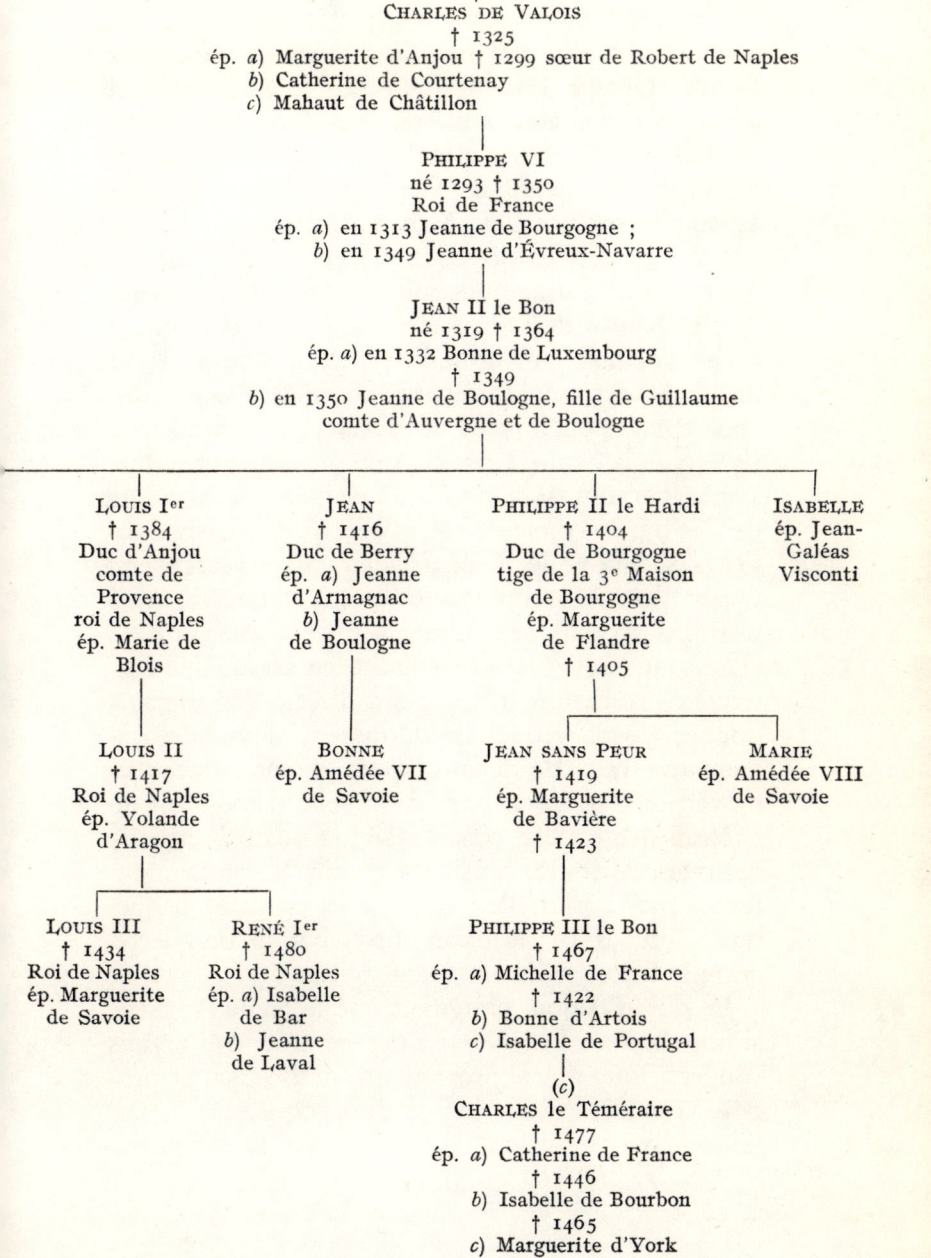

Charles de Valois
† 1325
ép. *a)* Marguerite d'Anjou † 1299 sœur de Robert de Naples
b) Catherine de Courtenay
c) Mahaut de Châtillon

Philippe VI
né 1293 † 1350
Roi de France
ép. *a)* en 1313 Jeanne de Bourgogne ;
b) en 1349 Jeanne d'Évreux-Navarre

Jean II le Bon
né 1319 † 1364
ép. *a)* en 1332 Bonne de Luxembourg
† 1349
b) en 1350 Jeanne de Boulogne, fille de Guillaume
comte d'Auvergne et de Boulogne

Louis Iᵉʳ
† 1384
Duc d'Anjou
comte de
Provence
roi de Naples
ép. Marie de
Blois

Jean
† 1416
Duc de Berry
ép. *a)* Jeanne
d'Armagnac
b) Jeanne
de Boulogne

Philippe II le Hardi
† 1404
Duc de Bourgogne
tige de la 3ᵉ Maison
de Bourgogne
ép. Marguerite
de Flandre
† 1405

Isabelle
ép. Jean-
Galéas
Visconti

Louis II
† 1417
Roi de Naples
ép. Yolande
d'Aragon

Bonne
ép. Amédée VII
de Savoie

Jean sans Peur
† 1419
ép. Marguerite
de Bavière
† 1423

Marie
ép. Amédée VIII
de Savoie

Louis III
† 1434
Roi de Naples
ép. Marguerite
de Savoie

René Iᵉʳ
† 1480
Roi de Naples
ép. *a)* Isabelle
de Bar
b) Jeanne
de Laval

Philippe III le Bon
† 1467
ép. *a)* Michelle de France
† 1422
b) Bonne d'Artois
c) Isabelle de Portugal

(c)
Charles le Téméraire
† 1477
ép. *a)* Catherine de France
† 1446
b) Isabelle de Bourbon
† 1465
c) Marguerite d'York

des bandes bretonnes et auvergnates. Pour avoir des troupes, Amédée VII dut faire appel aux États de Savoie. Quand il reçut les renforts nécessaires, il s'empara des châteaux d'Ars, de Villion, de Belvey, de Beauregard et de Lent. Le Comte Vert, à ce moment, se trouvait en Piémont et laissait son fils accomplir ses premiers faits d'armes.

Les Chroniques de Champier nous racontent la fougue et le courage que mit le jeune Comte à assiéger le château de Beauregard : « Amé Monseigneur ayant assemblé une grande armée à Bourg, la fit marcher vers une forteresse nommée Beauregard, appartenant au seigneur de Beaujeu, et assise sur la rivière de la Saune... partit Amé Monsieur et monta à cheval accompagné du comte de Genève, du comte de Chalon, du comte de Montbelliard, de Messir Gautier de Vienne et de plusieurs autres barons et écuyers. Quant l'armée arriva devant ladite forteresse, Amé manda ses capitaines auxquels il dit : mes amis..... si ay grant désir de voir comme on assaut une forteresse..... se mirent les gens d'Amé Monsieur à donner assaut, lequel ils donnèrent si vigoureusement que ceux de dedans furent moult effrayez au moyen de l'artillerie qui faisoit telle démolition du château que c'estoit pitié à voir ; et quant l'artillerie eut cessé de traire, plusieurs gentils hommes montèrent sur la muraille, tenant à leurs mains haquebuses, haches, marteaux et autres bâtons de guerre, en telle force qu'ils entrèrent dedans[1]. »

Le duc d'Anjou, craignant que le jeune Amédée, si populaire en France, ne s'expose à de trop grands dangers, intervint auprès du sire de Beaujeu et proposa la médiation du duc de Bourgogne.

---

1. Souveraineté de Dombes, p. 22.

Une trêve[1] fut conclue le 11 juillet 1378, mais les hostilités reprirent deux ans après et, au début de juin, avec une forte armée renforcée par des capitaines et des routiers du Nivernais et du Berry, Amédée VII enleva au sire de Beaujeu les châteaux de Montmerle et de Thoissey.

Alors Charles V, ne voulant pas que la région du Mâconnais soit dévastée, envoya un de ses conseillers afin de conclure une nouvelle trêve. Elle fut signée le 12 juin 1380 et se prolongea jusqu'en 1382. Le duc d'Anjou mit sous séquestre les châteaux pris par le comte de Savoie et les confia au pape Clément VII[2].

Par le traité de paix qui suivit, le sire de Beaujeu gardait en fief du comte de Savoie les châteaux de Lent, Thoissey et Montmerle, et reconnaissait Amédée VII comme suzerain pour toutes ses autres possessions au-delà de la Saône. La guerre contre le sire de Beaujeu se terminait donc à l'avantage d'Amédée « Monseigneur ».

Les Savoie ripostaient ainsi aux privilèges accordés par l'empereur Charles IV au Dauphin de France et affirmaient leurs droits sur des terres d'Empire.

Amédée Monseigneur et le roi de France. Durant l'une des trêves de la guerre d'Amé et du sire de Beaujeu, Charles V avait fait appel une fois de plus au comte de Savoie pour l'aider à débarrasser le royaume des bandes gasconnes, car le connétable Du Guesclin était mort

---

1. CORDEY, *Les comtes de Savoie et les rois de France*, p. 233.
2. Amédée VI, pendant les entrevues en Avignon avec Louis d'Anjou, à propos de l'expédition de Naples, avait obtenu de ce dernier une énergique intervention auprès du sire de Beaujeu, afin qu'il se tînt tranquille pendant son absence. Beaujeu était partisan d'Urbain VI et ceci explique l'intérêt de Clément VII dans cette affaire.

en 1380. Amédée VI accueillit favorablement cette demande, et envoya en France, à la tête d'une armée, son fils âgé de vingt et un ans. Mais, le 16 septembre 1380, le roi Charles V mourait dans son château de Beauté-sur-Marne, Amédée VII, qui se trouvait déjà à Chalon, dut rentrer en Bresse pour reprendre ensuite le chemin de Paris, et assister au couronnement du nouveau roi Charles VI. Le sacre eut lieu le 4 octobre 1380 dans la cathédrale de Reims « *si plaine de nobles que on ne savoit ou son piet tourner* »[1].

Charles VI, qui n'avait que douze ans, sympathisa tout de suite avec son jeune cousin : « *dès adoncques le roi de France eût premier veu le conte Amé de Savoye, il le print en très grant amour, pour ce qu'ilz estoient cousins germains, filz de deux seurs, et aussi pour ce qu'il estoit abille de sa personne à faire toutes choses dont il se vouloit entremestre* »[2].

Arrivée de Bonne de Berry. En mars 1381, Amédée Monseigneur alla chercher son épouse à Pont-de-Veyle pour l'emmener avec lui en Savoie. Amédée VI l'accompagnait. C'est au château de Pont-d'Ain qu'eurent lieu les premières réceptions, qui durèrent jusqu'à minuit, quand, au dire des chroniques, éclata un incendie qui interrompit la joyeuse réunion.

Les époux partirent alors pour Genève, où les attendait Bonne de Bourbon, qui les reçut avec une nombreuse suite de dames et de demoiselles, et les fêtes reprirent pendant trois jours.

Ensuite, Bonne de Berry fut amenée à Ripaille sur une embarcation richement pavoisée, pour par-

---

[1]. Froissart, t. IX, p. 302.
[2]. Cabaret, *Chroniques*, f° ccxli.

Planche XXV   Photo Studio Guy

Sceau équestre d'Amédée VII. Transaction entre Amédée VII comte de Savoie et Humbert, seigneur de Thoyre et de Villars, qui règle un différend relatif au péage de Chambéry : 7 janvier 1385. Acte scellé du sceau pendant d'Amédée VII.

Chambéry, Archives départementales; fonds Savoie, carton 3,24.

tager définitivement la vie de son époux, le jeune Amédée VII.

Combien la demeure des comtes de Savoie dut sembler rustique à cette fille du duc de Berry, habituée aux luxueux châteaux de France ! Combien cette vie dut lui paraître simple et austère auprès de celle qu'elle avait connue à la cour de son père !

Et pourtant Ripaille avait bien ses attraits... le rivage du Léman, les magnifiques forêts giboyeuses et une résidence plus riante que les sombres châteaux de Chambéry et du Bourget.

Bonne de Bourbon, la vraie créatrice de Ripaille[1], fit construire en 1371 les premiers bâtiments de cette nouvelle demeure. Son architecte Jean d'Orlyé, ancien précepteur de son fils, procéda avec adresse à l'aménagement, et, par de modestes mais agréables constructions, trouva la possibilité de loger une cour nombreuse atteignant parfois le chiffre de trois cents personnes. L'argent manquait : les guerres du Comte Vert avaient épuisé les caisses de l'État. Ces nouvelles habitations, peu élevées et en bois, entouraient l'édifice central surélevé par une salle de fêtes en forme de vaisseau, soutenu par des piliers en bois sculpté. Une chapelle fut construite à Nyon, selon les plans de Jean de Liège, qui augmenta encore le

---

[1]. Ripaille est situé entre la Dranse et Thonon et fut déjà choisi par les Gallo-Romains comme lieu de villégiature. Son éloignement des voies de communication sauva du défrichement les forêts de Rpaille pendant le Haut Moyen Age. Au XIIIe siècle, attirés par le gibier, les comtes de Savoie allaient chasser dans ces parages. Au XIVe siècle commença la construction du château qu'Amédée VIII agrandira et terminera au XVe siècle. Des constructions du temps de Bonne de Bourbon ne subsistent intactes que quelques murs, et une sorte de tour de guet, peut-être l'ancienne fauconnière. L'étymologie de Ripaille ne dérive pas du latin « ripa : rive », mais de « ripes » : amas de broussailles et de mauvais bois, en patois du Chablais; le mot vient peut-être du haut allemand. Cf. *Château de Ripaille,* par Max BRUCHET, Paris, Delagrave, 1907.

nombre des bâtiments ; une fauconnière remplaçait le sévère donjon des châteaux féodaux[1].

En 1377, les travaux étant terminés, la cour se transporta à Ripaille, qui deviendra sa résidence favorite. On dirait qu'à la fin du XIVe siècle, un goût presque romantique de la nature animait certains princes : Charles V aimait à méditer au milieu des forêts de son manoir de Beauté-sur-Marne, Galéas Visconti avait établi sa demeure à Pavie pour jouir de son immense parc, les comtes de Savoie adoraient vivre et chasser dans les forêts de Ripaille.

Vie intime et simple, pleine de charmes, au bord d'un lac aux eaux tranquilles, tout était propice au bonheur des deux jeunes princes. Bonne de Berry aimait son époux, comme en témoignent les lettres qu'elle lui écrivait, celle entre autres datée de 1387 :

« *Vous plèse savoir que le plus grant dézir que je aye, c'et de savoir vostre bon état, le quel je prie à Dieu qui soit si bon comme je dézire ; si vous suplie qui vous plèse de le moy fère savoir si sovant come il vous plèra, por l'ayse de mon cuer, qui sera toutes les foys que je pouray savoir bonnes nouvelles... Je panse que nous ne nous vayrons pas si tout* [= tôt] *comme je cuydoye, dont il m'anye* [= ce qui m'ennuye] *tant come il pouray et plus*[2]. »

Amédée VII, de son côté, ne pouvait vivre sans elle. Cependant, malgré la tendresse de son jeune mari, « l'homme le plus doux qui soit et le plus aimable des seigneurs »[3], Bonne de Berry n'occupera jamais à la cour de Savoie la place qui lui était due, et ne pourra exercer aucune influence politique

---

1. Bruchet, *op. cit.*, pp. 25-26.
2. Archives de Turin; reproduction photographique dans Cognasso, *Conte Rosso*, en regard de la page 32.
3. *Mitissimus homo et multum amabilis dominus. Chronica Altaecombae*, col. 678.

comme l'aurait désiré son père, le duc de Berry. Elle sera toujours dans l'ombre de sa belle-mère, si experte dans les affaires de l'État, fidèle collaboratrice et plus tard continuatrice de l'œuvre du Comte Vert. Bonne de Bourbon voudra toujours faire prédominer son influence politique, et Bonne de Berry devra se contenter pendant bien des années d'un rôle tout à fait secondaire.

La campagne des Flandres. En automne 1382, pendant qu'Amédée VI était éloigné par sa funeste campagne de Naples, les régents de Charles VI, effrayés par un nouveau débarquement des Anglais en France, avaient fait appel à Bonne de Bourbon afin d'obtenir des secours. Amédée VII commandait une armée prête à partir, quand Louis d'Achaïe, en lui remettant l'anneau de saint Maurice, lui apprit la terrible nouvelle de la mort de son père.

Sur ces entrefaites, une forte armée anglaise, commandée par Henri Despencer, évêque de Norwich, débarquait à Dunkerque et s'emparait des villes de Bergue, Bourbourg, et Cassel. Ypres était assiégée.

Le 15 août 1383, Amédée VII fut convoqué à Arras par le roi de France. Le comte de Savoie, qui venait de conclure la paix avec le sire de Beaujeu, répondit tout de suite à son appel et partit avec sept cents lances.

Les dames du pays voyant le jeune Amédée et ses chevaliers vêtus de noir, car il portait le deuil de son père, surprises de sa beauté, le surnommèrent le « Comte Noir à clière face »[1].

---

1. Du-Pin, col. 401.

Amédée VII se distingua au siège de Bourbourg, et sous les murs de cette ville, apprit que Bonne de Berry lui avait donné un fils, le 4 septembre 1383 : « *Ung biau filz, par l'évesque de Lausanne baptisé et par les aultres prelas de son conté à haulte solempnité en la grant sale de Chamberi et ly avoient mis nom Amé pour amour de son ayeul, le Comte Vert.* » En effet, le futur Amédée VIII fut baptisé à Chambéry, le 16 septembre, avant le retour de son père.

La campagne de Flandre se termina par la capitulation de Bourbourg. L'évêque de Norwich dut repasser la Manche, et une trêve, que le duc de Bretagne avait fait conclure à Leulingen, suspendit les hostilités avec les Anglais jusqu'au 29 septembre 1384.

Voici que ce nous rapporte Perrinet Du Pin des paroles du roi de France, qui voulait faire quitter le deuil à son cousin : « Bel oncle, disait Charles VI au duc de Berry, je veux que votre gendre, qu'on appelle Comte Noir depuis qu'il porte le deuil de son père, soit désormais connu sous le nom de Comte Rouge. Pendant toute la guerre, un noble feu a excité son courage : la couleur de feu doit être la sienne. »

Puis le roi ordonna que tout le monde fût vêtu de rouge, y compris Amédée VII, au grand banquet offert à Paris par le duc de Berry dans son hôtel de Nesle, et « *commanda à son trésorier prendre fine escarlattes et draps de haulte valeur par quantité très grande, que en la feste susdicte du plus grand jusques au plus petit fust faite habit de draps rouges* »[1].

Amédée VII quitta alors ses habits de deuil, et

---

1. PERRINET DU PIN, p. 406, transcrit en français moderne par Kervyn de Lettenhove, suite n° 1 dans le *Bulletin de l'Académie Royale de Belgique*, t. XXIII, 1re partie, 1856, p. 46.

Planche XXVI
Phot. Ch. Pricam
Stalle de l'Eglise Saint-François à Lausanne.
Chevalier portant sur les épaules le Collier, constitué d'un simple cordon formant trois nœuds sur lui même.

Planche XXVII
Photo Ch. Pricam
Stalle de l'Eglise Saint-François à Lausanne.
Détail. Bois sculpté représentant Amédée VII. 1387

fêta ainsi la joyeuse naissance de son fils ; désormais il s'habillera de rouge, ce qui le fit surnommer « le Comte Rouge ».

En reconnaissance des « chevauchées en Flandre », Charles VI fit don au jeune Comte, avant son départ, d'un « Ostel » situé vers l' « *eschielle du temple près de l'hôtel Soubise*[1], *afin, quant il verra par devers nous, il ait hostel en nostre dite ville, où il puisse honnorablement habiter, et demourer et à son plaisir* »[2].

Guerre en Valais. A peine revenu des Flandres, Amédée VII dut tout de suite reprendre les armes pour soumettre les Valaisans qui s'étaient révoltés contre leur évêque Édouard de Savoie[3].

Depuis longtemps, les communes du Valais, dressées contre les féodaux qui brimaient leur liberté, avaient pris le prétexte de la défenestration[4] de l'évêque Richard Tavelli, défenseur de leurs privilèges, pour s'insurger ouvertement contre le sire Antonin de la Tour et le chasser du pays. De la Tour dut quitter son château de Châtillon assiégé par les rebelles et se réfugier à la Cour de Savoie. Alors, sur l'instigation d'Amédée VI, Grégoire XI choisit comme

---

1. Actuellement Archives Nationales.
2. Cognasso, *Le Comte Rouge*, p. 65.
3. Fils de Philippe d'Achaïe, il devint moine à Cluny, puis évêque de Belley.
4. Le 8 août 1374, Antoine de la Tour fit surprendre Guichard Tavelli dans son château de Soie, pendant qu'il disait la messe, et le fit précipiter par la fenêtre. L'évêque trouva la mort, ainsi que ses servants. Pendant le xiiie et le xive siècle, la noblesse féodale joua un rôle important en Valais, sans cesse en lutte avec les évêques. Ces derniers, pour se prémunir contre elle, fortifièrent la colline de Tourbillon, et élevèrent des tours de défense pour protéger leur péage dans tout le Valais. Les évêques, pour se défendre aussi du comte de Savoie, souvent en lutte avec eux, conclurent des alliances défensives avec Berne et Soleure. *Histoire de la Nation suisse*, par B. van Muyden, t. I, p. 324, Lausanne, 1896.

évêque de Sion Édouard de Savoie, proche parent du Comte. Le Comte Vert, pour mettre le nouvel évêque d'accord avec les sires de la Tour, prit en gage tous les châteaux et terres de l'évêché et racheta les biens de la famille de la Tour.

Mais les communes se révoltèrent bientôt contre le nouvel évêque, trop inféodé aux Savoie, et, prenant cette fois prétexte du grand schisme, (par réaction contre Édouard qui reconnaissait Clément VII), soutinrent la cause d'Urbain VI; cela surtout dans le haut Valais où l'influence de Jean-Galéas Visconti se faisait sentir à cause de la proximité de ses États. Édouard de Savoie, chassé en 1380 et rétabli par Amédée VI, dut à nouveau quitter Sion, en 1384, sous la menace des Valaisans, et se réfugier à Ripaille.

Sion était alors dans les mains des insurgés, le sire Pierre de Rarogne s'était mis à leur tête et s'empara du château de Tourbillon, d'accord avec le chapitre de la cathédrale, lui aussi en lutte contre l'évêque. Dans cette insurrection, les sires d'Anniviers s'étaient joints à ceux de Rarogne; ainsi, la petite noblesse profitait de l'éloignement des sires de la Tour pour prendre leur place et soutenaient les communes dans leur révolte contre l'évêque et les comtes de Savoie. Cette petite noblesse, une fois sa puissance établie, opprima à son tour les Valaisans.

Il fallut au Comte Rouge une armée entière pour venir à bout de leur résistance. Amédée VII convoqua tous ses vassaux : Jacques et Louis d'Achaïe arrivèrent du Piémont avec des troupes, Berne et Fribourg, fidèles à leurs récents accords avec les comtes de Savoie, participèrent à la guerre du Valais.

Enfin, au mois de juillet 1384, Sion fut prise d'assaut, grâce à l'audace du sire Humbert de Colombier, et de ses troupes vaudoises. Devant les murs de la ville, comme son père, trente-deux ans avant lui, Amédée VII fut armé chevalier au nom de saint Georges, par Guillaume de Grandson. Amédée et Louis d'Achaïe, ainsi qu'une centaine de seigneurs, furent aussi faits chevaliers.

La ville fut mise à sac et incendiée. Le chapitre, qui avait soutenu la révolte, engagea des pourparlers auxquels prirent part le Comte, l'évêque et les communes. Les insurgés promirent de payer trois mille florins à l'évêque et au Comte. Édouard de Savoie fut rétabli dans son évêché de Sion, le sire Rodolphe de Gruyère, parent de l'évêque, fut nommé bailli du Valais, Martigny, Ardon et Chamoson passèrent au comte de Savoie. Ainsi cette paix était à l'avantage d'Amédée VII; mais elle devait durer peu de temps. Après le départ du Comte Rouge, les Valaisans des hautes vallées reprirent les armes, surprirent de nuit et massacrèrent à Viège des troupes savoyardes commandées par Rodolphe de Gruyère (1388). Malgré ces difficultés, les Savoie n'abandonnaient pas l'espoir de conquérir entièrement le Valais, et persévéraient dans leur désir de s'emparer des grandes voies de communication du Simplon et du Saint-Gothard. Mais Amédée VII avait compris qu'il lui fallait d'abord isoler les Valaisans jusqu'alors soutenus par Berne et Milan.

Le camp de l'Écluse. En automne 1386, Amédée VII était à Péronne avec mille lances[1]; il accompagnait le duc de Berry et se rendait à l'Écluse, d'où le roi de France voulait, par représailles, envahir l'Angleterre.

---

1. Le Comte avait avec lui un Génois, Aubert Spinola, qui commandait deux cents arbalétriers à cheval.

Toute la flotte du roi de France se trouvait réunie dans ce port et le chroniqueur Perrinet du-Pin nous transmet les impressions du Comte Rouge qui voyait la mer sans doute pour la première fois :

« *Le port, large et spacieux, était si plein de navires, comme galères, galions, carracques, brefz, hurques, lyms et pleins, anguilles, gabarres, sanglier, gentilz et poliz balbiniers propre pour combattre en mer, que regarder leur multitude, qui se monstroit innumérable, et bien adviser bannières, pannons et longs extendards... par souffle du vent venteler, sembloit que le port susdit fust changié et converti en espece de forest garny de grands arbres droitz.* »

Les navires de Charles VI auraient dû mettre le cap sur Orwell. La croix blanche de Savoie flottait déjà au haut des mâts à côté des fleurs de lys. Amédée VII attendait avec impatience de franchir la Manche. L'expédition était hardie et renouvelait l'entreprise de Jules César et de Guillaume le Conquérant.

Malheureusement, les vents furent contraires et la flotte ne put quitter l'Écluse. L'Angleterre encore une fois demeurait inaccessible et l'expédition, malgré des préparatifs grandioses, n'eut pas lieu[1].

Après les deux campagnes de 1383 et de 1386, le Comte Rouge ne devait plus participer à la guerre de Cent ans.

L'attente prolongée à l'Écluse causa au comte de Savoie de tels frais qu'il dut emprunter de l'argent aux banquiers italiens de Bruges. « Comme le Comte ne pouvait guerroyer », écrit Froissart, « il se fit remarquer dans les incommodités de la saison et du campement par sa belle humeur et ses largesses.

---

1. Le retard du duc de Berry chargé de rassembler l'armée de terre et qui n'arriva que le 14 octobre à l'Écluse, fut, avec les vents contraires, la cause de l'échec de l'expédition. Voulait-il empêcher le duc de Bourgogne, organisateur de toute la campagne, d'en recueillir trop de gloire ?

Planche XXVIII

Vue de Sion.

D'après la « Topographia Helvetiae, Rhaetiae et Valesiae », *par Merian. 1642.*

Souvent, pendant les trêves, s'affrontaient les seigneurs des deux armées ».

Christine de Pisan nous apprend « qu'Amé le Rouge y surpassa les plus célèbres champions d'Angleterre et vainquit à la lance le comte d'Eddington, à l'épée le comte d'Arundel, à la hache le comte de Pembroke »[1].

Amédée VII profita aussi de son séjour en Flandre pour négocier le mariage de son fils Amédée, âgé de trois ans, avec Marie, fille du duc de Bourgogne, qui n'avait que trois mois. Cette union fut décidée à l'Écluse, en présence du roi de France. Elle avait l'avantage de resserrer les liens de la Maison de Savoie avec celle de Bourgogne, et de terminer une négociation relative au pays de Vaud. Ce pays, cédé au comte de Savoie depuis 1359 à des conditions très avantageuses par le comte de Namur qui en connaissait peu l'importance, devait être l'objet de fréquents démêlés avec Philippe le Hardi et ses successeurs qui voulaient s'emparer de l'important château des Clées. L'alliance de Philippe le Hardi et du comte de Savoie, cimentée par le mariage de leurs enfants, suspendit ces hostilités pendant quelques années, et des hommes d'armes bourguignons prirent part aux glorieuses expéditions qui étendirent la puissance du Comte Rouge depuis Sion jusqu'à Nice[2].

---

1. Cf. V. DE SAINT-GENIS, *Histoire de Savoie*, p. 378, note 1.
2. KERVYN DE LETTENHOVE, *Le Comte Rouge;* CORDEY, *Comtes de Savoie*, p. 277, note 3.

CHAPITRE XV

CAMPAGNE D'AMÉDÉE VII EN ITALIE ET L'ALLIANCE AVEC JEAN-GALÉAS

(1385-1391)

La révolte des Tuchins, les Saluces et les Montferrat. La mort du Comte Vert avait donné libre cours à la haine séculaire des marquis de Montferrat et de Saluces contre la Maison de Savoie.

Ils profitèrent d'un mouvement insurrectionnel en Piémont des paysans, appelé « Tuchins »[1], pour provoquer des désordres dans les territoires appartenant aux comtes de Savoie.

La prolongation de la guerre de Cent ans avait produit une grave crise économique. La vie coûtait trop cher, et les nobles, pour maintenir leur train de guerre, continuaient à imposer lourdement leurs sujets.

Un peu partout en Europe, durant les années 1380 à 1386, s'allumèrent des foyers d'insurrection

---

1. Il faut abandonner l'étymologie provenant d'une devise imaginaire « Tout qu'un » ou « Tous qu'un ». Le dérivé par le vieux français « touche » qui signifie taillis est évidente. Les Touchins, comme les Maquisards, ont été des combattants qui se cachaient dans les bois. Voir DU CANGE, *Glossarium,* aux mots Tosca et Tuchinatus ; BOLLATI, 2ᵉ éd. ; SERVION, t. II, p. 281. — Cette révolte du peuple pressuré par les féodaux avait éclaté en Provence où le duc de Berry, lieutenant général du Languedoc, l'écrasa ; du Midi, elle avait gagné le Piémont. Cf. E. CORNAZ, *Les États,* 1917, p. 231, n° 4 ; voir aussi A. COVILLE, *Les premiers Valois,* pp. 270 et ss.

contre les levées d'impôts. Ainsi, l'on vit les « travailleurs » en Angleterre, les « Chaperons blancs » en Flandre, « les Ciompi » à Florence, les « Maillets » ou « Maillotins » à Paris. On nota même en Allemagne et en Bohême ce genre de révolte.

Le mouvement Tuchin en Auvergne et en Languedoc devait se propager du Sud de la France en Tarentaise[1], en Maurienne et en Vallée d'Aoste, puis dans le Valais, sous le nom de patriotes, et en Piémont. Dans le midi de la France et en Italie, la révolte grondait surtout dans les classes rurales, qui étaient réduites à une affreuse misère.

Mais bientôt, cette appellation de « Tuchin » s'étendit à tous les désordres, désordres souvent provoqués sciemment par les nobles pour servir leurs fins politiques.

Ainsi, le marquis de Montferrat[2] profitera du mouvement des Tuchins pour encourager les comtes de Saint-Georges de Biandrate, de Masino et de Valpergue à utiliser cette révolte contre les Savoie. D'autre part, en soutenant secrètement le marquis de Montferrat, Jean-Galéas espérait reprendre son influence en Piémont, particulièrement dans la zone de Verceil et du Canavais, cédé à Amédée VI en 1376.

Le Comte Rouge avait été informé de ce danger par Bonne de Bourbon lorsqu'il était encore à l'Écluse. Le sire Othon de Grandson, cousin d'Amé-

---

1. A Moutiers, la tradition locale a gardé mémoire de la famine de 1382 à 1384 et des tas de blé qui pourrissaient dans les greniers de l'Archevêché. Rodolphe de Chissé préférait jeter le blé dans l'Isère plutôt que de le vendre aux affamés. Les paysans et même les vassaux, indignés, assassinèrent en 1384 leur archevêque Rodolphe de Chissé dans son château de Saint-Jacquemoz. Cf. SAINT-GENIS, *op. cit.*, pp. 376-377.

2. La mort de Jean III, en 1381, lors du siège de Naples, devait avoir de grandes répercussions en Montferrat, car son frère, Théodore II, qui prit la succession, avait été élevé à la Cour de Pavie et s'était lié d'amitié avec Jean-Galéas Visconti.

dée VII et membre du Conseil de Régence, fut envoyé dans le Canavais afin de circonscrire l'insurrection. Il fut même fait prisonnier, dit-on, par Facino Cane, le redoutable condottiere qui était passé du service des Visconti à celui des Montferrat. Amédée VII avait réuni en Piémont une grande armée, formée en partie de la Compagnie des Bretons sous les ordres du capitaine Geoffroy Semerier. Il fut averti par Bonne de Bourbon que le duc de Bourgogne et le duc de Berry lui envoyaient chacun cent lances.

Le Comte Rouge avait toujours été en bons termes avec les princes d'Achaïe, élevés à la cour de Chambéry, et cela devait faciliter sa tâche. Dès son arrivée en Piémont, Amédée VII fut, à Pignerol, très cordialement reçu par Amédée d'Achaïe et sa jeune femme Catherine de Genève, sœur du pape Clément VII. Il prit part à un grand tournoi donné en son honneur.

La bonne entente des deux Amédée allait être très efficace dans la laborieuse pacification du Canavais. Tandis que le Comte Rouge rejoignait les forces d'Amédée d'Achaïe à Rivoli, Théodore II de Montferrat s'emparait de Balangero dans le Canavais, puis traitait avec le marquis de Saluces pour établir une ligue contre les Savoie en même temps qu'il cherchait à prendre l'importante forteresse de Verrua[1] près de Turin. Amédée VII reprit Balangero, mais les gens enserrés dans la forteresse de Verrua par les troupes du marquis de Montferrat appelaient au secours et le Comte dut leur venir en aide, sans pouvoir toutefois les délivrer.

---

1. Commune dont la forteresse fut construite vers 1300 par les Avogadri, seigneurs de Verceil. Les habitants de Verrua s'étaient mis sous la protection d'Amédée VI au grand mécontentement du marquis de Montferrat. Verrua, forteresse sur le Pô, point stratégique très important pour les comtes de Savoie dans leur guerre contre le Montferrat.

Il eut plus de succès avec ses ennemis, les Masino, car il s'empara de leur château après deux jours de siège, et les déposséda de toutes leurs terres. Rejoignant ensuite les troupes d'Amédée d'Achaïe, il entra dans le Montferrat et mit le siège sous les murs de Mombello. Aussitôt, le comte de Vertus intervint pour sauver son allié, Théodore II, et envoya des ambassadeurs pour établir une trêve entre les Savoie et le marquis de Montferrat, sous l'arbitrage du doge de Gênes, Antonietto Adorno.

Le marquis Théodore se rendit personnellement auprès d'Amédée VII et du prince d'Achaïe. Sentant que ses forces étaient inférieures à celles de ses adversaires, il promit (le 22 août 1387) de lever le siège de Verrua qu'il investissait depuis plusieurs mois, et de cesser d'encourager la révolte des Tuchins.

Entre temps, Iblet de Challant, nommé lieutenant général en Piémont, avait su habilement canaliser une partie de ce mouvement en faveur des Savoie. Le 9 juillet, dans la cathédrale d'Ivrée, une dizaine de communautés du Val Chiusella, vassales du comte de San Martino, en révolte contre leur suzerain, demandèrent à rendre hommage directement au comte de Savoie.

Après la trêve de Mombello, le Canavais semblait pacifié. Le mouvement des Tuchins sévissait encore dans d'autres régions du Piémont, mais dès qu'il ne fut plus soutenu par le marquis de Montferrat, il perdit beaucoup de son importance.

Le Comte Rouge et les Visconti. A Milan, Bernabo, qui projetait le mariage de sa fille Lucie avec Louis II d'Anjou, affirmait ses ambitions et, par testament, divisait son patrimoine entre ses quatre fils. Jean-Galéas, qui supportait mal la puissance grandissante de son oncle et voulait concentrer entre ses mains tout l'héritage des Visconti, méditait de supprimer Bernabo. Il était pourtant devenu son gendre quand, après la mort d'Isabelle de France, il avait épousé sa fille Catherine.

Le 6 mai 1385, Jean-Galéas, feignant de se rendre en pèlerinage à Santo Maria del Monte, près de Milan, emmena avec lui des gens d'armes déguisés sous de pieuses allures; il fit saisir son oncle qui, confiant, venait à sa rencontre, et l'enferma dans le château de Trezzi, où il mourut, empoisonné, peu de temps après. Le fils de Bernabo, Charles Visconti, s'enfuit en Allemagne, à la cour de Bavière, où deux de ses sœurs avaient épousé les fils d'Étienne de Wittelsbach, tandis que sa femme, Béatrice d'Armagnac, cousine de Bonne de Berry, sera recueillie à Ripaille, et que sa fille Bonne, que l'on appellera Mademoiselle d'Armagnac, sera élevée avec les enfants du Comte Rouge.

Jean-Galéas eut l'habileté de se faire passer pour la victime d'un complot ourdi par Bernabo, laissant croire qu'il s'était trouvé dans l'obligation d'empoisonner son oncle pour sauver sa propre vie.

Une fois seul maître de Milan, il diminua les impôts et rétablit la sécurité des routes, à la grande satisfaction de ses sujets, qui reconnurent en lui le digne successeur de son oncle. Mais, hors de Milan, on n'avait pas les mêmes raisons d'être dupe et Jean-Galéas dut chercher de puissantes alliances pour se protéger de la vengeance des princes de Bavière, apparentés à Bernabo.

Un des foyers les plus hostiles s'était formé à la cour de France, où sa petite-fille, Isabeau de Bavière, venait d'épouser Charles VI; son père, Étienne de Wittelsbach, et son frère, soutenaient les armes à la main la cause du légitime prétendant, Charles Visconti, iniquement dépossédé par Jean-Galéas.

Dans ces circonstances, le comte de Vertus fut heureux de voir que son amitié avec la Maison de Savoie était encore solide. Dès juillet 1385, le Comte Rouge avait envoyé à Pavie cinquante lances sous les ordres de Guy de Ravay, pour défendre Jean-Galéas, s'il était nécessaire. Puis, en octobre, il alla rendre personnellement visite au comte de Vertus, alors à Plaisance, et, sur l'intervention de Blanche de Savoie, les deux princes jurèrent de maintenir l'ancienne alliance entre les deux Maisons.

Mariage de Valentine Visconti. Le comte de Vertus cherchait un mari pour sa fille Valentine. Les princes de Bavière lui étant hostiles, il s'adressa à leur ennemi, l'empereur Wenceslas, et proposa le mariage de sa fille avec Jean de Gorlitz, frère de l'Empereur. Mais les pourparlers échouèrent. Enfin, le jeune comte de Touraine, le futur duc d'Orléans, se laissa tenter par les offres avantageuses du comte de Vertus et Charles VI, alors à Arras, loin de l'influence de sa femme, accepta les propositions des envoyés de Jean-Galéas et manda un ambassadeur à Milan pour fixer les clauses du contrat.

C'était pour les Valois une occasion magnifique d'intervenir en Lombardie. Depuis Philippe le Bel, les rois de France caressaient le projet de se constituer un royaume en Italie du Nord, et les papes d'Avignon, désireux de revenir à Rome, encourageaient la réalisation de ce rêve. L'alliance avec les Visconti était nécessaire pour la réussite de cette entreprise. Aussi Clément VII, contrairement à Urbain VI, reconnut-il immédiatement le nouveau

Planche XXIX

Portrait de Jean Galeas Visconti. Premier feuillet du fragment de **l'officium** des Visconti. Possédé par le Duc Marcello Visconti di Modrone à Milan. Art de Giovannino de Grassi, environ 1390.

seigneur de Milan. Par bulle du 25 novembre 1386, il accorda la dispense nécessaire à un mariage consanguin, Valentine étant la cousine germaine du duc de Touraine. Le contrat fut signé le 8 avril 1387, mais, pour des raisons qu'on n'a pu définir, Valentine ne rejoignit son mari qu'en 1389[1].

La dot de la fille de Jean-Galéas était de quatre cent cinquante mille florins, dont trois cent mille florins devaient être versés le lendemain de la consommation du mariage. La ville et le comté d'Asti passaient à la Maison de France, ainsi que le comté de Vertus, par lequel Jean-Galéas était devenu vassal du roi de France le jour où il avait épousé Isabelle de France.

Jean-Galéas était fort satisfait d'avoir un gendre qui, frère unique de Charles VI, pourrait devenir roi de France. Il était bien décidé à prendre une grande influence sur lui pour s'en servir à ses fins politiques en Italie.

Quelques historiens attribuent au Comte Rouge les négociations de ce mariage auprès de Charles VI, mais aucun document ne le prouve. Cette union n'était certes pas au profit de la Maison de Savoie, ni de celle du Montferrat, lésées l'une et l'autre par la perte d'Asti.

Le comte de Vertus avait été prévoyant en scellant l'alliance de 1385 avec le Comte Rouge.

---

1. Certes, la dot de Valentine était si considérable qu'il fallait au moins deux ans pour rassembler la somme. Il faut noter aussi que Catherine, fille de Bernabo, mariée au comte de Vertus en 1380, n'eut un fils qu'en 1388. Jean-Galéas voulait être sûr que la succession de ses États irait à son fils, et non pas au roi de France, bien qu'officiellement, dans les clauses du mariage, il était dit que, si Jean-Galéas mourait sans héritier, le duché de Milan reviendrait à Valentine, clause pleine de conséquences pour l'avenir car elle contenait en germe les guerres d'Italie. JARRY, *Louis d'Orléans,* Paris, 1889, p. 30.

Situation politique en Piémont. La politique d'infiltration du Comte Vert dans les régions d'Asti avait été efficace[1]. Mais, en vertu des clauses du contrat de mariage, les habitants furent obligés de rendre hommage à leur nouveau maître, le duc de Touraine. Le capitaine Malabaila, fidèle vassal des Savoie, et qui gardait, au nom de l'évêque d'Asti, les villes de Piozzo, Trinita, Bene et Saint-Albano, remit ces villes au prince d'Achaïe afin de les soustraire à la dot de Valentine.

Amédée d'Achaïe s'empressa d'occuper les châteaux de Bene et de Saint-Albano[2]. Le comte de Vertus menaça, puis envoya deux cents lances sous les ordres du capitaine Galeazzo Porro. D'Achaïe envoya des émissaires à son beau-frère, au pape d'Avignon, et au Comte Rouge qui lui fournit cinquante lances. Bene était prise, mais Saint-Albano résistait; Jean-Galéas voulait reprendre pied en Piémont. Les troupes de Galeazzo Porro se portèrent sous les murs de Pignerol. Impressionné, Achaïe fit appel à la commune de Turin. Le conseil de la ville lui répondit ces nobles paroles : « que s'il était possible d'arriver à un honnête accord ce serait le mieux, mais si à cause de la superbe du Visconti le prince en était empêché, les citoyens de Turin l'aideraient à défendre le pays et son honneur jusqu'à la mort »[3].

L'attaque des Visconti sur Pignerol échoua;

---

1. Voir note 1, p. 11.
2. Le Comte Vert avait accueilli dans ses États certaines familles d'Asti, chassées en 1378 par les Visconti : c'étaient les Turchi, les Rossi, les Asinari. Amédée VI, le 3 mars 1382, leur promit de les rétablir dans leurs droits et celles-ci le reconnurent « comte d'Asti », titre et fief qu'Amédée V avait reçus de l'empereur Henri VII en 1313.
3. F. Gabotto, *Gli ultimi principi*, p. 96.

Turin avait envoyé vingt-cinq arbalétriers, Chieri des renforts aux troupes des Savoie commandées par Iblet de Challant. Mais les troupes milanaises, aidées par le marquis de Saluces, reprirent Bene[1] ainsi que d'autres châteaux et terres des Savoie.

Pourtant, les rapports d'Amédée VII avec Jean-Galéas restaient pacifiques, malgré la mort de Blanche de Savoie (1388), qui avait tant contribué durant sa vie à maintenir les bons rapports entre les deux familles.

Grâce aux habiles négociations de l'évêque de Maurienne, Savin de Floran, et de Jean de Conflans, une trêve fut signée entre Achaïe et Visconti, par ailleurs en guerre avec le seigneur de Padoue. Le château de Bene fut mis sous la garde d'un représentant du pape Clément VII.

Malgré la trêve de Mombello (1387), les rapports restaient tendus entre le marquis de Montferrat et Amédée VII; plusieurs questions étaient restées en suspens, le médiateur, Antonietto Adorno[2], doge de Gênes, ayant renoncé à poursuivre les entretiens.

L'astucieux Jean-Galéas en profita pour reprendre lui-même l'arbitrage. Le marquis de Montferrat en fut heureux. Nous connaissons les liens d'amitié qui l'unissaient depuis son enfance aux Visconti. Le Comte Rouge en fut moins satisfait, car la sentence du 17 mars 1389 était plus en faveur du marquisat que du comté. De toutes les terres disputées entre le marquis et Amédée VII, ce dernier ne reçut que Poirino et Rive.

---

1. Les troupes d'Achaïe essayaient de reprendre le château de Bene, en creusant avec des mines une galerie souterraine, mais leurs tentatives n'aboutirent pas. Cf. GABOTTO, p. 97.

2. Thomas III de Saluces, dans son *Chevalier Errant,* dépeint avec vivacité le doge de Gênes cherchant à conquérir le pouvoir, mais le perdant toujours au moment où il l'atteignait. Cf. GABOTTO, p. 83.

Entre temps, le prince d'Achaïe dut accourir avec ses gens pour défendre Racconigi, attaqué par le marquis de Saluces et le feudataire Oberto Colonna di Baldissero, coureur de routes, mais audacieux capitaine, qui cherchait à dévaster les terres des Achaïe.

Tandis qu'Iblet de Challant et Amédée d'Achaïe essayent de maintenir en paix le Piémont, Amédée VII peut entreprendre avec succès l'expédition de Nice.

Ainsi les Achaïe, redevenus fidèles vassaux, donnaient au Comte Rouge la tranquillité d'esprit nécessaire pour la réalisation de plus vastes projets.

CHAPITRE XVI

CESSION DE NICE A LA SAVOIE

Amédée VI et la succession des Anjou.
Un événement d'une grande importance allait marquer le règne du Comte Rouge, l'acquisition, en 1388, de la ville de Nice et de son comté. A partir de ce moment la Savoie possède un débouché sur la mer, ce que n'ont pas les Visconti, et c'est une large compensation aux tentatives faites pour acquérir Asti et Gênes[1].

La cession d'Asti à un prince français avait paralysé le développement de la Maison de Savoie à l'est du Piémont. En retour, le Comte Rouge voulut reprendre la politique de son père dans la vallée de la Stura, qui lui permettrait de redescendre sur les terres de Provence. Les comtes avaient dû, après le traité de Paris, renoncer à toute expansion au-delà du Rhône et de la Savoie et vers le Dauphiné. Quand Amédée VI avait accepté d'aider son cousin Louis

---

1. En 1381, il y eut des pourparlers secrets entre certains nobles de Gênes, entre autres Nicolo Fieschi, père de l'évêque de Verceil, et le Comte Vert, pour le nommer « protecteur, défenseur et doge » de cette ville mais les avantages de cette offre étant partagés avec d'autres feudataires comme l'évêque de Verceil, le Comte n'accepta pas. Les pourparlers continuèrent avec Bonne de Bourbon et le Comte Rouge; le 16 septembre 1383, les Fieschi affirmaient encore aux comtes de Savoie toute leur fidélité. GABOTTO, *Ultimi principi*, pp. 9-10.

d'Anjou à reconquérir le royaume de Naples, des clauses précises avaient été stipulées dans le traité de Lyon (1381). Le Comte Vert recevait, en échange de ses services, le comté angevin du Piémont[1] et une somme de quarante-cinq mille florins. Louis Ier d'Anjou mourut peu de temps après et la dette ne fut jamais payée[2]. C'était fournir à Amédée VII un excellent prétexte pour faire valoir ses droits sur l'héritage de la reine Jeanne, auprès de Louis II d'Anjou.

Cet héritage était alors disputé entre les Durazzo et les Anjou. Après la mort de Louis Ier d'Anjou en 1385, et de Charles III de Durazzo en 1386[3], deux femmes se disputaient le royaume de Naples pour leur fils mineur, Marie de Blois veuve de Louis Ier d'Anjou, pour son fils Louis II, et Marguerite veuve

---

1. En 1382, le 10 avril, la ville de Cuneo s'était donnée officiellement à Amédée VI. Les Anjou n'avaient dorénavant plus de possessions en Piémont, à part quelques localités dans la vallée de la Stura. Le Comte Rouge, en 1385, remonta cette vallée, mais se trouva aux prises avec le marquis Frédéric II de Saluces, lequel, revendiquant certains droits sur l'héritage de la reine Jeanne de Naples, avait fait occuper en 1384 Saint-Paul, Meyronne et Archis par son fils, le futur Thomas III, qui leur accorda des privilèges en échange de l'hommage. Mais l'habile propagande que les Savoie avaient faite ces dernières années dans la haute vallée de la Stura allait porter ses fruits; le 28 janvier 1385, les localités de Janssier, Castellar et Tournus se soumirent au comte de Savoie, et, le 1er avril, à Rivarole, Iblet de Challant, capitaine du Piémont, reçut leurs délégations, avec la seule réserve qu'ils redeviendraient vassaux de Charles de Durazzo, alors encore en vie, s'il devenait maître de la Provence.

2. Bonne de Bourbon réclamait aussi les 16.200 florins et 3.240 ducats dont elle avait obtenu la reconnaissance de Louis Ier d'Anjou, au moment de la mort d'Amédée VI.

3. Louis Ier d'Anjou était mort peu après Amédée VI, en 1385, d'une fièvre pernicieuse. Charles de Durazzo, prétendant au trône de Hongrie, après la mort de Louis Ier, se rendit à Buda pour ceindre la couronne de saint Étienne. Il avait obtenu la renonciation de Marie, fille et seule héritière du roi Louis Ier. Mais Charles de Durazzo fut victime d'un complot, tramé par la reine régente, Élisabeth, et son favori, le comte palatin Nicolas de Gara. Le 7 février 1386, dans l'appartement des reines et en leur présence, Charles fut grièvement blessé par les sicaires de Gara, et mourut peu après. On l'enterra non loin de l'église Saint-André, sans les honneurs religieux.

de Charles de Durazzo, pour son fils Ladislas. Marguerite et son fils avaient été chassés de Naples par l'armée angevine commandée par Othon de Brunswick, qu'elle avait eu la faiblesse, après la mort de son mari, de remettre en liberté.

Entre temps, les Anjou gagnaient du terrain en Provence. Le 1er octobre 1387, Aix tombe entre leurs mains. Le sénéchal des Durazzo en Provence, Baldassare Spinola, se démet de ses fonctions. De Gaëte où elle s'était réfugiée, Marguerite ordonne qu'on le remplace par Jean Grimaldi, comte de Bueil (9 octobre 1387). Les Grimaldi étaient une illustre famille guelfe de Gênes, qui depuis la fin du XIIIe siècle possédait la seigneurie de Monaco. Très ambitieux, les Grimaldi voulaient devenir les premiers seigneurs de la contrée. Les Savoie furent assez habiles pour leur donner l'illusion qu'ils les aideraient à réaliser leurs prétentions. Le Comte Vert était entré en relation avec cette famille. Il avait été prévoyant.

Négociations avec les Grimaldi. Mais, dans le même temps que les pourparlers engagés avec les Anjou à propos de la dette du Comte Vert traînaient en longueur, des entretiens secrets avaient lieu entre Jean Grimaldi, prêt à trahir le roi Ladislas, et le lieutenant de Savoie, Barthélemy de Chignin.

Les marquis de Saluces avaient été évincés de la haute vallée de la Stura, et, désormais, la pénétration des Savoie pouvait se poursuivre en Provence. L'occupation de la vallée de l'Ubaye par les Savoie pouvait être interprétée comme une prise de gage sur la dette de Louis Ier d'Anjou.

La direction de ces menées politiques partait de

Ripaille où se trouvaient Bonne de Bourbon et son conseil.

L'exécution de la partie militaire était donnée au prince d'Achaïe, qui avait réuni des troupes en Piémont pour occuper la haute vallée de la Stura et Barcelonnette.

Que se passait-il à ce moment-là à Gaëte, où la reine Marguerite s'était réfugiée avec le jeune roi Ladislas ? Au dire des *Chroniques de Savoie,* et selon la version officielle qu'Amédée VIII adoptera plus tard pour expliquer le cours de ces événements d'une si haute importance pour la Maison de Savoie : Georges de Marles, sénéchal de Louis II d'Anjou, avait conquis toute la Provence sauf Nice où se trouvait le sénéchal, Jean Grimaldi, seigneur de Bueil, resté fidèle en apparence au roi Ladislas de Durazzo. Les habitants de Nice, menacés par les Anjou, envoyèrent à Gaëte, avec leurs ambassadeurs, Louis Grimaldi, frère de Jean, pour demander au roi Ladislas et à la reine Marguerite des secours contre le sénéchal des Anjou, Georges de Marles. Marguerite leur répondit que, malheureusement, il lui était impossible de leur venir en aide, et leur conseilla de se choisir un seigneur capable de les défendre et qui ne fût pas l'allié des Anjou.

Nice et l'appel au Comte Rouge. Les Niçois se mirent alors à délibérer sur le choix d'un protecteur. Les uns souhaitaient la République de Gênes, d'autres le pape d'Avignon; d'autres encore le Dauphin ou le comte de Vertus. Comme l'accord ne se faisait pas, le seigneur de Bueil, ainsi que d'autres nobles, se prononcèrent pour Amédée VII.

« *Si nous voulons,* dirent-ils, *avoir un bon seigneur et*

Planche XXX — Vue de Nice jusqu'à Villefranche : gravure sur cuivre non terminée, signée AE(neas) V.(icus), 1553. Collection U. Hoepli, Milan.

Phot. Alinari

une meilleure domination, nous devons choisir le comte de Savoie, qui est notre voisin, et si puissant qu'il pourra nous défendre de nos ennemis. »

Puis, pendant que le sénéchal des Anjou mettait le siège devant Nice, les habitants de la ville envoyaient au Comte de Savoie leurs ambassadeurs. En effet, les entretiens secrets se poursuivaient activement entre les Grimaldi et la cour de Savoie. Amédée VII, qui se trouvait alors à Paris, fut rappelé à Chambéry, où on l'attendait pour la conclusion des derniers accords.

Les conventions et le traité. — Le 2 août fut signée la convention définitive. Ce document, qui est conservé aux archives de Turin, commence par les doléances des Grimaldi qui se plaignent de n'avoir reçu aucune aide de Gaëte. Il expose ensuite comment, après avoir vainement fait appel aux secours du roi Ladislas, les populations de Nice lui ont demandé de choisir un protecteur puissant, parmi les princes étrangers. Les Grimaldi s'étaient adressés alors au comte de Savoie, bien connu pour son courage, sa sagesse et sa paternelle bonté. Viennent ensuite les clauses acceptées par les deux parties :

1º Les Grimaldi se déclaraient vassaux des comtes de Savoie pour toute la baronnie de Bueil.

2º Jean Grimaldi, nommé sénéchal de Provence, devait remettre, à la demande des autorités de Savoie, le Vicariat de Nice, le bailliage de Villeneuve, le vicariat de la Tinée, le comté de Vintimille et le bailliage de Barcelonnette.

3º Toutes les villes et les communes conquises par le comte de Savoie en Provence et dans le Forcalquier devaient lui rendre hommage.

Quant à Amédée VII, il promettait de défendre les terres conquises, contre tout agresseur, de les gouverner avec sagesse, de respecter leurs privilèges et de ne pas les obliger à se battre contre le roi Ladislas, de les protéger comme la « géline » (la poule) défend du « uhan » (le chat-huant), en gardant « soubz ses elles » (ailes) « sé petits et tandres poussins »[1].

Un autre acte, très important, contenait la promesse formelle des Grimaldi d'employer toute leur habileté pour obtenir du roi Ladislas la cession aux Savoie des comtés de Provence et de Forcalquier, et celle de ne jamais soumettre à d'autres seigneurs ses terres ou ses châteaux de Provence, sans l'autorisation du comte de Savoie. En récompense de leurs services, Amédée VII promit aux Grimaldi vingt-trois châteaux qui n'étaient pas encore en sa possession.

Le traité fut ratifié une première fois par Jean Grimaldi à Barcelonnette, en présence d'un messager du Comte Rouge, Aniquier de Bruxelles, le 19 août 1388. Le 25 août, ce même acte était ratifié par Amédée VII à Chambéry, et le 30 août Louis Grimaldi (frère de Jean) y apposait sa signature avec la formule « Ita est ». Ainsi finissait la domination des Durazzo sur Nice.

L'habileté avec laquelle les princes de la Maison de Savoie, au XIVe siècle, avaient conduit leurs négociations à terme, peut à bon droit susciter notre admiration.

Si les pourparlers avaient été menés avec adresse, il faut bien dire que les populations souhaitaient vivement la protection des comtes de Savoie et que

---

1. Du-Pin, col. 528.

ce désir avait certainement facilité les choses. La sage administration des comtes, leur esprit de justice, la solidité de leurs troupes, et le respect des privilèges communaux, qui soustrayant l'individu

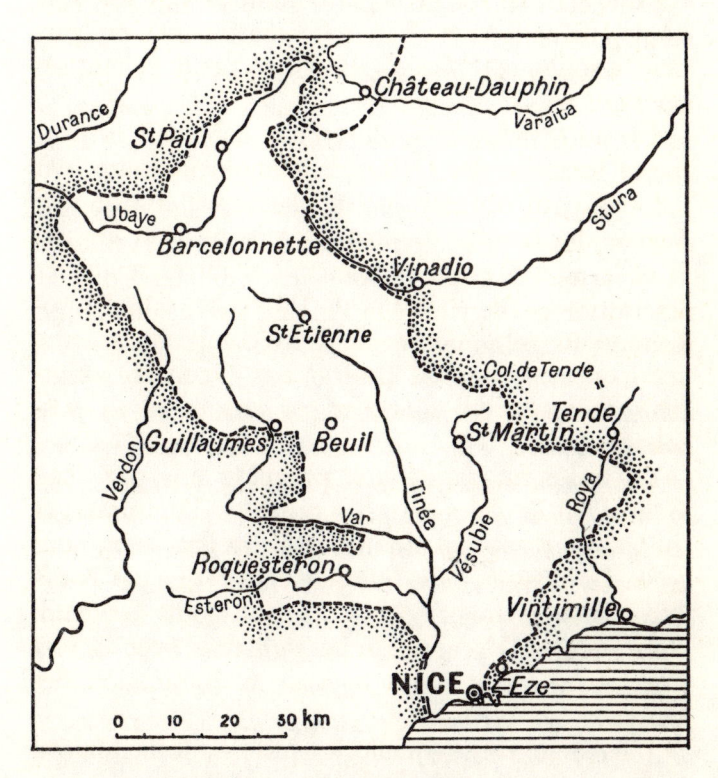

CARTE V. — *Le comté de Nice en 1388.*

à la dépendance des seigneurs laïques ou ecclésiastiques en faisaient un homme libre, tout était garant de prospérité et de liberté pour le peuple aussi bien des villes que des campagnes. Au Moyen Age, la domination des Savoie est synonyme de progrès.

*L'entrée
d'Amédée VII
à Nice.*

Le comte de Savoie pouvait maintenant prendre officiellement possession de ses nouveaux États.

Amédée VII voulait gagner Nice le plus secrètement possible.

« *Pour aller à Nice prendre possession du pays, fit le comte de Savoie amas de gens le plus secrètement qu'il put, et passa la monteigne de Galibier aussi le col de Fennestres.* »

Le passage du col du Galibier à l'altitude de deux mille six cent cinquante-huit mètres, avec chevaux, armes et bagages, dut être difficile. Voici la description de Perrinet Du Pin de l'arrivée du Comte Rouge à Barcelonnette :

« *Les paysans qui, de loing, virent la lumière du soleil extinceller contre les hernoys, des hommes d'harmes portans exstendart, enseignes, pennons volans au souffle du vent, coururent dedans la ville à haulte gorge crier de rue en rue, disaient aux habitants : cloez* [fermez] *hâtivement les portes, montez sur vos murailles, et courez aux crénaux pour défendre votre ville, car vient un cadet*[1] *lequel devant soi fait porter une grande bannière rouge signée d'une croix blanche, suivi et accompagné de telle quantité d'humains que leur nombre innumérable ne se consone à host fait par puissance d'un seul prince. Le grand cadet de Savoie voyans partans devant lui* »[2] [car les habitants de Barcelonnette, au lieu de fermer les portes, reçurent le Comte à bras ouverts] « *genoulx fléchiz touchans la terre, leur commanda de relever, et relevant prist les clefs de la ville sudite, remercia les habitants du don qu'ils en faisaient, et leur fit jurer d'être loyaux à lui et*

---

1. Du latin « caput » du provençal « capdel » : chef, capitaine.
2. Perrinet Du-Pin, pp. 528-532.

aux officiers, qui pour justice tenir, il mettrait pour lui en leur ville, et, après le serment solennellement fait, il rendit les clefs, priant qu'ils les gardassent loyalement en son nom. Les ecclésiastiques et les clercs, chantans Te Deum laudamus, *remerciant le Créateur que prince vigoureux puissant, comblé de grâce et de vertu leur soit en nouveau seigneur envoyé.* »

Le Comte Rouge resta dix jours à Barcelonnette; il était accompagné d'Othon de Grandson, d'Aymon de Clermont, de Jean de Serraval, d'Antoine de Chignin, de Jean d'Andelot et de Louis Grimaldi, et escorté par une trentaine de lances.

Amédée VII se présentait aux populations de la Provence comme Vicaire impérial, et portait la bannière azur, avec la croix blanche, adjointe à celle de l'aigle impériale.

A Saint-Étienne, sur les terres de Provence, le Comte voulut faire sceller l'acte de donation de la ville de Nice, en y apposant le grand sceau de la Maison de Savoie.

Le 28, Amédée VII est à l'abbaye de Saint-Pons, où les Niçois lui firent part de la soumission de leur ville. Le traité de cession est ratifié par une assemblée populaire, sous le grand chêne du monastère. Amédée VII s'engageait à gouverner et à défendre la ville de Nice et le Comté à ses propres frais. Il devait protéger ses nouveaux sujets contre les Anjou, et ne jamais aliéner Nice, ni le Vicariat, si ce n'est aux descendants du roi Ladislas qu'il représentait pour la Provence[1].

Le Comte jura sur l'Évangile de respecter ses engagements; les quatre procureurs que la ville de

---

1. Gabotto s'appuie uniquement sur cette clause pour soutenir, hors de propos, que la cession de Nice à la France en 1860 n'est pas valable juridiquement.

Nice avait nommés le 27 septembre 1388 pour traiter avec le nouveau maître prononcèrent le même serment, heureux d'avoir sauvé leurs privilèges communaux et gardé leur fidélité au roi Ladislas, si jamais celui-ci parvenait à régler dans les trois ans les dépenses faites par le comte en Provence.

Les *Chroniques* font allusion à une grande bataille livrée entre les troupes du sénéchal de Marles et celles des Niçois. Mais il ne semble pas qu'il y ait eu un combat dans la contrée au moment où le Comte Rouge prenait pacifiquement possession de cette partie de la Provence.

Le 28 septembre, Amédée VII fit son entrée triomphale à Nice, et, entouré de ses chevaliers, parcourut les rues de la ville. Perrinet Du Pin compare le Comte Rouge et sa suite à un paon orné de ses plumes, faisant la roue :

« *Triomphal, haultain, en pompeux arroy, le conte sur son cheval sort couvert de drap d'or, très riche, tourna son regard et vit après lui venir noblesse resplendissante et ornée de fleurs de chevalerie, comme queue de paon, virant et tournant sa roue au reverbère du soleil, transfigurant ses couleurs d'or en azur ; d'azur en vert puis de vert en pers, puis en rouge qui resplendit et enlumine l'oiseau qui sur soi le porte ; de cette manière, le cadet en Majesté, par la haute baronnie qu'autour de soi voit en soi incline et subjecte, ce tint être par elle paré et enluminé à l'exemple du paon qui fait la roue et orne les deux côtés de son corps*[1]. »

L'entrée d'Amédée VII à Nice fut vraiment triomphale. La population l'acclamait en chantant des lais et des ballades et jetait des fleurs sur son chemin. Il s'installa dans le château-citadelle, et le 22 octobre convia les autorités de la ville et les dames niçoises

---

1. Perrinet Du Pin.

à un grand festin où brillait la vaisselle d'argent qu'il avait apportée de Chambéry.

Les habitants d'Utelle, de Sospel et de Vinadio qui dépendaient jusqu'à ce moment du sénéchal de Provence vinrent rendre hommage à leur nouveau maître. Ainsi Amédée VII avait l'assurance de la fidélité des populations des vallées du Var, de la Vésubie et de la Tinée. Il s'empressa d'acheter le château de Gattière tombé aux mains d'aventuriers gascons pendant les guerres entre les Durazzo et les Anjou, et celui d'Èze, près de Menton.

Mais, si les populations étaient heureuses de voir s'installer dans leur région la domination des Savoie, l'aristocratie, craignant, comme cela arrive parfois, de perdre dans un changement les positions acquises et par là même hostile au progrès, s'abstint de reconnaître leur nouveau seigneur. Aussi l'ancienne noblesse du pays demeura-t-elle généralement angevine. On peut observer à ce moment l'abaissement et même la disparition de quelques-unes de ces familles féodales, qui considéraient les comtes de Savoie comme des usurpateurs et s'insurgèrent contre le nouveau régime[1].

C'est pourquoi la Maison de Savoie créa une nouvelle noblesse et se servit avec habileté des éléments marquants des classes moyennes et populaires en leur donnant des places et des titres. Tel fut le cas des Roquemaure, et des Martini : ces derniers reçurent le titre des anciens comtes de Châteauneuf.

Avant de quitter la région, Amédée VII confia le soin à Jean Grimaldi, sénéchal et lieutenant géné-

---

1. Ce furent les familles du Piget, de Val-de-Bloure, de Glandèves, de Revest, de Castellane, d'Èze, de Dauphins, de Blacas, des seigneurs de Lantosque, de Bollène et de Châteauneuf. *Histoire de Châteauneuf-Villevieille*, par J.-B. MARTEL, p. 44.

ral du comté de Nice, de maintenir la paix et la tranquillité dans ses nouveaux États. C'était la seule grande famille qui lui témoignait sa fidélité !

Restait maintenant la difficulté des voies de communication entre le comté de Nice et les États de Savoie. Le chemin le plus court était le col de Tende qui appartenait à une branche de la famille Lascaris, comtes de Vintimille. Dans le contrat avec les Niçois, Amédée VII s'engageait à éliminer, soit par les armes, soit par des négociations, les Lascaris de la vallée de la Roja, du col de Tende et de Brigue ; mais ce projet ne sera réalisé que sous Amédée VIII.

De retour en Savoie, le Comte Rouge apprit l'heureuse nouvelle de la naissance d'une fille appelée Bonne[1].

Arrivé à Ripaille, il reçut l'hommage des marquis de Ceva, pour leurs terres de Borgo San Dalmazzo, Roaschia, Entraque et Valdieri ; jusqu'alors, ils se reconnaissaient vassaux d'Asti et de Milan.

Ainsi, par l'acquisition de Nice, qu'elle gardera pendant cinq siècles, la Maison de Savoie s'impose et augmente encore son prestige : le comte de Vertus sera d'autant plus désireux d'avoir Amédée VII pour allié ; les comtes de Savoie n'auront plus besoin des bons offices de Gênes ou de Venise pour se procurer des galères, maintenant qu'ils ont eux aussi un port sur la Méditerranée.

---

1. Bonne épousera Louis d'Achaïe.

CHAPITRE XVII

AMÉDÉE VII FIDÈLE A L'ALLIANCE DES VISCONTI

Amédée VII sollicité par Florence. De retour dans ses États, Amédée VII fut sollicité par les Florentins qui désiraient son aide contre Jean-Galéas Visconti.

L'ambitieux sire de Milan s'était dédommagé de la perte d'Asti par les conquêtes successives de Vérone, Vicence et Padoue. Dès 1387, Jean-Galéas avait renversé le puissant seigneur de Vérone et tenait sous sa domination les Carrare de Padoue. Florence et Bologne s'alarmèrent et, pour se défendre, essayèrent de reconstituer la ligue italienne des villes et seigneuries dont Amédée VI avait été le chef.

Supposant que les rapports entre Savoie et Milan n'étaient plus aussi cordiaux après la cession de Nice, Florence envisagea la possibilité d'avoir un nouvel allié en la personne du Comte Rouge.

En juillet 1388, la République de Florence envoya en Avignon un ambassadeur, Andrea degli Albizzi, avec la mission de faire comprendre à Clément VII que Florence se rallierait à son obédience s'il parvenait à obtenir pour elle le secours du comte de Savoie. Pendant tout l'hiver il y eut des pourparlers secrets entre les envoyés de la République florentine et le Comte Rouge. La ville de Nice, à mi-chemin entre les deux États, servit de lieu de rencontre.

En 1389, Bernard de la Salle, aventurier gascon, à la solde de la République de Florence, proposa d'unir ses forces à celles du comte de Savoie pour lutter contre le seigneur de Milan.

Nicolas da Uzzano, ambassadeur florentin, vint exposer au Comte Rouge, de la part du Conseil, d'alléchantes propositions pour l'attirer dans la coalition contre Milan. Il serait largement rétribué, et pourrait garder les terres qu'il enlèverait aux Visconti.

Mais Amédée VII refusa de faire le jeu de l'astucieuse République, sans toutefois l'affirmer d'une manière trop manifeste. Son intétêt n'était pas de recommencer, contre ce redoutable adversaire qu'était le comte de Vertus, une guerre dont il aurait à supporter, pour finir, tout le poids ! Mieux valait s'en tenir au pacte d'amitié de 1385. Le Comte sut pourtant, avec beaucoup de diplomatie, se servir des propositions florentines comme d'un épouvantail pour intimider son cousin Visconti.

Cette attitude valut au Comte Rouge des avantages immédiats en Piémont, où le comte de Vertus laissa occuper les terres de Bene et de Saint-Albano par Amédée d'Achaïe sans manifester de mécontentement.

Sur les instances d'Iblet de Challant, capitaine du Piémont, qui ne parvenait pas à calmer l'hostilité de la commune de Cuorgne, depuis des années un des foyers d'insurrection des Tuchins et vassale des comtes de Valpergue, Jean-Galéas intima l'ordre à cette commune de se soumettre au comte de Savoie.

Départ de la duchesse de Touraine pour la France.

Du reste, Jean-Galéas, très préoccupé par le voyage de sa fille Valentine, désirait que les États qu'elle traverserait fussent tranquilles et qu'elle fût reçue avec grand honneur par les marquis de Montferrat et de Saluces, le prince d'Achaïe et le comte de Savoie. Valentine quittait Pavie le 24 juin 1389 pour se rendre d'abord à Asti, où elle fut reçue par le nouveau gouverneur français de la ville. Le 1er juillet, elle entrait dans les États du comte de Savoie, s'arrêtant à Chieri, puis à Moncalieri; elle était accompagnée d'une suite de treize cents chevaliers et emportait avec elle un trésor de soixante-dix mille florins.

A Turin, la princesse d'Achaïe l'accueillit somptueusement. En Savoie, Valentine s'arrêta trois jours à Chambéry, très fêtée par la noblesse savoyarde.

Certains historiens prétendent que les comtesses demeurèrent à Ripaille en signe de protestation contre la prise d'Asti et ajoutent que Bonne de Berry, très liée avec les Armagnac, ne tenait pas à rencontrer la fille de l'usurpateur. Mais Amédée VII et le prince d'Achaïe accompagnèrent Valentine jusqu'à Mâcon où l'attendaient les représentants du duc de Touraine.

Entretiens de Lyon et d'Avignon.

Vers la Toussaint de l'année 1389, Bonne de Bourbon quitta Ripaille pour Lyon et descendit le Rhône sur un bateau décoré de tentures à ses armes[1]. Elle s'était fait faire pour l'occa-

---

1. Bonne de Bourbon fit transporter de Montmélian à Yenne six quintaux de gros fromages de montagne pour mettre sur sa galère (Turin, Comptes de Montmélian, 1390-1391, f° 28; CORDEY, *Les Comtes de Savoie*, p. 270.

sion de magnifiques robes. A Lyon, elle retrouva son neveu, Charles VI, qu'elle entretint des affaires de Savoie. Malheureusement, aucun document ne nous est resté, sur cette rencontre, sans doute d'un grand intérêt politique.

Amédée VII rejoignit le Roi et le Pape en Avignon, où se trouvaient aussi les ducs de Touraine, de Bourgogne et de Berry.

Il était de nouveau question d'une grande expédition en Italie, pour rétablir Louis II d'Anjou sur le trône de Naples, et le pape Clément VII à Rome. Ce dernier promettait au duc de Touraine le royaume d'Adria[1] si l'expédition réussissait.

Le Comte Rouge qui assistait à tous les pourparlers entre le roi de France, le Pape et les princes de sang, ne se laissa guère éblouir par tant de projets irréalisables. Il se contenta, avec la médiation de Clément VII, de rétablir de bons rapports avec Louis II d'Anjou, mécontent de la cession du comté de Nice, et profita de l'occasion pour lui rappeler la dette de son père envers Amédée VI lors de l'expédition de Naples; mais Louis II, à court d'argent, remit la question à l'échéance lointaine de douze ans.

L'affaire de Saluces.

Si les rapports entre le roi de France et le comte de Savoie étaient des plus cordiaux, un incident fâcheux vint apporter une certaine tension entre les deux cours.

Frédéric II de Saluces avait renouvelé devant le Parlement de Paris sa demande de vassalité à l'égard du Dauphin. Amédée VII protesta auprès du roi de

---

[1]. Et les terres de Galiotto Malatesta qui s'était opposé au passage de Louis Ier d'Anjou lors de son expédition de Naples, 1382. *La Voie de Fait*, E. JARRY.

France, alléguant que, seul, le duc d'Anjou trancherait ce cas. Mais la reine Isabeau et le duc de Touraine, qui dirigeaient alors la politique française, soutenaient la cause du marquis de Saluces, et les protestations du Comte Rouge ne furent pas prises en considération. Frédéric II de Saluces, comme son fils Thomas III, familier de la cour d'Isabeau de Bavière, continueront à rendre l'hommage au Dauphin.

Renouveau de l'alliance Visconti de 1385.   Amédée VII, voyant tous les avantages politiques qu'il avait à se rapprocher du comte de Vertus, voulut renouveler l'alliance de 1385 par un nouveau traité, le 17 février 1390.

Le Comte Rouge mettait deux cents lances à la disposition de son cousin, et Visconti lui en offrait quatre cents en cas de nécessité. Si l'un des deux princes venait à être attaqué, ou devait soutenir une guerre importante, l'autre s'engageait à venir à son secours, précaution surtout utile pour Jean-Galéas qui craignait toujours d'être attaqué par la France.

Pour le Comte Rouge, les avantages de ce traité devaient se faire sentir dans le Haut-Valais, puisque Jean-Galéas promettait de ne plus soutenir les communes. Ayant, d'autre part, l'appui de Berne, il lui était maintenant possible de reprendre ses visées sur les terres valaisannes. Dans le Canavais, Amédée VII put continuer son œuvre de pacification, maintenant que le sire de Milan ne soutenait plus le marquis de Montferrat et ses satellites, tout occupé qu'il était dans sa guerre contre Padoue, reprise par le sire de Carrara, Francesco Novello. Le prince d'Achaïe, conformément aux pactes de l'alliance, l'aida dans cette lutte avec deux cents lances.

Florence et Jean III d'Armagnac. La République de Florence chercha un autre allié, quand elle s'aperçut que, ni le roi de France, ni le comte de Savoie n'avaient l'intention de l'aider dans sa guerre contre Visconti[1]. Elle s'adressa alors à Étienne III de Bavière, gendre de Bernabo, qui s'engagea à venir en Lombardie avec trois mille lances, mais ce dernier se disputa avec les Florentins pour des questions d'argent. Enfin, elle trouva un allié bien disposé dans le comte Jean III d'Armagnac, beau-frère de Charles Visconti.

Ce vaillant chevalier, cousin de Bonne de Berry et grand capitaine, ne demandait pas mieux que de venger la mort de son beau-père, Bernabo, et n'ayant obtenu aucun appui du roi de France et du comte de Savoie, il accepta les offres de la République de Florence et s'engagea à ses frais pour un an avec deux cents lances (traité de Mende, 15 octobre 1390).

Le Conseil, ébloui d'avoir à son service un si valeureux condottiere, lui écrivit une lettre en termes imagés, le comparant à Hercule, et Jean-Galéas à Cacus, le monstrueux brigand de la mythologie.

Le comte de Vertus essaya de corrompre à prix d'or Jean III d'Armagnac, croyant réussir aussi

---

1. La République de Florence voulait à tout prix la guerre pour se débarrasser de l'envahissant voisin qu'était le comte de Vertus. Elle repoussa les offres des ambassadeurs de Milan, Bartolomeo Benzoni et Guillaume Bevilacqua, qui lui exposaient un grandiose projet de ligue panitalienne, qui se serait réalisée grâce au désarmement de toutes les seigneuries et principautés d'Italie. Cf. M. DE BOÜARD, *La France et l'Italie au temps du grand schisme d'Occident*, Paris, 1936, pp. 94-95.

facilement qu'avec Étienne de Bavière, qui avait déserté la bataille pour de l'argent.

Mais, aux Florentins qui craignaient de le voir céder, le comte d'Armagnac répondit fièrement : « Je n'ai pas quitté la Gascogne pour chercher de l'or. » Par contre, grâce à l'intervention des ducs de Bourgogne et de Berry, le comte de Vertus parvint à acheter Bernard de la Salle, qui trahit aussitôt la République de Florence pour se rendre en Lombardie, mais ne put y parvenir : au moment où il passait à Pertuse, étant tombé dans une embuscade, Armagnac fondit sur lui et le tua de sa propre épée.

Entre temps, le projet de la grande expédition de Charles VI en Italie pour rétablir Clément VII à Rome s'était évanoui. Richard II d'Angleterre, informé de la chose par Boniface IX, nouvellement élu à Rome, fit savoir au roi de France qu'il rendrait nulle la trêve entre France et Angleterre si Charles VI détrônait le nouveau pape romain. Le roi de France n'hésita pas à renoncer au projet italien. Il voyait d'ailleurs d'un mauvais œil l'expédition de Jean d'Armagnac, malgré les encouragements d'Isabeau de Bavière, favorable à la cause de Bernabo et à l'aide clandestine de Clément VII.

Les troupes de Jean d'Armagnac étaient devenues un véritable fléau pour toutes les régions qu'elles traversaient. En Bourgogne, les routiers gascons, qui formaient la plus grande partie de l'armée de Jean III, attaquèrent et tuèrent des voyageurs bourguignons, et Philippe le Hardi exigea une grosse indemnité pour ces méfaits. En Piémont, leur passage causait une véritable terreur. Amédée d'Achaïe fortifia les régions par où elles pouvaient passer. Heureusement, le Comte Rouge parvint à soudoyer un grand nombre de ces routiers en leur donnant de riches présents et à les détourner de ses États pour les faire traverser ceux du marquis de Saluces.

Le Comte Rouge, fidèle à l'alliance Visconti, garda une grande réserve vis-à-vis de son turbulent cousin, Jean d'Armagnac, malgré l'intérêt que devait porter Bonne de Berry au succès de l'entreprise.

En Lombardie, le comte d'Armagnac devait rejoindre l'armée d'Hackwood, près de Plaisance. Mais il eut l'imprudence d'attaquer, avant d'avoir rejoint le condottiere, la petite ville de Castelazzo Bormida (voisine d'Alexandrie), où plusieurs de ses soldats avaient été massacrés. Pendant qu'il était ainsi isolé, Jacopo del Verme, le capitaine de Jean-Galéas, l'attira dans un guet-apens, le sépara du peu de troupes qu'il avait avec lui, et le poursuivit. Harcelé et blessé, il tomba de cheval, fut saisi par ses ennemis et mourut le 25 juillet 1391, des suites de ses blessures.

Le comte de Vertus était ainsi débarrassé d'un adversaire redoutable. La République de Florence fut atterrée à la nouvelle de la mort de Jean d'Armagnac, et engagea des pourparlers de paix avec Milan.

Amédée VII reçut la nouvelle de cette mort à Ivrée, d'où il surveillait les événements. Béatrice Visconti, la sœur de Jean III d'Armagnac, était alors à Ripaille; les rapports avec les parents de Bonne de Berry étaient restés très cordiaux.

En Piémont, Amédée d'Achaïe profita de la mort de Jean d'Armagnac pour prendre à sa solde les Gascons, les empêchant ainsi de dévaster la région. Il en avait d'ailleurs besoin pour l'expédition qu'il projetait en Morée, afin de se saisir des terres dont il portait le titre.

Planche XXXI

Valentine Visconti, Duchesse d'Orléans, recevant l'offre d'un ouvrage d'Honoré Bonet.

(Paris, Bibliothèque Nationale, Ms français, 811.)

Les Achaïe et leur principauté en Grèce. Amédée d'Achaïe voulait refaire avec plus de succès que son grand-père Philippe une expédition en Morée, pour prendre possession des fiefs que lui avait apportés sa grand-mère, Isabelle de Villehardouin[1], épouse de Philippe. Cette dernière était la descendante du chroniqueur Geoffroy de Villehardouin, qui accompagna Baudouin Ier lors de la prise de Constantinople, pendant la IVe croisade, et qui nous a laissé un si vivant récit de cette entreprise. La fondation de l'Empire latin permit à nombre de seigneurs francs de se tailler des fiefs dans ces régions; ce fut le cas de Geoffroy de Villehardouin, qui devint prince d'Achaïe en 1207. Isabelle de Villehardouin, la dernière à porter ce nom, épousa en 1295 Philippe de Savoie et lui apporta le titre de prince d'Achaïe.

En 1301, Philippe et sa femme partirent pour la Morée, après avoir reçu de nouveau l'investiture de ces terres par Philippe de Tarente, fils de Charles d'Anjou, devenu sire de Romanie. A peine arrivée en Achaïe, Isabelle, dans le château appelé de Bienvoir, accoucha d'une fille qui reçut le nom de Marguerite.

Mais le voyage ne fut pas une réussite. Les Grecs, habitués à tant de dominations différentes, reconnurent à peine une autorité, du reste trop récente. Pourtant, les populations de ces régions préféraient Isabelle aux Anjou dont les baillis se faisaient détester. Après un an de séjour en Achaïe, les princes durent revenir en Piémont.

Entre temps, la principauté était passée aux Anjou, puis à François des Baux, beau-frère de Philippe de

---

[1]. Voir notes chap. I, p. 48, note 2, et chap. IV, p. 109, note 1.

Tarente. Préférant un suzerain éloigné, les barons de la Morée offrirent l'hommage à la reine Jeanne Ire de Naples, qui investit son mari, Othon de Brunswick, lequel à son tour vendit ses droits aux chevaliers de Rhodes. Alors le prince des Baux, avec l'aide de routiers navarrais, conquit la principauté, mais mourut peu après, et un des chefs de bande, Saint-Superan, resta maître de la Morée.

Le Comte Rouge s'intéressait à l'expédition de son cousin et l'appuyait de tout son pouvoir. Amédée V et Amédée VI avaient déjà encouragé Philippe et Jacques d'Achaïe à s'établir en Grèce, mais pour d'autres raisons.

Les comtes de Savoie, alors effrayés des velléités d'indépendance de leur apanagiste, voulaient avoir le champ libre en Piémont pour rétablir leur autorité sur ces terres. La bonne entente d'Amédée VII avec son cousin éloigna tout soupçon de ce genre.

Dès le printemps 1391, Amédée d'Achaïe avait entamé des pourparlers avec le puissant seigneur grec Jean Lascaris, et lui avait promis, en échange des terres d'Achaïe, l'île de Céphalonie. Du Piémont, des ambassadeurs furent envoyés pour traiter avec les féodaux de la région et leur capitaine général Saint-Superan. Très affaiblis et craignant l'invasion turque, ils acceptèrent les propositions d'Amédée d'Achaïe et le reconnurent pour suzerain. En Grèce, la confusion était telle que personne ne savait au juste le nombre des fiefs de la principauté d'Achaïe et ne connaissait ses limites. Aussi fut-elle étendue à toute la Morée, et, à partir de ce moment, Amédée fit battre des monnaies et signa des diplômes en ajoutant à celui d'Achaïe le titre de prince de Morée.

Au printemps de 1392, tout devait être prêt pour le départ d'Amédée d'Achaïe. Il lui fallait maintenant reconquérir la principauté. Vaillant guerrier, de quelques années cadet du Comte Rouge, « élencé, de bonne stature, maigre et a peu de barbe », dit un contemporain[1], il avait tout pour séduire les populations de ces contrées, habituées à tant de tyrannie et d'abus de la part des empereurs et des barons francs.

Mais le destin devait décider autrement.

Séjour d'Amédée VII à Ivrée. De 1390 à 1391, le Comte Rouge et la cour de Savoie firent de longs séjours à Ivrée, pour différentes raisons. La première était la nécessité de mettre de l'ordre dans le Canavais, où sévissait encore par moments la révolte des Tuchins. La situation géographique d'Ivrée, entre les vallées d'Aoste, de Suse et du Pô, facilitait les rapports entre la Savoie, le Piémont et Milan. En outre, d'Ivrée, le Comte Rouge dominait le foyer d'insurrection des Masino, des Valpergue, des Saint-Georges de Biandrate. Plus d'une fois, il fut appelé par Iblet de Challant, lieutenant général du Canavais, pour rétablir la justice et punir les coupables qui furent pendus sur la place d'Ivrée.

Le 2 mai 1392 eut lieu une grande réunion dans cette ville; Amédée VII et Bonne de Bourbon[2], entourés de tous les feudataires et des représentants des communes de la région, tinrent un véritable lit de justice. Les provocateurs de désordre furent sévèrement jugés, les fourches étaient de nouveau dressées sur la place. Toutes réunions, associations, et

---

1. Interrogation de La Roque, 26 avril 1396. CARBONELLI, *Gli ultimi*, p. 347.
2. La Grande Comtesse avait souvent tranché des différends entre ces barons du Canavais, notamment à Turin en 1384, où les intéressés furent appelés à évoquer leurs litiges pendant une trêve qu'elle leur avait imposée. Cf. CIBRARIO, *Conte Rosso*, p. 45.

même sonneries de cloches, sauf en cas d'incendie, étaient strictement défendues. Cependant, les nobles furent invités à traiter avec justice et clémence les insurgés qui faisaient acte de soumission. Les vassaux des Saint-Martin, des Valpergue et des Masino durent payer de grosses redevances pour les châteaux et terres endommagés, tandis qu'Amédée VII s'engageait à indemniser ses propres vassaux dont les châteaux avaient été détruits par les Tuchins. C'est ainsi que les comtes de Castellamonte reçurent douze cents florins d'or.

Enfin, tous les barons du Canavais furent obligés de rendre hommage au comte de Savoie.

On peut dire qu'Amédée VII fut le premier prince de sa dynastie qui séjourna dans ses États subalpins, non seulement par nécessité mais aussi par goût. Le beau château d'Ivrée, construit par son père, avec ses tours rouges se reflètant dans les eaux de la Doire Baltée, et la riante contrée du Canavais, chantée par les troubadours, était le lieu rêvé pour un prince de ce caractère. D'après les récits des chroniqueurs, nous voyons le Comte Rouge, qui était gai et sociable et savait se divertir, inviter les dames d'Ivrée à danser la moresque[1].

---

1. Sorte de danse exécutée en costumes sarrasins, auxquels étaient suspendues des sonnettes.

CHAPITRE XVIII

MORT DU COMTE ROUGE

(2 novembre 1391).

Entrée en scène de Grandville.
A son retour d'Ivrée, le Comte Rouge, accompagné de sa femme et de sa mère, traversa la vallée d'Aoste et passa le Petit Saint-Bernard avec l'intention de séjourner quelque temps en Tarentaise. Il est probable que, le 12 août 1391, pendant qu'il se trouvait au château de Salins ou à celui de Conflans, Amédée VII fit la connaissance d'un personnage qui, involontairement sans doute, allait servir la cause des ennemis de la Grande Comtesse, et l'accabler de la plus terrible calomnie. Cet individu, nommé Grandville, se prétendait fils d'un gentilhomme de Bohême et médecin diplômé des Universités de Montpellier et de Padoue. Il se vantait d'avoir soigné l'empereur Venceslas et d'autres grands personnages. Le duc de Bourbon, qui l'avait employé lors de son récent voyage en Barbarie (Afrique), le recommanda à sa sœur.

Grandville sut s'imposer à la Grande Comtesse qui l'engagea aussitôt à la cour de Savoie. Il avait, dit Cibrario, « ce genre de conversation enjouée qui plaît tant aux dames »[1].

---

1. « Avea quella parola melata [mielleuses] che tanto gradisce alle dame. » Cf. CIBRARIO, *Studi*, p. 91.

Bonne de Bourbon espérait surtout que les soins de Grandville guériraient son fils atteint d'impuissance; son seul petit-fils, Amédée, était bien chétif, et il fallait d'autres enfants pour assurer l'avenir de la dynastie.

D'autre part, le Comte Rouge était affligé d'une calvitie précoce et son teint livide donnait de l'inquiétude à son entourage. A ces maux, le « physicien » promettait remède et guérison, et peut-être, par ses flatteries d'habile courtisan, donnait-il au prince affaibli l'illusion de retrouver des forces.

Le 13 août, Grandville, accompagné de Pierre de Lompnes, pharmacien de la cour de Savoie, se rendit à Chambéry afin de faire préparer des remèdes par l'apothicaire Bellen. Le 1er septembre, il rejoignit à Ripaille la cour de Savoie qui s'y trouvait depuis le 19 août; il s'installa dès lors dans une des dépendances du château, non sans susciter la vive jalousie des autres médecins attachés au service d'Amédée VII.

L'accident de chasse. Dans les premiers jours d'octobre, le Comte Rouge avait reçu la visite de Jean d'Avanchier, sire de la Coste, veneur du roi d'Espagne, qui lui avait amené une meute de chiens; ils avaient beaucoup chassé ensemble dans les forêts de Noyers et de Lompnès, au-dessus de Thonon. Or, il arriva qu'entre le 9 et le 11 octobre, tandis que le Comte poursuivait un sanglier, au dire des *Chroniques,* son cheval heurta une racine, et se renversa sur son cavalier, en lui faisant une profonde blessure au tibia droit.

« *Et ainsi, comme de mal adventure, il avoit fort frappé des esperons, le cheval se leva et dressa sur les deux piedz de derrière et tumba cul par dessus teste, et fut navré le comte d'une grant playe en la cuysse, dessus ung nerf. Ses gens vindrent qui le redressèrent et de la le menerent à Ripaille, où il mist a nonchalloir sa playe et ne sen donnoit en garde aucunement, et ne pensoit que si grant mal lui advenist comme il fist*[1]. »

Le 11 octobre, arrivèrent de Chambéry toute la gamme des médicaments ordonnés par Grandville. Ces produits étaient si lourds qu'il fallut deux mulets pour les porter. Ces préparations pharmaceutiques comportaient de la colophane ou poix grecque, de l'aloès, du sang de dragon, substances que l'on employait au Moyen Age pour cicatriser les plaies; on y trouvait encore une grande quantité de cire, nécessaire pour préparer le cérat.

A ce moment, le Comte, que sa blessure ne tenait pas alité, était surtout préoccupé de sa calvitie que Grandville soignait avec énergie. Le traitement consistait en un lavage de tête avec de l'eau très chaude (presque bouillante) mélangée à des potions qui donnaient au patient de violents maux de tête. Et pour mieux faire pénétrer la lotion, le « physicien » lui rasa le peu de cheveux qui lui restait et lui appliqua des emplâtres brûlants. Le Comte dut rester la tête emmaillotée pendant quatre jours. Cela ne l'empêcha pas de chasser dans les bois de Ripaille, les 22 et 23 octobre.

« *Pour colour son teint* », le physicien « *lui fit avaler des pillules très amères, rapportées de Chypre* ».

Grandville lui avait fait prendre aussi des aphrodisiaques qui eurent un heureux résultat puisqu'une conception s'ensuivit.

Mais, au retour d'une de ses chevauchées, le Comte dut s'aliter. Une faiblesse extrême engourdissait tous ses membres. Il ne pouvait desserrer les

---

[1]. S. Champier, *Les Grandes Chroniques de Savoie*, Paris, 1515.

dents, sa langue était enflée, et il ressentait une vive douleur dans la nuque. Son ventre était si ballonné que deux personnes devaient le tenir de peur qu'il n'éclate.

Appelé d'urgence, Grandville essaya de lui faire ouvrir la bouche en lui demandant d'éternuer. « Je ferais plus facilement un autre bruit », répondit le Comte à grand-peine, « puissiez-vous être à ma place, vous qui m'avez mis en cet état »[1] !

Après lui avoir fait prendre des électuaires, « le physicien » enveloppa la tête du Comte de cataplasmes de vert-de-gris[2], et lui donna des coups de lancette dans la nuque, sans doute pour la décongestionner.

Le mercredi 25 octobre, Amédée VII se sentit mieux et assista même à la messe. Toutefois, à la suite de cet effort, il dut s'aliter de nouveau pour ne plus se relever. La maladie alla en s'aggravant. Depuis que la plaie de sa jambe s'était refermée, des spasmes terribles agitaient tout son corps. Persuadé qu'il avait été empoisonné par son médecin, le Comte chargea son palefrenier de s'emparer de Grandville, et de lui faire avouer par la torture la raison pour laquelle il le faisait mourir.

L'état du Comte devenait si inquiétant que l'on envoya des messagers pour décommander la cam-

---

[1] Cf. Max BRUCHET, *Le château de Ripaille*.
[2] Le vert-de-gris était employé dans la thérapeutique du Moyen Age, en grande partie empruntée aux Anciens. Dans la compilation du médecin grec Oribaze, il est recommandé contre les hémorragies et les plaies. On en faisait des emplâtres, des poudres dont on saupoudrait les chairs flétries. Galien l'employait à cicatriser les blessures : « Si on combine le vert-de-gris avec beaucoup de cérat », lit-on encore dans Oribaze, « il déterge sans irriter ». Dans l'onguent appliqué à Amédée VII par Grandville, il était mêlé à l'ellébore et à l'euphorbe dont les Anciens se servaient éga ement pour frictionner la peau. L'ellébore était, de plus, un spécifique dans les maladies qui amènent la chute des cheveux. Cf. E. PASCALEIN, *Revue Savoisienne*.

Planche XXXII

Hautecombe.

D'après le Théâtre des États de S.A.R. le Duc de Savoie, La Haye, 1700.

Photo Studio Guy

pagne du Valais. On tenta un dernier remède, avec l'approbation des médecins Omobono, Besuchi et Pasquali : on trempa le Comte dans un bain de sang de renard. L'un des compagnons de chasse d'Amédée VII, Pierre de Sallenove, avait été chargé de capturer des bêtes vivantes, mais celles qu'il ramena étaient mortes[1]. Ce bain ne détendit aucunement le spasme qui contractait tous les membres du malade.

Le Comte fit alors appeler le sire de Cossonay qui était à la messe — c'était le jour de la Toussaint — afin qu'il arrêtât Grandville; puis il dépêcha le sire d'Apremont auprès de sa mère pour recommander à celle-ci de ne plus faire confiance à ce vilain personnage. Quand la Comtesse entendit les paroles du messager, elle se mit à pleurer et s'écria : « Hélas, il fait grand péché celui qui lui met cela en tête ! » Bonne de Bourbon et ses conseillers étaient persuadés que la maladie du Comte Rouge avait été causée par sa chute de cheval et non par les remèdes du médecin. Ils voyaient dans l'accusation portée contre ce dernier un complot du parti des mécontents, représenté par la jeune cour qui entourait Bonne de Berry et supportait mal la régence prolongée de sa belle-mère.

L'agonie et la mort du Comte Rouge. D'après Max Bruchet, le « physicien » apporta au malade, dont l'état était désespéré, le fameux contre-poison préparé avec de la poudre de licorne dissoute dans du vin[2]. Amédée VII

---

1. La préparation avec du renard vivant était considérée comme plus vivifiante; on l'obtenait en mettant sur un fourneau une grande chaudière, remplie d'eau, de vin et d'huile; puis on y jetait un ou deux renards vivants jusqu'à ce qu'ils soient bouillis; on versait ensuite le tout dans un bain. Cf. CARBONELLI, *Gli ultimi giorni del Comte Rosso,* p. 43.
2. L'Église, au Moyen Age, s'était emparée de la légende de la licorne, et la représentait comme le 4ᵉ animal symbolique des vertus de la Vierge Marie. La licorne représentait Dieu. La Vierge, en la touchant de ses

aurait refusé de le boire et chassé Grandville. Mais, selon Carbonelli, ce fut Bonne de Berry qui prépara l'antidote et le Comte ne put l'avaler à cause du trisme qui contractait ses mâchoires.

L'état du malade était désespéré, et, durant la nuit du 1er au 2 novembre 1391, dans d'atroces souffrances, le Comte Rouge expirait, à l'âge de trente et un ans.

Le 2 novembre, Louis de Cossonay réunit tout le Conseil, et, en présence des médecins Luchino Pasquali, Omobono et Besuchi, Granville fut interrogé sur le traitement qu'il avait fait subir au Comte. D'après ses réponses, on attribua la mort au fait que la plaie du tibia s'était refermée trop rapidement[1]. À l'époque, les procédés violents dont Grandville s'était servi pour soigner le Comte n'avaient rien de si étrange quand on songe aux tortures que les médecins d'alors infligeaient à leurs malades, au sang que l'on faisait couler à flots des incisions, souvent refermées au fer rouge.

Le Conseil de Régence et les médecins attribuèrent donc la mort d'Amédée VII, non pas au poison, mais à l'ignorance de Grandville.

---

doigts, apprivoisa la bête sauvage. « Unicor sum significoque Deum. Virginis digitis tangendo fit hec fera mitis ». De ce pur contact, la licorne avait acquis le pouvoir de détruire tous les venins maléfiques, comme la Vierge chasse toutes les pensées d'hérésie et de péché. La Maison de Savoie possédait depuis longtemps une corne de licorne (dent de narval). On la conservait avec le trésor familial dans une des tours du palais de Turin. Quand, au xvie siècle, le maréchal de Cossé-Brissac envahit le Piémont, il emporta la licorne avec le trésor. Plusieurs musées, dont Cluny, possèdent encore ces dents de narval, si recherchées au Moyen Age. Cf. CARBONELLI, *Come Vissero i primi Conti*, pp. 18-19.

1. Il convient de relever ici l'erreur commise par certains chroniqueurs et historiens qui ont confondu le traitement contre la calvitie avec celui de la maladie du Comte, où l'on crut voir les symptômes d'un empoisonnement quand c'étaient ceux du tétanos, encore inconnus à l'époque. Pourtant, depuis l'Antiquité, on avait remarqué que dans certains cas, au risque de provoquer la mort, il ne fallait pas refermer trop tôt les blessures ou les plaies.

Si Bonne de Bourbon eut un tort dans cette affaire, ce fut d'avoir donné sa confiance à un aventurier[1].

Les funérailles. Le surlendemain du décès, la dépouille du Comte Rouge après avoir été embaumée, fut transportée à Hautecombe, accompagnée par le patriarche de Jérusalem, l'évêque de Maurienne, les abbés d'Aulps et de Filly, et par un grand nombre de barons et de chevaliers.

Atterrées par la mort inattendue de leur seigneur, les populations venaient lui rendre un dernier hommage, en prenant part au convoi funèbre avec des flambeaux dont les lueurs vacillantes éclairaient la route durant l'ultime voyage.

A Genève, tandis que le glas sonnait, la dépouille mortelle fut reçue solennellement à la cathédrale par le chapitre de Saint-Pierre et y resta toute la nuit, entourée de plus de cent cinquante cierges. Puis, elle fut conduite à Seyssel, après avoir passé quelques heures dans la petite église de Frangy. De Seyssel, des barques la transportèrent sur les eaux du Rhône jusqu'au Bourget. Le 5 novembre, elle parvenait à Hautecombe.

Le testament. Le Comte Rouge disparaissait après un règne de huit années, marqué par de grands événements. S'il faut admettre que c'est principalement Bonne de Bourbon qui avait assumé le gouvernement et continué la politique du Comte Vert, cependant les cir-

---

[1]. Au Moyen Age, il existait des praticiens ambulants qui se spécialisaient dans divers traitements. Ils joignaient volontiers la cupidité de l'homme d'affaires à la faconde du camelot. Grandville semble bien appartenir à cette catégorie de charlatans.

constances où Amédée VII agit par lui-même démontrent qu'il possédait les qualités de pondération et d'esprit de suite qui avaient assuré le succès des règnes précédents.

Nous ne pouvons qu'admirer la manière dont le jeune Comte sut manœuvrer en Piémont, démêlant le jeu tortueux de son habile rival, le sire de Milan, et de l'astucieuse République de Florence, et avec quel soin et quelle patience, après l'horrible massacre de ses troupes à Viège, il prépara diplomatiquement, pendant trois années, la reprise de la conquête du Valais. Enfin, l'occupation de Nice mérite qu'on lui réserve une place particulière dans l'histoire de la dynastie.

Mais si forte était la personnalité de sa mère que, dans le testament qu'il fit sur son lit de mort, en présence du sire de Cossonay, d'Othon de Grandson et d'Humbert le Bâtard, il écartait sa femme du pouvoir et confirmait la régence de Bonne de Bourbon[1].

Ces dispositions liguèrent, contre la Grande Comtesse, sa belle-fille et tous ceux qui se crurent lésés

---

1. Amédée VII nomme sa mère, Bonne de Bourbon, tant qu'elle vivra et ne se remariera pas, administratrice et tutrice de son fils Amédée, héritier universel, de sa fille Bonne de Savoie et de ses enfants posthumes. Il lui laissait également toute l'administration et le gouvernement du Comté et des terres adhérentes, en requérant, pour l'aider, l'assistance du sire de Cossonay, son cher parent. Au cas où Bonne de Bourbon décéderait ou se remarierait, avant que ses enfants fussent en âge de se marier, ses charges et pouvoirs passeraient au susdit sire de Cossonay. Et si celui-ci mourait également avant ce même temps, ils passeraient à la femme dudit sire (les Cossonay n'avaient pas d'enfant, mais plus de vingt seigneuries dans le pays de Vaud). Au cas où celle-ci mourrait ou se remarierait, une Assemblée des huit plus notables chevaliers et dignitaires du Comté serait convoquée à l'instigation du duc de Berry, voire de Bonne de Berry si elle se trouvait dans le Comté ou à ses frontières, afin de désigner celui qui devrait être chargé de cette tutelle et de ce gouvernement. Parvenu à l'âge de se marier, ledit Amédée devra régner seul, sous réserve toujours de l'administration et du gouvernement de Bonne de Bourbon. Cf. Guichenon, *op. cit.*,, t. III, pp. 232-235.

parce qu'ils ne participaient pas au pouvoir; pour réaliser leurs ambitions, ils attisèrent les dissensions entre les deux comtesses et fomentèrent de graves désordres qui auraient pu, en cas d'interventions étrangères, provoquer la ruine des États de Savoie.

Ces troubles dont nous allons parler n'empêcheront pas les successeurs du Comte Rouge de garder en Europe une place de premier plan.

Soucieux de maintenir les bons rapports avec le roi de France, ils se rangeront dans le camp des papes d'Avignon. A l'égard de la cour d'Angleterre, la Maison de Savoie poursuivra la politique d'amitié inaugurée par un mariage au XIIIe siècle.

De plus en plus morcelé par la féodalité, le pouvoir de l'Empereur décline; pourtant les comtes de Savoie lui resteront fidèles, car c'est pour eux le seul moyen d'échapper à la tutelle trop rapprochée du roi de France.

Enfin, tout en maintenant l'indispensable alliance avec Jean-Galéas Visconti, c'est bien vers l'Italie qu'ils continueront à tourner les regards.

CHAPITRE XIX

LA RÉGENCE DE BONNE DE BOURBON ET LE RÉVEIL DES LUTTES FÉODALES

(1391-1393)

Tragiques furent les conséquences de la mort rapide et prématurée d'Amédée VII. Les accusations que le Comte mourant avait portées contre son ancien médecin furent répétées et amplifiées. Grandville, ayant risqué d'être assassiné par les pages et écuyers du Comte Rouge, se réfugia sur les terres d'Othon de Grandson, conseiller et ami de Bonne de Bourbon.

Cet acte d'humanité aura des suites funestes pour le sire de Grandson et sa protectrice.

Départ précipité de Ripaille après la mort du Comte Rouge.
A Ripaille l'air était devenu lourd et oppriment. Dans ces tristes journées d'automne, les psalmodies des moines veillant la dépouille du Comte Rouge retentissaient encore dans la chapelle du château où les rayons d'un pâle soleil filtraient à travers les nouveaux vitraux de Jean Thibaut[1]. Et déjà l'apothicaire Pierre de Lompnès et le médecin Anichino Besuchi emballaient précipi-

---

1. Cf. Carbonelli, *Come vissero i primi conti di Savoia,* p. 51.

tamment, pour les transporter à Chambéry, les quatre rosaires de plomb, les eaux de roses et les alambics de verre qui constituaient le laboratoire de Bonne de Bourbon[1]. Il ne fallait rien laisser à Ripaille qui pût donner des soupçons d'empoisonnement; bien que l'alchimie au xive siècle fût considérée comme une science, une certaine méfiance entourait toujours ces laboratoires et matériaux étranges. L'affaire Valpon avait aussi jeté des doutes sur l'honnêteté de ces procédés[2].

L'endroit n'était plus sûr à cause des rumeurs d'empoisonnement qui ne faisaient que croître. Le 4 novembre au soir, toute la cour quittait Ripaille pour Nyon. Le départ fut si précipité qu'on dut acheter la veille à Thonon un capuchon, un manteau et des souliers noirs pour le deuil de la petite demoiselle de Savoie[3].

On voyagea en bateau et, — sans doute pour attendre Cossonay qui, malade, se fit transporter par étapes en litière de Ripaille à Nernier, — l'embarcation s'arrêta dans ce petit port, et les comtesses, le jeune Comte et leur suite passèrent la nuit dans le château. Le dimanche 5, on traversa le lac et ces dames arrivèrent à Nyon dans la soirée, accompagnées d'Othon de Grandson, de Cossonay, et d'autres personnages.

---

1. Bonne de Bourbon fut la première princesse de Savoie qui ait utilisé des alambics pour distiller l'eau de rose à partir de 1366. Plus tard, en 1384, elle fit construire à Ripaille un laboratoire avec fourneaux. L'alchimiste anglais, Guillaume Valpon, établi à Évian, devint son médecin. Le 10 juillet 1391 il fut condamné pour avoir falsifié les monnaies et fut enfermé dans la Tour d'Évian. Il devait être exécuté, son bourreau était même arrivé de Lausanne, quand il fut gracié. Cf. CARBONELLI, *Come vissero i primi conti di Savoia*, p. 30.

2. Au xive siècle, les médecins ajoutaient souvent à leur titre celui d'astrologue. Pierre Alban et Arnold de Villeneuve, célèbres médecins-astrologues, imposèrent leur science à l'Église, qui finit par tolérer l'astrologie. Cf. CARBONELLI, *Primi Conti*, p. 13.

3. Cf. CARBONELLI, *op. cit.*, p. 208.

Planche XXXIII — CHATEAU DE RIPAILLE.

Le chêne d'Amédée.

Le pigeonnier, l'un des derniers vestiges du temps de Bonne de Bourbon.

Le comte de Genève, qui avait vécu les instants tragiques de Ripaille, quitta la Comtesse à Nernier et rejoignit la cour plus tard, à Chambéry.

Premiers troubles. Nous pouvons suivre les déplacements de la cour à cette époque grâce aux notes minutieuses du trésorier Antoine Fabri[1].

Bien que le château de Nyon offrît un lieu sûr et à l'abri des importuns, Bonne de Bourbon était inquiète, puisque, le 7 novembre, elle avait envoyé son chancelier Jean de Conflans[2] solliciter l'hospitalité de Guy de Prangins, évêque de Lausanne, pour elle et son petit-fils, et l'informer de certaines affaires secretes. Peut-être redoutait-elle un coup de main ? Mais la démarche devait être infructueuse[3].

Pour des raisons de famille[4], l'évêque était indisposé contre Othon de Grandson et soutenait la cause de son rival, Rodolphe de Gruyère[5]. Ce dernier avait réuni autour de lui les seigneurs d'Arvillars, des Mollettes, de la Chambre, de la Tour, de Miolans, tous mécontents de la régence prolongée de Bonne de Bourbon et de son Conseil, formé surtout des vétérans des campagnes du Comte Vert.

Ce parti des impatients sut profiter de la mort du Comte Rouge; aussi, dès le mois de novembre 1391,

---

1. Cf. CARBONELLI, p. 209, 4, 5.
2. Tandis que Girard d'Estrée était le chancelier d'Amédée VII, Bonne de Bourbon avait le sien en la personne de Jean de Conflans, qui devint en 1392 officiellement chancelier de Savoie. CIBRARIO, *Specchio*, p. 162.
3. Cf. CARBONELLI, doc. VIII, p. 214.
4. Othon de Grandson voulait marier la nièce de l'évêque contre son gré. Cf. CARBONELLI, pp. 54, 214, 215.
5. A. PIAGET, p. 93, n. 1, attire l'attention sur les deux Rodolphus, père et fils (qui, en langue vulgaire, sont dénommés Raoul et Roz), tous deux portant simultanément le titre comtal. C'est du second qu'il est ici question. Cf. HISELY, *Gruyère*, t. II, p. 313.

jura-t-il de poursuivre les auteurs de l'empoisonnement pour éclaircir le drame de Ripaille et se posa-t-il en défenseur des droits à la tutelle de Bonne de Berry; il cherchait à atteindre par ce moyen le prestige de la Grande Comtesse et de son conseiller.

Le conflit qui opposait Grandson à Gruyère remontait déjà à la génération précédente, et se rapportait à l'héritage des terres d'Aubonne dans le pays de Vaud.

Le Comte Rouge était plusieurs fois intervenu dans cette querelle, et, aux termes d'une de ses sentences rendue à Ripaille, il donna raison à Othon de Grandson. Fort mécontent, Gruyère fit appel à l'arbitrage du duc de Bourgogne, dont il était le vassal par son mariage avec Antonie de Salins[1]. Le Comte Rouge laissa faire. Philippe le Hardi vit là une bonne occasion de s'immiscer dans les affaires de Savoie. Bonne de Bourbon, alarmée, parvint à empêcher le duel qui devait à Dijon, le 19 septembre 1391, mettre aux prises les deux chevaliers; mais Othon de Grandson dut payer dix mille florins d'or à son rival, affront manifeste à la cour de Savoie.

C'est pourquoi la Régente cherchait à s'allier l'évêque de Lausanne et espérait qu'il soutiendrait la cause d'Othon de Grandson plutôt que celle du puissant sire de Gruyère et de ses partisans; cette attitude aurait certainement calmé l'effervescence qui, de jour en jour, grandissait dans le pays de Vaud.

Profondément ébranlée par la mort de son fils, Bonne de Bourbon tomba malade et dut prolonger son séjour à Nyon que pourtant elle voulait quitter pour la forteresse plus sûre de Chambéry. Ayant appris la prochaine arrivée des ambassadeurs du duc

---

1. Cf. Bruchet, p. 35.

de Berry et de Bourgogne, elle fit appelet Iblet de Challant qu'elle avait envoyé pacifier le Valais agité par les sires de la Tour et de Gruyère[1], mais elle ne put l'atteindre. Elle attendait aussi le prince d'Achaïe qui, au moment de la mort du Comte Rouge, était retenu en Piémont par une grave maladie. Elle craignait l'influence en Savoie du parti Berry et savait l'hostilité que lui vouait le duc parce qu'elle avait toujours fait échouer la politique berrichonne à la cour de Savoie[2].

Elle aurait voulu faire neutraliser ses activités par des personnes capables, et paralyser ainsi son action.

Bonne de Bourbon et Amédée d'Achaïe. Enfin, le 12 novembre, arriva à Nyon Amédée d'Achaïe ; nous ne savons rien de cette première rencontre. Comment ce prince était-il disposé envers la régente ? Exclu du Conseil de Régence, ses sentiments ne pouvaient être très favorables à l'égard de Bonne de Bourbon.

Pendant tout l'été, Amédée d'Achaïe avait préparé son expédition en Morée, principauté dont il revendiquait la possession[3]. La mort imprévue du Comte Rouge réduisit en fumée ce songe ambitieux. Le Piémont et la Savoie entraient dans une période de troubles. Achaïe était retenu à la tâche. Son pre-

---
1. Cf. Carbonelli, p. 55.
2. Par ses alliances, le duc de Berry était l'un des chefs du parti d'Armagnac, dont les luttes avec les Bourguignons ensanglantèrent la France. Le duc de Berry avait épousé Jeanne d'Armagnac, laquelle, avec sa fille Bonne de Berry, soutenait le parti de Charles Visconti, marié aussi à une Armagnac. Des troupes de la faction des Armagnac combattaient en Lombardie contre J.-Galéas Visconti. Bonne de Bourbon et Amédée VII reconnurent toujours la légitimité de ce dernier, d'où conflit avec Bonne de Berry.
3. Cf. Datta, t. I. Cf. chap. xvii.

mier devoir était de présenter hommage à son nouveau suzerain.

On peut se demander pourquoi son nom n'était pas prononcé dans le testament d'Amédée VII.

Était-ce de propos délibéré, ou bien le Comte Rouge avait-il agi sur l'instigation maladroite de la Grande Comtesse et de son entourage ? Pourtant, dans le passé, les deux Amédée s'étaient toujours bien entendu. Tout faisait croire que la participation d'Achaïe au gouvernement n'était pas désirée par les conseillers de Bonne de Bourbon qui redoutaient peut-être l'ambition de ce prince à peine âgé de trente ans.

Certes, pour être éclairé sur la situation, il tombait dès son arrivée dans un véritable guêpier. Le peuple et la noblesse de Savoie étaient bouleversés par la mort du Comte Rouge et par les bruits d'empoisonnement qui circulaient de bouche à oreille, avec toujours plus d'insistance. Tout le monde savait, avait vu : Colin Mathieu, maître tailleur de Madame la Jeune, assurait que le Comte Rouge avait péri empoisonné par son médecin : « Je l'ai vu, entendu, j'étais présent. C'est d'ailleurs l'opinion générale dans tout le Comté de Savoie[1]. »

Il y avait aussi le groupe des seigneurs mécontents avec leur chef Gruyère, dont nous avons déjà parlé. Achaïe dut certainement prendre contact avec eux, et probablement les encourager à faire triompher la justice. Les adversaires de Bonne de Bourbon allèrent jusqu'à laisser entendre que le prince Amédée d'Achaïe était son amant[2].

La suite des événements montrera l'attitude sou-

---

[1]. Cf. Bruchet, *op. cit., Preuves*, XLVI, p. 417.
[2]. Litta, Tab. VII, *Fam. celebre italiane*, Duchi di Savoia, Part. I.

vent équivoque de ce prince, mais il faut dire à sa décharge qu'il dut manœuvrer, pour sauver les États de Savoie, dans une des périodes les plus troublées de leur histoire.

Il lui fallait, pour le moment, maintenir sa neutralité entre les clans des deux Dames, et suivre les Comtesses dans leurs déplacements. Le départ de Nyon fut décidé par Bonne de Bourbon le 1er décembre; les troubles et les agitations augmentaient dans le pays de Vaud, Madame la Jeune était enceinte : pour ces raisons, l'installation à Chambéry était préférable.

Le voyage en plein hiver, sur des routes glacées, dut être pénible. Les moyens de transport étaient encore bien primitifs. Les femmes se déplaçaient, soit en charrettes, soit en litières portées à bras ou tirées par des chevaux[1]. La cour arriva le soir même à Genève, et le lendemain, au crépuscule, elle atteignait Sallenove. Tandis qu'une partie de la suite était reçue dans la maison de Jean de Roussillon, dit Crena, les Comtesses logèrent sans doute dans le château des Sallenove, très illustre famille apparentée à celles de Grandson et de Cossonay. Un Pierre de Sallenove chassait encore avec Amédée VII la veille de l'accident[2].

Le soir même arrivèrent Gaspard de Montmayeur et Jacques de Villette, deux fidèles conseillers de Madame la Grande. Le 3 décembre, les Comtesses

---

1. Bonne de Bourbon avait une litière doublée d'étoffe rouge, et une charrette ferrée (« carreta ferrata »). *Principi di Savoia attraverso le Alpi nel medievo*, par M. VACCARONE, 1902, p. 7.

2. Un Pierre de Sallenove, fils de Jean et de Guillemette de Montferrat, reçoit du comte de Savoie et de sa dite mère, l'investiture du fief qu'il tient à Saint-Rambert. Perronette de Sallenove, morte en 1410, est pendant 40 ans abbesse de Bonlieu, abbaye cistercienne de femmes, tout près du château de Sallenove. Au XIVe et XVe siècles, le village n'avait pas le nom de Sallenove, mais seul le château s'appelait ainsi.

sont à Rumilly[1] où elles resteront jusqu'au 8, à cause de la santé de Bonne de Bourbon. Amédée VIII, sous la garde de Jean de Clermont, de Jacques de Villette et d'autres seigneurs, partit directement pour Chambéry.

De Rumilly, les Comtesses se rendirent à Aix où Othon de Grandson eut un entretien avec la régente, mais repartit le soir même pour Dijon, peut-être chargé de quelque mission secrète auprès de la cour de Bourgogne.

Le 9, la cour arriva à Chambéry et s'installa dans l'inattaquable forteresse. Le prince et la princesse d'Achaïe accompagnaient ces Dames, avec de nombreux seigneurs et bannerets.

Quelle atmosphère régnait à la cour à ce moment-là ? Les rapports entre Madame la Grande et sa bru ne devaient pas être très cordiaux; cependant elles vivaient encore ensemble. Avec le prince d'Achaïe, Bonne de Bourbon dut avoir de nombreux entretiens : elle devait craindre son attitude trop favorable envers le clan de Madame la Jeune; et lui, de son côté, très préoccupé de ses intérêts personnels, sut marchander avec habileté son appui à la Grande Comtesse. Le fait est que, le 18 novembre 1391, devant ses conseillers, Iblet de Challant, Jean de Conflans, chancelier de Savoie, Guy de Ravais et l'évêque de Maurienne, Bonne de Bourbon concéda au prince d'Achaïe une plus grande autonomie dans ses États subalpins, et de gros subsides pour maintenir une compagnie de Hongrois en Piémont, alors continuellement attaqué par les troupes du terrible

---

1. Notons ici un fait curieux : l'achat d'une baignoire pour Bonne de Berry. L'on sait qu'au Moyen Age les bains étaient tout à fait déconseillés aux femmes enceintes. Cf. CARBONELLI, *Come vissero*, p. 65; *Comte Rouge*, p. 213, 4 février.

condottiere Facino Cane[1]. En échange, le prince s'engageait à soutenir envers et contre tous la régence de Madame la Grande.

De la part de Bonne de Bourbon, c'était relâcher les liens rigides de vassalité entre les deux branches qui existaient depuis Amédée V[2]. Était-ce un acte de sagesse ou de faiblesse ? Achaïe, premier prince du sang après Amédée VIII, était la seule personne capable de soutenir sa cause et de rétablir son pouvoir; il fallait le contenter dans ses ambitions, déjà frustrées par le testament. Satisfait de cet accord, le Prince retourna en Piémont. Désormais, il fera figure de collaborateur et non plus de vassal.

Exercice du pouvoir de la Régente.

Depuis l'arrivée de la cour à Chambéry, les populations venaient en foule saluer le petit Comte, et les représentants des États de Savoie s'étaient plusieurs fois réunis pour savoir qui les gouvernait[3]. Le samedi avant Noël 1391, les délégués de Vaud font une démarche à Chambéry auprès de la Grande Comtesse pour l'assurer de leur fidélité[4]. Le 10 janvier 1392, des représentants du pays de Vinadio rendent hommage à Bonne de Bourbon jusque dans sa chambre à coucher[5].

---

[1]. Le condottiere Facino Cane, à la solde du marquis de Montferrat, menaçait les États du prince d'Achaïe. Gabotto, *op. cit.*, pp. 166-196.
[2]. Comme on l'a dit dans le chapitre iv, les comtes de Savoie avaient dû réprimer plusieurs fois l'insubordination de cette branche cadette. Le père d'Amédée, Jacque d'Achaïe, n'étant pas nommé dans le testament du comte Aymon, s'était refusé à rendre hommage à Amédée VI, et le Comte Vert dut lui confirmer l'investiture de ses terres en 1362, à lui et à son fils, afin de bien rétablir la condition de vassal à suzerain. Cognasso, *Infl. franç.*, p. 263.
[3]. Tallone, *Parl. Sal.,* CCCXLVIII.
[4]. Cornaz, *op. cit.*, p. 227.
[5]. Turin, Protocole com Bombat, 67, f° 36. — Ce protocole contient beaucoup d'autres hommages rendus cette même année à la régente.

Le prestige de la Grande Comtesse semblait se rétablir et, aidée de ses vieux conseillers, elle put, pendant quelques mois, exercer le pouvoir.

Le 2 avril 1392, les obsèques d'Amédée VII se déroulèrent avec un très grand apparat; Bonne de Bourbon, pour faire face aux dépenses, dut vendre à Genève plusieurs pièces d'orfèvrerie; et même le collier orné de la devise du défunt[1]. Feudataires, prélats et population affluèrent à Hautecombe, avec le même élan de vénération et de fidélité dont ils avaient témoigné lors des funérailles du Comte Vert[2].

Cependant, Bonne de Bourbon n'était pas rassurée. L'annonce de l'arrivée prochaine à Chambéry du duc de Berry lui faisait craindre de nouveaux ennuis. Quand elle apprit qu'il se rendait à Lyon, elle en avisa le prince d'Achaïe, les sires d'Arvillars et de Miolans, afin qu'ils aillent le rejoindre dans cette ville[3]. Le duc de Berry évitait, semblait-il, Chambéry, et prudemment, de Lyon, il observait les événements pour les guider. Achaïe préférait demeurer en Piémont, où sa présence s'avérait d'ailleurs nécessaire en raison des troubles consécutifs à la mort du Comte Rouge.

Suivant avant tout une politique opportuniste, il jugeait bon, pour le moment, de se ranger ouvertement au côté de la Régente qui réunissait encore autour d'elle de nombreux partisans, quitte à encourager sous main l'opposition pour ne pas s'aliéner le redoutable Berry. Mieux valait pour lui éviter une entrevue personnelle avec le duc et ne pas se

---

1. Bruchet, *op. cit.*, p. 51, note 2.
2. Bruchet, *op. cit.*, lxi.
3. Voulait-elle ainsi éviter des intrigues, étant informée par des tiers, fussent-ils ses ennemis ? Carbonelli, p. 215.

Planche XXXIV

Phot. Studio Guy

Château de Chambéry.

D'après le Théâtre des Etats de S.A.R. le Duc de Savoie, La Haye, 1700.

trouver dans l'obligation de lui dévoiler son jeu.

Si, à l'intérieur du pays de Vaud, la Régente ne parvenait pas à calmer l'effervescence produite par la lutte des seigneurs contre Othon de Grandson — une véritable coalition d'intérêts avait dressé contre le vaillant chevalier la petite noblesse et les communes persuadées finalement qu'il était complice de la mort du Comte Rouge — elle essayait de maintenir l'ordre à la périphérie des États de Savoie et de rétablir les droits de sa Maison en Valais et en Piémont. Pour tenir éloignés les capitaines des compagnies qui menaçaient la Bresse, elle envoya Jacques de Villette qui traita avec eux et leur fit des dons en argent et en chevaux[1].

En Piémont, elle expédia des troupes sous le commandement de Boniface de Challant, sire de Fenis, pour reprendre le château d'Azeglio[2], dévolu au comte de Savoie, et injustement occupé par le marquis de Montferrat. Elle ordonna aussi au capitaine de Santhia de terminer la construction de la forteresse de Verrua, défense nécessaire contre les incursions des gens de Facino Cane.

L'expédition contre le Valais avait dû être ajournée par suite de la mort du Comte Rouge; Bonne de Bourbon envoya Iblet de Challant faire la paix avec le Haut-Valais qui, abandonné par Berne et Milan, « n'était plus en état de continuer la guerre »[3]. Les communes valaisannes payèrent à Bonne de Bourbon vingt-cinq mille florins d'or pour les dommages causés, et laissèrent en gage à Iblet de Challant, devenu bailli du Valais, les châteaux de Tourbillon,

---

1. Cf. CIBRARIO, *Specchio*, p. 166.
2. GABOTTO, p. 171. — « Fornire i fondi ad Enrioto di Buronzo per ordir certi insidie a signori d'Azeglio. »
3. FURRER, *Histoire du Valais*, t. I, p. 259.

Montorge, Majorie et de Soie, avec l'autorisation, comme c'était l'usage, de rendre la justice sur le pont de la ville de Sion. La Morge de Conthey formait limite entre les deux pays.

La paix signée le 24 novembre 1392 mit d'accord les communautés de Berne, de Fribourg, l'évêque de Sion, les sires de Rarogne, de Gruyère et de la Tour. Ce traité, signé par Bonne de Bourbon, fut si parfaitement établi, qu'Amédée VIII, sept ans plus tard, n'aura plus qu'à le ratifier.

Du Valais, Iblet de Challant s'était dirigé sur Pavie, où il devait rencontrer Jean-Galéas Visconti, et obtenir son aide, indispensable à la pacification du Piémont. Seul, en effet, Visconti pouvait empêcher le marquis de Montferrat et les Masino[1], de provoquer les troubles dans les États du prince d'Achaïe[2]. Bonne de Bourbon avait écrit personnellement dans ce sens aux marquis de Montferrat[3] et de Masino[4], mais sans résultat.

Quoique mécontent et déçu par les Savoie et les Achaïe, qui ne s'étaient pas opposés à l'invasion des Armagnac en Lombardie, Jean-Galéas voulut bien se charger de rétablir le calme en Piémont et y parvint pendant quelques mois. Pour faire front à la vieille coalition des villes et seigneuries italiennes qui se reformait contre lui, Visconti s'était rapproché de la France et du pape d'Avignon, content d'avoir dans le schisme un allié de l'importance du seigneur de Milan. Et si c'était son intérêt de voir un Piémont pacifié, c'était aussi celui du Roi et de

---

1. Voir chapitre des Tuchins.
2. Jarry, *La vie politique de Louis d'Orléans*. — La Savoie et le Piémont pacifiés devenaient un élément important dans l'accord Visconti-Charles VI.
3. Arch. Com. d'Ivrea Orb., vol. VII, f° 8; voir Gabotto, p. 183.
4. Scarabelli, p. 127; Gabotto, p. 187.

Louis d'Orléans qui venait de s'installer dans le duché d'Asti. Iblet de Challant parvint à établir l'accord entre Paris et Milan. Enfin, après de délicates négociations, Facino Cane disparut de ces régions. Ce départ tranquillisa les petits seigneurs piémontais qui voyaient leurs terres ravagées par les hordes de ce capitaine et qui, le comte de Savoie ne les défendant plus, cherchaient déjà un autre protecteur.

Toujours à la fin de mai 1392, Iblet de Challant consulta à Pavie le célèbre juriste Baldo de Péronne, au sujet de certaines affaires secrètes intéressant la Comtesse[1].

Rappelons encore que, le 12 janvier 1392, Bonne de Bourbon avait délégué Iblet de Challant pour recevoir l'hommage de la fidélité des Charles Fieschi, Spinola, Grimaldi, Di Negro, Lomellino et d'autres familles de Gênes qui désiraient la protection du comte de Savoie[2]. On sait que Jean-Galéas Visconti avait, lui aussi, des visées sur Gênes, mais la France l'emporta et imposa son gouverneur en la personne du célèbre chevalier de Boucicault.

Malgré ces activités pacificatrices en Valais et en Piémont, la situation en Savoie restait tendue; des forces occultes agissaient, mais comment les étouffer ? L'attente paralysait les bons et favorisait les mauvais dans leur œuvre de destruction contre la régente. Un heureux événement allait pourtant faire diversion aux soucis du moment : le 26 juillet, Bonne de Berry accouchait d'une fille, Jeanne de Savoie[3].

---

1. Cognasso, *Influsso,* p. 269. — Comptes Hôtel du Comte de Savoie, 1392 (voyages d'Iblet de Challant).
2. Gabotto, p. 172; Scarabelli, pp. 131 et ss.
3. Jeanne de Savoie épousera Jean-Jacques Paléologue, marquis de Montferrat.

Le baptême célébré dans la grande salle du château de Chambéry, sera l'occasion pour Madame la Grande de montrer ostensiblement son estime pour sa bru.

Parmi les assistants, on remarquait la princesse d'Achaïe, et soixante autres dames, demoiselles ou bourgeoises de Chambéry. Le prince d'Achaïe, le duc de Berry, Othon de Grandson prudent, et Cossonay trop vieux, étaient absents.

Selon la coutume, des récompenses furent distribuées aux fidèles serviteurs, dont Pierre de Lompnès, sa femme Péronnette et son neveu Nando.

Au moment où le pouvoir central n'est plus tenu par une main ferme, la tentation est grande pour les féodaux de profiter de cette faiblesse. La situation si délicate de la Régente, aux prises avec de terribles luttes féodales, deviendra critique quand interviendront en Savoie de puissants princes, chefs de la politique française pendant la folie de Charles VI : le duc de Berry et le duc de Bourgogne.

CHAPITRE XX

LE DUC DE BERRY
ET LA LUTTE DES DEUX COMTESSES

Au mois d'août 1392, de grands changements survinrent en France; Charles VI devint fou; à la Cour, Bourgogne et Berry prennent la direction des affaires, tandis que Bourbon et Orléans perdent leur influence.
Le moment est favorable pour le duc de Berry. Les événements de France et de Savoie lui permettent d'attaquer la Grande Comtesse, qui ne peut plus espérer grand soutien de son frère Bourbon, et cela dans le but de faire confier à sa fille la régence du Comté.

L'enquête du duc de Berry. Le 10 août, le duc de Berry, d'Avignon où il se trouvait auprès du pape Clément VII, adressa une lettre au prince d'Achaïe, et une autre aux nobles et aux communes des États de Savoie, y compris le Piémont. Au prince d'Achaïe[1], il rappelait d'abord « certaines promesses jurées et sermentées tant par vous, comme par certains AUTRES NOBLES, gentilzhommes, de poursuivre et punir les coupables de la mort de feu nostre très

---

1. CARBONELLI, pp. 218-219.

chier et amé fils, le comte de Savoye ». Ensuite, il le complimentait sur la tâche qu'il avait entreprise et l'encourageait à continuer tout en flattant ses capacités comme homme et comme prince : « car plus appartient à vous qu'à nul autre, tant par arme lignage et grant qui premier este et le greigeur [gageur] dudit serment », « dites, faites dire, escripvez et mandez à ceulx des marches dont par le serement dessus dit estes enchargiés et aussi à toutes les autres marches de la comté de Savoie... »

« *Nous vous avons ordoné et ordonnons commissaire ensemble plusieurs autres, tant de noz gens comme de la comté de Savoie ; et nous escrivons à belle cousine de Savoye... que vous et autres elle ordonne commissaire pour ce fait, car il nous semble que s'il est bien poursuy, il prendra bonne conclusion, car* DESJA *nous tenons en noz prisons le* PHISICIEN EMPOISONNEUR QUI DOIT ESTRE PRINCIPAL DE LA BESOUGNE[1]. »

Coup de théâtre : Grandville arrêté par le duc de Berry ! Que s'était-il passé ? Le physicien, après la mort du Comte Rouge, s'était réfugié à Sainte-Croix chez Othon de Grandson; il voulait probablement rejoindre les terres du duc de Bourgogne, quand il fut saisi à Chalon-sur-Saône par les gens de Berry, qui l'enfermèrent en Auvergne, dans le château d'Usson.

Au nom de la justice et de l'amour paternel, — mais ce n'était qu'un vain prétexte — Berry mettait à merci le gouvernement de la Régente. Bonne de Bourbon n'avait plus qu'à se soumettre et nommer Achaïe chef de l'enquête, afin de découvrir les complices de Grandville. Elle savait que dorénavant Berry était maître de la situation, car il pouvait faire

---

1. CARBONELLI, p. 218.

dire ce qu'il voulait au physicien, devenu docile instrument entre ses mains. Il fallait pourtant sauver les apparences, entrer dans le jeu et se défendre.

Nous possédons une copie de l'enquête menée par Achaïe[1]; elle commence par une lettre de Bonne de Bourbon, chargeant celui-ci de rechercher les coupables de l'empoisonnement de son fils, et lui laissant le choix des personnes qui mèneront l'enquête[2]. Aussi, le 1er septembre, Achaïe s'empresse-t-il de nommer trois délégués, dont l'un était son secrétaire.

Berry disait de Grandville, dans sa lettre : « il doit estre de la besougne », laissant encore un doute sur sa culpabilité, tandis que le mandement du prince affirmait la culpabilité du physicien; la recherche des complices devenait ainsi inéluctable. En agissant de cette manière, Achaïe faisait le jeu de Berry, mettant la Régente dans une situation bien difficile.

Il y avait plus : la manière dont se déroulait l'enquête pouvait être sujette à caution[3]; le prince d'Achaïe prétendait avoir reçu de vive voix certaines recommandations de Bonne de Bourbon, entre autres l'ordre de nommer Humbert d'Arvillars enquêteur dans les régions du Faucigny, du Chablais et de Genève; on connaît les sentiments de ce dernier envers la Régente ! Un autre ordre était d'arrêter toutes les personnes fugitives. C'était viser Lompnès qui cherchait à s'évader d'Évian.

A Ripaille, on ne procéda à aucun interrogatoire; sans doute parce qu'il n'y avait plus personne.

---

1. Carbonelli, pp. 219-278.
2. Carbonelli, p. 62.
3. Carbonelli, p. 64.

Intervention des États de Vaud. Pourtant, les populations du pays de Vaud se rendaient compte que la procédure de la commission d'Achaïe n'était pas régulière; aussi, les États de Vaud, en réponse à la communication du prince d'Achaïe, l'encouragèrent-ils à continuer son œuvre de justice, mais en le suppliant de transférer Grandville en Savoie, afin qu'il puisse être jugé selon l'usage. « Rendez-nous le médecin, et nous ferons ce que les Comtesses, le Conseil et vous commanderont ». Cette mission du 27 août 1392 est un des premiers actes émanés des États de Vaud.

Dès le début de l'année 1392, les communes vaudoises furent convoquées à Moudon, siège du bailli, pour délibérer sur la façon dont leur pays serait gouverné. On voit donc les États de Vaud[1] faire preuve d'initiative et s'ingérer dans un domaine qu'en temps ordinaire un gouvernement central se serait jalousement réservé[2].

Les communes vaudoises allaient profiter de l'éclipse du pouvoir central pendant la minorité d'Amédée VIII pour augmenter leur pouvoir provincial[3].

En plus de ces questions d'importance primordiale, il y en avait une foule d'autres. Quand le pays était en danger, les assemblées cherchaient à remé-

---

1. Le terme « États de Vaud » n'était pas approprié pour le xive siècle, où les délégués de la noblesse et du clergé n'étaient pas encore représentés séparément, ce qui n'eut lieu qu'au xve siècle. L'existence de ces Assemblées de Vaud est déjà connue à l'époque de Pierre II. Les principaux sujets traités par les Assemblées vaudoises étaient la préservation des franchises et la question des subsides.
2. Ernest CORNAZ, *Les États de Vaud à la fin du XIVe siècle*, in *Anzeiger für Schweizerische*, 1917, 15, p. 223.
3. CORNAZ, *op. cit.*, pp. 226-227.

Planche XXXV

Portrait du Duc de Berry
miniature dans le manuscrit offert au Duc de Bourgogne avant 1413.
Bruxelles, Bibliothèque Royale. Ms 11060, folio 10.

dier au mal, comme en 1392-1393 ; elles s'occupèrent même des questions internes de la cour[1].

Les assemblées de Vaud se distinguaient des autres, même de celles de Bresse, par leur esprit de liberté, tenant souvent tête à leur prince et à ses fonctionnaires.

L'enquête d'Achaïe dans les États de Savoie n'avait pas donné de grands résultats : aucun nom d'associé ou de complice de la mort du Comte Rouge ne fut prononcé.

Le calme aurait dû revenir dans les esprits, mais au contraire, un peu partout, surgissaient des luttes et des discordes. Ainsi, le pays de Vaud est de nouveau troublé. Bonne de Bourbon avait réglé (janvier 1392) la dette de cinq mille florins du Comte Rouge envers son vaillant chevalier Grandson, en le nommant « Chastellin du Rin et de Morge ». Cet acte mécontenta fort ses ennemis, et la situation s'aggrava par l'attitude hostile du prince d'Achaïe envers Grandson[2].

Grandville soumis à la torture.

Berry, mécontent des résultats de l'enquête, soumit Grandville à la torture (le 3 décembre 1392). Jusqu'à ce moment, il l'avait fait parler sous l'imposition du jurement. Le bon duc de Bourbon, encore plein d'illusions sur la gravité de la situation, et trop certain du triomphe du bon droit de sa sœur, lui écrivait, le 18 janvier 1393, que Grandville n'avait rien dit contre son honneur et lui conseillait d'envoyer à Paris Étienne de la Baume, « très prudent chevalier et bien instruit par vous,

---
1. TALLONE, *op. cit.*, pp. CCXVII-CCXVIII.
2. CARBONELLI, p. 94.

car pour ce qu'il a rennomée d'estre un très prudome chevalier, messieur adjousteront plus tôt foy à lui que à autre et par lui pourra la besoigne plus brief prendre bonne conclusion et effet »[1].

Mais Grandville avait dit plus que ne le savait Bourbon. Berry, peut-être craignant la réaction du valeureux duc, ne donna tout d'abord aucune publicité aux dernières déclarations du physicien.

Bonne de Bourbon, cependant, sentait que ses ennemis travaillaient contre elle auprès des plus grands personnages de la cour de France. Pendant les années 1392-1393, elle envoie messagers sur messagers au roi Charles VI et aux ducs « pour certaines grosses choses ». Pierre Andrevet, Guy Ravois, sire de Saint-Maurice, firent souvent la route entre Chambéry, Paris, Dijon, Chartres. Étienne de la Baume, suivant le conseil du duc de Bourbon, alla trouver le roi à Saint-Denis. L'évêque de Maurienne avait déjà fait plusieurs fois le voyage ainsi qu'Oddon de Villars, Jean de Corgeron, Pierre de Murs, Guy de Grolée; tous ces messagers essayaient d'obtenir la vérité sur le drame de Ripaille et demandaient la restitution de Grandville. Même Achaïe, persuadé de cette nécessité par la Régente, envoya Guillaume d'Estavayer auprès du Roi, mais sans aucun résultat.

Pendant ce temps, les partisans de Bonne de Berry s'efforçaient de présenter les choses selon leurs vues à la cour de France. Le 17 mars 1393, Jean de la Baume, en correspondance avec Humbert de Villars et Amédée des Mollettes, leur écrit de Paris que le Roi et les ducs ont décidé de nommer des commissaires pour les représenter : le sire Enguerrand de Coucy pour le Roi, les sires de Giac et de Ponchon

---

1. CARBONELLI, pp. 280-XIV.

de Langhat pour Berry, et l'évêque de Chalon et le sire de la Trémouille pour Bourgogne. Ces commissaires devront se rendre le plus vite possible à Chambéry pour remettre en ordre les États de Monseigneur le comte de Savoie avec l'aide des prélats, bannerets, nobles et des communes du pays.

« *De leur but, et comment ils devront se comporter, je vous le dirait de vive voix, car c'est trop long à expliquer par écrit. Quant au physicien, Monsieur de Berry ne le relâchera pas encore, je vous expliquerait pourquoi de vive voix. Nous irons entendre à Usson les confessions de Grandville par le désir et commandement de Berry, pour entendre ce qu'il dit de la mort de Monseigneur. J'irait vous voir et vous informerait encore d'autre chose très importante pour notre besoigne. Très cher frère, faites bien aviser les communes de la Cour (?) car il ne me semble point que vous et moi ne les autres qui avons esté ensemble pour nostre devoir, ayons cause d'estre à la puissance, si nous n'avions bonne part en la force*[1]. » « *Avisez-nous si nos amis seront de cette journée et si ils seront grandement accompagnés ou pas tant, armé tout entier ou secrètement, afin que je ne puisse régler sur eux. S'il vous plait autre chose que je puisse faire, mandez-moi et commandez comme à celui qui est tout vostre très chier frère* ». — Signé : Jean de la Baume, sire d'Albergement[2].

Accusations de Grandville.   Depuis quelque temps, les Comtesses s'étaient séparées. Bonne de Berry, son fils et ses partisans, Jean de la Baume, Antoine de la Tour, le sire et le Bâtard de la Chambre, Jean de

---

[1]. A plusieurs reprises, Jean de la Baume voulait emmener des troupes du Piémont et du Dauphiné pour occuper Chambéry. GABOTTO, pp. 187-192.

[2]. Cf. GUICHENON, édition de 1660, t. III, pp. 667-668; CARBONELLI, p. 283.

Clermont, Humbert de Savoie, le sire des Mollettes, se retirèrent à Montmélian.

Bonne de Bourbon gardait encore la sympathie de la majorité de la noblesse de Savoie. Mais les révélations d'Usson se diffusaient; elles étaient de plus en plus graves. La première accusée était maintenant la Grande Comtesse. D'elle part l'initiative de tout le mal, soutenue dans son funeste complot par Othon de Grandson, Iblet de Challant et Cossonay. L'apothicaire Pierre de Lompnes et le physicien Grandville ne sont que les instruments du crime. Grandville ne craint pas de s'accuser lui-même : pour le malheureux physicien, c'était le seul moyen de sauver sa tête, dire ce qui faisait plaisir au duc de Berry et aux partisans de sa fille !

Accusé par Grandville, Grandson se réfugie en Angleterre. Achaïe ouvre contre lui un procès et le condamne par contumace, ses biens sont confisqués, les châteaux d'Aubonne et de Coppet sont vendus à Rodolphe de Gruyère et à Jean de la Baume. Sainte-Croix fut pourtant difficile à prendre; les gens restés fidèles à leur seigneur se révoltèrent et Gruyère dut livrer bataille aux Tuchins. Achaïe s'était rendu en personne dans le pays de Vaud, mais ne put réduire la place forte de Sainte-Croix, défendue par Guillaume de Grandson, fils d'Othon[1].

On était à la veille d'une guerre civile. Chambéry était occupé militairement par Louis d'Achaïe, frère d'Amédée, qui était venu du Piémont avec quatre mille deux cent trente-trois cavaliers de Pignerol[2],

---

1. Carbonelli, pp. 112-124. — Le 4 mai, il y eut une séance judiciaire pour décider de la culpabilité d'Othon. Cf. Cornaz, *op. cit.*, p. 243. Le 4 août, séance tenue en présence du prince d'Achaïe pour prendre connaissance des ordonnances qui avaient été rendues contre les Tuchins de Sainte-Croix, et Othon de Grandson. Cf. Cornaz, *op. cit.*, p. 243.
2. Carbonelli, p. 97.

fleur de la noblesse piémontaise. La Régente était en fait leur prisonnière.

Réactions des deux clans. Pourtant, les fausses accusations de Grandville suscitaient l'indignation d'un grand nombre de partisans de Bonne de Bourbon; le prince d'Achaïe, le premier, se sentait atteint dans son rôle de défenseur de la Régente et de vengeur du Comte Rouge.

Aussi, après la réunion des États Généraux qui, d'après Cibrario, fut une des plus complètes de l'époque, et qui eut lieu à Chambéry pour discuter sur la régence de Bonne de Bourbon, le prince d'Achaïe, entouré de nombreux chevaliers, défendit-il vigoureusement les droits de cette dernière (le 27 avril 1393).

Il signait en même temps avec son frère Louis, Oddon de Villars, Iblet de Challant, Grolée et Corgeron, et d'autres seigneurs, une convention par laquelle il s'engageait à respecter dans les États de Savoie les dispositions du testament d'Amédée VII.

Une phrase curieuse est à noter dans le serment de fidélité à la Régente : « jusques atant toutes voyes qu'il nous apparoisse que a nostre honneur nous ne le puissions plus faire »[1]. Pourquoi ces fidèles seigneurs pensaient-ils à leur honneur, au moment où ils devaient défendre celui de Bonne de Bourbon ? Cette restriction montre bien dans quel doute et quelle indécision se trouvaient les esprits.

La convention du prince d'Achaïe provoqua une réaction chez les partisans de Bonne de Berry qui soutenaient qu'étant sa mère, elle seule avait droit à la tutelle du jeune Comte. Les déclarations de

---

[1]. Cf. BRUCHET, *op. cit.*, *Preuves*, p. 430.

Grandville leur donnaient une arme, et leur nombre augmentait. Parmi eux, le plus acharné était Jean de la Chambre, ennemi personnel de la Grande Comtesse[1], qui assista à la torture de Grandville et inspira certainement la violence de ses accusations.

Le duc de Bourbon, alarmé de l'attitude toujours plus menaçante des partisans de Bonne de Berry, sollicite auprès du roi de France une ambassade en Savoie. En même temps, Jean de la Baume[2], un autre ennemi de la Grande Comtesse, par des insinuations habiles était parvenu à persuader la cour de France des dangers qu'il y avait à laisser la Savoie dans l'état actuel; une guerre civile pouvait en résulter. A ce moment aussi le duc d'Orléans prenait possession de son fief d'Asti (partie de la dot de sa femme, Valentine Visconti); il fallait une Savoie pacifiée.

La commission du 8 mai 1393. Impressionné, le roi de France envoya une commission pour étudier la situation et voir comment y remédier. En avril 1393, arrivèrent en Savoie Enguerrand de Coucy[3], les sires

---

1. Jeté en prison par ordre de Bonne de Bourbon, en 1388, pour s'être approprié injustement les biens de Jacques Paluel, à La Rochette. Cf. Carbonelli, p. 131.
2. Cette haine remontait peut-être à l'inféodation de la seigneurie d'Aubonne à Guillaume de Grandson par Amédée VI en 1365, quand Guillaume de la Baume liquida la seigneurie à Guillaume de Grandson pour 9.000 florins qu'il paya à ses fils Philibert et Jean de la Baume. Peut-être Bonne de Bourbon soutenait-elle alors les Grandson qui cherchaient à accumuler tous les droits sur les riches terres d'Aubonne et de Coppet. Othon, par son mariage avec Jeanne Alemandi, acquit encore les droits de celle-ci, sur les seigneuries d'Aubonne et de Coppet. En 1370, son père, Guillaume de Grandson, achète au comte de Gruyère, pour 2.000 florins d'or, les droits de ses enfants mineurs Rodolphe et Marie, droits de leur mère Marguerite Alemandi. *Dynastie d'Aubonne*, par. M. Charrière.
3. En 1384, le sire de Coucy, comme Jean d'Armagnac, ravagea l'Italie avec une bande d'aventuriers. Devenu gouverneur du duché d'Asti pour le duc d'Orléans, il se fit pardonner ses violences par la sagesse de son gouvernement.

de la Trémouille et de Giac. L'ambassadeur du duc de Berry, Ponson de Langiac, sans doute sur les instances du duc de Bourbon, fut remplacé par l'évêque de Chalon, grand ami de la vieille Comtesse.

Le 8 mai 1393, un traité de réconciliation fut signé à Chambéry entre les Comtesses[1].

A cette réunion se trouvaient les représentants des deux clans : le duc de Bourbon, sa sœur et ses partisans; Bonne de Berry, les princes d'Achaïe et les leurs; les envoyés de la cour de France et les membres des États Généraux.

Les ambassadeurs français ouvrirent la séance en disant que Madame de Bourbon était tante du Roi et de M. le duc d'Orléans, « et qu'ils avaient entendu... certaines paroles contre son honneur et bonne renommée », et déclarèrent vouloir « garder l'honneur et la bonne renommée de ladite dame », parce que « son honneur touche celui du Roi et de nos dits seigneurs »[2].

Deuxièmement, « les ambassadeurs manifestèrent vouloir discuter et se rendre compte sur la sûreté de la personne de Monsieur le Comte, *tant en demeure comme en compagnie* ». Ils avaient été avisés que, à cause de la grande affluence de gens qui convergeaient au lieu où il demeurait, et partageait sa résidence avec lesdites Dames, et parce que Madame Bonne de Bourbon avait le gouvernement du pays, sa personne n'était pas en lieu sûr.

Troisièmement que le mariage projeté par le Comte avec la fille du duc de Bourgogne se conclurait à Chalon-sur-Saône, le jour de la fête de saint Michel.

---

1. Cf. GUICHENON, *op. cit.*, t. II, p. 240.
2. Cf. GUICHENON, *op. cit.*, t. II, p. 240.

Quatrièmement, que leur but est de mettre la paix et l'union entre tous, afin que le pays soit bien gouverné au profit de Monsieur le Comte, des seigneurs et du peuple.

Les participants de l'Assemblée furent unanimes à reconnaître le bon droit de ladite Dame, et « se déplaisent » que des choses aient été dites contre elle, car ils ne voient en elle « que tout bien et honneur ».

Puis, reconnaissant que, pendant tout le temps qu'il séjourna à Chambéry, le Comte était en bonne santé, ils décidèrent qu'il demeurerait dorénavant au château de Chambéry, avec Oddon de Villars comme gouverneur, et Amé d'Aspremont pour le garder, à moins que, pour sa santé et sécurité, Monsieur Oddon décide un autre lieu. Les deux comtesses devront, avec la cour, quitter le château qui restera seulement la demeure du jeune Comte.

Enfin, touchant le quatrième point, la paix et l'union du pays, le gouvernement demeurera toujours à ladite Dame Bonne de Bourbon, et bien que Madame soit très vaillante et sage, le parti adverse voit en son Conseil des personnages qui ont plus pensé à leur propre profit qu'à celui de l'État, de là certains inconvénients, tant pour le pays que pour Monsieur le Comte. C'est pourquoi elle aura dans son Conseil les princes d'Achaïe, les seigneurs de Villars, de Beaujeu, Oddon de Villars, Raoul de Gruyère, Étienne de la Baume, Pierre Colom, le sire de Murs. Sont exclus Corgeron, Cossonay, Grandson, les trois Vaudois.

Quant à Madame, le Roi et les ducs, le jour de la fête de saint Michel, décideront si elle doit garder le gouvernement[1].

---

1. Cf. GUICHENON, *op. cit.*, t. II pp. 240-241.

BONNE DE BOVRBON, FEMME D'AME VI. COMTE DE SAVOYE DIT LE VERT. morte le 19 Janv. 1402.

Planche XXXVI

Portrait de Bonne de Bourbon : copie d'après un original enluminé dans le manuscrit « **Hommages de le comté de Clermont** » conservé par la Chambre des Comptes de Paris, perdu pendant la Révolution.

*Paris. Bibliothèque Nationale, Cabinet des Estampes.
Recueil Gaignières, O A. 12 fol. 2.*

Ainsi, Bonne de Bourbon restait provisoirement régente jusqu'au mois de septembre, à la Saint-Michel, où aurait lieu le mariage d'Amédée VIII. Ce jour-là, les ducs discuteraient à nouveau de ses droits.

Le lendemain de cette réunion, le 9 mai 1393, les partisans de Bonne de Berry qui avaient été obligés de signer le traité du 8 mai — Madame de Berry l'ayant fait, sans doute satisfaite à ce moment parce que Bonne de Bourbon lui avait fixé un douaire avantageux[1] — donnèrent libre cours à leur indignation contre la régence réaffermie de la Vieille Comtesse. Ils se réunirent dans l'église de Sainte-Marie-Madeleine, près de Chambéry, et jurèrent de poursuivre les coupables de la mort du Comte Rouge[2].

A cette réunion prenait part Louis d'Achaïe. Cette volte-face était un peu le jeu habituel de ces princes transalpins, lesquels, craignant la guerre civile et l'intervention en Savoie des princes étrangers, cherchaient à dominer la situation en ménageant les deux partis.

Exécution de Pierre de Lompnes. Amédée d'Achaïe décida alors de sacrifier une victime à ceux qui cherchaient à venger la mort du Comte Rouge. Ce fut Pierre de Lompnes. Mais, ayant peur que l'innocence de l'apothicaire ne soit connue au dehors avant son exécution, et que des amis ne parviennent à le délivrer de sa prison, les Achaïe substituèrent aux geôliers savoyards ceux de Pignerol[3].

Certes, si Amédée d'Achaïe s'était proposé de

---

1. Voir Bruchet, *op. cit.*, p. 62 (4).
2. Voir Carbonelli, p. 129.
3. Cf. Carbonelli, p. 133.

défendre la réputation de la Régente, en faisant une nouvelle victime, pour calmer l'opposition, en réalité il l'accusait, puisque Lompnes, mis à la torture, avoua que Bonne de Bourbon lui faisait préparer les ordonnances pour empoisonner le Comte Rouge[1].

Le confesseur du pauvre Lompnes, frère Guillaume Francho, était persuadé de son innocence. Ce dernier lui avait juré qu'il ne savait rien sur la mort du Comte Rouge. Par acquit de conscience, Francho alla trouver Achaïe pour le supplier de sauver l'apothicaire : « Chantez vostre Messe, répondit le prince, et ne dites mie telles paroles, car ce n'est pas votre office[2]. »

Au mois de juillet 1393, Pierre de Lompnes fut décapité, puis écartelé sur la place de Chambéry, devant les représentants des communes vaudoises, et entouré de soldats qui faisaient un grand vacarme avec leurs armes pour couvrir la voix dudit Pierre[3]. Son corps fut coupé en morceaux, salés et mis dans des barils, puis envoyés dans les villes de Moudon, d'Avigliana et d'Ivrée, en Piémont. La tête fut transportée à Bourg-en-Bresse, et attachée, tournée de face, à une des portes de la ville. Vision terrifiante de l'horrible et injuste châtiment[4].

La rapacité du prince d'Achaïe fut effrayante dans cette triste circonstance. La belle maison de Lompnes, dans la grande rue de Chambéry, fut vendue au « pellicier » des comtesses de Savoie, pour la somme de huit cents florins; la moitié passa tout de suite dans les mains du prince d'Achaïe, soi-disant pour

---
1. Cf. CARBONELLI, p. 135.
2. Déposition de Guillaume Francho, du 20 avril 1394. BRUCHET, *op. cit.*, *Preuves*, L. I, 65.
3. D'après les Comptes de Nyon, TALLONE, *op. cit.*, CCLX, chap. VII; CIBRARIO, *Specchio*, p. 164.
4. Cf. TALLONE, *op. cit.*, CCLX.

l'indemniser des dépenses faites dans le pays de Vaud lors du séquestre des biens de Grandson[1].

Témoignages de fidélité à la Régente.
Mais qu'était devenue la Régente après le 8 mai 1393 ? Obligée de quitter Chambéry, elle s'était retirée à Thonon, dans son fidèle Chablais[2], d'où elle signait des actes en blanc seing que lui envoyaient le prince d'Achaïe et Oddon de Villars, restés à Chambéry auprès du jeune Comte. Ils étaient les vrais maîtres de la situation. Bonne de Bourbon n'avait plus que les simulacres du pouvoir. Amédée d'Achaïe partageait finalement la régence; en défendant la Grande Comtesse, il s'était emparé du gouvernement; quand les affaires du Piémont le rappelaient, son frère Louis le remplaçait à Chambéry.

Cet état de choses ne plaisait pas à tous. Le 22 mai 1393, les seigneurs Amédée de Challant, Girard de Ternier, Jean de Verney, Anthoine de Chignin, Nycod d'Hauteville, profondément attachés à la Grande Comtesse, écrivaient de Genève aux princes d'Achaïe et à Oddon de Villars, leur rappelant les promesses faites devant le duc de Bourbon et les ambassadeurs du roi de France, de maintenir et de respecter les droits de la Régente[3].

Si la Régente était trahie et délaissée par une partie de la noblesse, elle recevait de touchants témoignages de fidélité de la part des communes de ses

---
1. CARBONELLI, p. 134.
2. Voir CARBONELLI, p. 96. — Comptes de la châtellenie de Thonon et d'Alinge, mazzo VIII — rot. III, perga 28. En 1392, Bonne de Bourbon avait donné l'ordre de respecter les privilèges d'Évian. Les habitants préféraient être jugés sur la place que de comparaître devant le juge dans le château. LITTA, *Fam. celebre*, dispensa 70, tav. VII.
3. COGNASSO, *Infl. franç.*, pp. 273-274.

États, surtout du pays de Vaud, qui avaient compris qu'elle n'était dans toute cette histoire qu'une pauvre victime[1].

Des messagers vaudois venaient continuellement à Chambéry pour s'informer de la famille du Comte et savoir si la Grande Comtesse avait été trompée par ses vassaux.

Fait curieux, l'évêque de Genève, Guillaume de Lornay[2], fervent partisan de Bonne de Bourbon, voulait envahir le Chablais où se trouvait une partie de ses biens, et fulminait l'interdit contre ceux qui voulaient lui enlever ces terres[3].

Le duc Louis de Bourbon ayant appris que le douaire de sa sœur était aux mains de ses ennemis arriva aux portes de la Savoie avec une armée « *car ils estoient prest d'entrer par les armes au pays si que par force la bonne dame receust son droit... par quoi belle sœur de Savoie ne sera mie deserte* ».

Alarmé, le Conseil d'Amédée VIII se réunit et envoya des ambassadeurs à Grenoble, où se trouvait le duc, et lui assura que Bonne de Bourbon garderait tout son douaire. « *Lors, le Duc Louys, comme raisonnable prince, se accorda aux paroles des ambassadeurs*[4]. » Et le douaire de Madame la Grande ne lui fut plus contesté.

---

1. CARBONELLI, p. 139.
2. Le prélat avait accueilli à Genève la dépouille du Comte Rouge et l'avait accompagnée à Hautecombe. A la mort de Clément VII, en 1394, il entra en lutte ouverte contre Humbert de Villars, devenu comte de Genève. Cf. Abbé GONTHIER, « Les évêques de Genève au temps du grand schisme », *Œuvres historiques*, t. III, pp. 177 et ss.
3. CARBONELLI, p. 139. Arch. Camer. Tor. Conti Castelli, Thonon, Allinge, mazzo VIII, rot. IV, perga 25.
4. Voir CHAZAND, *Chroniques du bon duc Luys*, pp. 259 à 291.

L'ŒUVRE D'UNIFICATION DES COMTÉS DE SAVOIE

Légende :
- Noyau central.
- Aux XIIe et XIIIe siècles.
- Sous Amédée VI.
- Sous Amédée VII.

Annotations numérotées :
1. Possessions de la maison de Beaujeu.
2. Sirerie de Villars.
3. Sirerie de Thoire.
4. Abbaye de Nantua.
5. Valromey.
6. Seigneurie de Ballaison (au comté de Genevois).
7. Évêché de Lausanne.
8. Comté de Gruyère.

Régions : BOURGOGNE, PAYS DE VAUD, VALAIS, BRESSE, BUGEY, GEX, CHABLAIS, COMTÉ DE FAUCIGNY, GENEVOIS, SAVOIE PROPRE, VIENNOIS, TARENTAISE, VAL D'AOSTE, CANAVAIS, SEIGNEURIE DE MILAN, MAURIENNE, VAL DE SUSE, SAVOIE-ACHAÏE, DAUPHINÉ, MARQUISAT DE SALUCES, Cté D'ASTI, MONTFERRAT, COMTÉ DE NICE, MARQUISAT DE CÉVA, RÉPUBLIQUE DE GÊNES.

Villes : Fribourg, Moudon, Romont, Morges, Lausanne, Rolle, Nyon, Ripaille, Chillon, Gex, Thonon, Aigle, Loëche, Hermance, Abondance, Sion, Pont-de-Vaux, Bâge, Pont-de-Veyle, Bourg, Nantua, Bellegarde, Genève, St-Julien, Bonneville, Samoëns, Martigny, St Maurice d'Agaune, Châtillon, Pont d'Ain, Ambérieu, Seyssel, Annecy, Sallanches, Domodossola, Montluel, Culoz, Belley, Hautecombe, Beaufort, Col du Gd St Bernard, Aoste, Châtillon, Lyon, Dolomieu, Aix-les-Bains, Le Bourget, Col du Pt St-Bernard, Doire Baltée, Bielle, Novare, la Tour-du-Pin, les Abrets, Chambéry, Moutiers, Ivrée, Milan, Vienne, Pont-de-Beauvoisin, Valpergue, Verceil, Roussillon, St-Martin, Lanzo, San Benigno, St Marcellin, St-Jean, Col du Mt Cenis, Volpiano, Chivasso, Pavie, Grenoble, Suse, Turin, Casale, Col du Galibier, Fenestrelle, Doire Ripaire, Rivoli, Moncalieri, Festona, Chieri, Valenza, Alexandrie, Col du Mont Genèvre, Asti, Tortona, Pignerol, Carignan, Savigliano, Saluces, Bra, Alba, Cherasco, Acqui, Novi, Dronero, Caraglio, Coni, Mondovi, Millesimo, Gênes, Savone, Col des Fenêtres, Col de Tende, Tende, Albenga, Porto-Maurizio, Vintimille, Monaco, Nice.

Échelle : 0 — 25 — 50 — 75 — 100 km

CHAPITRE XXI

LE MARIAGE D'AMÉDÉE VIII ET L'INFLUENCE EN SAVOIE DU DUC DE BOURGOGNE

FIN DE LA RÉGENCE

Mariage d'Amé Monseigneur. Le mariage du Comte qui, suivant les clauses du 8 mai 1393, devait avoir lieu en septembre, fut retardé jusqu'au 30 octobre. La raison en était que les gens, soit en Savoie, soit en Piémont, voyaient avec inquiétude partir le Comte hors de ses États. Ils voulaient des garanties pour assurer son retour.

L'assemblée des États Généraux devait délibérer à Chambéry s'il était opportun d'envoyer le jeune Amédée hors du pays pour cette occasion. Les États subalpins craignaient aussi cette extension de l'influence française, aussi bien en Savoie qu'en Piémont, où Asti et ses environs passaient déjà à la France.

Le duc de Bourgogne, dont l'influence maintenant grandissait en Savoie, avait hâte de voir cette union scellée, et se souciait peu du consentement des États Généraux[1].

Le 28 septembre 1393, les syndics de Chambéry

---

1. Cornaz, *op. cit.*, p. 233.

arrivèrent jusqu'à la chambre de Bonne de Berry, qui n'avait pas quitté son fils depuis le 8 mai, et lui firent jurer qu'elle ramènerait le jeune Comte en Savoie aussitôt après son mariage. Ils se méfiaient d'elle aussi.

Pourtant, le 20 septembre, les ducs avaient signé, à Tournus, les garanties pour un prompt retour d'Amédée VIII en Savoie.

Vers la fin d'octobre, le jeune Comte, accompagné de sa mère, d'Oddon de Villars et d'un imposant cortège de cavaliers, traversèrent la Saône et entrèrent en Bourgogne. A Chalon, Philippe le Hardi, le duc de Berry, le comte d'Eu, d'Estampes, et autres seigneurs, fêtèrent leurs hôtes avec faste et munificence, selon l'habitude de la cour de Bourgogne[1]. Tous les assistants reçurent des cadeaux magnifiques.

Amédée VIII armé chevalier. Le duc de Bourgogne, profitant de la présence sur ses terres du jeune Amédée VIII, voulut l'émanciper et pour cela le nomma chevalier, le rendant ainsi son homme-lige, et majeur : la régence n'avait plus de raison d'être.

Du reste, le duc, avant de laisser repartir Amédée VIII, voulut régler avec Bonne de Berry, Oddon de Villars[2] et les autres membres du Conseil, la question de la régence.

---

1. « Pour un autre, fermail d'un saphir en guise de cœur, garni de 5 grosses perles, que nous avons fait donner à notre dit fils, le jour des dites noces. » Cognasso, *Infl.*, p. 281.

2. Dans beaucoup de pièces de 1396 à 1398 on voit figurer Oddon de Villars avec son titre de gouverneur, notamment dans celles qui se rapportent au célèbre duel de Grandson et d'Estavayer (la majorité des princes « régnants » dans la Maison de Savoie). E. Pascalein, *op. cit.*, pp. 334, 343, 1893, 9ᵉ série.

Pour maintenir son influence en Savoie, Philippe le Hardi voulait en finir d'abord avec sa cousine Bonne de Bourbon, dépositaire des traditions de la Maison de Savoie, puis avec les Achaïe, représentants de la tendance italienne des États de Piémont, et qui pouvaient prétendre éventuellement à la succession.

Le 2 novembre, le duc de Bourgogne signe un accord avec les représentants de Savoie, par lequel il déclare la régence et la tutelle terminées pour Amédée VIII. Désormais, le jeune Comte sera considéré comme en « plein âge », et un nouveau Conseil sera nommé, dont les membres devront toujours être des Savoyards, choisis par sa mère, Bonne de Berry : par ce fait, les Achaïe en étaient exclus. Le Comte restera toutefois sous la surveillance et la garde d'Oddon de Villars et du sire d'Aspremont.

Il y aura « *ung trésorier général, ordonné par nostre dite fille et niepce* ». Les finances seront mises en lieu sûr « *où ledit Comte pourra les trouver quand il sera en âge pour en faire son plaisir* ».

Et « EN TOUS LES GRANS AFFAIRES *qui toucherons notre dit filz, le Comte de Savoie et son païs, ils* [le Conseil] *auront recours à nous, Ducs de Berry et de Bourgogne* ».

Amédée VIII, qui n'avait alors que dix ans, et sa fiancée que sept, dut la quitter pour revenir en Savoie. Marie de Bourgogne resta encore dix ans chez sa mère, la cour de Savoie n'était plus en état de la recevoir, comme on l'avait stipulé à l'Écluse, le 13 novembre 1386[1].

---

1. Pascalein, *Revue Sav.*, p. 261 : « Lieu et date du mariage du comte Amédée VIII de Savoie », 1894, 10, 2ᵉ série.

Le 11 novembre, la cour était à Belley, et s'installait le 17 à Chambéry. Bonne de Berry pouvait enfin exercer le pouvoir, mais pour bien peu de temps[1] !

Cependant, la nouvelle se répandait d'un retour possible en Savoie de Bonne de Bourbon. Le duc de Berry, puis Bonne de Berry elle-même, envoyèrent alors aux syndics et aux bourgeois de Chambéry des missives pour démentir cette rumeur, en ajoutant que le duc de Bourgogne avait promis de s'y opposer[2].

Bientôt, il ne s'agira plus du retour de la Grande Comtesse, mais bien du départ des États de Savoie de Madame la Jeune.

Le mariage de Bonne de Berry. En effet, peu de temps après était décidé le mariage de Bonne de Berry avec son cousin Bernard VII d'Armagnac. Le pape d'Avignon donnait la dispense pour ce mariage consanguin. Le contrat fut signé à Mehun-sur-Yèvre, dans l'un des châteaux du duc de Berry, et les noces y furent célébrées au mois de décembre 1393.

Encore une fois, la politique dominait le destin de Madame la Jeune qui avait connu Ripaille aux beautés sombres et allait retrouver en France paysages et châteaux de son enfance. Si elle avait vécu, après la mort d'un mari tendrement aimé, les suites pénibles du drame de Ripaille, elle allait reconnaître en Bernard d'Armagnac les qualités chevaleresques du Comte Rouge. Mais c'est avec peine que cette mère devait se séparer de ses enfants dont l'aîné, le jeune Comte, n'avait que douze ans.

---

1. Cognasso, *Infl.*, p. 287.
2. Bruchet, *Le château de Ripaille*, p. 63.

Cette union, qui enlevait au duc de Berry toute influence en Savoie, était l'œuvre des ducs d'Orléans et de Bourgogne. Philippe le Hardi, satisfait du mariage d'Amédée VIII et de celui de Bonne de Berry, qui renforçaient encore son autorité dans ce pays, n'avait plus autant de hâte pour fixer la position de Bonne de Bourbon, et l'année 1394 se passa sans que la Régente fut convoquée.

Dorénavant, le duc de Bourgogne était seul maître de la situation politique en Savoie. Les Achaïe redevenaient des princes subalternes. Leur caractère trop opportuniste ne plaisait pas à Chambéry, où l'on préférait Oddon de Villars, digne représentant des qualités de la noblesse savoyarde.

Trop ambitieux et rapace, Amédée d'Achaïe ne pouvait, pour atteindre son but personnel, que suivre une politique tortueuse, tandis que plus d'énergie et de décision pour soutenir les droits de la Régente auraient certainement épargné bien des troubles, des calomnies, et des condamnations injustifiées.

Les réhabilitations. L'exécution de Lompnès n'avait aucunement satisfait l'opinion publique ; au contraire, elle l'exaspéra. Oddon de Villars, qui aurait voulu sauver la victime, arriva à Chambéry avec une escorte armée, mais il était trop tard. Louis d'Achaïe, inquiet des manœuvres du gouverneur d'Amédée VIII, prit le commandement des troupes de son frère pour s'opposer à celles de Villars[1].

Devenu le vrai chef de l'État, Oddon de Villars cherchait par une bonne administration à rétablir

---

1. CARBONELLI, p. 186, doc. XXV, n° 5, p. 313.

l'ordre et la tranquillité dans le pays, et faisait exécuter les clauses du traité de Chambéry du 8 mai 1393, par lequel il avait reçu la nomination de gouverneur d'Amédée VIII. Ce qui ne l'empêchait pas de maintenir de bons rapports avec le duc de Bourgogne, le prince d'Achaïe et Bonne de Bourbon.

Amédée VIII, probablement pour des raisons de sécurité, et peut-être de santé, résida successivement à Seyssel, Montluel (sans doute chez le duc de Bourbon), Châtillon en Dombes, Miribel et Saint-Trivier.

Le 10 octobre 1393, Louis de Bourbon écrivait à sa sœur qu'il lui envoyait le maître André Grangier, avocat au Parlement de Paris. Il lui disait dans sa lettre de se confier à lui, qu'elle devait espérer et que son innocence finirait par triompher !

C'est probablement sous l'influence de ce témoin que la Grande Comtesse accepta de quitter les terres de Savoie pour se retirer à Mâcon.

Un des premiers actes que fit André Grangier fut d'aller voir dans son couvent à Chambéry Guillaume Francho de Bauges. Ce père franciscain avait assisté à la mort d'Amédée VII et avait déjà exercé les fonctions de confesseur auprès d'Amédée VI. Après la mort du Comte Rouge, il s'était retiré dans son couvent, d'où il assistait en silence à la terrible tourmente qui déferlait sur les États de Savoie. Achaïe lui envoyait chaque année un manteau et un habit, comme l'avait fait jusqu'alors la cour de Savoie. Il ne voulait pas rompre tout rapport avec ce personnage[1].

Il était pourtant sorti deux fois de son couvent. La première pour assister le malheureux Lompnès avant son exécution. La seconde pour accompagner

---

1. CARBONELLI, p. 143.

Bonne de Berry en Bourgogne, lors du mariage d'Amédée VIII. Nommé lecteur au couvent des Frères mineurs de Lyon, en mars 1394, il demanda au prince d'Achaïe la liquidation de ses paiements afin de quitter Chambéry. On apprit peu de temps après qu'il s'était rendu à Mâcon où, grâce à l'entremise de Grangier, il approchait Bonne de Bourbon et son fidèle défenseur, Pierre Colomb. Ainsi, la Grande Comtesse retrouvait enfin un témoin impartial du drame de Ripaille, qui pourra bientôt dévoiler publiquement toute la vérité.

Le 20 avril 1394, dans un acte dicté à son supérieur, Pierre Mondart, sur la place du château de Masan, Francho, qui avait été pendant quatre ans le confesseur d'Amédée VII, et qui lui apporta le Saint Viatique au moment de sa mort, révéla qu'il était présent quand plusieurs seigneurs admonestèrent le Comte de Savoie afin qu'il fît son testament. Amédée répondit « *qu'il n'entendait à testamenter autrement que Monseigneur son père avait fait* »... « *et à la fin le dit Monseigneur de Savoie fist son testament ou quel il commectait à Madame de Savoye la mère le régiment et administration de ses enfants et de la terre* »... « *et scet bien que toute la plus grande confiance que le dit Monsieur de Savoie eust, estoit en Madame sa mère* ».

Certes, la simplicité de ce témoignage doit éclairer ceux qui se sont demandé si le Comte Rouge avait encore toute sa lucidité au moment de dicter son testament, le 1er novembre 1391. Du reste, personne, dans le clan adverse, n'avait mis en doute la volonté du testateur, ce qui n'aurait pas manqué d'être fait si les choses s'étaient passées autrement.

Francho raconta comment Lompnès lui avoua dans sa prison que tout ce qu'il avait dit devant le prince d'Achaïe et les autres était mensonge : il l'avait dit contre vérité, « *par force de geygne et de tourment* »[1].

Francho ajouta que, le jour du mariage d'Amédée VIII, il accompagnait Madame de Savoie la Jeune, et que, passant devant la maison du pauvre apothicaire, elle donna l'ordre de faire abattre et démolir « *les maisons du frère et d'aucun parens dudit Pierre* »[2].

Ainsi, pendant les années 1394-1395, André Grangier et le comte de Salamard, trésorier de l'hôtel de la Comtesse[3], préparaient une réhabilitation complète de Bonne de Bourbon. Courriers et messagers allaient à Dijon, où était le duc de Bourgogne, et à Saint-Trivier, où Oddon de Villars gardait le jeune Amédée pour le soustraire aux désordres des États de Savoie.

Le 3 avril 1395, à Bourg-en-Bresse, l'inculpation de Lompnès fut déclarée nulle. L'apothicaire était reconnu innocent, et l'on priait les villes qui avaient reçu les morceaux de son corps de les enterrer pieusement.

Un nouvel incident allait encore blanchir la Grande Comtesse. Le duc de Berry, n'ayant plus besoin de Grandville, le relâcha. Le physicien se réfugia chez le duc de Bourbon, dans le château de Montbrison, où il mourut, le 10 septembre 1395. Avant de mourir, il déclara à son protecteur qu'il avait naturellement parlé sous l'effet de la torture, qu'il décrivit ainsi : soutenu par des cordes, les pieds retenus par de grosses pierres, dans cette posture

---

1. Carbonelli, doc. XXX, p. 322.
2. Carbonelli, doc. XXX, p. 323.
3. Carbonelli, p. 147, doc. XXXI, p. 324.

il resta une journée entière. Le Bastard de la Chambre, Ponson de Langhat, bailli du duc de Berry, et Antoine Magnin venaient le voir et lui faire dire ce qu'eux voulaient qu'il dise ! Et, pour mieux atteindre leur but, ils faisaient subir à la malheureuse victime bien d'autres supplices impossibles à décrire. Grandville assura au duc de Bourbon que personne ne fut cause de la mort du Comte Rouge.

On s'explique pourquoi Berry relâcha Grandville. Depuis que sa fille avait quitté la Savoie, il n'avait plus de raison d'intervenir dans ces régions où la puissance du duc de Bourgogne avait évincé la sienne. Grandville ne lui servant plus, mieux valait s'en débarrasser en le laissant libre. Du reste, son état de santé devait être piteux après tout ce qu'il avait enduré ces derniers temps.

Ainsi, le duc de Bourbon était parvenu à sauver et à réhabiliter l'honneur de sa sœur, laquelle attendait toujours à Mâcon la sentence du duc de Bourgogne. Pourtant, elle était libre et allait souvent à Saint-Trivier voir son petit-fils[1]. Nous la voyons en compagnie de son neveu, Jean de Bourbon, du comte de Salamard et de Bonne de Challant.

La sentence du duc de Bourgogne. Tout semblait tourner en faveur de la Régente, maintenant réhabilitée. Pourquoi n'aurait-elle pas repris ses fonctions octroyées par le testament ? Depuis le mois de février, le duc de Bourgogne, craignant justement le retour au pouvoir de Madame la Grande, avait convoqué à Bourg-en-Bresse une assemblée pour étudier la question de la tutelle. C'est alors qu'eut lieu la révision du

---

1. CARBONELLI, p. 148, doc. XXXI.

procès Lompnès, résultat de la diligence déjà citée des défenseurs de Bonne de Bourbon.

L'assemblée se termina en mai, et le 15 de ce mois, Philippe le Hardi convoqua sa cousine à Lyon, où les quatre ducs se réunissaient pour traiter l'affaire du schisme. Bonne de Bourbon avait déjà écrit au duc de Bourgogne qu'elle s'en remettrait complètement à son arbitrage pour les questions du gouvernement des États de Savoie[1]. Le duc eut pour elle des paroles pleines d'éloges et liquida son douaire, mais il la pria de renoncer à la régence et de quitter la Savoie. Bonne choisit alors Mâcon, en terre française, pour résidence définitive. Et, pour montrer sa bonne volonté de respecter l'ordre établi, elle écrivait, le 23 septembre 1396, à Oddon de Villars, à ce moment en lutte avec des féodaux indisciplinés qui ne voulaient pas reconnaître la nouvelle autorité :

« *par plusieurs bonnes, justes et raysonnables considérations, et par espécial par le bien et honnour de nous et de nostre très chier et très amé fils le Comte de Savoie et de son païs, prometesse et giurasse de maintenir, sotenir et avancier le bien et honnour de nostre très chier et très amé nepveu, Messire Oddo de Villars, en la puissance et aussy le sotenir a nostre povoir* ENVERS TOUS NOS SEIGNEURS, *parens et amis, et de non fere acort nigon* [faire aucun accord] *avec les ennemis de nous et de nostre dit neveu sains la volonté et consentement de nostre dit nepveu.* »

Admirons avec quel noble détachement elle recommandait l'obéissance à ceux qui auraient encore voulu la suivre !

En plus, elle assignait à Oddon de Villars une pension de cinq cents florins[2] sur les rentes du vicomté de Maulévrier.

---

1. GUICHENON, t. II, p. 242.
2. COGNASSO, *Infl.*, p. 301.

Ainsi, après avoir pris une part active pendant plus de quarante ans aux affaires de l'État, elle s'inclina devant la sentence du duc de Bourgogne, et s'effaça avec beaucoup de dignité, gardant seulement ses titres de Régente et s'établit à Mâcon, ainsi qu'on l'a vu. Amédée VIII l'avait accompagnée à Lyon[1]. Il venait souvent la voir et séjournait même chez elle.

D'après les cadeaux et lettres échangés, on voit que les rapports entre grand-mère et petit-fils étaient restés très tendres. Bonne de Bourbon mourut à Mâcon, le 19 janvier 1403. Les *Chroniques* et les documents ne disent même pas où elle fut enterrée.

Les dernières victimes.

Les troubles dont nous avons relaté les faits laissaient la Savoie à la merci des voleurs et des malfaiteurs; il fallait s'en garder, surtout à Chambéry. L'année 1395, on arrêta un pauvre Gascon en haillons, appelé maître Bernard de Rota; il portait sur lui un sac contenant des pierres rouges. Interrogé, il répondit que c'était du poison pour donner au Pape et à d'autres personnages sur l'instigation de Jean-Galéas Visconti et d'Achaïe; la première victime serait Amédée VIII, à qui il devait donner une orange injectée de ce poison. Le 27 avril 1396, devant le Conseil de Chambéry, Bernard de Rota rétracta ses paroles et jura qu'il avait menti de peur d'être inculpé. Le 23 novembre, il fut conduit au gibet. Le châtelain Jean de Villars expliqua à la foule qu'on l'exécutait avec moins de rigueur que les autres ACCUSÉS parce qu'il ne voulait

---

[1]. Où la ville leur avait offert XXXVI livres de confiture : « furent données à Madame la Grant et à Monsieur de Savoye, à chacun la moitiée ». CAILLET, *Les entrées des princes et princesses à Lyon*, p. 19.

tuer personne, mais qu'on était obligé de le condamner car il avait osé affirmer qu'il était le complice de hauts personnages. Le prince d'Achaïe ordonna qu'on lui coupât la tête, après l'avoir fait juger à Dijon par le tribunal du duc de Bourgogne.

Et ce fut encore du sang versé arbitrairement[1] !...

Othon de Grandson. Mais la principale et la plus grande victime de tout ce drame sera le vaillant chevalier vaudois : Othon de Grandson; celui-ci avait quitté Bonne de Bourbon à Aix le 8 décembre 1391, puis, après un court séjour à la cour de Bourgogne, rejoignait l'Angleterre, où le roi Richard le recevait en ami et lui accordait une rente annuelle de cent marks.

Il accompagna ensuite le cousin du Roi, le futur Henri IV, en Prusse et en Palestine; on le traitait avec tant d'égards à la cour d'Angleterre qu'on lui fit faire une cabine spéciale sur le navire qui l'emportait en Orient[2]. Et dans le même temps, en Savoie on le condamnait par contumace et ses biens de Châteauneuf, Grandson, Belmont, étaient donnés à Louis d'Achaïe par Amédée VIII et sa mère Bonne de Berry[3].

Pourtant, les rétractations de Francho et de Grandville avaient réhabilité l'honneur du chevalier, et même le roi de France, en présence des ducs, avait reconnu et proclamé son innocence. Le comte de Savoie lui donna un sauf-conduit, et lui rendit Grandcour et Cudrefin, dont le châtelain était Gérard d'Estavayer. Cet acte exaspéra les ennemis

---

1. Cf. CIBRARIO, *Conte Rosso*, p. 113.
2. Cf. PIAGET, *Oton de Grandson*, p. 43.
3. Cf. COGNASSO, *Influsso franç.*, 292.

d'Othon, et la querelle se ralluma. Ne soupçonnant pas la haine de ses adversaires dont les intérêts étaient en jeu, Othon revint dans son château de Sainte-Croix, en 1396.

Gérard d'Estavayer, le plus effronté de ses ennemis, accusa Grandson d'avoir empoisonné le comte de Savoie et le provoqua en duel. Le bailli porta l'accusation et la demande à Bourg-en-Bresse où se trouvait le jeune Comte. La cour de Savoie hésita longtemps à donner son verdict. Les duels pour trancher un litige entre nobles passaient de mode. L'affaire fut renvoyée plusieurs fois. Enfin, devant la pression des communes vaudoises, le Conseil choisit Bourg-en-Bresse comme lieu où se déroulerait le duel judiciaire et fixa la date au 7 août.

Aux accusations d'Estavayer, Othon avait répondu par ces nobles paroles : « *Tu mens et as menti autant de fois comme tu l'as dit, et devant mon souverain seigneur qui c'y est présent, je m'en deffendray à l'ordonnance de luy et de son sage et honnorable conseil*[1]. »

Puis, s'adressant au jeune Comte, il ajouta :

« *J'ai regardé le temps présent, comme ce qui touche vostre personne qui este mon souverain seigneur, et voy la tendresse de vostre eage et comme vostre païs a besoing de repos et que ce nous, qui sommes vostres subjets, fussions bien advisés, nous deussions estre tout ung, pour vous ayder à passer le temps jusques à eage d'hommes...* »

Sur ce, Grandson se déclara prêt à combattre, renonçant aux quarante jours de délai auxquels le défendant avait droit, et malgré ses soixante ans qui auraient pu lui épargner d'entrer en lice.

---

1. Cf. PIAGET, *op. cit.*, p. 53.

Le duel de Bourg-en-Bresse, 7 août 1397.

Le 7 août, un grand nombre de seigneurs de Savoie, de France, de Bourgogne, était venu assister au soi-disant jugement de Dieu. Amédée VIII présidait avec tout son Conseil. Les partisans d'Estavayer portaient comme devise un râteau sur l'épaule; ceux d'Othon des aiguillettes au bout de leurs souliers[1]. Parmi ces derniers, se trouvait son jeune fils, Guillaume.

Voici le récit du duel écrit cent ans après par Olivier de la Marche :

« *Mais au commencer leur bataille, ledit Messire Othe enferra son ennemy d'un coup de lance en la cuisse senestre et s'il eust poursuyr, Messire Girard avoit du pire, mais il le laissa defferer...*

« *Et dit-on que, en montant à cheval* [Othon] *a son logis pour venir a sa journee, une lame de sa cuyrasse l'empescha, et prestement la fist oster par son armoyer. Et la estoit present, entre les autres gens, l'hoste de messire Girard d'Estavayé, son adversaire, qui advertit son hoste de la lame ostee, et dequel costé elle failloit. Ledit Messire Girard myt peine de la trouver à nud a celuy endroit, et tant fit qu'il la trouva d'une espee et luy mist dedant le ventre...*

« *Othe de Grantson fut abatu et navré à mort. Et fut la fin si piteuse que son ennemy luy leva la visière de son bassinet et luy creva les deux yeulx, en lui disant :* « *Rendz toy et te desditz...* »

« *Le bon chevalier ne se voulut oncques desdire ne rendre, et disoit toujours tant qu'il peut parler :* « *Je me rend à Dieu et à Madame Saincte Anne.* » *Et ainsi mourut*[2]. »

---

1. Cf. GUICHENON, t. II, p. 447.
2. Récit rapporté par A. PIAGET, *Oton de Grandson*, pp. 68 à 71. Cf. éd. Bernard Prost du « Livre de l'adirs du gaige de bataille » d'Olivier de la Marche, Paris, 1872, pp. 4 à 8.

Un maréchal de France, qui était dissimulé parmi les assistants, fit emporter le corps pour lui donner une sépulture en terre sainte.

Ainsi disparaissait le chevalier-poète, tué par son adversaire, le jeune d'Estavayer, « homme nécessiteux plein de convoitises, et faiblement avisé ».

Othon de Grandson ne pouvait être un criminel. Il était aimé à la cour de France et d'Angleterre, ses poèmes étaient appréciés, traduits par Chaucer, admirés par Martin le Franc, qui renvoie même les adversaires de l'amour, chez lesquels toutes vertus sont mortes, s'instruire aux œuvres de Grandson[1]. Isabeau de Bavière possédait dans sa bibliothèque le livre des *Ballades,* qu'elle avait fait relier avec deux fermoirs d'or[2]. Christine de Pisan vantait ses qualités de courtoisie et de courage. Froissart l'appelle dans ses *Chroniques* « le vaillant chevalier de Savoie ». Il était connu en Espagne[3] où il combattit au service du roi de Castille. Ami de Philippe de Mezière, il était l'un des premiers chevaliers de l'Ordre de la Passion du Christ. Enfin et surtout, il servit loyalement pendant plus de quarante ans ses vassaux et parents (par sa mère, il était le cousin du comte de

---

1. Cf. PIAGET, p. 228.

VIRELAY

« Je vous aime, je vous désir,
Je vous vueil oubter [craindre] et servir,
Je suis vostre où que je soye,
Je ne puis sans vous avoir joye,
Je puis par vous vivre et morir. »

2. Cf. PIAGET, p. 162.
3. « Avec Oton de Grandson, la muse revêt, au-delà des Pyrénées, de « longs habits de deuil ». Les poètes contemporains de Jean II de Castille ou d'Alphonse le Magnanime, qu'ils soient castillans, catalans ou portugais, adoptent la nuance particulière de tristesse amoureuse qu'il avait mise à la mode en France et jusqu'en Angleterre. » A. PAGÈS, *La Poésie française en Catalogne du XIIIe siècle à la fin du XVe*, p. 163, cité par A. PIAGET, *Oton de Grandson,* p. 175.

Savoie), vétéran des campagnes du Comte Vert, capitaine général du Piémont; sous Amédée VII, il faisait partie du Conseil de Madame la Grande. Quel intérêt aurait-il eu à faire mourir son souverain ? !

Certes, l'estime que lui témoignaient les grands lui valurent de terribles jalousies, et son caractère trop confiant l'empêchait de se défendre et de se protéger contre leur œuvre destructrice. Les immenses richesses que lui procuraient ses domaines en pays de Vaud, terres qu'il avait su habilement réunir à son patrimoine, provoquèrent la convoitise de ceux qui auraient pu en hériter au même titre que lui.

Amédée VIII, qui n'avait que treize ans lors du duel de Bourg-en-Bresse, resta toute sa vie impressionné par le souvenir de cet horrible spectacle. Il supprimera plus tard l'abus légal de ces jugements de Dieu[1].

Avec la mort d'Othon de Grandson se terminaient les péripéties du drame qui assombrit, de 1393 à 1397, la minorité d'Amédée VIII.

*
* *

Plus on est noble dans ses sentiments, plus on est attaqué par les médiocres. Bonne de Bourbon et son fidèle chevalier connurent la cruauté de l'injustice et la subirent avec la fierté résignée des âmes d'élite.

Mais si Othon de Grandson fut la victime sanglante de cette terrible histoire, Bonne de Bourbon, elle, souffrira profondément de survivre à tant de malheurs dans le silence, l'éloignement et l'inaction.

Cette princesse française, descendante de Saint Louis, donna durant toute sa vie des preuves de ses capacités remarquables, tant dans la conduite des

---

1. Cf. Victor DE SAINT-GENIS, *Histoire de Savoie*, t. I, p. 384.

affaires politiques que dans la gérance patiente et laborieuse de la vie administrative du pays. Elle montra aussi une très grande habileté dans les négociations diplomatiques. Son tact, sa mesure et son esprit de justice firent d'elle une parfaite collaboratrice de son mari, et, quand les circonstances le demandèrent, une sage régente.

Malheureusement, beaucoup de ses actes, faute de documents, nous sont inconnus. C'est que Bonne de Bourbon aimait prendre directement contact avec les gens, consciente peut-être qu'ils subissaient son charme et accédaient mieux à ses désirs. Elle avait certainement une vision lointaine des événements qui se préparaient et qu'elle aimait à diriger secrètement pour mieux parvenir à ses fins. Ainsi pouvait-elle, par d'adroites manœuvres pleines de finesse, obtenir de meilleurs résultats et tenir compte des circonstances, ce qu'elle n'aurait pu faire si elle avait été liée par des engagements écrits.

Pendant ces dernières années, les coups du sort et les intrigues ne permirent pas à Bonne de Bourbon de donner pleinement sa mesure et de récolter le fruit de ses efforts. Mais ses dons et ses qualités renaîtront avec plus d'éclat encore dans la personnalité si forte et si attachante de son petit-fils Amédée VIII qui, au XVe siècle, porté par un courant ascendant de l'histoire, marquera par son règne l'apogée des États de Savoie.

FIN

TABLE BIBLIOGRAPHIQUE DES ABRÉVIATIONS ET DES OUVRAGES CONSULTÉS

Sources manuscrites

Archives de Turin.

JEAN d'ORVILLE dit CABARET : Chronique de la Maison de Savoie, 954-1397. — *Archives de l'État*, Genève, Ms. hist. 161.

Symphorien CHAMPIER : Les grans chroniques des gestes et vertueux faictz des très excellens catholiques illustres et victorieux ducz et princes des pays de Savoye et Piémont... — *Archives de l'État*, Genève, Ms. hist. 162.

1. *Collections et revues*

Abréviations :

A.H.S.	*Archives héraldiques suisses.* Lausanne.
A.M.P.	*Annali dell'Istituto superiore di Magistero del Piemonte.* Torino.
A.R.B.	*Académie royale des Sciences, des Lettres et des Beaux-Arts de Belgique.* Bruxelles.
A.R.S.P.	*Archivio della Società Romana di Storia patria.* Roma.
A.S.L.	*Archivio storici lombardo.* Milano.
B.S.A.	*Bulletin de la Société académique, religieuse et scientifique du duché d'Aoste...*
B.S.I.	*Biblioteca storica italiana.* Torino.
B.S.S.	*Biblioteca della Società storica subalpina.* Pinerolo.
D.H.B.S.	*Dictionnaire historique et biographique de la Suisse,* 8 vol., Neuchâtel, 1921-1934.
I.H.S.	*Indicateur d'histoire suisse.* Berne.
M.A.H.	*Mélanges d'archéologie et d'histoire publiés par l'École française de Rome.* Rome.
M.A.S.	*Mémoires de l'Académie de Savoie.* Chambéry.
M.A.T.	*Memorie della reale Accademia delle scienzie di Torino.* Torino.

M.D.C.   Mémoires et documents publiés par la Société de l'École des chartes. Paris.
M.D.R.   Mémoires et documents publiés par la Société d'histoire de la Suisse romande. Lausanne.
M.D.S.   Mémoires et documents publiés par la Société savoisienne d'histoire et d'archéologie. Chambéry.
M.H.P.   Monumenta historiae patriae, edita jussu regis Caroli Alberti. Augustae Taurinorum, 1836-1853.
R.H.V.   Revue historique vaudoise. Lausanne.
R.S.   Revue savoisienne. Annecy.
VAL.   Vallesia. Bulletin annuel de la bibliothèque et des archives cantonnales, des musées de Valère et de la Majorie. Sion.

2. *Liste alphabétique dans l'ordre des noms d'auteurs*

R. AVEZOU : *Petite histoire du Dauphiné.* Grenoble, 1946.
BAUER : *Arthur Piaget, professeur, archiviste et historien,* dans *Musée neuchâtelois,* ...
Félix BERNARD : *Les origines féodales en Savoie et en Dauphiné.* Grenoble, 1949.
Abbé J.-A. BESSON : *Mémoires sur l'histoire ecclésiastique des diocèses de Genève, Tarentaise, Aoste et Maurienne, et du décanat de Savoie.* Nancy, 1759.
Claudius BLANCHARD : *Histoire de l'abbaye d'Hautecombe en Savoie.* — *M.A.S.*, 3e série, t. I (1874).
Louis BLONDEL : *Les basiliques d'Agaune. Étude archéologique.* — *VAL.*, t. III (1948).
— *Les origines de Sion et son développement urbain au cours des siècles.* *VAL.*, t. VIII (1953).
Frédéric-Emmanuel BOLLATI : *Gestez et croniques de la Mayson de Savoye, par Jehan Servion,* publiées d'après le manuscrit unique de la Bibliothèque nationale de Turin, 2 vol. Turin, 1879.
— *Illustrazioni della spedizione in Oriente di Amedeo VI, il Conte Verde.* — *B.S.I.*, t. V (1900).
Charles BORGEAUD : *Histoire de l'université de Genève.* T. I, *l'Académie de Calvin.* Genève, 1900.
A. DE BOÜARD : *Le régime politique et les institutions de Rome au moyen âge.* Paris, 1920.
Michel DE BOÜARD : *La France et l'Italie au temps du grand schisme d'Occident.* Paris, 1936 (Bibliothèque des Écoles françaises d'Athènes et de Rome).
Max BRUCHET : *Le château de Ripaille.* Paris, 1907.
Eugène BURNIER : *Histoire du Sénat de Savoie.* 2 vol. Paris, 1864-1865.

Jean d'Orville, dit Cabaret : *La chronique du bon duc Loys de Bourbon*. Publiée par Alphonse-Martial Chazaud. Paris, 1876.

Cais de Pierlas : *La ville de Nice pendant le premier siècle de la domination des princes de Savoie*. Torino, 1898.

Joseph Calmette : *Les Grands Ducs de Bourgogne*. Paris, 1949.

— *Le Moyen Age*. Paris, 1948.

Joseph Calmette et Eugène Déprez : *La France et l'Angleterre en conflit*, t. VII. 1re partie de l'Histoire du Moyen Age dans l'*Histoire générale* de Glotz. Paris, 1937.

François Capré : *Traité historique de la chambre des comptes de Savoye*. Lyon, 1662.

Giovanni Carbonelli : *Gli ultimi giorni del Conte Rosso e i processi per la sua morte*. — B.S.S., t. LXVI (1912).

— *Come vissero i primi conti di Savoia da Umberto Biancamano ad Amedeo VIII. Raccolta di usi, costumanze,... tratti dai documenti degli archivi sabaudi*. Casale Monferrato, 1931.

O. Cartellieri : *La cour des Ducs de Bourgogne*. Paris, 1946.

Bernard de Cérenville et Charles Gilliard : *Moudon sous le régime savoyard*. — M.D.R., 2e série, t. XIV (1929).

Timoléon Chapperon : *Chambéry à la fin du XIVe siècle*. Paris, 1863.

Abbé Maurice Chaume : *D'où vient le nom d'Amédée porté originairement par les princes de Savoie ?* — B.S.A., t. XXIII (1934).

A. Chérest : *L'Archiprêtre. Épisodes de la guerre de Cent Ans*. Paris, 1879.

Chronica Abbatiae Altaecombae. Publiée dans M.H.P., Scriptores, t. I, col. 671-678.

Luigi Cibrario : *Opuscoli*. Torino, 1841.

— *Storia della monarchia di Savoia*. 3 vol. Torino, 1840-1844.

— *Studi storici*. Torino, 1851.

— *Origini e progresso delle instituzioni della monarchia di Savoia*. 2 vol. Torino, 1854-1855.

— *Recherches sur l'histoire et l'ancienne constitution de la Monarchie de Savoie* (traduit par A. Boullée). Paris, 1833.

— *Économie politique du Moyen Age*. Paris, 1843.

Francesco Cognasso : *L'influsso francese nelle stato sabaudo durante la minorità di Amedeo VIII*. — M.A.H., t. XXXV (1916).

— *Il Conte Verde (1334-1383)*. Torino, 1926.

— *Umberto Biancamano*. Torino, 1929.

— *Amedeo VIII*. 2 vol. Torino, 1930.

— *La prima relazione del testamento di Amedeo VI di Savoia*. — A.M.P., t. IV (1930).

— *Il Conte Rosso (1360-1391)*. Torino, 1931.

— *Storia di Torino*. Torino, 1934.

— *Tommaso I ed Amedeo IV*. 2 vol. Torino, 1940.

Paul COLIN : *Les ducs de Bourgogne.* Bruxelles, 1942.

E. COLLAS : *Valentine de Milan, duchesse d'Orléans.* Paris, 1911.

S. DE CORDERO DE PAMPARATO : *La dernière campagne d'Amédée VI, comte de Savoie (1381-1383), d'après les comptes des trésoriers généraux conservés aux archives de Turin.* — R.S., t. XLIII (1902) et XLIV (1903).

Jean CORDEY : *L'acquisition du Pays de Vaud par le Comte Vert (1359).* — M.D.R., 2ᵉ série, t. VI (1907).

— *Les comtes de Savoie et les rois de France pendant la guerre de Cent Ans (1329-1391).* Paris, 1911.

Ernest CORNAZ : *Les États de Vaud à la fin du XIVᵉ siècle.* — I.H.S., 1917.

— *Humbert le Bâtard de Savoie.* — M.D.R., 3ᵉ série, t. II, 1946.

Joseph-Henri COSTA DE BEAUREGARD : *Mémoires historiques sur la Maison royale de Savoie et sur les pays soumis à sa domination depuis le commencement du XIᵉ siècle jusqu'à l'année 1796.* 3 vol. Turin, 1816.

A. COVILLE : *Les premiers Valois et la guerre de Cent Ans.* — Histoire de France, éditée par Ernest Lavisse, t. IV. Paris, 1902.

— *L'Europe Occidentale de 1270 à 1380.* 2ᵉ partie, 1328 à 1380.

— T. VI de l'Histoire du Moyen Age dans l'*Histoire générale* de Glotz. Paris, 1941.

Dante ALIGHIERI : *La divine comédie.* Traduction de Pier-Angelo Fiorentino. Paris, 1861.

Pietro Luigi DATTA : *Spedizione in Oriente di Amedeo VI, conte di Savoia, provata con inediti documenti.* Torino, 1826.

— *Storia dei principi di Savoia del ramo d'Acaia, signori del Piemonte.* 2 vol., Torino, 1832.

Albert DAUZAT : *Dictionnaire étymologique des noms de famille et des prénoms de France.* Paris, 1951.

Alphonse DELBÈNE : *L'Amédéide.* — Publiée dans *M.D.S.*, t. VIII (1864).

Hans DELBRÜCK : *Geschichte der Kriegskunst im Rahmen der politischen Geschichte* : 2. Theil, *das Mittelalter.* Berlin, 1908.

L. DELLA CHIESA : *Dell'historia di Piemonte.* Torino, 1608.

Dictionnaire historique et biographique de la Suisse. 8 vol. Neuchâtel, 1921-1934.

Charles DIEHL : *Byzance.* Paris, 1924.

Fr. Marie-Anselme DIMIER : *Amédée de Lausanne.* Abbaye de Saint-Wandrille, 1949.

Louis DIMIER : *Histoire de Savoie, des origines à l'annexion.* Paris, 1913.

Charles DUFAYARD : *Histoire de Savoie.* Paris, 1914.

Auguste DUFOUR et François RABUT : *Renonciation du comte Amédée VI de Savoie au mariage arrêté entre lui et la princesse Jeanne de Bourgogne.* Turin, 1877.

Auguste DUFOUR et François RABUT : *Les peintres et les peintures en Savoie du XIIIe au XIXe siècle.* — *M.D.S.*, t. XII (1870) et XV. 2e partie, 1876.

Étienne DULLIN : *Les châtelains dans les domaines de la Maison de Savoie en deçà des Alpes.* Thèse de doctorat. Grenoble, 1911.

Perrinet DU PIN : *Chronique du Conte Rouge.* Fragments publiés dans *M.H.P., Scriptores,* t. I, col. 391-592. Turin, 1836.

DUPRAT : *La cathédrale de Lausanne.*

H. DUVILLARET : *Essai sur le droit pénal en Savoie, des Statuta Sabaudiae (1430) aux Royales Constitutions (1723).* Thèse de doctorat. Grenoble, 1943.

Enciclopedia italiana di scienze, lettere ed arti, par G. TRECCANI. 36 vol. plus deux suppléments. Rome, 1929-1938.

L. FALLETTI : *Éléments d'un tableau chronologique des franchises de Savoie.* — *R.S.*, t. LXXVIII (1937).

R. FAWTIER et L. CANET : *La double expérience de Catherine Benincasa (sainte Catherine de Sienne).* Paris, 1948.

FOLLIET, DUVAL et BRUCHET : *Précis de l'histoire du département de la Haute-Savoie.* Saint-Julien, 1907.

Amédée DE FORAS : *Armorial et nobiliaire de l'ancien duché de Savoie.* Grenoble, 1863.

Paul FOURNIER : *Le royaume d'Arles et de Vienne (1138-1378).* Paris, 1891.

J. FREZET : *Histoire de la Maison de Savoie.* 2 vol. Turin, 1827.

Jean FROISSART : *Chroniques.* — *Œuvres de Jean Froissart,* publiées avec des variantes des divers manuscrits, par le baron Kervyn de Lettenhove. 25 vol. Bruxelles, 1870-1877.

Rév. Père FURRER : *Histoire du Valais,* t. I. Sion, 1873.

Ferdinando GABOTTO : *Gli ultimi principi d'Acaia et la politica subalpina dal 1383 al 1407.* Pinerolo, 1897.

— *L'eta del conte Verde in Piemonte (1350-1383).* Torino, 1895.

— *In Miscellanea di Storia Italiana,* XXXIII, 1896.

P. GACHON : *Histoire du Languedoc.* Paris, 1921.

D. L. GALBREATH : *Sigilla Agaunensia.* — *A.H.S.*, t. XXXIX (1925).

— *Armorial vaudois.* 2 vol. Baugy-Clarens, 1934 et 1936.

Jean-Antoine GAUTIER : *Histoire de Genève,* t. I. Genève, 1896.

Alberto DE GERBAIX DE SONNAZ : *Mémoire historique sur Louis II de Savoie, sire de Vaud, sénateur de Rome (1310-1312), de 1275 à 1349.* Chambéry, 1908 (Tiré à part de *M.A.S.*, 5e série, t. I).

— *Bandiere, stendardi e Vessili di Casa Savoia dai Conti di Moriana ai re d'Italia (1200-1861).* Torino, 1911.

Eduard-Achilles GESSLER : *Flottez drapeaux.* Zürich, 1943.

Charles GILLIARD : Cf. DE CÉRENVILLE et GILLIARD.

Frédéric DE GINGINS-LA SARRA : *Mémoire sur l'origine de la Maison de Savoie.* — *M.D.R.*, 1re série, t. XX (1865).

Frédéric DE GINGINS-LA SARRA : *Mémoire sur le rectorat de Bourgogne*. — M.D.R., 1re série, t. I (1839).
Abbé Jean-François GONTHIER : *Œuvres historiques*. 3 vol. Thonon, 1902-1903.
Abbé Jean GREMAUD : *Documents relatifs à l'histoire du Vallais*. 8 vol. — M.D.R., t. XXIX-XXXIII (1875-1884) et t. XXXVII-XXXIX (1893-1899).
François-Théodore-Louis DE GRENUS : *Documens relatifs à l'histoire du Pays de Vaud*. Genève, 1817.
J.-L. GRILLET, *Dictionnaire historique... des départements du Mont-Blanc et du Léman*. Chambéry, 3 vol., 1807.
Chanoine Adolphe GROS : *La révolte des Arves*. Saint-Jean-de-Maurienne, 1928.
— *Dictionnaire étymologique des noms de lieu de la Savoie*. Belley, 1935.
— *Histoire de Maurienne*. 3 vol. Chambéry, 1945.
— *Histoire du Diocèse de Maurienne*, 2 vol.. Chambéry, 1948.
Samuel GUICHENON : *Histoire des pays de Bresse, Bugey et Gex*. Lyon, 1650.
— *Histoire généalogique de la royale Maison de Savoie*. Nouvelle édition. 5 vol. Turin, 1778 (1re édition : Lyon, 1660).
P. GUICHONNET, M. MOREL, H. MÉNABRÉA et E. VESCO : *Visages de la Savoie*. Paris, 1947.
Louis HALPHEN : *Les barbares*. Paris, 1926.
Fernand HAYWARD : *Histoire de la Maison de Savoie*. 2 vol. Paris, 1941.
HELMANN : *Die Grafen von Savoyen und das Reich bis zum Ende der Staufischen Periode*. 1900.
Abbé HENRY : *Histoire de la Vallée d'Aoste*. Aoste, 1929.
Jean-Joseph HISELY : *Histoire du comté de Gruyère*. 3 vol. — M.D.R., 1re série, t. IX à XI (1851-1857).
Histoire de Genève des origines à 1798. Publiée par la Société d'histoire et d'archéologie de Genève, 1951.
Johan HUIZINGA : *Le déclin du moyen âge*. Traduction de J. Bastin. Paris, 1932.
Nicola IORGA : *Thomas III, marquis de Saluces*. Saint-Denis, 1893.
— *Philippe de Mézières (1327-1405) et la croisade au XIVe siècle*. Paris, 1896.
Alfred JARRY : *La vie politique de Louis de France, duc d'Orléans, 1372-1407*. Paris, 1889.
— *La « Voie de fa*i*t » et l'alliance franco-milanaise*. (Extrait de la Bibliothèque de l'École des Chartes, t. LIII).
Alexis DE JUSSIEU : *La Sainte-Chapelle du château de Chambéry*. Chambéry, 1868.
Baron KERVYN DE LETTENHOVE : *Amédée de Savoie, le Comte Rouge*. — A.R.B., t. XXIII (1856).

Émile Küpfer : *Morges dans le passé. La période savoyarde.* Lausanne, 1941.
Marquis DE LANNOY DE BISSY : *Histoire des routes de Savoie.* Chambéry, 1930.
M.-A. DE LAVIS-TRAFFORD : *L'évolution de la cartographie de la région du Mont-Cenis et de ses abords aux XVe et XVIe siècles.* Chambéry, 1949.
M. LELOIR : *Dictionnaire du costume.* Paris, 1951.
Émile G. LÉONARD : *Les Angevins de Naples.* Paris, 1954.
M. LEVRIER : *Chronologie historique des comtes de Genevois,* 2 vol. Orléans, 1787.
P. LITTA : *Famiglie celebri d'Italia,* 8 vol. Milano, 1819.
Rev. William John LOFTIE : *Memorials of the Savoy. The Palast, The Hospital, The Chapel.* London, 1878.
Abbé Gabriel LORIDON : *Les origines chrétiennes de la Savoie.* — Discours de réception. — *M.A.S.,* 5e série, t. VII (1931).
Ferdinand LOT : *Les limites de la Sapaudia.* — *R.S.,* t. LXXVI (1935).
— *L'art militaire et les armées au moyen âge.* 2 vol. Paris, 1946.
Siméon LUCE : *La France pendant la guerre de Cent Ans.* 2 vol. Paris, 1890-1893.
Julien LUCHAIRE : *Les démocraties italiennes.* Paris, 1915.
Paul MAILLEFER : *Histoire du canton de Vaud.* Lausanne, 1903.
Antonio MANNO et V. PROMIS : *Bibliografia storica degli stati della monarchia di Savoia.* 10 vol. Torino, 1884-1924 (*B.S.I.*)
Georges DE MANTEYER : *Les origines de la Maison de Savoie en Bourgogne (910-1060).* — *M.A.H.,* t. XIX (1899-1904).
J.-B. MARTEL : *Histoire de Châteauneuf-Villevieille,* précédée d'une étude sur le comté de Nice. Nice, 1928.
Paul-Edmond MARTIN : *Études critiques sur la Suisse à l'époque mérovingienne (534-715).* Genève et Paris, 1910.
Lucien MAZENOD : *L'art primitif en Suisse.* Genève, 1942.
Léon MÉNABRÉA : *Histoire municipale et politique de Chambéry.* Chambéry, 1848.
— *De l'organisation militaire au moyen âge.* Chambéry, 1848.
— *Les origines féodales dans les Alpes Occidentales* (publié par l'Académie Royale des Sciences de Turin, 2e série, vol. XXII et XXIII). Turin, 1865.
Henri MÉNABRÉA : *Histoire de Savoie.* Paris, 1933.
MERKEL : *Il Piemonte e Carlo d'Angio.* — *M.A.T.,* t. XL (1890) et XLI (1891).
D. M. B. DE MESQUITA : *Giangaleazzo Visconti.* Cambridge, 1941.
G. MOLLAT : *Les papes d'Avignon (1305-1378).* 9e édition revue, remaniée et augmentée. Paris, 1950.
G. M. MONTI : *La dominazione angoiana in Piemonte.* Torino, 1930.
Ed. MUGNIER : *Lettres des princes de la Maison de Savoie.*

François Mugnier : *Les Savoyards en Angleterre au XIIIe siècle.*
— M.D.S., t. XXIX (1890).
— *Les manuscrits à miniatures de la Maison de Savoie.* Moûtiers, 1894.
— *Lettres des Visconti de Milan et de divers autres personnages aux comtes de Savoie Amédée VI, Amédée VII et Amédée VIII.*
— M.D.S., 2e série, t. X (1896).
Dino Muratore : *Una principessa sabauda sul trono di Bisanzio (Giovanna di Sabaudia, imperatrice Anna Paleologina).* Chambéry, 1906.
— *Un viaggio di Barnabò Visconti nella Savoia e nella Svizzera.* — A.S.L., 1908.
— *Les origines de l'ordre du Collier de Savoie, dit de l'Annonciade.* — A.H.S., t. XXIII et XXIV, 1909-1910. Tiré à part, Genève, 1910.
— *L'imperatore Carlo IV nelle terre sabaude nel 1365 e il vicariato imperiale del conte Verde.* Torino, 1906. (Memorie della R. Accademia delle Scienze di Torino, série 2, t. LVI).
— *Bianca di Savoia e le sue nozze con Galeazzo II° Visconti,* dans Archivio Storico Lombardo, t. VII, 1907.
B. Van Muyden : *Histoire de la Nation Suisse,* t. I. Lausanne, 1896.
Albert Naef : *La flottille de guerre de Chillon aux XIIIe et XIVe siècles.* Lausanne, 1904.
— *Chillon. La camera domini.* Genève, 1908.
Henri Naef : *Les origines de la Réforme à Genève.* Genève et Paris, 1936.
Cesare Nani : *Gli statuti di Pietro II, conte di Savoia.* — M.A.T., t. XXXII (1880).
Leonardo Olschki : *Tra Feltro e Feltro.* Lezione tenuta alla casa Dante in Roma, addi 17 Febbraio 1952. — *Nuova Antologia,* Roma, 1952.
Richard Paquier : *Le Pays de Vaud des origines à la conquête bernoise.* 2 vol. Lausanne, 1943.
Guillaume Paradin : *Cronique de Savoye.* Édition de Tournes, Lyon, 1602.
Régine Pernoud : *Des origines au moyen âge.* — *Histoire du peuple français,* publiée sous la direction de L.-H. Parias, t. I, Paris, 1951.
— *Lumière du Moyen Age.* Paris.
Gabriel Pérouse : *Les communes et les institutions de l'ancienne Savoie.* Chambéry, 1911.
— *Hautecombe, abbaye royale.* Chambéry, 1926.
— *Vieille Savoie.* — *Causeries historiques,* 3 vol. Chambéry, 1936-1938.
— *La Savoie d'autrefois.* Chambéry, 1933.

TABLE BIBLIOGRAPHIQUE

André Perrin : *Le monnayage en Savoie sous les princes de cette Maison.* Chambéry, 1872.
— *Histoire de Savoie des origines à 1860.* Chambéry, 1900.
Chanoine Marc Perroud : *La Savoie burgonde (443-534).* — *M.D.S.*, t. LXVI (1929).
— *Les origines chrétiennes de la Savoie.* Chambéry, 1937 (Tiré à part de *La Quinzaine religieuse de la Savoie*).
Ernest Petit : *Histoire des ducs de Bourgogne de la race capétienne.* 9 vol., Dijon, 1885-1905.
Arthur Piaget : *Oton de Grandson, sa vie et ses poésies.* — *M.D.R.*, 3e série, t. I (1941).
L.-E. Piccard : *Le Chablais à travers les siècles.* Thonon, 1931.
— *Histoire de Thonon et du Chablais.* Annecy, 1882.
Henri Pirenne : *Histoire de l'Europe des invasions au XVIe siècle.* Paris, 1936.
Christine de Pisan : *Le livre des fais et bonnes meurs du sage roy Charles V.* 2 vol. Publié par S. Solente. Paris, 1936 et 1941 (Société de l'Histoire de France).
Émile Plaisance, dit Pascalein : *De la majorité des princes « régnants » dans la Maison de Savoie.* — *R.S.*, t. XXXIV (1893).
— *La comtesse de Savoie, Bonne de Bourbon, a-t-elle empoisonné son fils, Amédée VII ?* — *R.S.*, t. XXXIV (1893).
— *Histoire des Savoyens.* 2 vol. Chambéry, 1910.
René Poupardin : *Le royaume de Bourgogne (888-1038).* Paris, 1907.
Previté-Orton : *The early history of the House of Savoy.* Cambridge, 1912.
Comte de Renesse : *Dictionnaire des figures héraldiques.* 7 vol. Bruxelles, 1892-1903.
Maxime Reymond : *Lausanne et la Maison de Savoie.* — *R.H.V.*, t. XXXII (1924).
Ercole Ricotti : *Storia delle compagnie di venture in Italia.* 4 vol. Torino, 1844. (2e édition, 1845-1846).
Alfred Roulin : *A propos d'une lettre de Philippe le Hardi, duc de Bourgogne,* — *R.H.V.*, t. XXIX, 1921.
Abbé J.-F.-P.-A. de Sade : *Mémoires pour la vie de François Pétrarque, tirés de ses œuvres et des auteurs contemporains.* 3 vol. Amsterdam, 1764-1767.
Victor de Saint-Genis : *Histoire de la Savoie depuis les origines jusqu'à l'annexion.* Paris, 1868-1869.
Comte Alexandre de Saluces : *Histoire militaire du Piémont.* Turin, 1818.
Luigi Salvatorelli : *Sommario della storia d'Italia.* Torino, 1950.
Samaran : *La Maison d'Armagnac au XVe siècle et les dernières luttes de la féodalité dans le Midi de la France.* — *M.D.C.*, t. VII (1908).

Jehan SERVION : *Chroniques de Savoye*. Publiées dans M.H.P., *Scriptores*, t. I, col. 5-382. (Cf. *supra* : BOLLATI).
S. DE SISMONDI : *Histoire des républiques italiennes du moyen âge*. 16 vol. Paris, 1809-1818.
— *Histoire des Français*. Paris, 1821.
Jacob SPON : *Histoire de Genève*, 2 vol. Genève, 1730.
Armando TALLONE : *Parlamento sabaudo*. 10 vol. Bologna, 1928 (Academia dei Lincei).
J.-M. THEURILLAT : *L'abbaye de Saint-Maurice d'Agaune*. I. Des origines à la réforme canoniale (515-830). — Extrait de *Vallesia*. Sion, 1954.
Comte DE THY DE MILLY : *Discours de réception à l'Académie de Mâcon*. 6 octobre 1949. Hurigny, 1949.
Tancredi TIBALDI : *La regione d'Aosta attraverso i secoli*, t. II. Evo medio, 1902.
Jean-Baptiste DE TILLIER : *Historique de la vallée d'Aoste*. Aoste, 1953.
M. TRIVULZIO DELLA SOMAGLIA : *I Papi*. Cenni e Notizie. Bestetti et Tumminelli, Florence, 1926.
Les Troubadours. Textes choisis et traduits par Georges de Ribemont-Dessaignes. Paris, 1946.
S. TRUCHET : *Récits Mauriennais*, 2 vol. Saint-Jean-de-Maurienne, 1889-1891.
M. VACCARONE : *Principi di Savoia attraverso le alpi nel medievo*. 1902.
Nino VALERI : *L'eredità di Giangaleazzo Visconti*. Torino, 1938.
— *Facino Cane*. Torino, 1940.
— *L'Italia nell'età dei principati dal 1343 al 1516*, dans *Storia d'Italia illustrata*, Milano. éd. Mondadori.
Noël VALOIS : *La France et le grand schisme d'Occident*. 4 vol. Paris, 1896-1902.
VAYRA : *Curiosità e ricerche di storia subalpina*. 5 vol. Torino, 1874-1883.
Auguste VERDEIL : *Histoire du canton de Vaud*. Lausanne, 1849-1852.
Abbé E. VESCO : *Pierre-Châtel, forteresse et chartreuse en Bugey*.
— *Revue de Savoie*. Chambéry, 1943.
F. VIARD : *Béatrice de Savoie*. Lyon, 1942.
Matteo VILLANI : *Cronaca*. Firenze, 1825.
Alessandro VISCONTI : *Storia di Milano*. 2e edizione. Milano, 1952.

TABLE DES CARTES, DES TABLEAUX GÉNÉALOGIQUES ET DES ILLUSTRATIONS

CARTES

I.	La Savoie romaine et chrétienne...	24
II.	Territoires des Maisons de Savoie et de Visconti au XIVe siècle.....	140-141
III.	La croisade du Comte Vert.....	195
IV.	Amédée VI et la Campagne de Naples.	260-261
V.	Le Comté de Nice en 1388.....	315
VI.	L'Œuvre d'unification des Comtes de Savoie...... *(en dépliant)*	373

TABLEAUX GÉNÉALOGIQUES

I.	Les Savoie jusqu'à Amédée V....	36-37
II.	Maisons issues d'Aleran......	44-45
III.	Maison de Savoie : origine des branches d'Achaïe, Savoie, Vaud....	47
IV.	Les Savoie, d'Amédée V à Amédée VIII.	60-61
V.	Dauphins de Viennois......	65
VI.	Maison de Savoie : Ligne de Vaud..	76-77
VII.	Comtes de Genève.......	84-85
VIII.	Seconde Maison de Bourgogne....	90-91
IX.	Alliances de la maison royale de France avec les Savoie........	96-97
X.	Maison de Bourbon jusqu'à Bonne, femme d'Amédée VI......	104-105
XI.	Maison de Savoie : Branche d'Achaïe..	110-111

XII. — Visconti		132-133
XIII. — Liste des Rois d'Allemagne et Empereurs romains		169
XIV. — Paléologue, empereurs de Byzance		188-189
XV. — Montferrat (Aléramides et Paléologue)		220-221
XVI. — Les Anjou de Naples et de Hongrie		252-253
XVII. — Valois		284-285

ILLUSTRATIONS HORS TEXTE

COUVERTURE : Vitrail dit « d'Amédée VI » dans l'église du Bourget. *(Photo Studio Guy, Chambéry.)*

I. — Châsse romane. Trésor de l'église abbatiale de Saint-Maurice *(Photo P. Boissonnas, Genève)* 25
   a) Saint Maurice.
   b) Le roi Sigismond et ses comtes.

II. — Charte de fondation de l'Abbaye de Talloires (1031-1032) par la reine de Bourgogne Ermengarde, avec la signature du comte Humbert aux Blanches Mains. — Turin, Archives d'État : Musée historique. *(Photo Moncalvo, Turin.)* 33

III. — a) Entrevue de Bollingen. Le comte Pierre II, assis, reçoit le comte de Kibourg, vers 1255. (Diebold Schilling, *Chronique officielle,* tome I, p. 30.) Bibliothèque de la Bourgeoisie de Berne . . 41

   b) Le comte Pierre II de Savoie, protecteur de la ville de Berne, fait terminer la construction du pont et fait agrandir la ville par la construction d'un nouveau quartier dit la ville savoyarde. Après 1255. (Diebold Schilling, *Chronique pour R. d'Erlach de Spiez,* p. 89.) Bibliothèque de la Bourgeoisie de Berne . . 41

IV. — Château du Bourget (état actuel). Commencé en 1248 par Thomas de Savoie et achevé par Amédée V. *(Photo Studio Guy, Chambéry.)* 49

TABLES

V. — *a)* Le comte Aymon de Savoie reçoit la bourgeoisie de Berne pour dix années. 17 septembre 1330. (D. Schilling, *Chronique pour R. d'Erlach*, p. 193.) Bibliothèque de la Bourgeoisie de Berne . . 73

b) Ancien tombeau du comte Aymon et de Yolande de Montferrat, à l'Abbaye d'Hautecombe. (Reproduit par Guichenon, tome I, p. 395) 73

VI. — Louis II de Vaud nommé sénateur à Rome (le 3e à droite). Dessin colorié dans le manuscrit *Gesta Balduini* (fol. 22) conservé aux Archives d'État de Coblence. 81

VII. — *a)* Dalmatique de Louis II de Vaud. (Musée historique de Berne. Inv. n° 49.) 89

b) Chape offerte par les « Dames de Vaud » à la cathédrale de Lausanne. (Musée historique de Berne, Inv. n° 47.) . . 89

VIII. — Tombeau de Blanche de Bourgogne († 1348) et de sa fille Jeanne de Savoie, duchesse de Bretagne († 1344), dans le couvent des Cordeliers à Dijon. Dessin au Cabinet des Estampes de la Bibliothèque Nationale à Paris, recueil P e II c, fol. 59 93

IX. — « Vrai dessin du lac de Genève », par Forna Zeris, 1589. (Bibliothèque de la Ville de Genève.) 109

X. — Grand sceau d'Amédée VI apposé au traité du 24 février 1377 : Paris, Archives Nationales, document 286, n° 10, sceau 11653. *(Photo Maurice Petit.)* . 113

XI. — Statue équestre de Bernabo Visconti, au château des Sforza à Milan. Bonino da Campione, sculpteur. *(Photo Sella, Milan.)* 137

XII. — Blanche de Bourbon, sœur de la comtesse Bonne de Bourbon, représentée dans un des dessins qui enrichissent le manuscrit d'Alphonse de Carthagène, *Généalogie des Rois d'Espagne*. Madrid, Bibliothèque du Palais, cod. 3009, fol. 185 verso 145

XIII. — *a*) Le Tournoi. Tiré du *Chevalier errant* de Thomas III de Saluces. Bibliothèque Nationale à Paris. Ms Fr. 12559, fol. 44. ... 161

b) Le Collier, dans *Gestez et croniques de la Mayson de Savoye,* par Jehan Servion, reproduit dans l'édition donnée par F. E. Bollati, Turin, 1879 ... 161

XIV. — Tombeau de Thomas II de Savoie, comte de Flandre. Cathédrale d'Aoste. Le lion porte le collier et l'inscription F.E.R.T. *(Photo Jules Brocherel, Aoste.).* 164

XV. — La Madone de Lausanne, Armoiries d'Amédée VI et le Collier dans sa forme primitive. Fondation par Amédée VI en 1382 d'une messe dans la cathédrale de Lausanne. Archives d'État de Turin. *(Photo G. Cometto, Turin.)* ... 165

XVI. — Châsse de Saint-Sigismond, offerte par l'empereur Charles IV. Église paroissiale Saint-Sigismond à Saint-Maurice. 169

XVII. — Un départ pour la Croisade, celui de l'Ordre du Saint-Esprit. Manuscrit du xive siècle, au Louvre, publié par le comte Horace de Viel-Castel, Paris, 1853 ... 193

XVIII. — Fresque dans une salle du Palais de l'Évêque à Colle Val d'Elsa; art siennois de la 2e moitié du xive siècle. Sous le chevalier de gauche on lit en bas : comte de Savoie. *(Photo Grassi.)* ... 201

XIX. — Le capitaine Jean Hackwood. Fresque de Paolo Uccello. Cathédrale de Florence. *(Photo Alinari.).* ... 209

XX. — Statue tombale représentant Blanche de Savoie, trouvée à Pavie au couvent des Clarisses. (Fondé par ladite Blanche.) Musée archéologique de Milan. Palais Sforza. *(Photo M. Perotti, Milan.)* ... 217

XXI. — Tête de la statue tombale du pape Clément VII (Robert de Genève). Musée lapidaire, Avignon. *(Photo Bartesago, Avignon.)* ... 249

XXII. — La reine Jeanne de Naples et son second époux Louis de Tarente. Miniature, Statuts de l'Ordre du Saint-Esprit (1352-1353). Ms français, Réserve 4274 de la Bibliothèque Nationale à Paris. . . 257

XXIII. — Louis II d'Anjou, roi de Sicile : miniature dans le *Livre d'heures du Roi René d'Anjou.* Paris, Bibliothèque Nationale, latin 1156 A, fol. 61 265

XXIV. — Abbaye et fort de Pierre-Châtel; d'après la *Topographie française,* par Claude Chastillon, Paris, 1691. *(Photo Studio Guy, Chambéry.)* 273

XXV. — Sceau équestre d'Amédée VII. Transaction entre Amédée VII, comte de Savoie et Humbert, seigneur de Thoyre et de Villars, qui règle un différend relatif au péage de Chambéry : 7 janvier 1385. Acte scellé du sceau pendant d'Amédée VII. (Chambéry, Archives départementales; fonds Savoie, carton 3, 24). *(Photo Studio Guy, Chambéry.)* . . . 289

XXVI. — Stalle de l'église de Saint-François à Lausanne. Chevalier portant sur les épaules le Collier, constitué d'un simple cordon formant trois nœuds sur lui-même. *(Photo Ch. Pricam, Genève.)* 292

XXVII. — Stalle de l'église de Saint-François de Lausanne. Détail. Bois sculpté représentant Amédée VII. 1387 293

XXVIII. — Vue de Sion. D'après la *Topographia Helvetiae, Rhaetiae et Valesiae,* par Merian. 1642 297

XXIX. — Portrait de Jean-Galéas Visconti. Premier feuillet du fragment de l'*Officium* des Visconti. Possédé par le duc Marcello Visconti di Modrone à Milan. Art de Giovannino de Grassi, environ 1390. 305

XXX. — Vue de Nice, jusqu'à Villefranche : gravure sur cuivre, non terminée, signée AE(neas) V.(icus). 1553. Collection U. Hoepli, Milan. *(Photo Alinari.)* . 313

XXXI. — Valentine Visconti, duchesse d'Orléans recevant l'offre d'un ouvrage d'Honoré Bonet. (Paris, Bibl. Nationale, ms. français 811.) 329

XXXII. — Hautecombe, d'après le *Théâtre des États de S.A.R. le Duc de Savoie*, La Haye, 1700. *(Photo Studio Guy, Chambéry.)* . 337

XXXIII. — Château de Ripaille :
    a) Le chêne d'Amédée 345
    b) Le pigeonnier. L'un des derniers vestiges du temps de Bonne de Bourbon. 345

XXXIV. — Château de Chambéry, d'après le *Théâtre des États de S.A.R. le Duc de Savoie*, La Haye, 1700. *(Photo Studio Guy, Chambéry.)* 353

XXXV. — Portrait du duc de Berry, miniature dans le manuscrit offert au duc de Bourgogne avant 1413. Bruxelles, Bibliothèque Royale, ms 11060, folio 10 . . . 361

XXXVI. — Portrait de Bonne de Bourbon : copie d'après un original enluminé dans le manuscrit *Hommages de le comté de Clermont* conservé par la Chambre des Comptes à Paris, perdu pendant la Révolution. Paris, Bibliothèque Nationale, Cabinet des Estampes. Recueil Gaignières, O A. 12 fol. 2 369

INDEX

AARBERG (Pierre d'), 159, 171 n. 1.
ABBON, 27 n. 1.
ACHAÏE (les), 89, 130, 131, 134, 139, 142, 143, 146, 190, 206, 207, 244 n. 2, 271, 301, 307, 308, 329, 375, 377. Voyez Amédée, Jacques, Louis, Philippe.
ADÉLAÏDE (femme d'Othon Ier), 31 n. 2.
ADÉLAÏDE DE SAVOIE (ép. Louis VI), 33 n. 2.
ADÉLAÏDE DE SUSE, 32, 33, 38, 52, 87, 95, 274.
ADORNO (Antonietto), doge de Venise, 302, 307.
AÉTIUS, 23.
AGNÈS DE FAUCIGNY, 94 n. 1.
AGNÈS DE SAVOIE, 57 n. 4, 82 n. 1, 87.
AGOUT (Reforzo d'), 130, 178.
ALBAN (Pierre), 344 n. 2.
ALBERT D'AUTRICHE, 92, 209.
ALBERT Ier DE HABSBOURG (Empereur), 49.
ALBERT IV DE HABSBOURG, 42 n. 4.
ALBERTET, 55 n. 1.
ALBINI (Guidone), 197.
ALBIZZI (Andrea degli), 321.
ALBON (comtes d'), 33 n. 1, 63 n. 1.
ALLORNOZ (Egidio), 134 n. 1, 139 n. 1, 206 n. 1, 207, 207 n. 1.
ALEMANDI (Jeanne), 366 n. 2.
ALERAN, 46 n. 1, 55, 265 n. 1.
ALEXANDRE IV, Pape, 186 n. 1.
ALIX DE BOURGOGNE, 46 n. 2, 66 n. 1.

ALPHONSE LE MAGNANIME, roi d'Aragon, 387 n. 3.
ALPHONSE DE PORTUGAL, 35 n. 1.
AMÉDÉE (nom d'), 57 n. 3.
AMÉDÉE D'HAUTERIVE (saint), abbé d'Hautecombe, puis évêque de Lausanne, 26 n. 1, 34 n. 1.
AMÉDÉE III DE GENÈVE, 57, 70, 75, 82, 82 n. 1, 83, 92, 95, 163, 171.
AMÉDÉE (père d'Humbert aux Blanches-Mains), 30.
AMÉDÉE Ier, comte de Savoie, 32.
AMÉDÉE II, comte de Savoie, 26 n. 1, 33, 186 n. 1, 274, 276.
AMÉDÉE III, comte de Savoie, 26 n. 1, 33-35, 67 n. 1, 142 n. 2, 165, 186 n. 1.
AMÉDÉE IV, comte de Savoie, 25 n. 2, 39, 40, 40 n. 1.
AMÉDÉE V, comte de Savoie, 46, 48-50, 53, 56-57, 64 n. 1, 68, 69 n. 1, 78-80, 82 n. 1, 120 n. 2, 123, 124, 127, 135, 156, 241, 273 n. 2, 306 n. 2, 330, 351.
AMÉDÉE VI (le Comte Vert), comte de Savoie, 53 n. 1, 54, 56, 57, 58, 59 n. 1, 68, 75 à 277, 281, 282, 286, 287 n. 2, 288, 289, 291, 293, 294, 300, 301 n., 306, 306 n. 2, 309, 309 n., 310, 310 n. 1-2-3, 311, 321, 324, 330, 339, 345, 351 n. 2, 352, 366 n. 2, 378, 388.
AMÉDÉE VII (le Comte Rouge), comte de Savoie, 114 n. 2, 233, 234, 236, 243, 264, 266, 271, 272, 275, 276, 281 à 341, 343, 345,

345 n. 2, 346, 347, 347 n. 2, 348, 349, 352, 353, 358, 361, 365, 369, 370, 372 n. 2, 376, 378, 379, 381, 385, 388.
AMÉDÉE VIII, comte, puis duc de Savoie, 53 n. 1, 54 n. 2, 114, 114 n. 2, 123 n. 1, 166, 200, 289 n., 292, 297, 312, 320, 334, 340 n., 344, 350, 351, 354, 360, 365, 367, 368, 369, 371, 372, 373, 374, 375, 376, 377, 378, 379, 380, 383, 384, 385, 386, 388, 389.
AMÉDÉE DE SAVOIE, prince d'Achaïe, 112, 113, 114, 267, 271, 295, 301, 302, 306, 307, 308, 312, 322, 323, 325, 327, 328, 329, 330, 347, 348, 350-352, 354, 356-362, 364-365, 367-371, 377-380, 383, 384.
AMMIEN MARCELLIN, 22, 26.
AMURATH I*er*, sultan, 186, 187 n. 1.
ANDELOT (Jean D'), 317.
ANDRÉ, dauphin, 63 n. 2.
ANDRÉ DE HONGRIE, 250 n. 1, 259.
ANDREVET (Pierre), 362.
ANDRONIC PALÉOLOGUE, empereur de Byzance, 54 n. 4.
ANDRONIC III PALÉOLOGUE, empereur de Byzance, 156, 187, 207 n. 3.
ANJOU (les), 52, 130, 131, 139, 143, 201, 211, 213, 215, 222, 223, 255 n. 1, 258, 259, 310, 310 n. 1, 311, 312, 317, 319, 329.
ANJOU (Marie D'), 310 n. 3.
ANJOU (Philippe D'), 109 n. 1.
ANNE DE SAVOIE, 187, 187 n. 2. Voir aussi Jeanne de Savoie.
ANNIBAL (Jean), 79.
ANNIVIERS (sires D'), 294.
APREMONT (sire D'), 337.
AQUILÉE (Patriarche d'), 226, 228, 230.
ARMAGNAC (comtes d'), 69, 323.
ARMAGNAC (Béatrice D'), épouse de Charles Visconti, 303, 328.
ARMAGNAC (Bernard VII D'), 376.
ARMAGNAC (Bonne D'), 303.
ARMAGNAC (Jean III D'), 326, 327, 328, 366 n. 3.
ARMAGNAC (Jeanne D'), 282, 347 n. 2.
ARNAUD (Françoise), 283 n. 2.

ARTHUR (le roi), 160.
ARUNDEL (comte D'), 297.
ARVILLARD ou ARVILLARS (seigneurs d'), *345, 352*.
ARVILLARD (Humbert D'), 58 n. 1, 135, 136, 172, 191 n. 1, 201.
ARVILLARD (Humbert D'), son fils, 58 n. 1, 359.
ASINARI (les), 306 n. 2.
ASPREMONT (Amé D'), 368, 375.
ASTON (Robert), 204.
AUBERT, 116.
AUTRICHE (archiduc d'), 226.
AVANCHIER (Jean D'), 334.
AVIT (saint), 24.
AVOGADRI (seigneurs de Verceil), 301 n.
AYMAR DE POITIERS, 93, 101.
AYMON II DE FAUCIGNY, 94 n. 1.
AYMON DE GENÈVE, 271.
AYMON DE GENÈVE-ANTHON, 163.
AYMON DE SAVOIE (fils de Thomas I*er*), 41 n. 2.
AYMON, comte de Savoie, 51, *53 à 71*, 81, 82, 83 n. 1, 87, 89, 93, 109, 114, 234, 351 n. 2.

BARBIANO (Alberico DA), 248, 251.
BASSET (sire DE), 192.
BAUDOIN, archevêque de Trèves, 79.
BAUDOIN I*er*, empereur de Constantinople, 329.
BAUMGARTNER (Anichino), 146, 152, 191, 211, 212.
BAUX (François DES), ou del Balzo, 257, 329, 330.
BAUX (Marie DES), 64.
BAUX (Raymond DES), 64 n. 3, 178.
BAUX (Sibylle DES), ou del Balzo, 112 n. 1, 136, 136 n. 1.
BAVIÈRE (princes de), 303, 304.
BÉATRICE D'ANJOU, impératrice de Byzance, 40 n. 2.
BÉATRICE DE BOURGOGNE, 66 n. 1.
BÉATRICE FIESCHI, 40.
BÉATRICE DE SAVOIE (fille de Thomas I*er*), 40, 40 n. 2, 274 n. 1.
BÉATRICE DE SAVOIE (la Grande Dauphine), 43, 46, 94 n. 1, 274 n. 1.

INDEX

BEAUJEU (les), 150, 283, 286, 287, 287 n. 2, 291, 368.
BEAUJEU (Antoine DE), 150.
BEAUJEU (Édouard Ier DE), 112.
BEAUJEU (Marguerite DE), 112, 112 n. 1, 113.
BEAUVOIR (Aymon DE), 157 n. 1.
BELLEN, apothicaire, 334.
BELLENOI (Aimeric DE), 55 n. 1.
BELLEVILLE (Jean DE), 194.
BENOÎT XII, Pape, 64, 245 n. 1.
BENZONI (Bartolomeo), 326.
BERLION DE CHAMBÉRY, 56, 56 n. 3.
BERNARD DE CLAIRVAUX (saint), 34, 34 n. 1, 155.
BERNARDON DE LA SALLE, 152, 322, 327.
BERRY (duc de), 203, 255, 257, 324, 327, 340 n., 347, 347 n. 2. Voyez Jean, duc de B.
BERTHE DE SAVOIE, 33.
BERTRAND, 116.
BESUCCHI (Anichino), 337, 338, 343.
BEVILACQUA (Guillaume), 326.
BIRELLE (Révérend), 277.
BLACAS, 40 n. 2.
BLANCHE DE BOURBON, 149.
BLANCHE DE BOURGOGNE, 66 n. 1.
BLANCHE DE SAVOIE (fille du comte Aymon), 58, 88, 134, 135, 136, 160 n. 1, 162, 202, 202 n. 3, 208, 214, 218, 272, 304, 307.
BLONAY (DE), 165 n. 1.
BLONAY (Jean DE), 118.
BOCCACE, 86 n., 259.
BOLOMIER (Guillaume DE), 113 n. 2.
BONIFACE IX, Pape, 327.
BONIFACE Ier, comte de Savoie, 40, 274 n. 1.
BONIFACE DE SAVOIE, évêque de Cantorbéry, 41.
BONNE DE BERRY, 266, 274, 282, 283, 288 à 292, 303, 323, 326, 328, 333, 337, 338, 340 n., 344, 346 à 350, 355, 356, 357, 362, 363, 365, 366, 367, 369, 374 à 377, 379, 380, 384.
BONNE DE BOURBON, 95, 98, 99, 112, 113, 142, 151, 153 n. 1, 172, 178, 191, 191 n. 1, 197, 201, 202, 236, 266, 271 à 275, 277, 281, 288, 289, 289 n. 1, 291, 300, 301, 309 n., 310 n. 2, 312, 323, 323 n., 331, 333, 334, 337, 339, 340, 340 n., 343 à 359, 361, 362, 364 à 372, 375 à 384, 388, 389.
BONNE DE SAVOIE (ép. Louis d'Achaïe), 320, 320 n., 340 n.
BORIS Ier, tsar de Bulgarie, 186 n. 2.
BOSON, roi de Provence et de Bourgogne, 27.
BOUCICAULT (Jean DE), maréchal, 355.
BOURBON (duc DE), 157, 178, 333, 357, 361, 362, 366, 367, 378, 380, 381, 389.
BOURBON (Jacques DE), 150.
BOURBON (Jean DE), 381.
BOURBON (Jeanne DE), 87, 87 n. 2, 88, 98 n. 2, 282.
BOURBON (Louis DE), 161, 372, 378.
BOURBON (Marie DE), 208 n. 1.
BOURBON (Pierre Ier DE), 68, 87, 87 n. 2, 150.
BOURGOGNE (duc de), 89, 119 n. 1, 120, 178, 203, 255, 282 n. 2, 286, 296 n., 297, 301, 324, 327, 347, 357, 358, 363, 367, 373. Voyez Philippe de Rouvre, Philippe le Hardi.
BRABANT (Godefroy DE), 98 n. 2.
BRETAGNE (duc de), 292.
BRIENNE (Raoul DE), 115.
BRUNSWICK (Balthazar DE), 218.
BRUNSWICK (Irène DE), 207 n. 3.
BRUNSWICK (Othon DE), 207, 207 n. 3, 208, 211, 214, 217, 218, 248, 250, 251, 254, 311, 330.
BRUXELLES (Aniquier DE), 314.
BUEIL (Jean DE), 264.
BURCHARD (le moine), 171 n. 1.
BYZANCE (empereurs de), 226.

CABARET (Jean D'ORVILLE dit), 53 n. 1, 101 n. 1, 242, 281 n. 1.
CALVIN (Jean), 182 n. 1.
CAMINUS DE TREMA, 154.
CANE (Facino), 301, 351, 351 n. 1, 353, 355.
CANTACUZÈNE (Hélène), impératrice de Byzance, 192.
CAROBERT DE HONGRIE, 259.

INDEX

CARRARE (les), de Padoue, 138 n., 210, 226, 321.
CARRARE (Francesco Novello), 325.
CARRARE (François DE), 226, 227, 228, 230.
CARRETTO (marquis DEL), 265, 265 n. 1.
CASTELLAMONTE (comtes DE), 332.
CASTILLE (roi de), 387.
CATHERINE DE GENÈVE, 113, 301, 323, 350, 356.
CATHERINE DE MÉDICIS, 98 n. 1.
CATHERINE DE SAVOIE (fille d'Aymon), 58.
CATHERINE DE SIENNE (sainte), 246, 247.
CATHERINE DE VAUD, 81, 114, 115, 115 n. 1, 116.
CAVALLI (Cavallino), 208.
CERVOLE (Arnaud DE), dit l'Archiprêtre, 153, 153 n. 1.
CÉSAR (Jules), 296.
CEVA (marquis DE), 320.
CHALAMONT (Guillaume DE), 163.
CHALLANT (sires DE), 122, 123, 123 n. 1.
CHALLANT (Amédée DE), 258, 371.
CHALLANT (Aymon DE), 123, 191 n. 1, 275 n. 2.
CHALLANT (Boniface DE), 353.
CHALLANT (Bonne DE), 381.
CHALLANT (Iblet DE), 124, 222, 223 n. 1, 302, 307, 308, 310 n. 1, 322, 331, 347, 350, 353, 354, 355, 355 n. 1, 364, 365.
CHALON (comte DE), 286.
CHALON (Jean DE), 119 n. 1.
CHALON (Othon DE), 46 n. 2.
CHALON (l'évêque de), 367.
CHAMPIER, chroniqueur, 286, 334.
CHARLEMAGNE, empereur, 26, 27, 243.
CHARLES Ier D'ANJOU, roi de Naples et de Sicile, 40 n. 2, 41, 64 n. 3, 130 n. 1, 136 n. 1.
CHARLES II D'ANJOU, roi de Naples et de Sicile, 130, 329.
CHARLES LE CHAUVE, 27, 27 n. 2.
CHARLES III DURAZZO, 161, 226, 227, 250, 250 n. 1, 251, 256, 259, 262 à 265, 310-311.

CHARLES IV DE LUXEMBOURG, empereur, 81, 87, 103, 106 n. 1, 138, 139, 167, 168, 170 à 173, 175 à 183, 191, 210, 217, 247, 248, 287.
CHARLES IV, roi de France, 67, 67 n. 2.
CHARLES V, roi de France, 87 n. 2, 88, 89, 94, 145, 161, 176, 176 n., 187, 216, 247, 254, 282, 282 n., 287, 288, 290, 324.
CHARLES VI, roi de France, 202 n. 1, 248, 255, 288, 291, 292, 293, 295, 296, 303, 304, 305, 327, 354, 354 n. 2, 356, 357, 362, 366, 371, 384.
CHARLES LE MAUVAIS, 152.
CHARLES-QUINT, 54 n. 4.
CHARLES DE SAVOIE, 54 n. 4.
CHARLES III, duc de Savoie, 114 n. 2, 166.
CHARLES-EMMANUEL, duc de Savoie, 95.
CHARLES-EMMANUEL II, duc de Savoie, 228 n. 2.
CHARLES-FÉLIX, roi de Sardaigne, 34 n. 1.
CHARTIER (Alain), 203 n. 1, 242.
CHÂTEAUNEUF (comtes DE), 319.
CHÂTILLON (Gauthier DE), 34 n.
CHÂTILLON (Guy DE), 115.
CHAUCER, 203 n. 1, 204, 387.
CHIGNIN (Antoine DE), 317, 371.
CHIGNIN (Barthélemy DE), 231, 311.
CHISSÉ (Rodolphe DE), 300 n. 1.
CHYPRE (roi de), 226, 228, 229, 230, 231.
CIBRARIO (H.), 333, 365.
CINO DA PISTOIA, 80.
CLAREINS (André DE), 283 n. 2.
CLÉMENT V, Pape, 78, 245 n. 1.
CLÉMENT VI, Pape, 86, 88, 89, 131, 139 n. 1, 187, 226, 245 n. 1.
CLÉMENT VII, Pape (Robert de Genève), 245, 247 à 250, 255 à 257, 262, 287, 287 n. 2, 294, 301, 304, 307, 321, 324, 327, 357, 372 n. 2, 376.
CLERMONT (Aymon DE), 317.
CLERMONT (Jean DE), 350, 363.
CLOTHAIRE II, roi des Francs, 27 n. 3.
CLOTILDE (femme de Clovis), 24 n. 1.

INDEX

CLOVIS, roi des Francs, 24 n. 1.
COLONNA DI BALDISSERO (Oberto), 308.
COLLEGNO (Anselme DE), 190.
COLOMB (Pierre), 368, 379.
COLOMBIER (Humbert DE), 294.
COLONNA (Gilles ou Egidio), 78 n. 1.
COMPEYS (Girard DE), 48 n. 4.
CONCIDUS DE STRATA, 152.
CONFLANS (Jean DE), 307, 345, 345 n. 2, 350.
CONRAD II LE SALIQUE (empereur), 31, 32, 51.
CONRAD DE SOUABE, 39, n. 1.
CONSTANCE DE SAVOIE, 274 n. 1.
CONSTANTIN (empereur), 243.
CONTENAIN (Édouard DE), 204.
CORGERON (DE), 159, 365, 368.
CORGERON (Guillaume DE), 258.
CORGERON (Jean DE), 258, 362.
CORNARO, doge de Venise, 191.
COSSÉ-BRISSAC (Maréchal DE), 338 n.
COSSONAY (Aymon DE), 119.
COSSONAY (Jean DE), évêque de Lausanne, 43.
COSSONAY (Louis DE), 275, n. 2 337, 338, 340, 340 n., 344, 349, 356, 364, 368.
COUCY (Enguerrand VII DE), 211, 211 n. 1, 212, 362, 366, 366 n. 3.

DAL VERME (Jacques), 208, 328.
DAL VERME (Luchino), 113.
DAMES DE VAUD (les), 114, 115, 117. Voir Isabelle de Chalon-Arlais et Catherine de Vaud.
DANDELET (Stéphane), 157 n. 1.
DANDOLO, doge de Venise, 227, 231.
DANIEL (Arnaud), 165 n. 1.
DANTE ALIGHIERI, 41, 50, 55 n. 1, 80, 81.
DAUPHINS (les), 63, 63 n. 1, 64, 83, 92, 143. Voyez André, Guigues IV, VII et VIII, Humbert II et Jean II.
DAUPHINS DE FRANCE, 287, 312, 324, 325. Voyez Charles V, Charles VI.
DELBÈNE (Alphonse), 199.

DELLA SCALA (Regina), 136, 136 n. 2.
DELLA SCALA (les), de Vérone, 138 n.
DESCHAMPS (Eustache), 203 n. 1.
DESPENCER (Henri), évêque de Norwich, 291, 292.
DESPENCER (Hugues), 69 n. 1, 204.
DOBRODITCH (prince), 194.
DOMINICIS (Dominique DE), 233.
DOMPIERRE (Guillaume DE), 118.
DORAME, écuyer, 194.
DORIA (Pierre et Lucien), 225 n. 2.
DRO (Barthélemy), 135.
DU GUESCLIN (Bertrand), 149, 160, 213, 287.
DURAZZO (les), 310, 314, 319. Voir Charles III.
DURAZZO (Ladislas DE), 311, 312, 313, 314, 317, 318.
DURAZZO (Marguerite DE), 310, 311, 312.

EDDINGTON (comte D'), 297.
ÉDOUARD Ier, roi d'Angleterre, 49.
ÉDOUARD II, roi d'Angleterre, 67 n. 2, 78.
ÉDOUARD III, roi d'Angleterre, 67 n. 2, 68, 87, 142, 145, 202, 211 n. 1.
ÉDOUARD, comte de Savoie, 51, 51 n. 1, 53, 63, 66 n. 1, 69 n. 1, 81, 82, 83 n. 1, 86.
ÉDOUARD DE SAVOIE, évêque de Sion, 293 à 295.
ÉLÉONORE D'AQUITAINE, 35 n. 2.
ÉLÉONORE DE GEX, 92 n. 1.
ÉLÉONORE DE PROVENCE, 41, 68.
ÉLISABETH DE BAVIÈRE, 202.
ÉLISABETH DE HONGRIE, 178, 310 n. 3.
ÉLISABETH DE MAJORQUE, 142.
EMMANUEL-PHILIBERT, duc de Savoie, 121 n. 3.
ENNODIUS, 26 n. 1.
ENTREMONT (D'), 159.
ERMENGARDE, reine de Bourgogne, 29.
ESTAMPES ou D'ÉTAMPES (comtes D'), 374.
ESTAVAYER (Gérard D'), 384 à 387

ESTAVAYER (Guillaume D'), 362, 374 n. 2.
ESTAVAYER (Pierre D'), 118.
ESTE (les), 55 n. 1, 139.
ESTE (Béatrice D'), 112 n. 1.
ESTE (François D'), 206, 208.
ESTE (Niccolò D'), 210.
ESTRÉE (Gérard ou Girard), 191 n. 1, 275 n. 2, 345 n. 2.
ÉTIENNE III DE BAVIÈRE, 202, 202 n. 1, 303, 326, 327.
EU (comte D'), 374.
EUDES IV DE BOURGOGNE, 66, 66 n. 1.
EUDES DE CHAMPAGNE, 32.
EUGÈNE DE SAVOIE-SOISSONS, 186 n. 1.

FABRI (Antoine), 345.
FAIDIT (Gaucelm), 55 n. 1.
FIESCHI (les), 233 n. 1.
FIESCHI (Charles), 233, 355.
FIESCHI (Isabelle), 127 n. 1.
FIESCHI (Niccolò ou Nicolas), 233, 309 n. 1.
FLORENT DE HAINAUT, 109 n. 1.
FOLQUET DE ROMANS, 55 n. 1.
FORAS (Berlion DE), 163.
FRANCHO (Guillaume), 370, 370 n. 2, 378, 379, 380, 384.
FRANÇOIS Ier, roi de France, 282 n. 3.
FRÉDÉRIC III D'ARAGON, roi de Sicile, 209.
FRÉDÉRIC Ier BARBEROUSSE, empereur, 35, 46 n. 2, 49, 137 n. 1, 178 n. 2.
FRÉDÉRIC II, empereur, 39, 40, 40 n. 1, 49, 64 n. 3, 103, 137 n. 1, 178 n. 2, 223.
FRENIER (Hugonin), 57.
FROISSART, chroniqueur, 86 n., 115, 149, 203, 203 n. 1, 204, 296, 387.

GAETANI (Onorato), comte de Fondi, 246, 247 n. 1, 250, 251.
GALIEN, 336 n. 2.
GALILÉE (prince DE), 208.
GALLES (prince DE), 145.
GARA (Nicolas DE), 310 n. 3.

GARNIER, comte de Troyes, 30.
GAUTIER DE VIENNE, 286.
GEILON, 30.
GENEVOIS (comte DE), 190.
GEORGES D'AQUILA, 57, 57 n. 1, 70.
GERBAIX (Pierre DE), 191 n. 1.
GÉROLD, comte de Genève, 32.
GIAC (sire DE), 362, 367.
GIOTTO, 50, 57.
GISÈLE DE BOURGOGNE, 66 n. 1.
GLÂNE (Thomas DE), 118.
GONDEBAUD, roi des Burgondes, 24 n. 1.
GONTRAN, roi de Bourgogne, 26, 51 n. 2, 124.
GONZAGUE (les), de Mantoue, 138 n., 139.
GONZAGUE (Egidia), 136.
GONZAGUE (Frédéric II DE), marquis de Montferrat, 54 n. 4.
GORLITZ (Jean DE), 304.
GRAMMONT (Antoine DE), 159.
GRANDSON (Guillaume DE), père d'Othon III, 118, 190, 275 n. 2, 295, 366 n. 2.
GRANDSON (Guillaume DE), fils d'Othon III, 364, 386.
GRANDSON (Jean DE), 57, 70.
GRANDSON (Othon DE), 203 n. 1, 242, 300, 317, 340, 343 à 346, 349, 350, 353, 356, 358, 361, 364, 364 n. 1, 366 n. 2, 368, 371, 374 n. 2, 384 à 388.
GRANDSON (Thomas DE), 205.
GRANDVILLE (Jean DE), 333 à 336, 338, 339 n., 343, 358 à 366, 380, 381, 384.
GRANGIER (André), 378, 379, 380.
GRÉGOIRE VII, Pape, 33, 186 n. 1.
GRÉGOIRE XI, Pape, 206, 209, 210, 214, 215, 245, 245 n. 1, 293.
GRIMALDI (les), 311, 313, 314, 355.
GRIMALDI (Jean), 311 à 314, 319.
GRIMALDI (Louis), 312, 314, 317.
GRIMALDI (Napoléon), 225 n. 2.
GROLÉE (Guy DE), 362, 365.
GROLÉE (Archimando DE), 258.
GRUYÈRE (comte DE), 366 n. 2.
GRUYÈRE (Marie DE), 366 n. 2.
GRUYÈRE (Rodolphe, comte DE), 295, 345 à 348, 354, 364, 366 n. 2, 368.

INDEX

Guigues IV, Dauphin, 63 n. 1, 67 n. 1.
Guigues VII, Dauphin, 43, 82, 94 n. 1.
Guigues VIII, Dauphin, 63, 63 n. 3, 64, 64 n. 2, 66.
Guillaume le Conquérant, 296.
Guillaume III de Genève, 57 n. 4.
Guillaume de Savoie, évêque de Valence et de Liège, 41.

Hauteville (Nycod d'), 371.
Hawkwood (Jean), 142, 208, 210, 212, 262, 263, 328.
Heckz (le moine), 112, 113, 152.
Henri de Bavière, 39 n. 1.
Henri III, empereur d'Allemagne, 32.
Henri IV, empereur d'Allemagne, 33, 276.
Henri VI, empereur d'Allemagne, 38.
Henri VII, empereur d'Allemagne, 49-50, 78 à 81, 103, 106 n. 1, 120 n. 2, 178 n. 2, 306 n. 2.
Henri II Plantagenet, roi d'Angleterre, 35, 35 n. 2, 68.
Henri III, roi d'Angleterre, 41, 43, 63 n., 68.
Henri IV, roi d'Angleterre, 384.
Hugar de Joinville, sire de Gex, 92 n. 1, 101.
Hugues IV de Chypre, 208 n. 1.
Hugues, baron de Faucigny, 46.
Hugues de Genève, 92 à 94, 102.
Hugues, roi d'Italie, 30.
Hugues de Joinville, sire de Gex, 92, 92 n. 1.
Hugues, roi de Provence, 28.
Hugues (fils de Garnier), comte de Troyes, 30.
Humbert II, Dauphin, 64, 66, 88, 88 n. 2, 89.
Humbert aux Blanches-Mains, comte de Savoie, 29, 30, 32, 51, 52.
Humbert II, comte de Savoie, 33, 34 n. 1, 66 n. 1, 67, 186 n. 1.
Humbert III, comte de Savoie, 34 n. 1, 35, 38, 66 n. 1, 68.
Humbert, fils bâtard d'Amédée VII, 186 n. 1, 283 n. 2, 340, 364.
Humbert, le bâtard de Savoie. Voyez à Arvillard (Humbert d') et ci-dessus à Humbert, fils bâtard d'Amédée VII.
Hurtières (seigneur des), 240.

Innocent IV, Pape, 40.
Innocent VI, Pape, 134 n. 1, 139, 147 n. 1, 226, 245 n. 1.
Isabeau de Bavière, reine de France, 202 n. 1, 303, 325, 327, 387.
Isabelle d'Angleterre, 95.
Isabelle de Chalon-Arlais, dame de Vaud, 81, 114.
Isabelle de France, reine d'Angleterre, 67, n. 2.
Isabelle de France, reine de Navarre, 40 n. 2.
Isabelle de France, épouse de Jean-Galéas Visconti, 142, 191, 303, 305.
Isabelle de Valois, 87 n. 2.

Jacques de Savoie, prince d'Achaïe, 108, 109, 112, 112 n. 1, 131, 136, 142, 147, 201, 271, 294, 330, 351 n. 2.
Jean XXII, Pape, 245 n. 1.
Jean, duc de Berry, 282, 282 n. 1, 291, 292, 295, 296 n., 299 n., 301, 352, 356 à 359, 361 à 364, 374 à 377, 380.
Jean III, duc de Bretagne, 54, 54 n. 1.
Jean II, roi de Castille, 387 n. 3.
Jean II, dauphin, 64 n. 1.
Jean II le Bon, roi de France, 89, 94, 95, 98, 115, 142, 145, 151, 161, 176 n. 1, 187.
Jean de Liège, 243, 289.
Jean de Luxembourg, roi de Bohême, 69, 81, 98 n. 1, 103, 106 n. 1, 168 n. 1.
Jean V Paléologue, empereur de Byzance, 187, 192, 194, 198, 228, 230.
Jean sans Terre, roi d'Angleterre, 35.

INDEX

Jean de Savoie (fils du comte Aymon), 58.
Jean de Vaud, 114.
Jeanne de Bourgogne, reine de France, femme de Philippe V le Long, 66.
Jeanne de Bourgogne, 87, 89, 92, 95, 98 n. 3, 135.
Jeanne de Flandre, 40 n. 1.
Jeanne de Savoie (fille du comte Édouard), 53, 86.
Jeanne de Savoie (fille de Louis Ier de Vaud), 92 n. 1.
Jeanne de Savoie (femme d'Andronic Paléologue), 156.
Jeanne de Savoie (fille d'Amédée VII), 355, 355 n. 3.
Jeanne (fille bâtarde d'Amédée VII), 283 n. 2.
Jeanne Ire de Sicile, reine de Naples, 130, 130 n. 2, 152, 161, 165 n. 1, 207 n. 3, 211, 217, 247, 247 n. 1, 250, 251, 254, 258, 259, 263, 310, 310 n. 1, 330.
Joinville (Guillaume de), 92 n. 1.
Joinville (Jean de), chroniqueur, 92 n. 1.

Kibourg (Hartman IV de), 42 n. 4.
Kibourg (Heilwig de), 42 n. 4.
Kibourg (Ulrich III de), 42 n. 4.
Knoll (Robert), 150.

La Baume (Étienne ou Stéphane Le Galois de), 83, 83 n. 1, 150, 163, 192, 211, 258, 361, 362, 368.
La Baume (Guillaume de), 83, 98, 108, 116, 135, 366 n. 2.
La Baume (Jean de), 258, 362 à 364, 366, 366 n. 2.
La Baume (Philibert de), 172, 366 n. 2.
La Baume (Pierre de), 157 n. 1.
La Chaîne (Benoît de), 116.
La Chambre (sires de), 124, 172, 345.
La Chambre (Amé de), 190.
La Chambre (le bâtard de), 363, 381.
La Chambre (Jean de), 366.

La Garde (de), cardinal, 178.
La Grange (Jean de), cardinal, 246.
Lanzo (Martin), 103.
La Palud (Hugues de), 157 n. 1.
La Rochette (Hugues de), 56 n. 3.
Lascaris (les), comtes de Vintimille, 320.
Lascaris (Jean de), 330.
La Tour-Châtillon (de), 107, 118, 345, 347, 354.
La Tour-Châtillon (Antoine ou Antonin de), 170, 183, 293, 293 n. 4, 294, 363.
La Trémoille (sire de), 363, 367.
Le Franc (Martin), 203 n. 1, 387.
Léonore de Savoie, 274 n. 1.
Léopold de Habsbourg, 114 n. 1.
Lionel, duc de Clarence, 202 à 205, 209.
Liprandi (Érasme), 135.
Lomberg (Philippe de), 194.
Lomellino, 355.
Lompnes (Péronnette de), 356.
Lompnes (Pierre de), 334, 343, 356, 359, 364, 369, 370, 377 à 380.
Lornay (Guillaume de), évêque de Genève, 372, 372 n. 2.
Lorraine (duc de), 69.
Lothaire, 27 n. 2, 31 n. 2.
Louis Ier, duc d'Anjou, roi de Naples et de Sicile, 161, 178, 216, 249 à 258, 262 à 264, 282 n. 2, 283, 286, 287, 287 n. 2, 309 à 311, 324.
Louis II, duc d'Anjou, roi de Naples et de Sicile, 302, 310, 312, 324, 325.
Louis V de Bavière, empereur d'Allemagne, 66 n. 2.
Louis Ier de Flandre, 66.
Louis VI, roi de France, 33.
Louis VII, roi de France, 34, 35 n. 2, 186 n. 1.
Louis IX, ou saint Louis, roi de France, 41, 63 n. 3, 92 n. 1, 98 n. 2, 130 n. 1, 186, 388.
Louis X, roi de France, 54 n. 2, 67 n. 2.
Louis XI, roi de France, 282 n. 3.
Louis XV, roi de France, 98 n. 1.
Louis le Germanique, 27 n. 2, 31 n. 2.

INDEX

Louis Ier de Hongrie, 178, 190, 226, 228, 230, 247, 259.
Louis, duc d'Orléans (d'abord duc de Touraine), 161, 304, 305, 306, 324, 325, 355, 357, 366, 366 n. 3, 377.
Louis de Savoie, fils du comte Aymon, 58.
Louis de Savoie-Achaïe, 112, 112 n. 1, 113, 114, 264, 266, 271, 291, 294, 295, 320 n., 364, 365, 367, 368, 369, 371, 377, 384.
Louis Ier de Savoie, sire de Vaud, 46, 48, 57 n. 4, 92 n. 1.
Louis II de Savoie, sire de Vaud, 57, 57 n. 4, 68, 70, 75, 78 à 81, 83, 88, 114, 116, 117, 119 n. 1.
Louis de Tarente, 165, 259.
Louppy (Raoul de), 175.
Lucinge (Louis de), 58 n. 1.
Lusignan (Pierre de), 161, 162.
Luxembourg (comte de), 69.

Machaut (Guillaume de), 86 n., 203, 203 n. 1.
Machiavel (Nicolas), 268.
Magnin (Antoine), 381.
Mahault ou Mafalda de Savoie, 35 n. 1.
Mahaut ou Mathilde de Boulogne, 82 n. 1, 135.
Malabaila, 306.
Malaspina (les), 55 n. 1.
Malatesta (les), de Rimini, 138 n., 262, 324.
Malatesta (Pandolfo), 198.
Manfred (Ulrich), marquis de Turin, 32.
Marcel (Étienne), 145.
Marche (Olivier de La), 386.
Marcossay (Guillaume de), évêque de Genève, 182, 182 n. 2 et 3.
Maréchal (Gérard), 193.
Marguerite d'Angleterre, 40 n. 2.
Marguerite de Brabant, 49 n. 2.
Marguerite de Luxembourg, 87.
Marguerite de Provence (fille de Thomas Ier), 63 n. 3.
Marguerite de Saint-Moris, 112 n. 1.

Marguerite de Savoie, 42 n. 4.
Marguerite de Savoie, marquise de Montferrat, 55.
Marguerite de Savoie-Achaïe, 329.
Marie d'Aragon, 209.
Marie de Blois, 310.
Marie de Bourgogne, épouse d'Amédée VIII de Savoie, 297, 375.
Marie de Brabant, 49 n. 2.
Marie de Flandre, 82 n. 1.
Marle (Georges de), sénéchal, 312, 313, 318.
Martini (les), 319.
Maruffo, 225 n. 2.
Masino (comtes de), 300, 302, 331, 332, 354.
Mathieu (Colin), 348.
Meinge (François de), 195.
Menthon (Chivrard de), 190.
Métral (Aimé), 118.
Métral (Jean), 275 n. 2.
Mézières (Philippe de), 162, 387.
Miolans (sires de), 345, 352.
Miolans (Anthelme de), 131.
Miolans (Jean de), 258.
Mollettes (seigneurs des), 345.
Mollettes (Amédée, sire des), 58 n. 1, 362, 364.
Mondart (Pierre), 379.
Montbéliard (comte de), 286.
Montferrat (marquis de), 32 n. 3, 46 n. 1, 52, 95, 109, 113, 130, 131, 134, 139, 142, 143, 147, 205 à 208, 210, 215, 217, 218, 219, 222, 228, 248, 274, 299 à 302, 305, 307, 323, 325, 351 n. 1, 353, 354.
Montferrat (Boniface Ier de), 55 n. 1.
Montferrat (Guillaume VII, marquis de), 46, 228 n. 2.
Montferrat (Guillemette de), 349 n. 2.
Montferrat (Jean Ier de), 54 n. 4.
Montferrat (Jean II de), 130, 139, 142, 143, 205, 205 n. 2, 207.
Montferrat (Jean III Paléologue, marquis de), 254, 300 n. 2.
Montferrat (Jean-Jacques Paléologue, marquis de), 355 n. 3.
Montferrat (Secondo-Othon ou Second-Othon de), 207, 217 à 219.

INDEX

MONTFERRAT (Théodore Paléologue, marquis DE), 54 n. 4.
MONTFERRAT (Théodore II DE), 300 n. 2, 301, 302.
MONTJOIE (Louis DE), 249.
MONTJOVET (sires DE), 121 n. 1.
MONTMAYEUR (Gaspard DE), 163, 192, 211, 258, 264, 265, 349.
MONTMORENCY (Mathieu DE), 33 n. 2.
MONTORIO (duc DE), 263.
MUAZZO (Jean), 232.
MURS (Pierre DE), 362, 368.
MUSARD (Richard), 80 n. 1, 147 n. 2, 163, 258, 264, 266.

NAMUR (Guillaume DE), 115 à 117, 120, 297.
NAMUR (Guillaume DE), son fils, 115.
NAMUR (Jean DE), 115.
NAMUR (Marie DE), 115.
NANDO, 356.
NANTHELME (abbé), 25 n. 2.
NEGRO (DI), 355.
NEUCHÂTEL (sires DE), 151.
NEUFCHÂTEL (Thibaut DE), 89, 159.
NICOLAS III, Pape, 155.
NOÏLLET (Guillaume DE), 215.

ODDON, comte de Savoie, 32, 33, 52, 95, 274.
OGIER, bâtard de Savoie, 136.
OLEGGIO (Giovanni), 207 n. 1.
OLIVIER (le Paladin), 82.
OMOBONO, 337, 338.
ORGELET (Révérend), 277.
ORIBAZE, médecin grec, 336 n. 2.
ORLYÉ (Jean D'), 281, 289.
ORSINI (Richard), 79.
ORVIETO (Ugolino D'), 203 n. 1.
OTTO-GUILLAUME DE BOURGOGNE, 46 n. 2.
OTTON Ier DE SAXE, empereur, 31 n. 2.
OTTON IV DE SAXE, empereur, 39.

PADILLA (dona), 149.
PAGANINI (Phillipin), 225 n. 2.

PALÉOLOGUES DE BYZANCE (les), 187 n. 3.
PALÉOLOGUES DE MONTFERRAT (les) 46 n. 1.
PALLUEL (Jacques), 366 n. 1.
PARADIN (Guillaume), chroniqueur, 101 n., 107 n. 1, 172.
PASQUALI (Luchino), 337, 338.
PATRIARCHE DE JÉRUSALEM (le), 339.
PAUMIER-TURK, 116.
PEMBROKE (comte DE), 297.
PEPOLI (les), 207 n. 1.
PÉRONNE (Baldo DE), 355.
PERRINET DU PIN, chroniqueur, 242, 281 n. 1, 292, 296, 316, 318.
PÉTRARQUE (Francesco), 128, 138, 147, 148, 204, 227.
PHILIPPE II, dit Auguste, roi de France, 155.
PHILIPPE IV, dit le Bel, roi de France, 49, 51, 67 n. 2, 78 n. 1, 156, 304.
PHILIPPE V, dit le Long, roi de France, 63 n. 3, 66 à 68.
PHILIPPE VI DE VALOIS, roi de France, 54 n. 1, 63, 64, 66 n. 2, 67, 67 n. 2, 69, 70, 81, 86 à 88, 98 n. 1, 176 n. 1.
PHILIPPE LE HARDI, duc de Bourgogne, 81, 153, 297, 327, 346, 356, 374 à 378, 380 à 384.
PHILIPPE D'ORLÉANS, 86, 88.
PHILIPPE DE ROUVRE, duc de Bourgogne, 98 n. 3.
PHILIPPE Ier, comte de Savoie, 46, 66 n. 1, 273 n. 2, 274 n. 1.
PHILIPPE DE SAVOIE, prince d'Achaïe, 48, 48 n. 2, 109 n. 1, 329, 330.
PHILIPPE II DE SAVOIE, prince d'Achaïe, 112-113, 271.
PHILIPPE DE SOUABE, 39.
PHILIPPE DE TARENTE, 329.
PIERRE II DE CHYPRE, 151, 187.
PIERRE LE CRUEL, 139 n. 1, 149.
PIERRE DE GENÈVE, 264, 286, 345.
PIERRE Ier, comte de Savoie, 33, 41, 50 n. 1, 274.
PIERRE II, comte de Savoie, 25, 41 à 43, 52, 63 n., 68, 94 n. 1, 119, 119 n. 1, 186 n. 1, 235, 241, 273 n. 2, 274 n. 1, 360 n. 1.

INDEX

PIERRE DE SAVOIE, évêque de Lyon, 50, 50 n. 1.
PIERRE DE SAVOIE (frère de Louis II de Vaud), 79.
PIOSSASCO (Boniface DE), 231.
PIOSSASCO (Humbert DE), 231.
PISAN (Christine DE), 203 n. 1, 282, 297, 387.
PISANI (Victor), 225 n. 2.
PONCHON DE LANGHAT (ou Ponson de Langiac), 362, 367, 381.
PONCEY DE FLACY, 99.
PORRI (donnina), 258.
PORRI (Étienne), 208.
PORRO (Galeazzo), 306.
PRANGINS (Guy DE), évêque de Lausanne, 183, 345.
PROVANA (Jean ou Janiaud), 154, 231.
PROVANA (Pierre), 231.

RAIMBAUT DE VAQUEIRAS, 55 n. 1.
RAIMON (Peire), de Toulouse, 55 n. 1.
RAROGNE (Pierre DE), 294, 354.
RAVAIS (ou Ravay) (Guy DE), 304, 350, 362.
RAYMOND BÉRANGER, comte de Provence, 40, 41.
RENAUD DE MÂCON, 46 n. 2.
RENÉE DE SAVOIE-TENDE, 29 n. 3.
RICHARD II, roi d'Angleterre, 247, 327, 384.
RICHARD DE CORNOUAILLES, empereur, 41, 42.
ROBERT D'ANJOU, roi de Naples, 64, 66, 79, 130 n. 1, 205 n. 2, 250, 262.
ROBERT, comte d'Auvergne et de Boulogne, 82 n. 1.
ROBERT (Jean), 277.
RODOLPHE Ier, roi de Bourgogne, 27.
RODOLPHE II, roi de Bourgogne, 28.
RODOLPHE III, roi de Bourgogne, 28, 29, 31, 32, 64 n. 1.
RODOLPHE DE HABSBOURG, empereur, 42, 42 n. 4, 46, 49.
ROIS DE FRANCE (les), 326.
ROLAND (paladin), 160.
ROQUEMAURE (les), 319.

ROSSI (les), 306 n. 2.
ROTA (Bernard DE), 383.
ROUGET MERMET, 265.
ROUSSILLON, dit Crena (Jean DE), 349.

SAINT-AMOUR (Simon DE), 153, 163, 166, 172, 193.
SAINT-GEORGES DE BIANDRATE (comtes DE), 330, 331.
SAINT-JEOIRE (Alamand DE), évêque de Genève, 179, 182, 182 n. 2.
SAINT-MARTIN ou SAN MARTINO (les comtes DE), 302, 332.
SAINT-MAURICE, 25, 181, 265.
SAINT-SULPICE (Pierre DE), 154.
SAINT-SUPERAN, 330.
SALAMARD (comte DE), 380, 381.
SALINS (Antoine DE), 346.
SALLENOVE (les), 349, 349 n. 2.
SALLENOVE (Jean DE), 349 n. 2.
SALLENOVE (Perronnette DE), 349 n. 2.
SALLENOVE (Pierre DE), 337, 349, 349 n. 2.
SALUCES (les), 52, 63 n. 2, 95, 130, 131, 134, 142, 143, 146, 176, 206, 207, 215, 216, 228, 265 n., 271, 299, 301, 307, 308, 311, 323, 325, 328.
SALUCES (Frédéric DE), 112, 217.
SALUCES (Frédéric II DE), 310 n. 1, 324, 325.
SALUCES (Thomas II DE), 206, 310 n. 1.
SALUCES (Thomas III DE), 55 n. 1, 307 n. 2, 325.
SALUCES (Ugolin DE), 208.
SANTHIA (DE), 353.
SAVIN DE FLORIN, 275 n. 2.
SCALIGER (les), 228.
SEGUIN DE BADEFOL, 152, 153.
SEMBRIER (Geoffroy), 301.
SERRAVAL (Jean DE), 317.
SERVION, chroniqueur, 53 n. 1, 281 n. 1.
SEYSSEL (Aymon DE), 190.
SYBILLE DE BAUGÉ (ou Bagé), 48, 53, 87.
SIGISMOND (saint), roi des Burgondes, 24, 179-180.

SIMÉON Ier DE BULGARIE, 186 n. 2.
SOLIER D'IVRÉE (Georges), chancelier de Savoie, 70, 89, 92.
SORDELLO, troubadour, 40 n. 2.
SOUABE (duc DE), 32 n. 3.
SPINELLI (Niccolò), sénéchal de Provence, 211, 214, 248.
SPINOLA (les), 56 n. 1, 225 n. 2, 355.
SPINOLA (Argentina), 56 n. 1.
SPINOLA (Aubert), 295 n.
SPINOLA (Baldassare), 311.

TANCARVILLE (comte DE), 150.
TAVELLI ou TAVEL (Guichard ou Richard), 106, 170, 293, 293 n. 4.
TERNIER (Girard DE), 371.
THIBAUT (Jean), 343.
THIBERGE, 30.
THOIRE ET VILLARS (comtes DE), 283.
THOMAS DE BOLOGNE, astrologue, 282.
THOMAS Ier, comte de Savoie, 39 à 41, 56, 63 n. 3, 121, 123 n. 1, 124 n. 2, 236.
THOMAS II DE SAVOIE, comte de Piémont, 40, 41, 48 n. 2, 186 n. 1, 241, 244 n. 2.
THOMAS III DE SAVOIE, comte de Piémont, 46, 48 n. 2, 50 n. 1, 273 n. 2.
TIBALDESCHI, cardinal, 245.
TRANSTAMARE (Henri DE), 149.
TURQUI (les), 306 n. 2.

ULRICH (ménestrel d'Amédée VI), 93 n. 2.
URBAIN V, Pape, 150, 152, 162, 175, 176, 176 n. 1, 185, 187, 190, 191, 198, 206, 245 n. 1.
URBAIN VI, Pape (Barthélemy Prignano), 245 à 251, 256, 262, 263, 287 n. 2, 294, 304.
URFÉ (Honoré D'), 29 n. 3.
UZZANO (Nicolas DA), 322.

VAISSY (Roland DE), 163, 166, 193.
VALOIS (les), 304.
VALPERGUE (comtes DE), 300, 322, 331, 332.
VALPERGUE (Jacques DE), 113 n. 2.
VALPON (Guillaume), 344, 344 n. 1.
VERNEY (Jean DE), 371.
VICTOR-EMMANUEL II, roi de Sardaigne, puis d'Italie, 34 n. 1.
VIDAL (Peire), 55 n. 1.
VILLANI (Matteo), chroniqueur, 174, 175.
VILLARS (DE), 159, 368.
VILLARS (Humbert DE), comte de Genève, 362, 372 n. 2.
VILLARS (Jean DE), 383.
VILLARS (Oddon DE), 362, 365, 368, 371, 374, 374 n. 2, 375, 377, 380, 382.
VILLEHARDOUIN (Geoffroy DE), 48 n. 2, 109 n. 1, 329.
VILLEHARDOUIN (Isabelle DE), 48 n. 2, 109 n. 1, 329.
VILLENEUVE (Arnold DE), 344 n. 2.
VILLETTE (Jacques DE), 349, 350, 353.
VINTIMILLE (Guillaume II DE), 130 n. 1.
VIRY (Le Galois DE), 258.
VISCONTI (les), 52, 63 n. 2, 89, 95, 127-128, 146, 147, 149, 175, 205 à 211, 214 à 219, 222, 223, 226, 228, 229, 231, 233, 256, 258, 271, 301, 303, 304, 307, 309, 321, 322, 326, 328.
VISCONTI (Ambrogio), 208.
VISCONTI (Antonia), 209.
VISCONTI (Azzo), 81.
VISCONTI (Bernabò), 127, 136 à 139, 201, 202, 206, 208 à 214, 216, 231, 246, 256 à 258, 302, 303, 305 n., 326, 327.
VISCONTI (Catherine), 303, 305 n.
VISCONTI (Charles), 303, 304, 326, 347 n. 2.
VISCONTI (Galéas), 88 n. 1, 113, 127, 127 n. 1, 134 à 139, 146, 157, 162, 190, 201, 202 n. 3, 205 à 208, 210, 212, 213, 216 à 219, 268, 272, 290.
VISCONTI (Jean), 127, 127 n. 1, 131, 134 n. 1, 136, 207 n. 1.
VISCONTI (Jean-Galéas), comte de Vertus, 142, 191, 202 n. 3, 208,

209, 212, 214, 218, 219, 294, 299-300, 302 à 307, 312, 320 à 323, 325 à 328, 340, 341, 347 n. 2, 354-355, 383.
Visconti (Luchino), 127, 127 n. 1.
Visconti (Luchino Novello), 127 n. 1, 131, 211.
Visconti (Lucie), 256, 302.
Visconti (Marc), 202.
Visconti (Mathieu), 127, 136, 137.
Visconti (Otton), 129.
Visconti (Taddea), 202, 202 n. 1.
Visconti (Valentine), 191, 202 n. 3, 205 n. 2, 304, 305, 305 n. 1, 306, 323, 366.
Visconti (Violante), 202, 202 n. 3, 205, 209, 218, 219.

Wenceslas, empereur d'Allemagne, 247, 304, 333.

Yolande de Montferrat, impératrice de Byzance, 54 n. 4.
Yolande de Montferrat, comtesse de Savoie, 54 à 58, 70, 241.
Yvan Aleksander, tsar des Bulgares, 194.
Yverdon (Jean d'), 193.

Zahringen (Anne de), 42 n. 4.
Zahringen (Berthold de), 219 n. 1.
Zeno (Charles), 225 n. 2, 232.

TABLE DES MATIÈRES

	Pages
Préface	9
Avant-propos	15

I. — LES ORIGINES
Les premiers Comtes

Introduction. — Les origines du Comté de Savoie. 21

La Sapaudia des Romains, 21. — Les Burgondes et les Francs, 23. — Le Pagus Savogiensis, 26. — Les deux royaumes de Bourgogne, 27. — Humbert aux Blanches Mains, 29.

Chapitre Premier. — Les fondateurs de la Maison de Savoie et les grandes lignes de leur politique. — D'Humbert aux Blanches Mains a Édouard le Libéral (1032-1329) 31

Le Comte Humbert vassal de l'Empereur, 31. — Oddon et Adelaïde de Suse, 32. — Humbert II, Amédée III et l'amitié française, 33. — Humbert III et l'amitié anglaise, 35. — Les Gibelins et les Guelfes. Thomas Ier et Amédée IV, 39. — Les Savoie en Angleterre, 40. — Pierre II, 41. — Philippe Ier, 46. — Amédée V le Grand, 48. — La Savoie, la France et l'Empire, 49. — Édouard, Aymon et les Évêques, 51.

Chapitre II. — Aymon le Pacifique (1329-1343). 53

Mariage d'Aymon avec Yolande de Montferrat, 54. — Naissance d'Amédée VI au château de Chambéry, 56. — Institutions nouvelles, 58. — Bailliages et châtellenies, 62. — Aymon et le Dauphin, 63. — Aymon et la guerre de Cent ans, 67. — Mort de Yolande et d'Aymon, 70.

II. — LE COMTE VERT

Chapitre III. — Amédée VI. — Les tuteurs. — Le traité de Paris (1343-1355) 75

Louis II, sire de Vaud, 75. — Amédée III de Genève, 82. — La tutelle et ses problèmes, 86. — Fin de la tutelle, 89. — La guerre de 1352-1354, 92. — Traité de Paris (5 janvier 1355), 93. — Mariage avec Bonne de Bourbon, 95.

Chapitre IV. — Unification et agrandissement des États de Savoie sous Amédée VI . . . 101

Annexion du Faucigny et siège d'Hermance, 101. — Le Comte et l'Empereur, 103. — L'expédition du Valais, 106. — Insubordination de Jacques, prince d'Achaïe, 108. — Philippe et la fin de la résistance, 112. — Les « Dames de Vaud », 114. — Achat du Pays de Vaud, 116. — La « Grande Chevauchée », 117. — Amédée VI et la Vallée d'Aoste, 120. — Amédée VI et les Sires de Challant, 123. — Amédée VI et les Évêques, 124.

Chapitre V. — La Maison de Savoie et les Visconti 127

Amitié et contraste, 127. — Compétitions en Piémont, 129. — La trêve de 1348, 131. — Mariage de Blanche de Savoie avec Galéas Visconti, 134. — Galéas et Bernabo, 137.

Chapitre VI. — Amédée VI et les Grandes Compagnies 145

Les Routiers, 145. — Menaces et ripostes, 149.

Chapitre VII. — Un prince chevaleresque . . 155

Le Tournoi du Comte Vert (1353), 158. — Les ordres de Chevalerie, 160. — La fondation de l'Ordre du Collier, 162. — Les symboles, la devise et les statuts, 164.

TABLE DES MATIÈRES

Chapitre VIII. — Le vicariat impérial 167

Le Comte Vert et l'Empereur, 167. — Concession du Vicariat impérial, 172. — Diplôme de fondation d'une académie à Genève, 176. — Visite de Charles IV à Saint-Maurice, 179. — La révocation du Vicariat, 181.

Chapitre IX. — La Croisade (1366-1367) . . . 185

Les causes, 185. — Préparatifs, 190. — Le départ de la flotte, 191. — Prise de Gallipoli, 194. — La campagne en Bulgarie, 195. — Le retour, 197. — Abjuration de Jean V Paléologue, 198.

Chapitre X. — Reprise des rivalités piémontaises (1367-1379) 201

De Chambéry à Milan, 201. — Mariage de Violante Visconti, 202. — Neutralité d'Amédée VI, 205. — Alliance Savoie-Montferrat, 207. — Siège d'Asti, 208. — La ligue contre les Visconti, 209. — Amédée VI temporise, 211. — L'alliance Savoie-Visconti rétablie, 214. — Le problème des Saluces, 215. — L'affaire du Montferrat, 217. — Conséquences politiques, 222.

Chapitre XI. — La paix de Turin. — L'organisation des États de Savoie 225

Rivalité entre Gênes et Venise, 225. — Les Alliés de Gênes et de Venise, 226. — Tentatives de paix, 226. — L'intervention d'Amédée VI, 227. — La paix de Turin, 228. — Conclusions, 230. — Acte de soumission de Gênes, 232. — Organisation et activités des États de Savoie, 233. — La vie sociale, 236. — La vie économique, 238. — Les lettres et les arts au XIVe siècle, 241.

Chapitre XII. — L'héritage du royaume de Naples. — Mort d'Amédée VI 245

Élection d'Urbain VI et de Clément VII, 245. — Amédée VI et la papauté, 248. — Retard fatal de Louis d'Anjou, 254. — Traité de Lyon, 255. — La descente sur Naples, 257. — La mort de la reine Jeanne, 258. — La campagne de 1382-1383, 262. — Mort du Comte Vert, 264. — Les funérailles, 266.

Chapitre XIII. — Les deux testaments d'Amédée VI. — Fondation de la Chartreuse de
Pierre-Chatel 271

Les testaments de 1366 et 1383, 271. — Bonne de
Bourbon et la régence à vie, 272. — Le droit de primogéniture, 273. — Les Régences, 274. — Accord
entre mère et fils, 275. — Fondation de la Chartreuse
de Pierre-Châtel, 276.

III. — LE COMTE ROUGE

Chapitre XIV. — Les débuts d'Amé Monseigneur,
Comte de Bresse (1360-1386) 281

Enfance et mariage d'Amédée VII, 281. — Les
premières armes, 283. — Amédée Monseigneur et
le roi de France, 287. — Arrivée de Bonne de Berry,
288. — La campagne des Flandres, 291. — Guerre
en Valais, 293. — Le camp de l'Écluse, 295.

Chapitre XV. — Campagne d'Amédée VII en Italie et l'alliance avec Jean-Galéas (1385-
1391) 299

La révolte des Tuchins, les Saluces et les Montferrat, 299. — Le Comte Rouge et les Visconti, 302.
— Mariage de Valentine Visconti, 304. — Situation
politique en Piémont, 306.

Chapitre XVI. — Cession de Nice a la Savoie. 309

Amédée VI et la succession des Anjou, 309. —
Négociations avec les Grimaldi, 311. — Nice et
l'appel au Comte Rouge, 312. — Les conventions et
le traité, 313. — L'entrée d'Amédée VII à Nice, 316.

Chapitre XVII. — Amédée VII fidèle a l'alliance des Visconti 321

Amédée VII sollicité par Florence, 321. — Départ
de la duchesse de Touraine pour la France, 323. —
Entretiens de Lyon et d'Avignon, 323. — L'affaire
de Saluces, 324. — Renouveau de l'alliance Visconti
de 1385, 325. — Florence et Jean III d'Armagnac,
326. — Les Achaïe et leur principauté en Grèce,
329. — Séjour d'Amédée VII à Ivrée, 331.

TABLE DES MATIÈRES

Chapitre XVIII. — Mort du Comte Rouge (2 novembre 1391) 333

Entrée en scène de Grandville, 333. — L'accident de chasse, 334. — L'agonie et la mort du Comte Rouge, 337. — Les funérailles, 339. — Le testament, 339.

Chapitre XIX. — La régence de Bonne de Bourbon et le réveil des luttes féodales (1391-1393) 343

Départ précipité de Ripaille après la mort du Comte Rouge, 343. — Premiers troubles, 345. — Bonne de Bourbon et Amédée d'Achaïe, 347. — Exercice du pouvoir de la Régente, 351.

Chapitre XX. — Le duc de Berry et la lutte des deux Comtesses 357

L'enquête du duc de Berry, 357. — Intervention des États de Vaud, 360. — Grandville soumis à la torture, 361. — Accusations de Grandville, 363. — Réactions des deux clans, 365. — La commission du 8 mai 1393, 366. — Exécution de Pierre de Lompnès, 369. — Témoignages de fidélité à la Régente, 371.

Chapitre XXI. — Le mariage d'Amédée VIII et l'influence en Savoie du duc de Bourgogne. — Fin de la Régence 373

Mariage d'Amé Monseigneur, 373. — Amédée VIII armé chevalier, 374. — Le mariage de Bonne de Berry, 376. — Les réhabilitations, 377. — La sentence du duc de Bourgogne, 381. — Les dernières victimes, 383. — Othon de Grandson, 384. — Le duel de Bourg-en-Bresse (7 août 1397), 386.

Table bibliographique des abréviations et des ouvrages consultés 391

Table des cartes, des tableaux généalogiques et des illustrations 401

Index 407

ACHEVÉ D'IMPRIMER SUR LES PRESSES OFFSET
J. GROU-RADENEZ, 27, RUE DE LA SABLIÈRE A PARIS
LE 6 JUILLET 1957

N° d'édition 2498
Dépot légal : 3ᵉ Trimestre 1957

IMPRIMÉ EN FRANCE